DE GUNNAR LENNEFSEN-EXPEDITIE

Vertaald door Gerda Meijerink

De Gunnar Lennefsen-expeditie

Kathrin Schmidt

1999 Uitgeverij Bert Bakker Amsterdam

Oorspronkelijke titel *Die Gunnar-Lennefsen-Expedition*
© 1998 Kathrin Schmidt
© 1999 Nederlandse vertaling Uitgeverij Bert Bakker en Gerda Meijerink
Omslagontwerp Kok Korpershoek
Omslagillustratie Gustav Klimt, *De Vriendinnen* (detail) Olieverf op doek
ISBN 90 351 2084 1

Uitgeverij Bert Bakker is een onderdeel van Uitgeverij Prometheus

Maart

Josepha Schlupfburgs zwak voor zakagenda's reikt veel verder dan op grond van haar beroepsmatige belangstelling kan worden verklaard. Je stopt een eeuwigheid in zo'n agenda, die je bij een kop koffie en met ijskoude voeten ontbladert, mompelt ze, wanneer haar nachten door het geratel van een wekker van ver voor de zondvloed (wanneer de lezer ertoe genegen is het woord zondvloed als synoniem te accepteren voor de laatste oorlog) almaar het loodje leggen, haar slaap wordt geofferd aan een kruimelig stuk toast, en het sterke bruine aftreksel van het merk Rondo Melange haar kopje minstens drie keer vult. In de keuken van een woning overigens, die Josepha Schlupfburg sinds haar zesde levensjaar met haar overgrootmoeder Therese deelt, meer in voorspoed dan in tegenspoed en desondanks door de woningnood gedwongen, want sinds ze volwassen is, zou ze graag een eigen woning willen hebben om daar in haar eigen ritme te komen. Getrouw haar gewoonte staat de drukster Josepha Schlupfburg vandaag (sinds jaar en dag) op het vijfde uur op, het tijdstip waarop de oude Therese voor de eerste keer naar de wc pleegt te sloffen. Op de muur van de reeds vermelde keuken, die het decor vormt van het hier te beschrijven ochtendritueel, heeft Josepha Schlupfburg exact tweeëntwintig geïllustreerde kalenders opgehangen, waarvan de eerste uit het jaar van haar geboorte stamt, en net als de kalenders van de daaropvolgende zes jaar door Thereses hand met niet te vergeten afspraken, verjaardagen, naamdagen en een ontelbaar aantal niet te ontcijferen tekens, kruisjes en puntjes is bezaaid. Vanaf het jaar waarop ze voor het eerst naar school ging, heeft Josepha zelf de pen gehanteerd en op de kalenders genoteerd wat haar de moeite waard leek om genoteerd te worden. Met kerst herinnerde Therese de boekhandelaren en eigenaars van schrijfwarenwinkels eraan dat zij een trouwe klant was: ze kocht kalenders. De keukenmuur biedt dieren-, circus-, paarden-, kunst-, vogel-, bloemen-, kerk- en vrouwenkalenders, waarvan de maandelijkse bladen worden bijeengehouden door een plastic spiraal of door papierlijm. Josepha, die zich tijdens het ontbijt onbespied weet, heeft in de loop der jaren een ritueel trucje ontwikkeld om door middel van haar magische krachten die de tijd kunnen doen verspringen,

steeds op de eerste van de maand door een bijzondere klap-blik het bijbehorende blad op te slaan. De kalenders maken zich los van de muur en
bladeren zelfstandig een maand verder, om even daarna weer terug te keren naar hun spijkers. Zo vertonen in januari alle kalenders het januari-
blad, in februari het februariblad enzovoort, zonder dat Josepha er ook
maar een vinger naar uit hoeft te steken.

Het ontbijt van vandaag vormt een uitzondering. Josepha zit haar tweede
kop koffie te drinken en klapt níet, hoewel haar de datum, 1 maart, geenszins is ontgaan. Josepha is niet alleen, net zomin als zij die nacht alleen is
geweest. Josepha zit tegenover de eerste maart van haar kalender met het
jaartal 1976 en is niet bang voor de zwarte man, maar heeft hem zojuist
ten afscheid gekust, de woning achter hem gesloten en het laken van haar
bed in koud water te weken gelegd. Josepha zit en weet: de zwarte man is
niet alleen de vader van haar momentele besluiteloosheid haar leven te
blijven leiden zoals het is, hij is ook de vader van de verandering die ze in
haar buikholte voelt en die zich, vermoedt ze, tot een heel mooi kind kan
ontwikkelen. Maar omdat het woord *vader* al heel lang uitsluitend in haar
passieve woordenschat voorkomt, begint ze dat begrip acuut te reactiveren
door zich het volgende te herinneren.

Tijdens een zonnig ontbijt in het jaar waarin ze voor het eerst naar
school gaat, haalt haar vader uit het bovenste linker zijvak van zijn klerenkast een stapel van een stuk of tien verschillende zakagenda's en spreidt
ze voor Josepha op tafel uit, alvorens hij haar vraagt de agenda uit te kiezen
die haar het meest bevalt. Een roodgelakt exemplaar wint bij het kind de
wedstrijd. De vader legt het boekje aan de andere kant van de tafel voor
zich neer en begint elke maand één zondag met een groen kruisje te mar-
keren. Hier, Josepha, op die dagen kun je bij mij op bezoek komen. Wanneer het me schikt, kom ik je met de auto afhalen. We kunnen in ijssalon
Lösche een ijsje gaan eten, wij samen. Als je wilt. En 's avonds zet ik je
weer af bij oma. Voor het eerst in haar zesjarige bestaan oefent argwaan
druk uit op Josepha's borstbeen. Waar ga je heen nadat je mij bij oma hebt
afgeleverd? En waar kom je vandaan wanneer je me weer komt halen?
Vraag oma maar, als je vragen hebt.

Maar in feite wordt de vraag naar het vertrek van haar vader nooit door
Josepha aan haar overgrootmoeder gesteld. Haar eigen leven had Josepha
op de dag van haar geboorte als een estafettestokje van haar moeder aangereikt gekregen en ze had een paar dagen later, aan haar graf, op de arm van
haar vader hevig gebruld. Haar overgrootmoeder voedde het stevige meisje
met magere melk en wortelsap. Havermout en wortels kwamen in grote
pakken, die haar vader moest afhalen op het postkantoor van het provinciestadje. Verstuurd werden die door zijn nicht, die in Keulen aan de Rijn, aan

6

gene zijde van de in het jaar 1949 kennelijk definitief vastgestelde grens, via de post over de dood van haar moeder had vernomen en die er nu, als onmiskenbaar genereus gebaar, elke week toe bijdroeg de basis te leggen voor Josepha's latere verbazingwekkende weerstandsvermogen tegen fysieke en psychische invloeden. Toen de pakjes niet langer wortels en havermout, maar panty's, truien en chocolade bevatten, wist Josepha, zonder dat ze er iemand naar had hoeven vragen, dat de vrouw in het zwarte lijstje op het buffet van haar overgrootmoeder haar moeder was geweest. En toen haar vader niet meer alle chocolade aan haar gaf, maar ruim twee derde ervan in zijn jaszak liet verdwijnen, wist Josepha, eveneens zonder ernaar te hebben gevraagd, dat hij die voor de twee meter lange vrouw bestemde, die Josepha te vlug af was wanneer ze haar vader van zijn werk wilde afhalen. Op zulke dagen blonk er in Josepha's wijd opengesperde ogen een grote vreugde, die pas op de ochtend van de overhandiging van de zakagenda plaatsmaakt voor de gevolgen van de argwaan die op het borstbeen van het zesjarige meisje drukt.

Josepha begint van kruisje tot kruisje te leven en nivelleert in haar basisschoolhoofd alle voor een kwart vet gedrukte werkdagen en half vet gedrukte zondagen tot een tijdbrij, waar ze zich doorheen moet vreten voordat ze bij haar vader kan komen. Daarnaast leert ze als bijkomstigheid lezen, schrijven en vermenigvuldigen, voldoet uitstekend aan wat men aan schoolprestaties van haar verwacht, en laat haar leraren versteld staan door op alle mogelijke en onmogelijke tijden te eten, te slapen of te spelen en zich in haar persoonlijke rooster niet door volksvormende en opvoedkundige maatregelen te laten storen. Op de zaterdagen die voorafgaan aan de groene kruisjes culmineert haar bijna autistisch aandoende onafhankelijkheid van externe prikkels in een bijna vijf uur durend ochtendslaapje op de achterste rij banken in de klas, waartegen men uiteindelijk niets meer onderneemt, te meer daar Josepha Schlupfburg op de daaropvolgende maandag totaal nuchter kan herhalen wat er de voorafgaande zaterdag op school is behandeld. Daar weet haar vader niets van, want zijn oren horen algauw alleen nog maar de zondagse stem van Josepha, het gebedel om een middag in de bioscoop met prinsessen, dwergen, giftige appels en verschrikkelijk laaghartige stiefmoeders, het ontroerd zingen van het lied 'Zachtjes gaat door mijn gemoed' of haar hondse gejank wanneer ze langs ijssalon Lösche komen en hij daar niet met haar naar binnen wil. Josepha en haar vader houden van de zondagen, maar terwijl het kind die als grote bomen in een uitgestrekt landschap voor zich ziet, laat haar vader ze algauw achter zich. Hij heeft twee dochters met de chocoladevrouw, die ze nooit te zien krijgt, en hij heeft, zegt hij, een verantwoordelijke functie.

Door al dat herinneren wordt de koffie bitter. Josepha gaat op weg naar haar werk aan de drukpersen van de firma VEB Kalenders en Kantoorartikelen Max Papp, zonder haar kopje te hebben leeggedronken. Maar eerst slaat ze met één blik toch nog de maarten op haar kalendermuur op. Wat ze niet kan zien: op het moment waarop ze de keukendeur achter zich sluit, bladeren ze allemaal terug naar februari...

Op dit moment ontwaakt Therese uit haar wrange oude-vrouwenslaap, om met een hevig bevend hoofd een de aderen verwijdend medicijn in te nemen dat ertoe dient de gebreken van haar tachtig jaar oude bloedcirculatie te compenseren. Josepha weet dat de bejaarde vrouw op een groot vertelster lijkt wier boeken haar weleens heimelijk hebben doen snikken. Ze verraadt dat niet aan Therese, die er van haar kant toe neigt bij opvallende verwantschap van namen en andere kenmerken onderzoek te doen naar de familiegeschiedenis. Weliswaar heeft ze daardoor sinds het einde van de afgelopen oorlog zevenentwintig verre leden van de Schlupfburgclan weten op te sporen, maar haar dochter, de moeder van Josepha's vader, bleef voor haar onvindbaar, sinds het moment waarop een grote stoet vluchtende mensen vanuit de stad Königsberg op weg was gegaan naar het Westen. Het was in een bocht van de weg tussen de plaatsen Wuschken en Ruschken dat Thereses dochter de elfjarige Rudolph – zijn piemeltje zat nog klein en ongebruikt op zijn plek tussen zijn slungelige beentjes, hoe had hij destijds ooit kunnen vermoeden de vader van Josepha te worden! – met een kousenband aan haar moeders pols vastbond en even, zoals ze zei, terug moest om de kwijtgeraakte veter van haar linkerschoen te gaan zoeken. Therese wist meteen, en dat was een typisch voorbeeld van het begrijpen-zonder-een-vraag-te-hebben-gesteld onder de vrouwen van de Schlupfburggeneraties, dat haar dochter voor lange tijd noch haar veter noch haar zoon zou weerzien en dat voortaan zijzelf, Therese, voor diens verzorging en opvoeding verantwoordelijk was. Het snelle besef van de verdwijning van haar dochter in tegenovergestelde richting weerhield Therese ervan haar door de opsporingsdienst van het Rode Kruis te laten zoeken of haar via radioprogramma's en de later in zwang rakende televisie te laten opsporen, maar het verhinderde niet dat ze onderhuids de hoop bleef koesteren en voeden dat ze elkaar op een dag onverwachts tegen het lijf zouden lopen. Met vergelijkbare hoop zou Therese op een dag een ballon, die in elkaar was gezet om grensoverschrijdend luchtverkeer mogelijk te maken, helpen opblazen, om daarna, met haar ogen gericht op de naar het zuiden wegdrijvende Josepha, vredig te sterven.

Vooreerst voelt ze hoe het medicijn in een gulp koud water door haar slokdarm naar de gevoelloosheid van haar maag glijdt. Therese, die sloffend haar tocht naar de wc en daarna naar de keuken heeft volbracht, treft daar Josepha's derde kop koffie aan, die ze niet heeft opgedronken. Onze-

ker kijkt ze de keuken rond, verder dan haar brilblik reikt, of er iets onge-
woons te zien is, of er veranderingen zijn. Het zou eigenlijk al maart moeten zijn, denkt ze, als ze haar gebit uit het waterglas naast de radio haalt en
in haar mond schuift. Gisteren heeft ze oude foto's doorgekeken en een
keurig portret uitgekozen dat ze in de lijst boven het hoofdeinde van haar
bed wil doen. Ze verwisselt de foto's elke maand: misschien kan ze er wel
niet genoeg van krijgen naar die oude verhalen te kijken, misschien, en dat
is waarschijnlijker, heeft ze die afbeeldingen nodig om haar dromen te
verdiepen, die haar elke nacht komen plagen en waartegen ze zich evenmin kan verweren als tegen de plotselinge aanvallen van haar oud geworden hart. In elk geval weet ze dat op 29 februari, gisteren dus, 1 maart
moet volgen en dat Josepha nog nooit heeft verzuimd de kalendermuur te
actualiseren. Therese gaat zitten, zet haar voeten in een teiltje dat met heet
water en een kruidenaftreksel is gevuld, en komt hoofdschuddend op temperatuur.

Josepha bereikt op haar uit het jaar 1926 stammende blauwe herenfiets
van het merk Diamant na vijftien minuten de poort van de fabriek, laat
haar pasje en een kwaad gezicht zien en stapt meteen naar de opzichtster,
wie ze om een vrije dag vraagt in verband met dringende familieaangelegenheden. Nu komt dat verzoek haar bazin nogal ongelegen, want ze is
zelf van plan Josepha te vragen vanaf de middagpauze haar opzichter-
splichten over te nemen. Ze wil naar de dokter om de wrat op het puntje
van haar neus, die zo groot is als een linze, uit te laten krabben. Josepha's
voornemen om *dringende familieaangelegenheden* te regelen, laat bovendien
veel ruimte voor interpretatie. De opzichtster denkt er dus op het snijpunt
van zakelijke, persoonlijke en collegiale motieven een ogenblik over na of
Josepha als alleenstaande vrouw eigenlijk wel zoiets als *familieaangelegenheden* mag hebben, maar toch stemt ze ten slotte in met het verlof. Josepha
heeft nog nooit eerder onverwachts aanspraak gemaakt op een vrije dag en
bovendien is ze zo betrouwbaar dat de opzichtster gewoon niets anders kan
doen dan de afspraak voor de operatie erbij te laten zitten, waarvoor ze
even bang is als voor de wrat zelf.

De middag van deze dag, die een simpele eerste maart had kunnen worden, als hij het kleine hiaat tussen het uiterlijke verloop der dingen en Josepha's innerlijke klok had overbrugd, rijdt Josepha op haar fiets door de
straten van de stad, ze koopt wat Therese graag eet, dus spek voor spekmoes, een potje pompoensap, een flesje zure room, verlaat dan voor een
halfuur de stad om er met de fiets omheen te rijden en komt ten slotte
uitgeput en bezweet thuis. Haar ogen stralen vastberaden en als in woede
ontstoken, wat Therese bekend voorkomt. Zo had Josepha eruitgezien toen
ze de beslissing nam niet langer haar vaders zondagskind te zijn. Dit ge-

zicht is Therese erg dierbaar, want het heeft haar zelden misleid. Inderdaad heeft Josepha sinds haar twaalfde levensjaar, toen ze begon te menstrueren, nooit meer de tijd tussen de ene zondag en de volgende smachtend doorgebracht, maar de dagen geaccepteerd zoals ze kwamen. En hoewel in Thereses opvatting van aardse verplichtingen dankbaarheid als tegenprestatie niet voorkomt, was ze toch blij toen Josepha na het ritueel van de jeugdwijding plotseling heel aanhankelijk werd. Ze kuste en werd gekust, ze streelde en werd gestreeld. Daaraan denkt ze als Josepha haar laarsjes in de badkamer neerzet om ze later van het vuil te ontdoen dat zich tussen de jaargetijden ophoopt, en dit jaargetijde, tussen winter en voorjaar, is modderig en bruin. Niet veel meer dan een vluchtige knipoog heeft Josepha voor Therese over, zozeer gaat ze op in zichzelf. Ze denkt de vraag der vragen te hebben ontdekt, maakt zich daarom zorgen en zoekt naar woorden om die vraag te berde te kunnen brengen. Denkt Josepha hem eindelijk te kunnen stellen, valt de vraag meteen uiteen in heel veel verschillende vragen, die achter elkaar aan zitten, elkaars onderwerpen overnemen, elkaar met voorwaardelijke bijzinnen proberen te vangen. Zo'n onrust heeft Therese slechts zelden bij Josepha gezien, zodat ze haar helpt een kop kamillethee aan haar lippen te zetten, ze haar koude voeten met een borsteltje warm borstelt, tot ze niets anders meer kan verzinnen dan achter Josepha's stoel te gaan staan, haar bij haar schouders te pakken en haar tijdens een aanval van niet te beheersen bevingen bij te staan. Dat bestrijkt de tijd tussen licht en donker. Josepha neemt intussen niets anders in zich op dan de kalenders aan de keukenmuur, die zwijgend de draak met haar schijnen te steken omdat ze onbeheersbaar zijn geworden en menen eindelijk vrij te zijn. Wat weten jullie ervan, schreeuwt Josepha ten slotte, wie denken jullie wel dat jullie zijn? Dachten jullie soms dat jullie mij in de steek kunnen laten, ik heb jullie immers gevuld met mijn verjaardagen, rolschaatsongelukjes, mijn pioniersmiddagen, verliefdheden en oorpijnaanvallen? Denken jullie soms dat jullie je kunnen drukken voor mijn potloden en karaktertrekken? Huichelaars dat jullie zijn met jullie onschuld van de eerste januaridag en de zondelijstjes van de laatste dagen van december?

Therese pakt een badlaken waarmee ze Josepha's hevig tegenstribbelende lijf aan de stoel vastbindt, terwijl Josepha blijft schreeuwen en om zich heen slaan, tot ze na drie uur, tijdens welke de buren geschrokken hebben geluisterd, tot een nerveuze starheid vervalt. Dan is er nog niets opgelost, de vragen moeten eruit onder pijnlijke weeën. Therese, die bij veel geboorten van mensen en dieren aanwezig is geweest, put uit haar ervaringen en streelt Josepha's rug, ze fluistert en legt haar hand op Josepha's voorhoofd. Wanneer die zich eindelijk dodelijk vermoeid naar bed laat brengen, heeft

Therese het bed overtrokken met een meelwit laken dat Josepha door haar koortsige netvlies heen aan iets doet denken wat ze liever niet benoemt. Nog heel even meent ze zich te moeten verweren. Maar daartoe is haar lichaam niet meer in staat, het geeft zich over aan de in de loop van vele jaren ontstane kuil in de matras. Josepha slaapt. Wat je niet kunt zien: ze is buiten zichzelf. Therese, gepokt en gemazeld door levensdrang en vrouwelijke levensloop, vermoedt een embryo achter de merkwaardige verandering van haar achterkleindochter.

Alsof ze het er zwijgend over eens zijn geworden, beginnen de beide vrouwen op de derde dag sinds het begin van de zwangerschap met de planning en voorbereiding van de Gunnar Lennefsen-expeditie. Terwijl Josepha meent zich te moeten inlezen in de problemen van de psychoanalyse en op het probleem stuit hoe de benodigde boeken te bemachtigen, vindt Therese het voldoende elke ochtend in haar leunstoel bij het raam te gaan zitten, haar ogen te sluiten en op haar als schapenwolkjes langs haar oogleden trekkende dromen te jagen. Krijgt ze er een te pakken, dan trekt ze hem naar het licht van de herinnering. Daar doet zich de droom dan aan haar voor als een warmbloedig dier, dat, omdat het is gevangen, staat te trillen, terwijl Therese, met alle kracht waarover ze op haar hoge leeftijd beschikt, het voor de duur van de Gunnar Lennefsen-expeditie temt door het bij zijn grijpbare uiteinden vast te pakken en het in de kooi van haar geheugen op te sluiten. Trefwoorden die Therese in een klein, zwart ingebonden boekje schrijft, dienen als sleutel. Josepha, overdag aan het werk, heeft na vijf dagen een tiental hoofdschuddende bibliothecaressen leren kennen, die ze na het werk heeft opgezocht en naar geschriften van Freud heeft gevraagd. Dat die bestaan, weet ze van een brildragende, zeer ijverige student in de psychologie, die haar jaren geleden had uitgelegd hoezeer zij zich noodgedwongen in de greep van de hogere machten van het onderlijf bevond, zolang ze zich niet met genot aan hem kon overgeven. Maar hoe langer ze zijn aandringen weerstond, des te meer genot had ze beleefd aan haar overgave aan de boeken, die in zijn kamer niet alleen stof aantrokken, maar dus ook de nog maar net negentien jaar oude Josepha. Voordat ze het aangrijpende verhaal van de drie jaar durende analyse van een aan vraatzucht lijdende vrouw tot aan de goede afloop had kunnen uitlezen, was ze echter aan de jongeman ontsnapt, omdat ze vermoedde dat er binnenkort een onttovering zou plaatsvinden die ze te vlug af wilde zijn. Destijds was ze ongevoelig geweest voor verklaringen. Destijds had ze alles verdrongen, wat ze bij het praten tussen de regels door wist, wat er in haar gewrichten kraakte wanneer iemand haar de hand schudde, en wat haar zo misselijk maakte wanneer ze de gangbare krant las. Destijds hadden haar vingers haar niet gehoorzaamd, wanneer die 's ochtends de uit de kast geplukte jasschort moesten dichtknopen en in plaats daarvan op een imaginaire fluit speelden of naar een paspoort zochten dat zij helemaal niet bezat. Het was de tijd van het terugschrikken voor het zich toen al af en toe manifesterende verlangen naar biografieën, naar geschiedenisboeken, waarin de op Thereses foto's afgebeelde personen de hoofdrol speelden.

Daaraan moet ze denken als ze de vijftiende vergeefse poging om aan de boeken van Freud te komen achter de rug heeft, en ze in een helder moment besluit van al dat wetenschappelijke gepriegel af te zien en in plaats daarvan een fles cognac te kopen bij de kruidenier om de hoek. Later betrapt ze thuis Therese op het raspen van een uitgedroogd stuk volvette kaas, die evenals de in een lege augurkenpot luchtig bewaarde geroosterde dobbelsteentjes brood dienst zal doen als expeditieproviand.

10 maart 1976:
Eerste etappe van de Gunnar Lennefsen-expeditie
(Trefwoord in het expeditiedagboek: HOUTEN KLOMP)

De eerste dag van de expeditie valt op de achtste avond na het begin van de zwangerschap. Josepha pakt ter voorbereiding een dun boekje met brieven die een kreupele vrouw, lid van de sociaal-democratische beweging, aan het begin van de eeuw vanuit de gevangenis heeft geschreven, en een krantenfoto, die een jonge, naakte jodin laat zien die door een kennelijk even jonge, geüniformeerde Duitse soldaat bij haar arm wordt weggeleid – naar haar latere graf, dat zich in Kowno bevindt, het Litouwse Kaunas. (Deze dingen lijken Josepha onmisbaar, en die moeten dan ook in haar bagage zitten als ze maanden later met het luchtschip verscheidene grenzen passeert.)

Met een glas cognac beginnen de twee vrouwen de Gunnar Lennefsen-expeditie, waarmee ze tot het uiterste noorden van hun vrouwelijke geheugen hopen door te dringen, naar waar de ijslaag het dikst is, waar het pakijs drijft en hier en daar opdoemende visioenen ertoe noodzaken snel onder water te duiken. Naar de plek waar ook de dikste bontmantel geen nut heeft, wanneer je niet bent toegerust voor een gevecht op leven en dood. De naam van de onderneming hadden Josepha en Therese in elkaars ogen kunnen lezen. Die naam vinden ze een geschikt codewoord, omdat die een noordelijke klank heeft, omdat mannen als Scott, Amundsen, Barentsz en Zeppelin tussen de klinkers zitten, mannen die eveneens enorme tochten hebben ondernomen. Ook al heeft Gunnar Lennefsen wellicht nooit bestaan, die naam betekent toch de legitimatie van een vrouwelijke tocht die tot doel heeft het kind dat in Josepha's buik groeit van een geschiedenis te voorzien.

De expeditie komt algauw goed op gang. Therese laat met het sleutel-woord HOUTEN KLOMP de dood van haar broer Paul in de woonkamer los. Het oude verhaal, dat de damp van het jaar 1914 met zich meebrengt, stort zich uit over het denkbeeldige doek midden in de kamer. Josepha ziet het schuurtje waarin Thereses ouders hout hebben opgeslagen en dat zich in het Oost-Pruisische Lenkelischken bevindt. Paul, Thereses zeventien jaar oude broer, legt met een bijl gespleten houtblokken op een stapel, terwijl zijn acht jongere broers en zusjes onder toezicht van Therese, de oudste, op het erf spelen. In werkelijkheid heeft Therese die dag geen oog voor de kleintjes, maar ze is wel een en al oor voor de hout optastende Paul. De lucht op die vroege zomerdag ruikt naar verschroeid vlees, naar vrouwen-snot en worteltjesmoes. Daartussen hangt een voor Therese onbekende geur, die haar de adem beneemt. Ze moet hoesten. In haar benauwdheid hallucineert ze de dood van haar broer Paul ten gevolge van inwendige verbrandingen, en ze weet dat een beetje giftig gas haar gedachten heeft beïnvloed. Wat ze niet weet: later zal blijken dat het de in Baden gevestigde Aniline- en Sodafabrieken zijn die, nadat ze goedkoop te produceren mos-terdgas op betrekkelijk onschuldige konijntjes hadden uitgeprobeerd, grote hoeveelheden van dat gif over de slagvelden van de Eerste Wereldoorlog bliezen. Opgeschrikt door de beelden die de dood van haar broer in gru-welijke kleuren schilderen, trekt Therese plotseling haar zware, houten linkerklomp van haar voet en slingert die in een toestand van heldere be-wustzijnsvernauwing naar het raam van het schuurtje, waarin geen ruit zit, en waarachter haar geliefde broer nog steeds bezig is hout te hakken en de blokken op elkaar te stapelen. Minuten na de geschrokken kreet dragen haar vader en een erbij gehaalde buurman het glimlachende lijk van Paul, uit wiens mond een dun draadje bloed hangt, door de poort. Drie dagen later laat men een dure doodskist in de aarde van Lenkelischken zakken. Therese, die zwijgend een handvol zand in de open wond van het kerkhof gooit, staat boven elke verdenking. In Pauls haar heeft de dokter onder de gaaf gebleven huid sporen van bruut geweld ontdekt, dat schijnt te zijn uitgeoefend door de steel van de bijl waarmee de jongen aan het werk was. Thereses klomp ontsnapte aan de aandacht, die was, nadat hij Pauls hoofd had geraakt, teruggevlogen door het schuurraam en slechts een paar pas-sen van Therese vandaan op de grond gevallen.

Therese heeft het voorval tot aan de Gunnar Lennefsen-expeditie niet kun-nen vatten, niet kunnen onthouden. Josepha, die de gebeurtenissen op het witte doek van commentaar voorziet, vraagt om een pauze, ze heeft honger. De honger camoufleert een hevige onpasselijkheid, die veroorzaakt schijnt te worden door het water dat in haar longen begint te condenseren. Therese haalt een paar dobbelsteentjes brood uit de augurkenpot en strooit er kaas overheen. Als Josepha er een wil pakken, ziet ze in haar hand de klomp waarmee Therese ooit haar broer Paul doodsloeg om hem te behoeden voor een smartelijke gifdood. Maar dan barst de oude vrouw uit in een niet te stuiten huilbui boven de pagina's van het expeditiedagboek.

Later meent Josepha waar te nemen hoe Thereses huid en spieren zich spannen, hoe haar verdorde borsten zich oprichten tot jeugdige bergtoppen, hoe haar grijze haar een frisse kleur bruin aanneemt en haar vingers leniger naar Josepha's hand tasten. Het is de Therese die vanaf de foto boven het hoofdeinde van haar bed vanuit de eerste oorlogsjaren naar de toekomst glimlacht, die op de eerste dag van de Gunnar Lennefsen-expeditie weer gewoon tegenwoordige tijd is. Josepha masseert Thereses slapen en smeert haar door het gesnik rijzende en dalende borstbeen in met een Vietnamese zalf, die in drogisterijen te koop is ter verlichting van diverse kwalen.

Therese dicteert Josepha in korte en bondige zinnen de zojuist herinnerde toedracht van de dood van haar broer Paul. Langzaam keert haar hoofd terug naar de aangebroken eerste nacht van de expeditie. Met die terugkeer wordt ook haar lijf weer het lijf van een oude vrouw. Josepha legt het expeditiedagboek onder Thereses hoofdkussen voordat ze haar naar bed brengt, een partje appel op haar tong legt en voor de volgende avond een gesprek aankondigt, omdat ze niet meer zeker weet of ze de oude vrouw zo'n gevaarlijke reis wel kan aandoen.

Op hetzelfde tijdstip dat Josepha en Therese met vereende krachten allang vergeten herinneringen ophalen, neemt voor de op leeftijd gekomen kleinburgeres Ottilie Wilczinski in het Beierse N. een geduchte opwinding haar verpletterende aanvang: de beeldbuis van haar voor negenhonderd Duitse mark aangeschafte kleurentelevisie implodeert tijdens een voor het verhaal belangrijke kusscène in de Amerikaanse film waarnaar ze op dat moment zit te kijken. Ottilie krijgt alleen maar een kreet over haar lippen, die echter zo kort uitvalt dat die wel ongehoord móet blijven. Zoiets heeft ze in haar sinds 1916 durende leven nog nooit meegemaakt, al speelde zich voor haar verbijsterend blauwe ogen al menige opwindende gebeurtenis af. Ottilie Wilczinski durft de elektrotechnicus Franz Reveslueh niet meteen op te bellen, het is immers al 20.58 uur. Ze legt over de plaats van het ongeluk een oud, wit laken, dat ooit groot genoeg was om het gemeenschappelijke bed van de echtelieden Wilczinski, Ottilie en Bodo, met zijn koele frisheid te bedekken. Zweet, sperma en af en toe wat tranen had het opgezogen, om steeds opnieuw door Ottilie's hand bevrijd te worden van de gele vlekken, waarna het vervolgens vrolijk in de tuin hing te wapperen. Die oude vlag van de overgave bedekt nu de houten kast die sinds jaren Ottilie's op de wereld gerichte spionnetje is. Ze waagt het niet naar bed te gaan, omdat de stille, eenzame woning plotseling iets bedreigends heeft gekregen. Zou ze zichzelf, door het dagelijkse vergelijken van de prijzen van levensmiddelen in de verschillende delen van de stad, door de educatieve programma's op het derde net en door de wekelijkse visites van haar buurvrouwen, niet met beide benen in de wereld voelen staan, dan zou ze zich nu moeiteloos kunnen bezinnen op de magische krachten waarover ze ooit beschikte. Maar die hebben allang plaatsgemaakt voor een praktische levensinstelling, die haar handen er van tijd tot tijd toe aanzet truien te breien voor arme weeskindertjes en gebruikte kledingstukken bij het stedelijke gekkengesticht af te geven. Daar wordt het haar echter vaak vreemd te moede. Ze voelt zich aangetrokken tot de doorschijnend gele bejaarde man, die haar elke keer opdraagt zijn oude moeder, die zich ergens buiten de muren van het gesticht bevindt, over zijn blaaskatheter te vertellen. Ook het meisje, dat ze altijd al voelt aankomen voordat ze haar kan zien of horen, fascineert haar. Wanneer zij dan uit de diepte van een van de lange gangen opduikt, altijd van achteren op Ottilie af komt zweven, van achteren haar beide handen pakt en haar een paar keer om zichzelf heen laat draaien, geluidloos lacht en om een lepeltje tijd vraagt, alsof het om een medicijn gaat dat men haar al heel lang heeft onthouden, komt het Ottilie steeds voor alsof ze dat allemaal al een keer eerder heeft beleefd. Weliswaar staat ze radeloos tegenover de rood aangelopen ogen van het meisje, maar ze wordt aan iets heel vertrouwds herinnerd. Bij het eerste bezoek dat Ottilie aan het gesticht bracht, in het midden van de jaren vijftig, waren bij het betreden van het portiershuisje – ze had de portier haar bundeltje kleren laten zien en gevraagd waar ze dat kon afgeven – plotseling de veters uit de gaatjes van haar nieuwe zwarte lakschoenen gevlogen, waren haar voeten als vanzelf uit de schoenen getild en had haar blik de portier uitgenodigd voor een dansje. Op die manier vond ze haar eerste echtgenoot. Die was blij dat hij door een vrouw werd aangesproken. Vijftig jaar was hij, en zijn levenslange verlegenheid had hem er steeds van weerhouden zich met een vrouw in te laten, met haar geheimen, of wat hij als zodanig beschouwde en wat hij zich tijdens zijn eenzame jaren had voorgesteld. Ottilie nam hem op die oktoberdag van het jaar 1954 mee naar huis en dwong hem haar sinds het eind van de oorlog onaangeraakt gebleven lijf op mannelijke wijze weer te openen. Bodo Wilczinski groef zich daarop in tussen de vrouwenborsten en verzuimde niet Ottilie nader te komen. Vlak voor de vierendertigste ejaculatie van die nacht rinkelde echter de wekker en dreef de in vuur en vlam geraakte, een eufore indruk makende Bodo Wilczinski terug naar zijn portiershuisje. Nauwelijks was hij daar aangekomen, of zijn volgens de mode van die tijd zeer wijde broek verhief zich onder de enorme druk van zijn opzwellende lid, en Bodo Wilczinski, de onderbroken daad tot een goed einde brengend, stortte zijn zaad uit. (De vlek die daarbij ontstond in het kruis van zijn broek werd nooit meer droog, hoezeer Ottilie ook in de weken na de rustige, bescheiden bruiloft haar best deed om die vochtigheid onder de hitte van haar strijkijzer te laten verdampen. Weliswaar siste het elke keer luid, maar de vlek ontstond steeds opnieuw met dezelfde warme vochtigheid en rook steeds zo sterk naar man en vrouw dat ook Ottilie vochtig werd tussen haar dijen. Maar omdat ze zich daardoor niet wilde laten afleiden van de vele praktische handelingen, dumpte ze de broek op een dag in de vuilnisbak.)

Ottilie maakt in de woonkamer, niet ver van de plek waar het ongeluk heeft plaatsgevonden en in de buurt van de telefoon, op de zitbank een provisorisch bed en vergeet van opwinding haar barbituraten en hartversterkende middelen in te nemen. In het donker ziet ze nogmaals voor zich hoe Bodo Wilczinski met een niet te stuiten voortvarendheid probeert haar bijna veertig jaar oude lijf te bezwangeren, hoe hij tijdens de middagpauze vanuit zijn huisje aangesneld komt naar haar schoot, hoe hij hijgt en kermt: ik-moet-alles-inhalen-ik-moet-eindelijk-alles-inhalen, maar hoe haar menstruatie nooit uitblijft en ze geen vrucht meer zal dragen tot aan de menopauze, na het begin waarvan, in het tiende jaar van hun huwelijk, Bodo Wilczinski op een ochtend in bed blijft liggen, voor de laatste keer in alle rust zijn zaad tussen haar benen uitstort en tegelijkertijd zijn leven uitblaast, alsof hij eindelijk overtuigd is van de vergankelijkheid daarvan. Het is een eenvoudige herinnering, die Ottilie bijna dagelijks overvalt, en toch begint ze, wat haar nooit meer is overkomen sinds Bodo's dood, opgewonden te trillen. Maar ze kalmeert al weer snel als de barbituraten in het medicijnkastje in de badkamer haar te binnen schieten en ze opstaat om twee pilletjes te slikken. Vlug komt nu de slaap, waaruit ze de volgende ochtend een beetje verdwaasd ontwaakt en de elektrotechnicus Franz Reveslueh belt met het verzoek haar uit haar netelige positie te bevrijden. Reveslueh komt tegen halftien. Hij drinkt met Ottilie Wilczinski een kopje koffie, hij heeft haar altijd goed geadviseerd wat televisietoestellen betreft. Ze proeven samen Ottilie's aardbeienjam, waaraan ze jaren geleden een flinke scheut Cubaanse rum heeft toegevoegd om hem houdbaar te maken en te behoeden voor verschimmeling. Die jam is inmiddels zo'n twaalf jaar oud. Op de avond voorafgaand aan zijn dood had Bodo Wilczinski drie manden met verse aardbeien meegebracht van de markt en de kroontjes er afgeplukt, voordat hij laat op de avond verscheidene keren bij Ottilie binnendrong. Nadat hij in slaap was gevallen, was Ottilie op haar tenen naar de keuken geslopen en ze had acht potten jam ingemaakt. Daaraan laven zich nu dus Ottilie Wilczinski en Franz Reveslueh. Misschien komt het doordat het tijdstip gunstig is, of door de Cubaanse rum – ze worden allebei vrolijk en rekenen elkaar hun levensjaren voor, waarbij Ottilie op zestig, en Reveslueh op vijf jaar minder uitkomt. Alsof hij zijn jeugdigheid moet bewijzen, grijpt hij haar plotseling met zijn linkerhand in haar kruis. Hij hoeft alleen maar Ottilie's ochtendjas een beetje opzij en haar nachtjapon omhoog te schuiven. Haar lichaam is zulke aanrakingen sinds Bodo's dood vergeten en het verlangt naar stimulans, zodat elektrotechnicus Franz Reveslueh in het die nacht onbeslapen gebleven echtelijke bed gaat liggen, Ottilie daar geroutineerd haar spaarzame kleding aflegt en dan nog snel opstaat om de huisdeur uit voorzorg op slot te doen. Anders dan Bodo Wilczinski blijkt Franz Reveslueh een bedachtzame minnaar te zijn, die langdurig plezier weet te beleven aan Ottilie.

Tegen de middag wordt hij op de zaak verwacht voor de lunch. Op de een of andere manier moet er dus een eind aan komen, en hij bewerkstelligt dat op Ottilie's buik, ter hoogte van haar navel, daartoe gedreven door een in de loop van tientallen jaren ontwikkelde reflex om zwangerschappen te voorkomen. Als Ottilie hem daarop met radeloze ogen aankijkt, kust hij de oude tepels van haar borsten en bedankt haar met de verklaring dat hij en zijn vrouw negen kinderen hebben, hoewel hij niet zeker weet of hij ook eigenlijk ooit wel een kind had gewild. En om die reden, zei hij, kon hij niet echt plezier meer beleven aan de bijslaap als hij zich de afloop ervan voorstelde, en hij had besloten die afloop in het voorkomende geval buiten de vrouw te laten plaatsvinden. Met een paar grepen installeert Franz Reveslueh nog snel een nieuwe beeldbuis in Ottilie's toestel. Hij laat haar er niets voor betalen, neemt in plaats daarvan zonder een spoor van sentimentaliteit afscheid, met een oprechte dankbaarheid, die Ottilie, bevend van merkwaardige voorgevoelens, beantwoordt. Ten slotte bereidt ze een snelle, industrieel voorbewerkte soep, die ze rustig oplepelt bij het kijken naar het journaal van één uur.

Tezelfdertijd, alleen ligt er een in het jaar 1949 kennelijk definitief vastgestelde grens tussen hun landen, begint ook Josepha aan haar middagpauze en vraagt haar superieuren toestemming om een portie kantine-eten naar Therese te brengen. Ze heeft haar grootmoeder die ochtend met tegenzin alleen gelaten, omdat ze meent dat die toch uitgeput is door de gebeurtenissen van de afgelopen avond, de start van de Gunnar Lennefsen-expeditie. Des te meer verbaast het haar Therese schommelend in haar grote leunstoel aan te treffen, haar gezicht wat witjes door een zweem van vrede, die haar weliswaar heeft uitgeput, maar ook licht heeft gemaakt. Tijdens het eten – Josepha schept knoedels, goulash en rode kool met kruidnagels

uit de verschillende bakjes op de borden – vertelt Therese hoe ze was ontwaakt met het bewustzijn over ongekende krachten te beschikken en hoe
ze bij het oplepelen van de elke ochtend genuttigde havermoutpap een
gevoel van blijdschap had gehad dat ze het lot van haar broer in eigen hand
had genomen. Ja, zijzelf was het geweest die iemand uit de familie, een
van de haren, had behoed voor verschrikkelijke pijnen en hem een eenvoudige dood had geschonken. Nu staat ze erop de expeditie volgens plan voort
te zetten. De namiddag wil ze gebruiken om te slapen en krachten te verza-
melen om opgewassen te zijn tegen vergelijkbare emotionerende gebeurtenissen als die van de vorige avond. Weliswaar is Josepha nog steeds bang
dat ze te veel heeft gevergd van Therese, maar dier vastberadenheid legt
haar het zwijgen op. Ze gaat op de fiets terug naar de fabriek, waar die
middag een vergadering op het programma staat, die echter vanwege het
onwelbevinden van de spreekster – het zou gaan over het combineren van
werk en moederschap – wordt afgeblazen. Josepha stort zich met bijna
blinde ijver op het werk. Blind, want ze ziet allang niet meer wie er bijvoorbeeld op 21 juni jarig is en welk verdrag bijvoorbeeld op 2 augustus 1945
werd ondertekend. En als ze het wel weet, blijven die dingen toch ver van
haar af staan, vergeleken met wat ze van de nachtelijke onderneming met
Therese verwacht. Deze bladert, in de zonneschijn gezeten die Josepha
tijdens het doen van haar dagelijkse boodschappen niet ziet, door het expeditiedagboek op zoek naar een sleutel die haar geschikt lijkt voor de volgende etappe. En inderdaad noteert ze slechts een paar ogenblikken later op
een stukje papier de woorden BLAUWE FIOOL en zet in de keuken de radio
aan. Ze is een beetje verbaasd Zarah Leander te horen, die net als tientallen
jaren geleden een op een bepaald moment plaatsvindend wonder voorspelt.
Maar algauw merkt ze dat het niet Zarah Leander is die zingt, maar een
wezen voor wiens geslacht ze niet haar hand in het vuur wil steken. Toch
ontroert het haar dat een van die jonge mensen zich op voorbije tijden
bezint en een toonval in het lied weet te leggen die ze er tot dusver nog
nooit in heeft gehoord, en die haar evenzeer fascineert als afstoot. Daarom
roept ze een beetje onzeker Ambivalentia aan, de godin van de dubbelzinnigheid, door wie ze zich gestraft voelt, en vraagt haar het oude mens dat
ze nu eenmaal is los te laten. Maar Ambivalentia glimlacht en kauwt op het
bloederige brood van de dialectiek. Onzichtbaar voor de zoekende blik van
Therese, is ze op alle plekken tegelijk. Nee, ze houdt de oude vrouw niet
vast, zij, Ambivalentia, lag nu eenmaal altijd al in de dingen besloten.

11 maart 1976:
Tweede etappe van de Gunnar Lennefsen-expeditie
(trefwoord in het expeditiedagboek: BLAUWE FIOOL)

Als het begint te schemeren doen Josepha en Therese de gordijnen voor het woonkamerraam dicht, ze mompelen het codewoord en zetten het imaginaire doek op. Een scherpe carbolgeur vult het vertrek en verplaatst de vrouwen naar een zaal in het Ziekenhuis der Barmhartigheid in Königsberg, dat in 1916 een groot aantal patiënten moest opnemen dat aan tetanus leed. Therese ziet zichzelf in een van de twintig bedden liggen. Ze is twaalf weken geleden bevallen van een dik meisje, wier buitenechtelijke geboorte voor de familie Schlupfburg geen verrassing was. Sinds generaties waren de kinderen van de Schlupfburgvrouwen buitenechtelijk ter wereld gekomen, en ze hadden – hoewel niet altijd vrijwillig – die traditie bij hun dochters en kleindochters in de ruw getimmerde wiegen gelegd. Maar nu ligt Therese met tetanus te bed. Het voeden van de zuigeling heeft grootmoeder Agathe voorlopig op zich genomen, wier borsten bijna constant melk schijnen te geven. Al twintig jaar lang geeft ze voortdurend de borst, elf kinderen hebben zich groot gedronken aan haar melk, en met uitzondering van Paul zijn ze allemaal nog in leven. Therese ademt oppervlakkig, haar verkrampte mond staat een beetje open. Een brildragende dokter had de jonge moeder na een huisbezoek ogenblikkelijk naar het ziekenhuis gebracht. Het is onmiskenbaar dat de huid van Thereses gezicht trekken van het verderf draagt, en ze ziet, ruikt en hoort bijna niets behalve haar eigen ellende, die ze zich bij het fijnsnijden van kruiden op de nek gehaald moet hebben. Agathe kweekt in verschillende hoeken van het huis en op vensterbanken kruiden in aardewerken potten, waarmee ze stevige maaltijdsoepen van een pittige smaak voorziet, en die dan ook een grote reputatie genieten onder de minder bedeelde mensen in het dorp. Maar ook de jonge August Globotta, die meer dan slechts één oogje op Therese heeft, waardeert de soepen zeer, die hem heimelijk door een klein luikje in de muur van het trappenhuis worden toegeschoven, wanneer hij Therese rond etenstijd met klopsignalen lokt. August Globotta is de verbazingwekkend tedere zoon van de Oost-Pruisische grootgrondbezitter Friedrich Wilhelm Globotta, in wiens huishouden Therese sinds haar vijftiende het zilver heeft gepoetst.

De onheil afwerende kruidengeuren van de Schlupfburgse eenpansmaaltijden lokken met steeds korter wordende tussenpozen ook onderwijzer Weller naar het huis en de tafel, in wiens klaslokaal alle leerplichtige Schlupfburgkinderen hun dagelijkse portie zit- en slaagblaren komen afhalen. Zo ook op de dag waarop Therese bij het snijden van kruiden een infectie moet hebben opgelopen. Onderwijzer Weller komt als geroepen, want Thereses ouders vragen zich al wekenlang af of ze de zestienjarige Max naar de Hogere Technische Staatsschool voor Hoog- en Wegenbouwkunde in Königsberg zullen sturen, maar ze weten niet goed hoe ze dat moeten aanpakken. Nog nooit is er iemand van de familie gaan studeren, maar Max' vaardigheid in knutselen en technische dingen laat eigenlijk geen twijfel bestaan over wat zijn roeping is. Zijn laatste prestatie is de installatie van een be- en ontluchtingssysteem in het huis van de Schlupfburgs. Door een onoverzichtelijke wirwar van buizen, filters en raderen was het mogelijk geworden ook de bedomptste en vochtigste hoeken van het huis van zo veel zuurstof te voorzien dat Thereses moeder daar moeiteloos lichtgevoelige kruiden kan kweken en bovendien weet wat er in al die bij het huis horende ruimtes gebeurt. Samen met de zuurstof trekken nu ook de aroma's van het leven door het hele huis: de vers gemolken melk op lichaamstemperatuur uit de stallen vult de slaapkamers van de kinderen met een weldadige damp, de varkens eten hun voer in de geur van de lekkere maaltijdsoepen, de geur van het sop uit het washok reinigt de zich af en toe in hogere sferen bevindende zintuigen van de opgroeiende kinderen, en iedereen in het huis wordt 's morgens bijzonder vredig wakker wanneer de dampen van het ouderlijke geslachtsverkeer, dat ook na elf gemeenschappelijke kinderen zonder de zegen van staat en kerk met voortvarendheid wordt bedreven, onder het plafond hangen. Twee weken hoefde het systeem maar te functioneren om de olfactorische zintuigen van de overige gezinsleden zozeer op scherp te stellen dat je nu op elk moment van de dag van iedereen in huis wist waar hij zich bevond, wat het dagelijks werk natuurlijk vergemakkelijkt. Onderwijzer Weller laat zich, terwijl hij genietend de kikkererwten naar binnen werkt, dat allemaal uitvoerig vertellen en zegt dat hij het bestuur van de staatsschool in Königsberg op de talenten van de jongen zal wijzen. Van moederlijke opwinding begint Agathe Schlupfburg bij die mededeling te zweten, wat voor Therese, die in de keuken bezig is, dankzij het systeem van Max niet verborgen blijft. Van het kalmerendste van alle kruidjes snijdt ze een bosje af om het in de volgende portie erwten te vermalen. Maar tegelijkertijd wordt Thereses hart door de duidelijk hoorbare klopsignalen van de tedere August Globotta zo opgewonden, dat ze in haar vingers snijdt. Door die liefdeswond hebben de tetanusbacteriën gemakkelijk toegang tot haar melkgevende lichaam. Ze doet het kruid nog bij de gele erwten en dient die op, maar dan ontdoet ze zich van haar schort en verlaat huppelend het huis, want het tedere handelen van Globotta zou anders door iedereen kunnen worden meebeleefd: hij scheidt een zeer Oost-Elbisch riekend, bij een jonker behorend zweet uit, hoewel hij Therese volstrekt oprecht toegewijd is. Hij is de vader van haar dochter Ottilie, wier verwekking hij in de slaapkamer van zijn vader, in afwezigheid van zijn voorname ouders, geenszins heeft hoeven afdwingen. Therese was hem welwillend tegemoetgekomen en August Globotta had haar vastberaden gedefloreerd. Na een grote verscheidenheid aan genietingen zwollen Thereses borsten en heupen op, kwamen er strepen in de onderhuid van haar buik, en beantwoordde ze de verlangens van haar vriend steeds vaker met nukken. Zonder zich erover op te winden, voelde Agathe hoe de ouderdom en het grootmoederschap naderden en vroeg niet wie de vader van het kleinkind was, terwijl het adellijke echtpaar op het landgoed van de Globotta's glimlachte over het dikker wordende meisje voordat ze haar, op het moment dat de weeën begonnen, ontsloegen. Therese perste met behulp van een ver familielid, tante Jevrutzke, het adellijke kleinzoontje in Gods zonneschijn en vond een goed onderkomen in de familiekring. Ook in het dorp werd er niet gekletst en gekwekt, want men kende het lot van de Schlupfburgvrouwen al generaties lang. Het was altijd maar het beste geweest het te accepteren, wat de betrokkenen een om redenen van fatsoen begane zelfmoord, en het dorp het verlies van flinke, werkende jonge vrouwen bespaarde. Zo vaak als ze kan – en dat is zeer zelden – laat Therese de kleine Ottilie aan haar vader zien. Niets zou August Globotta op het idee brengen met Therese te trouwen. Hij is heel blij met haar aanwezigheid, terwijl het woord *huwelijk* op een van tevoren vastgelegde toekomst wijst. Het stoort hem helemaal niet dat tien weken na Ottilie's geboorte Friedrich Wilhelm Globotta de tedere August het huwelijk gebiedend in het vooruitzicht stelt en hem met dat doel naar de buitenplaats van een oude vriend uit het leger stuurt, wiens dochter erop staat haar rijpende vrouwelijke plichten te vervullen en bovendien als enig kind van haar ouders een veel rijkdom in het vooruitzicht stellende bruidsschat mee zal brengen in het huwelijk. Voor zijn vertrek komt de tedere August afscheid nemen van Therese. Wel denkt hij alleen maar aan een afscheid tot aan zijn terugkeer. De bij het kruiden snijden gewond geraakte Therese ligt een poosje uitgeput in de adellijke haver en voelt dat ze opnieuw vrucht begint te dragen. Maar dat gevoel gaat gepaard met een groot verdriet, want ze wil niet als bijvrouw bij een getrouwde August horen, ook al is die nog zo teder, en zo maakt haar voor de tweede keer bevruchte lichaam van de wondkramp gebruik om een heleboel verdriet met hevige koorts uit te zweten.

Als het imaginaire witte doek het verloop van de tetanusinfectie in 1916 compleet heeft weergegeven, verschijnt de oude tante Jevrutzke aan Thereses ziekbed en haalt een kleine, blauwachtige fiool onder haar rok vandaan waaraan nog een dof geworden doorschijnende vloeistof kleeft. Zij, die zwangerschappen met slechts een handdruk kan diagnosticeren, is al sinds haar eerste bezoek van twee dagen geleden op de hoogte van de toestand van haar jonge familielid. Het toeval wilde dat ze slechts een paar uur na dat bezoek werd gevraagd naar het huis van de sociaal-democratische arbeider Wilhelm Otto Amelang te komen, om diens vrouw te verlossen van een dochter, later Senta Gloria genaamd. Er stroomde veel vruchtwater van de keukentafel, waarop mevrouw Amelang zo lag te draaien dat het voor tante Jevrutzke geen probleem was een beetje ervan in haar blauwe fiool op te vangen met het doel daarmee een vrucht te aborteren. Dat doet ze zo vaak mogelijk, ze weet immers van het grote aantal vrouwen dat hun zwangerschappen niet meer kan bijhouden en om hulp vraagt. Tante Jevrutzkes blauwe fiool drijft de vrucht af en verpakt het hele proces in een beetje koorts en symptomen die op influenza lijken, zodat niemand aan een strafbare handeling denkt en naar de politie loopt. En nu is de dag gekomen waarop ook Therese Schlupfburg haar hulp nodig heeft. Het geluk met de tedere August is de haven van een huwelijk met een hem onbekende vrouw binnengelopen. Tante Jevrutzke had meteen gezien dat het uitbreken van de wondkramp een abortus alleen maar kon begunstigen, en zo geeft ze hoofdschuddend en zacht pratend Therese van het vruchtwater te drinken waarin Senta Gloria Amelang het leven tegemoet kwam drijven. De gebruikelijke signalen van zo'n afdrijving worden gecamoufleerd door de ziekte, tante Jevrutzke gooit het hoopje mogelijk leven in een put van het stedelijke rioolsysteem, en Therese wordt weer gezond. (Wat de betrokkenen niet weten, is dat het vruchtwater van Senta Gloria Amelang het lot van verscheidene families onlosmakelijk met elkaar zal verbinden, maar dat is nog braakliggend terrein: het imaginaire witte doek laat uitgestrekte akkers zien, voordat het in een gat in het midden van de kamer in elkaar stort.)

Ook na het tweede uitstapje van de Gunnar Lennefsen-expeditie ziet Josepha dat haar oude Therese zowel uitgeput als verjongd is, ze huilt alleen niet, maar tast naar de dobbelsteentjes brood om die tussen haar tanden knarsend fijn te kauwen. Ze draagt de tekenen van de liefde van de tedere August in haar hals, als Josepha haar verweerde haar achter haar oren strijkt om haar in de ogen te kunnen kijken. Wanneer ook Josepha brood begint te eten, verbleken de vlekken. Het gezicht neemt weer zijn gewone, oude trekken aan en voor Josepha staat er tussen de rimpels door van alles te lezen. Dat heeft ze in ieder geval wel geleerd in de jaren die ze onder Thereses moederlijke rokken en blikken heeft geleefd. Josepha leest Augusts lust af aan het water in haar ogen, ze ruikt de geur van het kalmerende kruid achter Thereses oren en onder haar kin, ze ziet het koortszweet in druppels over haar neusbrug lopen en het verdriet over de onherroepelijkheid rond Thereses mond. Nog voordat Josepha vragen kan stellen, glipt de oude vrouw weg in haar nachtrust. Josepha draagt Therese naar haar bed en gaat zelf ook slapen: de volgende dag is de kalender voorzorgshalve bijna totaal gevuld met rood voor een bezoek aan de tandarts, blauw voor een werkbespreking en zwart voor een bezoek, 's avonds, aan haar vriendin Carmen Salzwedel, en tussen die drie genoteerde gebeurtenissen door moet er ook nog negen uur worden gewerkt, moeten er boodschappen worden gedaan en moet het expeditiedagboek worden bijgehouden.

Voor de op leeftijd komende kleinburgeres Ottilie Wilczinski, aan de andere kant van de grens, gaat het tweede uitstapje van de Gunnar Lennefsen-expeditie, aan deze kant van de grens, opnieuw gepaard met het verlies van de beeldbuis. Dat die twee gebeurtenissen aan elkaar gerelateerd zijn, kan Ottilie natuurlijk vooralsnog niet weten, zodat ze bevend van schrik de zin herhaalt die de commentator van het televisieprogramma voorafgaand aan het ineenstorten van het beeld tegen de kijkers heeft uitgesproken: en laten we daarom, beste kijkers, tegen de onvrijheid van het totalitaire systeem in het oosten van ons vaderland protesteren. Die zin roept ze ook opgewonden door de telefoon tegen de elektrotechnicus Franz Reveslueh, ze durft hem dit keer toch zo laat nog te bellen. Maar Franz Reveslueh vat die zin op als een gecodeerde uitnodiging voor een hernieuwd samenzijn, en omdat zijn echtgenote die avond op bezoek is gegaan bij een van hun zoons om diens vrouw te leren haken, zet hij zijn donkere pet op, die in het hele land de naam draagt van de regerende sociaal-democratische bondskanselier, trekt zijn sportieve trenchcoat aan en gaat te voet op pad om gevolg te geven aan Ottilie Wilczinski's vermeende uitnodiging. Dat de huisdeur niet op slot is, duidt hij als een teken en hij treft Ottilie trillend op de zitbank in de woonkamer aan. Ze groet hem door met bevende ogen *enlatenwedaarombestekijkers...* tegen hem te fluisteren. Vanzelfsprekend begrijpt Franz Reveslueh meteen in welke verschrikkelijke emotionele toestand Ottilie zich bevindt, wanneer hij de resten van de zojuist geïmplodeerde beeldbuis ziet en aan de horrorfilm moet denken die een paar weken geleden werd uitgezonden, waarin een oude vrouw alles deed breken wat ze met haar linkerhand aanraakte. Tegelijkertijd voelt hij zich beschaamd dat hij Ottilie's telefoontje op zijn eigen manier heeft gemisinterpreteerd, en hij kust, zich zachtjes bij haar verontschuldigend, haar klamme voorhoofd. Nadat hij even heeft nagedacht, gaat hij ertoe over het ziekenhuis te bellen waar zij sinds jaar en dag haar bundeltjes kleren aflevert en dat jarenlang de werkplek van haar echtgenoot Bodo is geweest. Na twintig minuten arriveert de ambulance die Ottilie meeneemt. Franz Reveslueh is om redenen van discretie eerst maar eens naar huis gegaan. Daar haalt hij een passende beeldbuis uit het magazijn van zijn bedrijf en gaat terug naar de woning van Ottilie. Hij repareert het televisietoestel en neemt uit de kelder een potje aardbeienjam mee, dat hij door een omweg te maken afgeeft bij het ziekenhuis. Dat duurt al met al minder lang dan de haakles die zijn vrouw aan het geven is, zodat hij tien minuten eerder dan zij weer thuiskomt, de geur van de andere woning van zijn lijf doucht en het licht uitdoet op het moment dat zijn vrouw haar schoenen uitschopt om over te stappen in haar pantoffels.

Ottilie Wilczinski heeft intussen toegegeven aan de druk van de psycho-farmaceutische middelen en ligt rustig in haar ziekenhuisbed. Eerst had een jonge vrouwelijke arts vruchteloos geprobeerd anamnestische gege-vens aan haar te ontlokken voor de status. Maar het is slechts de zin van de commentator die ze voortdurend herhaalt. Omdat men bang is dat Ottilie andere patiënten zou kunnen ophitsen en ze tot een hysterische opstand tegen totalitaire systemen zou kunnen aanzetten, krijgt ze een kamer al-leen. De bezorgdheid van het personeel om Ottilie Wilczinski's revolutio-naire potentieel blijkt echter op niets gebaseerd te zijn.

In de komende dagen zal zij zich hevig verzetten tegen de psychothera-peutische pogingen om een eind te maken aan haar shocktoestand, zodat de professor, die sinds geruime tijd leiding geeft aan de kliniek, al de ge-dachte heeft opgevat die toestand met hypnose te doorbreken. Hij bereidt zich erop voor door de elektrotechnicus Franz Reveslueh voor zijn spreek-uur uit te nodigen omdat hij van die man informatie hoopt te krijgen over wat er is voorgevallen. (Franz Reveśluehs naam staat vermeld op de opna-meformulieren en was door iemand genoteerd toen hij om een ambulance belde.) Reveslueh gaat tijdens een zogenaamd dienstritje heimelijk naar de psychiatrische kliniek. Maar voordat hij de kamer van de professor bereikt, wordt hij door een bepaalde behoefte naar de vrouwenafdeling gedreven, waar hij Ottilie Wilczinski hoopt te zien! De norse zuster wijst hem, nadat hij heeft aangebeld, op de pas vijf uur later ingaande bezoektijd. Met ge-knikt geslacht staat hij ten slotte tegenover de professor, die, zoals hem plotseling te binnen schiet, bij het soort beroepsuitoefenaren hoort dat door zijn vrouw met mafkezenlokkers en muizenissenjagers wordt aange-duid. Weliswaar zoek je in het gezicht van de professor tevergeefs naar de signalen van psychische tweedracht, maar Franz Reveslueh meent toch van tijd tot tijd een aureool te ontwaren rond het hoofd van de arts waarin een felroze vogeltje vrolijk rondfladdert. Dat leidt hem af van de vragen die hem worden gesteld en die allemaal betrekking hebben op de avond waar-op de Gunnar Lennefsen-expeditie voor de tweede keer op pad ging, wat de professor en Franz Reveslueh natuurlijk niet kunnen weten. Laatstge-noemde brengt de vragenstellende professor op de hoogte van het feit dat hij op de bewuste dag reeds in alle vroegte de beeldbuis van Ottilie Wilczinski's televisietoestel, die de avond tevoren onmiskenbaar was geïmplodeerd, door een nieuwe had vervangen. (Daarbij vermeldt hij niet hoe dicht hij zijn cliënte voorafgaand aan de reparatie was genaderd.) De professor herinnert zich, evenals Franz Reveslueh op de avond van het ongeluk, de horrorfilm, die oude dames wellicht in psychische problemen heeft gebracht. Hij concludeert dat zijn patiënte die film eveneens heeft gezien en de opeenvolgende implosies wellicht als tekenen van een ophanden zijnd vreselijk lot heeft opgevat. Een ouder wordend hart is naar zijn mening geen slechte plek voor beangstigende gedachten, waarbij de implosie zelf al indrukwekkend genoeg kan zijn geweest om er een shock van op te lopen. Dat brengt de professor ertoe Franz Reveslueh te verzoeken hem een afgeschreven kleurentelevisietoestel te bezorgen, met behulp waarvan hij een begin hoopt te maken met de genezing van Ottilie. De volgende ochtend haalt hij het hele personeel van de kliniek erbij en hypnotiseert Ottilie Wilczinski met zo'n gemak dat hij er minutenlang niet zeker van is of hij zijn patiënte heeft bereikt of niet. Wanneer hij zeker is van zijn zaak, zegt hij datum en situatie van de ongeluksavond recht in Ottilie's gezicht. De ingewijde tuinman van het ziekenhuis heeft vervolgens slechts een kleine aanwijzing nodig om met luide stem zijn kijkers op te roepen tegen de onvrijheid van het totalitaire regime in het oosten van het vaderland te protesteren. Met een hark slaat hij de opgebaarde beeldbuis kapot en daarmee ontketent hij een veelstemmige schreeuw van het personeel. Maar wat belangrijker is: Ottilie Wilczinski's door schrik veroorzaakte verstijving breekt. Splinters van de beeldbuis verwonden haar gezicht, en ze staart naar de plasjes bloed die aan haar voeten ontstaan en die uit haar eigen lichaam afkomstig moeten zijn. Ze voelt hoe een diepe herinnering op gang begint te komen op precies die plekken van haar ziel die ze na het eind van de laatste oorlog gewoonlijk met gehaakte kleedjes en pakjes van het welzijnswerk heeft toegedekt. Ze heeft het gevoel alsof er oud bloed uit haar stroomt om voor nieuw bloed plaats te maken. De doktoren, zusters en schoonmaaksters zijn intussen heel druk op de vloer in de weer met wondverband en desinfecterende middelen en merken niet dat Ottilie's wijd opengesperde, eerder verbaasde dan bewuste ogen zich op een punt in de verte concentreren dat steeds dichterbij lijkt te komen en dat, als het ongeveer twee meter voor haar neuspuntje tot stilstand komt, zich ontpopt als het beeld van een mannelijke zuigeling. Ottilie Wilczinski begint steeds meer scheel te kijken, tot het beeld van het kind door haar pupillen heen haar lichaam bereikt, het chiasma opticum passeert en zich als een zekerheid in haar hersenen nestelt: ze is zwanger. Ze voelt hoe de cel in haar buik zich in een morula deelt en ze weet dat dat allemaal nog danig aangedikt zal gaan worden.

April

Aan deze kant van de grens zijn drie weken voorbijgegaan zonder dat er sprake kon zijn van een nieuwe etappe van de Gunnar Lennefsen-expeditie. Josepha heeft er – anders dan verwacht – verscheidene avonden voor nodig om de gebeurtenissen op het imaginaire doek met alle details te noteren in het expeditiedagboek. Behulpzaam daarbij is een plattegrond van de stad Königsberg, die ze in een Brockhaus-encyclopedie uit het jaar 1931 vindt, en die haar vriendin Carmen Salzwedel voor haar fotokopieert. Daarmee berekent ze de tijd die de oude tante Jevrutzke in het jaar 1916 nodig had om van haar woning in het stadsdeel Sackheim naar het Ziekenhuis der Barmhartigheid, het station Holländerbaum en de in de buurt wonende Otto Amelang en vice versa te komen. Zo vormt ze zich een beeld van de duur van het jeugdige leed van haar oude Therese, die in de dagen na de tot dusver gemaakte uitstapjes van de Gunnar Lennefsen-expeditie last heeft van plotselinge bevingen. Saai zijn nu de avonden waarop Therese besluit tot een chemisch opgewekte slaap, omdat slapeloosheid haar een groot deel van haar krachten zou kosten. En ze heeft juist slaap nodig om zich te ontspannen, zich moed in te spreken voor nieuwe, de herinnering opfrissende avonturen! De twee vrouwen spreken zelden over de afgelopen gebeurtenissen. Het is een nieuw soort kennis die hen met elkaar verbindt. Barrevoets zijn ze op pad gegaan naar iets wat allang is vergeten en waarvan zijzelf logischerwijs de sporen zijn, zoals Josepha op een ochtend in de gang tegen Therese opmerkt, voordat ze de woning verlaat om eerst maar eens de gebruikelijke gang naar het zwangerschapsadviesbureau te maken. De weg voert langs een winkel waar in de etalage roze en lichtblauwe jasjes, broekjes, mutsjes en schoentjes mollige baby's warmte beloven en, vindt Josepha, tevens een varkensachtig voorkomen. Toch besluit ze een wit overgooiertje te kopen. Het is verrassend goedkoop, zodat er ook nog twee luiers, van slechts in ruil voor distributiebonnen verkrijgbaar katoen, vanaf kunnen en Josepha tijdens de rest van haar tocht tevredenheid uitstraalt. (Voorbijgangers valt de verheerlijkt glimlachende uitdrukking op haar gezicht op, die op dit uur van de dag niet vaak in het straatbeeld te zien is.) Eerst lukt het haar maar niet om haar legitimatiebewijs van de sociale verzekering in het daarvoor bestemde houten kastje naast de deur van de gynaecologische afdeling te deponeren. Het is het oude probleem met alle ambtelijke schrijfsels: ze glijden voortdurend uit Josepha's handen, spreiden hun pagina's uit en vliegen als papieren vlinders doorgaans een halve meter weg of ze schieten gewoon weer terug in de tas waar Josepha ze net uit heeft gehaald. Gelukkig kan niemand hier zien hoe het groene legitimatiebewijs een halve meter langs de muur omhoogfladdert, om zich boven de deur aangekomen weer te laten vallen, precies voor de voeten van de op dat moment uit de spreekkamer komende verpleegster. Die vat de klap waarmee het identiteitsbewijs op de grond valt op als een teken van grote opwinding van de voor de eerste keer op bezoek komende Josepha, en klopt haar op haar hand, terwijl ze onbeschroomd en geamuseerd in haar nog platte buik knijpt. Nadat ze zich ervan heeft overtuigd dat de andere wachtende vrouwen er niets van zullen merken, neemt ze Josepha voor haar beurt mee de spreekkamer in. April is net begonnen, zodat vooral de gebruinde huid van de vrouwelijke arts Josepha's aandacht trekt, die anders zeker zou zijn gevestigd op de weinig uitnodigende behandelstoel en de koud blinkende metalen apparaten die voor het grote aantal dagelijks te verrichten ingrepen in het vrouwelijke interieur noodzakelijk zijn. Streng vraagt de gebruinde arts naar de datum van de laatste menstruatie, de lichamelijke toestand in de eerste weken van de zwangerschap en naar de vader van het verwachte kind. Over hem, zegt Josepha, wil ze geen mededelingen doen. Reeds is een superieur glimlachje zichtbaar, en Josepha begint achter de door de zon gebruinde huid een in huis geïnstalleerd solarium en een atletische echtgenoot te vermoeden, die de vrouwelijke arts masserend en zwangerschapsvermijdend haar figuur doet behouden. Josepha beeft, ze denkt aan Mokwambi Solulere, die haar lijf er in de nacht van 29 februari op 1 maart toe heeft gebracht een hartenliefje te haken, dat de komende maanden celletje voor celletje zal groeien en van wie de arts voorspelt dat het op 22 november voltooid zal zijn. Ze draagt Josepha op haar dijen te spreiden, zich bloot te geven op de stoel, met de zachte celstof onder haar kont. Dan grijpt ze in en spreekt onverstaanbare woorden uit, die de zuster in Josepha's dossier optekent. Als Josepha om een vertaling vraagt, krijgt ze te horen dat zijzelf immers ook het antwoord schuldig is gebleven op de vraag der vragen. Tot dusver is alles goed met het kind. Het is de zevende week, zegt de arts, en er is nog tijd genoeg om de beslissing te nemen alleen door het leven te gaan. Josepha krijgt een identiteitsbewijs voor zwangere en zogende vrouwen, dat ze pas na een paar vergeefse pogingen in haar tas weet te krijgen. Maar tegen die tijd staat ze allang weer voor de deur van de spreekkamer op de gang en verlangt naar Therese, die intussen een eenpansmaaltijd voorbereidt. Het recept daarvan was haar te binnen geschoten toen ze de gebeurtenissen van het tweede uitstapje van de Gunnar Lennefsen-expeditie de revue had laten passeren en een zweem had gevoeld van de opluchting die haar na de abortus in het Ziekenhuis der Barmhartigheid had helpen genezen. Tegelijkertijd nam ze seconde-lang carbol- en vruchtwatergeuren waar, en snoof ze een paar minuten later heel eventjes het geurenpalet van de Schlupfburgse eenpansmaaltijden op. Die eenpansmaaltijden moesten opnieuw worden gecreëerd. Thereses manier van koken had zich na de laatste oorlog aangepast aan het nieuwe landschap. Met uitzondering van spekmoes, pompoensoep en af en toe een slokje zure room, herinnerde weinig aan de vroegere kookge-woonten van Therese, waartoe naast heel veel andere zaken het in smout bakken van kool en het in heet vet uitbakken van gistballetjes hadden be-hoord. In plaats daarvan maakte ze vaak natte koek uit de oven op de Thü-ringse manier, groene knoedels of vruchtensoufflés, waarmee Therese ook haar kleinzoon Rudolph tot mannelijkheid en mannelijke kracht had opge-voed. Thereses eenpansmaaltijd met kummel staat al te pruttelen, als Jo-sepha haar opzichtster een verklaring voorlegt van het zwangerschapsvoor-lichtingsbureau, dat haar een alibi geeft haar dagelijkse werktijd met twee uur te bekorten en haar voor eind mei opnieuw uitnodigt zich door de ge-bruinde vrouwelijke arts te laten wegen, opmeten, onderzoeken en min-achten. Terwijl ze achter haar machine zit, belt ze even later Carmen Salz-wedel de waarschijnlijke datum van de bevalling door, die zij met een ver-heugde kreet ter kennis neemt. In de pauze zitten de twee vriendinnen samen in de kantine. Carmen Salzwedel koopt twee bloedsinaasappels, pelt ze en biedt ze aan aan Josepha's buik. Carmen Salzwedel heeft een bijna ontelbaar aantal halfbroers en -zusters in de stad, wat haar verzekert van een uitgebreide kennissenkring alsook de vervulling van veel wensen, want onder de verwante en aangetrouwde familieleden zijn alle beroepsgroepen vertegenwoordigd. De jonge vrouw weet dat te waarderen, maar toch heeft ze de afgelopen twee weken het gezelschap van Josepha de voorkeur gege-ven boven dat van alle magen en kennissen. Josepha kan namelijk haar allerdiepste wens vervullen: die luistert met grote overgave naar de lange uitweidingen over de kortdurende en langdurende vreugden en tegensla-gen van een dertigjarig leven zonder man en muis, en spreekt af en toe een helend woord tegen de diverse grote verwondingen van de ziel. Toch schijnt Josepha geen enkele behoefte te kennen aan relationele afhankelijk-heid van materiële aard, en ze raakt daarom ook niet in de situatie verzeild waarin ze Carmen Salzwedel bijvoorbeeld een Japanse calculator aanbiedt in ruil voor een reparatie van een defecte mengkraan. In plaats daarvan vertelt Josepha spannende verhalen over de avonden van de Gunnar Len-nefsen-expeditie, wat Carmen Salzwedel ertoe brengt haar allerlei soorten hulp in het vooruitzicht te stellen en bijvoorbeeld de oude stadsplattegrond van Königsberg te kopiëren. Josepha legt haar vriendin de resultaten van haar berekening van de afstanden in het jaar 1916 voor, terwijl ze de partjes bloedsinaasappelen genietend tussen gehemelte en tong uitperst en, leeggezogen, doorslikt. Carmen kijkt, zoals elke dag, naar twee magazijnbedienden aan het tafeltje naast hen, die, zoals elke dag, in plaats van een compleet bestek een aan één kant vlijmscherp geslepen lepel gebruiken om vlees te snijden en aardappelen in plakjes te hakken. Ook Josepha draait zich na het laatste partje sinaasappel om naar het belendende tafeltje. Het verdwijnen van de scherpgeslepen lepel in de monden van de mannen veroorzaakt een huivering, die de haartjes op haar onderarmen rechtovereind zet en ervoor zorgt dat ze in de zak van haar werkschort naar een pakje papieren zakdoekjes tast, waarmee ze zo nodig eerste hulp kan verlenen. Tot ze twaalf was, had ook zij – met uitzondering van bijzondere, steeds op de passende kalender aangetekende feestdagen – altijd alleen met een lepel gegeten, met dien verstande dat die door niemand scherp was geslepen. Weliswaar had Therese vaak van haar geëist dat ze ook vork en mes gebruikte, maar ze hield van haar lepel, die een beetje kleiner was dan die van de volwassenen, zilver glom en waarop de sierlijke initialen R.S. stonden. Rudolph Schlupfburg had die lepel in de linkerbroekzak van zijn enige, bovendien slobberige broek vanuit het Oost-Pruisische Lenkelischken meegebracht naar het midden van Europa. Josepha herinnert zich terstond onvergetelijke maaltijden en laat tijdens deze lunchpauze de halve kantinebroodjes met vettige, gele, uitgedroogde eiersalade of plakken ooit verse worst links liggen. Ook de eenpansmaaltijd van groene bonen laat ze staan, alsmede de *sauerbraten* met spek en Beierse kool, en zelfs de koude schotel raakt ze niet aan omdat de kleur daarvan haar aan de lippen van haar eerste onderwijzeres herinnert. Ook Carmen Salzwedel houdt de potentiële maaltijd verre van zich met een paar partjes sinaasappel en appel en moet intussen aan een krantenartikel denken dat ze een paar dagen geleden heeft gelezen en dat de lezers aanspoorde tot het eten van levensmiddelen van plantaardige oorsprong. In dat artikel stond het doorsnee-overgewicht van diverse bevolkingsgroepen dreigend vermeld en het werd in verband gebracht met de overmatige consumptie van vlees. Hoewel het artikel de toestand van overvoeding niet zonder meer goedkeurde, klonk toch tussen de regels door enige trots dat een inwoner van dit land jaarlijks twee steaks meer verorberde dan een inwoner in het land achter de in het jaar 1949 kennelijk definitief vastgestelde grens. Ook at de gemiddelde inwoner hier meer eieren en dronk vooral veel meer sterke drank dan de burgers aan de andere kant, die de voorkeur gaven aan de mildere wijn. Carmen Salzwedel vraagt zich juist af wat voor soort levensstijl uit die statistische gegevens kan worden afgeleid, als ze van Josepha het dringende verzoek krijgt de kantine te verlaten en mee te gaan naar de wc. Daar kotst Josepha, nog voordat ze de deur achter zich kan dichttrekken, alles uit. Kotst, en op de tegelvloer liggen de uitgebraakte partjes sinaasappel. Die zijn niet de oorzaak van de misselijkheid, zoals Josepha ogenblikkelijk weet. Eerder komt haar maag in opstand tegen het vooruitzicht van de eenpansmaaltijd die thuis op Thereses fornuis staat te pruttelen. (Ook toen Josepha nog op school zat, was het voorgekomen dat ze een stuk gebraden vlees in Thereses oven gewaarwerd, hoewel er tussen fornuis en kind meer dan tweeduizend meter lag. Op zulke dagen had Josepha oog in oog met de heus wel eetbare schoolmaaltijd eveneens geleden onder plotselinge braakneigingen.) Carmen Salzwedel legt intussen een verband tussen de uitgekotste partjes sinaasappel en de zwangerschap en heeft zo veel begrip voor de problemen van deze voor haar totaal onbekende vrouwelijke toestand, dat ze de opzichtster om toestemming vraagt Josepha naar huis te brengen. Nu is het nog steeds zo dat de opzichtster hoogst ongaarne afziet van Josepha's inzet. Toch kan ze het verzoek niet goed weigeren: ze herinnert zich de datum 1 maart en ook het feit dat ze een bezoek aan de chirurg, in verband met een wrat op haar neus, moest uitstellen, omdat Josepha plotseling een vrije dag wilde hebben. Op de avond van die dag had ze in de spiegel haar eigen gezicht niet meer herkend, en evenmin begrepen wat er met haar aan de hand was. Na een kwartiertje diep gepeins over de oorzaak van de verandering viel haar plotseling op dat er geen wrat meer op haar neus zat. Onbekend met de ook zonder opzet functionerende magische en tijdverschuivende krachten van haar arbeidster Josepha Schlupfburg, begon de opzichtster heilzame krachten toe te dichten aan haar eigen menselijke mildheid. In de weken die daarna verstrijken, valt in het bedrijf haar ongekend milde optreden iedereen op. Haar mildheid richt zich vooral op Josepha, die van tijd tot tijd een weckpot vol ingemaakt fruit op haar werktafel aantreft en die begint te vrezen dat iemand op de gedachte zou kunnen komen de opzichtster, in verband met haar slappe optreden, een andere werkkring toe te wijzen. Die vrees wordt voorlopig niet bewaarheid, omdat ook de mensen die in de hiërarchie boven de opzichtster staan, van haar nieuwe gulheid in de vorm van kwarktaarten, bockworsten of Franse escargots profiteren. Toch leest Josepha uit een zich in een weckpot bevindend half peertje de grote waarschijnlijkheid af van de catastrofale gevolgen van die overdreven mildheid, wat de opzichtster niet weet wanneer ze Carmen Salzwedel toestaat Josepha naar huis te vergezellen. Daar eten ze de heerlijke soep, Josepha wordt terstond weer beter en voelt zich zo energiek dat ze Therese vraagt 's avonds de derde fase van de expeditie te laten plaatsvinden. Therese stemt er na enige aarzeling mee in en doet de overgebleven soep in een glazen pot, vult de voorraad geroosterde dobbelsteentjes brood aan en schrijft voor Carmen Salzwedel het recept van de eenpansmaaltijd op. In de tijd die nog rest voordat het avond wordt, probeert Josepha zich aan de hand van de schriftelijke instructies in een vrouwentijdschrift in breien te bekwamen, wat haar jammerlijk mislukt. Dus pakt ze, wanneer ze haar expeditie-uitrusting inspecteert, het boek in met de brieven die een kreupele, bij de sociaal-democratische beweging aangesloten vrouw aan het begin van de eeuw vanuit de gevangenis heeft geschreven.

Kent u ook dat bijzondere effect van klanken waarvan de herkomst ons onbekend is? Ik heb dat in elke gevangenis uitgeprobeerd. In Zwickau bijvoorbeeld werd ik elke nacht om precies twee uur gewekt door eenden, die ergens in de buurt op een vijver woonden, met een luid: 'kwa-kwa-kwa-kwa!' De eerste van de vier lettergrepen werd op een hoge toon met zeer sterke accentuering en overtuiging uitgeschreeuwd, waarna de volgende scanderend daalden tot een lage, brommende bas. Wanneer ik door die schreeuw werd gewekt, moest ik in het pikdonker op de keiharde matras altijd eerst een paar seconden nadenken voordat ik wist waar ik was. Het altijd nogal deprimerende gevoel in een gevangeniscel te zijn, de bijzondere accentuering van dat 'kwa-kwa...' en ook het feit dat ik geen idee had waar die eenden zich bevonden en ze alleen 's nachts hoorde, gaf die kreet iets geheimzinnigs, iets belangrijks. Voor mij klonk die steeds als de een of andere wereldwijze uitspraak, die door de regelmatige herhaling elke nacht iets onherroepelijks, sinds het begin van de wereld geldends, had, zoals een willekeurige koptische leefregel:

En hoog in de Indische luchten,
En diep in de Egyptische graven,
Heb ik het heilige woord slechts gehoord...[*]

Dat ik de diepere betekenis van die eendenwijsheid niet kon ontcijferen, er slechts een vaag idee van had, bracht elke keer een merkwaardige onrust in mijn hart teweeg, en ik placht daarna nog lang met een bang gevoel wakker te liggen. Heel anders was het in de Barnimstraße. Om negen uur ging ik altijd – omdat dan het licht uitging – nolens volens in bed liggen, maar kon natuurlijk de slaap niet vatten. Even na negenen begon regelmatig in de nachtelijke stilte in een van de nabije woonblokken het gehuil van een jongetje van een jaar of twee, drie. Het begon steeds met een paar zachte, fragmentarische jammerkreten, midden in zijn slaap; dan, na een kleine pauze, brak het jongetje uit in een steeds luider gesnik, dat zich ontwikkelde tot een zeer klaaglijk gehuil, dat echter niet iets alarmerends had, niet een bepaalde pijn of een bepaalde behoefte uitdrukte, alleen maar het

*[Uit Johann Wolfgang von Goethes gedicht 'Kophtisches Lied']

algehele onbehagen met het bestaan, het onvermogen om in het reine te komen
met de moeilijkheden van het leven en de problemen ervan, temeer daar de moe-
der kennelijk in de buurt was. Dat hulpeloze gehuil duurde ruim drie kwartier.
Precies om tien uur hoorde ik de deur met kracht geopend worden, zachte, vlugge
stappen, die luid weerklonken in de kleine kamer, een melodieuze, jeugdige vrou-
wenstem, waarin je nog de frisheid van de buitenlucht kon horen: 'Waarom
slaap je niet? Waarom slaap je niet?' Waarop elke keer drie zachte klapjes volg-
den waarin je bijna de appetijtelijke ronding en de bedwarmte van het bewuste
kleine lichaamsdeel kon voelen. En – o wonder! – die drie kleine klapjes losten
als door een wonder plotseling alle moeilijkheden en ingewikkelde problemen van
het bestaan op. Het gejammer hield op, het jongetje viel kennelijk in slaap, en een
weldadige stilte nam weer bezit van de binnenplaats. Die scène werd elke avond
zo regelmatig herhaald, dat die bij mijn eigen bestaan hoorde. Ik placht al om
negen uur gespannen op het wakker worden en jammeren van mijn kleine, onbe-
kende buurman te wachten, van wie ik van tevoren alle registers kende en volgde,
terwijl mij intussen het gevoel van radeloosheid tegenover het leven deelachtig
werd. Dan wachtte ik op de thuiskomst van de jonge vrouw, op haar welluidende
stem en vooral op de bevrijdende drie klapjes. Geloof me, lieve Hans, dat ouder-
wetse middel om bestaansproblemen op te lossen, deed door middel van het bipsje
van die kleine jongen ook wonderen voor mijn ziel: mijn zenuwen ontspanden
zich meteen na de zijne, en ik viel elke keer bijna tegelijk met de kleine jongen in
slaap. Ik ben er nooit achter gekomen vanuit welk met geraniums versierde
raam, vanuit welk dakkamertje die draden naar mij toe werden gespannen. In
het felle daglicht zagen alle huizen die ik kon zien er even grijs, nuchter en streng
gesloten uit, en ze trokken een gezicht van: wij weten van niets. Pas in het nach-
telijke duister, door het milde briesje van de zomerlucht heen, worden geheimzin-
nige betrekkingen gesmeed tussen mensen die elkaar nooit hebben gekend of ge-
zien.[*]

Na het lezen van die zinnen, die de sinds het begin van de zwangerschap
verstreken, meerdimensionale tijd als een formule schijnen weer te geven,
ontfermt zich een licht slaapje over Josepha en ze droomt ervan hoe ze als
kind een keer smekend had opgekeken naar de heiligen van de communistische beweging en absoluut niet had kunnen vatten wat die zo onmetelijk
diepe kloof betekende tussen wat er op school werd verteld en de rituele
handelingen die je in de kerk kon leren. Ze was nooit op het idee gekomen
dat er een eenvoudig hart klopte in die grootheden, die, zo dacht het kind,
toch slechts door hun distantie tot het aardse in staat konden zijn geweest
tot vastberadenheid, trouw, onfeilbaarheid, verbluffende redelijkheid en

*[Rosa Luxemburg op 29 juni 1917 aan Hans Diefenbach, uit: *Gesammelte Briefe*, Bd. 5,
Berlijn 1984.]

oneindige goedheid ten aanzien van het volk. En omdat ze een gevoelig meisje was geweest, was het haar onmogelijk geworden haar hand omhoog te steken om de officiële groet van de kinderorganisatie te geven waarvan ze, evenals haar klasgenoten, lid was, en de bezwerende formules uit te spreken waarvan het de bedoeling was dat ze haar zouden binden aan de idealen van die grootheden. Ze schrok ervoor terug zich op een en hetzelfde niveau te stellen met al die buitenaardse wezens die zoveel tot stand moesten hebben gebracht voor de mensen op aarde, of ze nu Mao Tse-Tung of Ernst Thälmann heetten. Nooit was de acht-, tien-, twaalf-, veertienjarige Josepha op het idee gekomen dat Marx en Engels aan de andere kant van de eeuwwisseling een natuurlijke dood konden zijn gestorven. Nee, ook zij waren vast en zeker vermoord door de volksvijanden, die zich, sinds de oergemeenschap had opgehouden te bestaan, in allerlei metamorfosen door de tijdperken heen vraten. Nooit hadden die buitenaardse grootheden fouten gemaakt, eerder was het, hoewel alleen intermediair, bij tijd en wijle het wit in de ogen van de vijand geweest dat de allesdoordringende panoramische blik van de grootheden kon tegenhouden en hun plannen – voorlopig althans – kon doorkruisen.

Josepha koestert haar kindertijd en bezaait die met kussen wanneer ze ervan droomt. Het naïeve kind, haar ogen op de zon gericht – wanneer die weerspiegeld wordt in de glimmende neuzen van haar schoenen. Met gebogen hoofd, dus zich gelukkig voelend. Josepha weet nog dat het weigeren van de pioniersgroet, die toch in een vriendelijk 'goedendag!' verdween, als gebrek aan dankbaarheid, als eigenwijsheid en vijandigheid werd gebrandmerkt, hoewel ze daarmee toch juist haar knieval wilde betuigen voor de grootheden van de nationale overwinningsgeschiedenis. Maar ze zat anders in haar huid dan haar vrienden: ze twijfelde noch aan zichzelf noch aan degenen die moesten brandmerken, maar sloeg het voorval gelaten samen met de andere voorvallen in haar geheugen op, waar het steeds meer naar het noorden trok, maar niet ver genoeg om helemaal te verdwijnen, doch af en toe als een drijvende ijsschots in het beeld opdook dat Josepha zich van haar jonge jaren vormde. Terugkijkend smelt de ijsschots of hij wordt groter, verandert steeds een beetje zijn hoekige contour, wordt bedreigd door andere. Nu staat bijvoorbeeld op de ijsschots naast die van Josepha haar onderwijzeres Brix te dansen. Mevrouw Brix, een spekzwoerdachtig, versleten exemplaar, maar toch met alle zeven zegels gesloten, probeert op spitzen te lopen, en haar rechterbeen horizontaal naar achteren te buigen. Josepha denkt aan een schoolreisje naar Moskou ter afsluiting van de schooltijd. Ze zit in het Bolsjojtheater, met naast haar mevrouw Brix, die begint te lachen als Julia, de danseres met het horizontaal uitgestoken been, aan Romeo haar liefde bekent. Waarom lacht u?

fluistert Josepha geschrokken. Stel je voor dat ik zo zou moeten rondhop-sen om mijn liefde te bekennen... Dat is toch krankzinnig? Mevrouw Brix's gehinnik verstikt in het vet op haar buik. Maar nu heeft Josepha de slappe lach en valt het publiek, dat tot dan intens geniet van het ballet *Romeo en Julia* van Peter Tsjaikovski in de grote zaal van het Kremlin in Moskou, lastig met haar luide geschater dat uit het gebied rond haar sleutelbeen lijkt te stammen, omdat het scheef uit haar mond komt, zodat het links beter te horen is dan rechts. In de metro, op weg naar het hotel, zit Josepha naast mevrouw Brix en stikt nog steeds van het lachen. In de wagon zitten en staan mensen die door de Lieve Heer bij de bouw van de toren van Ba-bel over de hele aarde zijn verstrooid. Pas als Brix een zwarte man een luide oorvijg heeft verkocht, weet Josepha haar lachbui te bedwingen. Denk je soms dat ik aan me laat frunniken? Dat laat ik ook niet toe bij mannen die ik ken. Gelijk heeft ze, denkt Josepha. Maar strijden de zwarte mensen niet in de hele wereld tegen hun onderdrukking? Die zijn toch goed, de zwarte mensen? Zou mevrouw Brix zich vergissen? Josepha begrijpt het niet helemaal. In dat soort situaties komt het Schlupfburgse erfgoed haar te hulp: ze doet haar ogen dicht, laat dan bij het weer openen van haar ogen haar oogwit zien en kijkt dwars door de stoffen heen waaruit de kle-ren van de zwarte man zijn gemaakt: een beetje velours, perlon, linnen, katoen, acetylzijde van de goedkoopste soort, en pluizige wol. Bij zwarte en witte mannen hangt in het kruis hetzelfde ding, zwarte en witte vrouwen staan ernaast en hebben allemaal hetzelfde gleufje, bij iedereen in aange-paste vorm. Soms zwelt het werktuig van een man op onder Josepha's blik, die niet op een blik lijkt zoals die uit het wit van haar ogen schiet. Vooral wanneer man en vrouw heel dicht bij elkaar staan, richt het ding, dat zo-even nog hing, zich op en wijst in de juiste richting. Josepha doet haar ogen weer dicht en keert terug naar haar normale blik met haar zwarte pupillen. Wat ze heeft gezien, brengt haar op nog heel andere gedachten dan die aan de ijsschots en de oorvijg van mevrouw Brix. In de spleet, die op een dag door het hoofdje van een mooi zwart-wit kind zal worden uitge-rekt, krampt het een beetje als Josepha wakker wordt en zich afvraagt wel-ke sleutel Therese vandaag zal hanteren om het verleden te openen. Voor het eerst denkt Josepha erover na waaruit het imaginaire doek bestaat dat te voorschijn komt zodra Therese het trefwoord heeft gemompeld. Ze her-innert zich dat ze ooit in de woning van een van haar schoolkameraadjes een echt linnen doek heeft gezien, waarop het gezinshoofd op enerverende verjaardagen van de kinderen tot vreugde van de gasten 8-mm-films pro-jecteerde, stom en zwart-wit, met veel krassen en in een wisselend tempo. De kinderen konden op die manier zien hoe ze een jaar eerder bij dezelfde gelegenheid bijeen waren gekomen en rare gezichten hadden getrokken, die de voortvarende vader van het schoolvriendje met zoemende camera had vereeuwigd. In de loop der jaren moest op die manier een omvangrijke kroniek zijn ontstaan, die nu in de kast van een schoolvriend lag te verstoffen en die waarschijnlijk werd aangevreten door de tijd die sindsdien rijkelijk was vergaan. Het imaginaire doek moest van een andere stof zijn, de schering gemaakt van het linnen der intuïtie, de inslag magie. Bevroren het geheel, star in het ijs van de vergetelheid, dat ontdooit op het moment dat ze op pad gaan, zodat het doek ten slotte wel moet instorten. Josepha vermoedt: vergeten is niets anders dan een variant op de herinnering, en ze stapt uit bed om haar vermoeden met bewijzen te gaan staven.

1 april 1976:
Derde etappe van de Gunnar Lennefsen-expeditie
(trefwoord in het expeditiedagboek: TIRALLALA)

Therese heeft al in haar leunstoel op haar achterkleindochter gewacht, de proviand staat klaar, Josepha zet haar bagage ernaast. De overgordijnen zijn al uren geleden door Therese gesloten om zichzelf niet te hoeven zien bij het geduld uitoefenen. Een leven lang is ze geduldig geweest, nu ontstaat er een eenvoudig, ontkennend voorvoegsel dat voor een van haar meest opvallende karaktereigenschappen gaat staan en maar niet wil verdwijnen, hoezeer Therese zich ook inspant de twee letters uit te wissen! Geïrriteerd is ze, en ze brengt met een kwaad gezicht Josepha tot zwijgen, lucht haar hart met veel gesnuif en brengt twee keer luid en duidelijk de kreet TIRALLALA ten gehore. Josepha schrikt, maar voordat ze de cognacfles kan pakken om de oude vrouw te kalmeren, spant het imaginaire witte doek zichzelf al door de kamer, en te zien is hoe de zes jaar oude Ottilie Schlupfburg in het Oost-Pruisische Lenkelischken haar schooltas op haar rug vastgespt om voor het eerst naar school te gaan. Ook zij zal onderwijzer Weller leren kennen, die met zijn aanbevelingen voor haar oom Max ooit de weg naar de Hogere Technische Staatsschool voor Hoog- en Wegenbouwkunde heeft geëffend en zich nog altijd zont in het feit dat hij een genie heeft vormgegeven. Max, hoewel pas tweeëntwintig jaar, woont als drukbezet ingenieur in Riga, waarvandaan hij de familie voortdurend brieven schrijft en ook eens per jaar onderwijzer Weller een schriftelijke groet zendt. Maar Ottilie Schlupfburg loopt te hijgen onder het gewicht van de schooltas, die is gemaakt in opdracht van grootmoeder Agathe in Königsberg: Max stuurt regelmatig geld uit Riga. Ottilie stapt in die late Oost-Pruisische zomer in haar eentje over de lange weg naar school, want haar moeder is zich aan het voorbereiden op haar huwelijk. Voor de spiegel in de slaapkamer van haar oude ouders staat Therese in haar witte jurk, en ze verheugt zich niet en is evenmin bedroefd. Onaangedaan zet ze, om het uit te proberen, een kransje van witte kunstbloemen op haar haar. Het kransje beslaat slechts een driekwart cirkel, de bruid is immers geen maagd. De bruid zucht, speldt de sluier vast, doet een paar stappen heen en weer voor de spiegel en is geïrriteerd dat ze voor haar bruidegom moet optreden, terwijl haar dochter voor het eerst naar school gaat en haar steun heel goed zou kunnen gebruiken. Meegaand is de bruid geworden nu ze een bruid is. Bruid zijn betekent je schikken, bukken. Om geneukt te kunnen worden, mompelt Therese en ze capituleert op hetzelfde moment, want ze ruikt de bruidegom, die zo-even het huis moet hebben betreden. Zijn zweet is niet zo jonkerachtig als dat van August Globotta. Eerder ruikt het naar muizen en keutels, de lucht wordt grijs door zijn uitwaseming. Walging doet de haren van de bruid rechtovereind staan, maar Therese beheerst zich en spuugt op de spiegel, voordat ze naar beneden gaat naar de woonkamer, waar haar ouders de bruidegom goedgemutst houden met sterke drank. Aankomende zaterdag is de bruiloft gepland. De bruidegom heet Adolf Erbs, werd ooit als vondeling opgepakt van de stoep voor het portaal van de Juditterkerk, en geeft in Königsberg leiding aan een kleine leer- en bontmakerij die hij van zijn kinderloze pleegouders na hun vroege dood heeft geërfd. Adolf Erbs is tweeëndertig jaar ouder dan Therese. Maar niet alleen de leeftijd van haar geliefde zit haar dwars. Sinds Adolf Erbs haar bij hun derde ontmoeting duidelijk heeft gemaakt dat hij een heimelijke stenensnijder is die op het randje van recht en wet balanceert, is ze bang ooit last te krijgen van nierstenen. Adolf Erbs heeft haar verteld hoe hij met zijn bontwerkersgereedschap menselijke blazen, nieren en gallen vakkundig kan openen en van alle ellende bevrijden. Alleen heeft hij niet de juiste papieren voor zijn heimelijke kunst, zodat hij die in een speciaal voor dat doel afgescheiden hokje achter zijn werkplaats moet uitoefenen. Maar wie door hem is genezen, bleef hem zijn hele leven lang dankbaar, vertelde Adolf Erbs zijn jonge bruid. Thereses moeder had bij hem een leren schooltas voor een klein meisje besteld. Therese haalde het ding af en leerde op die manier de man kennen die terstond voorgaf met haar te willen trouwen en dat ook bleef volhouden toen ze hem te kennen gaf dat de schooltas voor haar eigen dochter was bestemd, die ze buitenechtelijk ter wereld had gebracht. Adolf Erbs heeft een voorgevoel van vruchtbare lust wanneer hij aan de huwelijksnacht denkt. Alleen Ottilie heeft hij tot dusver nog niet te zien gekregen, en ook vandaag ontgaat hem het stiefkind, dat al naar school is. Maar dat kan hem niet veel schelen, hij heeft toch alleen maar oog voor Therese en haar 190 pond vrouwenvlees, dat zijn mond vochtig maakt en zijn ogen doet rollen. Wanneer haar ouders eventjes de kamer uit gaan, omdat er een sterke geur van bloed binnendrijft waarvan

de herkomst raadselachtig is, knijpt Adolf Erbs in de dikke kont van zijn
bruid en wil ook nog in haar borsten knijpen. Maar Therese schrikt en
wordt kwaad, duwt hem van zich af en is blij dat haar ouders binnenkomen. De lievelingskoe van de Schlupfburgs is aan haar menstruatie begonnen, waaraan ze, door de opwinding over de oorzaak van de bloedgeur, niet
hadden gedacht. De bont- en leerwerker en heimelijke stenensnijder ver-
stijft als hij de ouders dat hoort vertellen, die nu weer met radeloze ogen
naar hem zitten te kijken. De bruid ziet de ervaringskloof tussen hen en
haar bruidegom en overbrugt die kloof door mee te delen dat ze meestal
drie dagen na de lievelingskoe eveneens begint te bloeden. Adolf Erbs trekt
een zuur gezicht, hij denkt aan de huwelijksnacht, die nu toch tegen alle
verwachtingen in bloederig belooft te worden. Geïrriteerd schrompelt ineen wat stijf geworden was bij het knijpen in het zitvlees. Adolf Erbs moet
zich nu, om niet al te snel de lol in de bruiloft te verliezen, de organen
voorstellen van zijn bruid. Mooie, boonvormige nieren ziet hij voor zich,
waarbij hij in een ervan een enorme steen met een kristallijnen structuur
begint te hallucineren. Hij trekt zijn mes en snijdt de huid open, duwt het
vlees uiteen en graaft dieper tot hij de mooie steen heeft gevonden, snijdt
er liefdevol omheen en tilt hem eruit: zijn eerste eigen kind voordat de
blaas bloot komt te liggen, waarin drie blauwachtige kruimels drijven, die
hij als steentjes heeft ontmaskerd. Hij prikt in de blaas, maakt die leeg
door erop te drukken en spoelt mét de urine de kruimeltjes eruit, naait dan
de wonden dicht. Hij wil juist met de gal aan de slag gaan, als zijn bruid
hem doet ontwaken uit zijn snijdende dromen. Door het raam begroet ze
haar kind: zij heeft haar eerste schooldag erop zitten en komt opgewekt
thuis. Ze is zeker een jaar of zes, dat kind van jou? vraagt Adolf Erbs verlegen, als hij zich innerlijk voorbereidt op de komende ontmoeting. Ja ja, zes
jaar, antwoordt Therese en ze begint een zelfverzonnen liedje te neuriën.
Alleen het refrein zingt ze luid: TIRALLALA TIRALLALA! Als Ottilie de kamer
binnenkomt, is Thereses liedje uit. De bontwerker en heimelijke stenensnijder schrikt: het voor hem staande kind heeft pronte borsten, een rijp
en zelfverzekerd lachje en een indringende blik, die triomfantelijk het
kruis van de ouder wordende man zoekt en het in beweging brengt. Dat
kind moet minstens zeventien zijn, denkt Adolf Erbs ontzet en hij kijkt
vragend naar Therese, die alleen maar haar schouders ophaalt. Heb je dan
al zo jong... laat hij zich verschrikt ontvallen, en hij voelt zich klein en hulpeloos onder de ogen van de vrouwen. Hij wil juist voorstellen de bruiloft
voorlopig uit te stellen, want de gedachte met twee regelmatig menstrue-
rende vrouwen samen te moeten leven vervult hem met grote angst, als
Therese opnieuw begint te neuriën en te zingen, alsof die man haar worst
is en de bruiloft een farce. Het laatste restje geslachtelijke aandrang bij

Adolf Erbs smelt door al dat gezang weg, hij trekt zijn staart tussen zijn benen en wil, de geslagen hond, de droom van de mooie, dikke vrouw gaan begraven. Maar als hij bij de deur nog een keer omkijkt om te groeten, is Ottilie een kleine spillebeen, die je nauwelijks zes jaar zou geven, met een weerbarstig strooien kuifje boven haar doorschijnende oren en met dunne lippen, die in de kou rond het bruidspaar een beetje blauw glanzen. Ha, roept Adolf Erbs, wat is dat? Mijn kind, wie anders, Ottilie Schlupfburg. En wie was dat daarnet, die dikke met die, nou, wie was dat meisje daarnet? Ben je niet goed snik, Erbs? durft Therese nu te roepen. Zie je soms spoken, Adolf Erbs? Of zit er een steen in je hersenen die je eruit zou moeten snijden? Ik weet niet wat je wilt: dit hier is mijn kind, een ander kind heb ik niet. Achter Thereses provocerende geschreeuw zit een grommend lachje, dat er niet uit kan, in elk geval niet uit haar mond. Adolf Erbs is nu zo klein dat Therese zin krijgt met hem te trouwen en hem te treiteren en te pesten en te straffen voor zijn leeftijd en zijn onbeschaamdheid en zijn heimelijke stenensnijderij om hem daarna langzamerhand te vergeten. Adolf Erbs weet niet wat hem te wachten staat als hij de zaterdag daarop naast Therese naar de kerk schrijdt, voor het altaar zweert haar bij te staan en dan in het huis van de familie Schlupfburg van een goede maaltijd geniet. Brandnetelsoep heeft Agathe gekookt, waarin ze rijkelijk uitgeperste peterselie heeft gedaan om die ouwe kerel op te peppen, die sinds hun laatste ontmoeting lijkt te zijn verschrompeld, kleiner is geworden in de schaduw van zijn melkachtige bruid. Bij de gebraden gans bakt Agathe aardappelkroketten om de liefdeskroket van de ouwe man te prikkelen. De bekroning, ten slotte, bestaat uit geraspte appels met geroosterde dobbelsteentjes brood, die meer dan een halve eeuw later ook zullen voorkomen in de proviand van de expeditie, met een toef slagroom erop. Therese slurpt en smakt. Adolf Erbs, die naast haar zit, wordt nog kleiner wanneer hij aan de toekomstige maaltijden denkt in zijn bontwerkershuis in Königsberg. Tot dusver heeft hij zelden meegemaakt dat iemand voor hem kookt, hoewel hij met gemak een hulp in de huishouding had kunnen betalen. Tot dusver heeft hij, als de honger met brood en kwark niet te stillen was, op steentjes zitten knabbelen: steentjes uit de nieren, gallen en blazen van zijn heimelijke nachtelijke patiënten. Hij at ze rauw, beet erop en kauwde ze fijn tussen zijn kiezen. Een enkele keer had hij er soep van gemaakt, maar die had hij niet goed verdragen. Dat was geweest toen hij bij Franz Palskat uit Palmnicken de verhardingen uit zijn gal had gesneden. In water laten sudderen, een beetje zout in de pan – klaar was de bouillon, die niet te genieten was geweest en waarin Adolf Erbs' voorkeur voor gekookte stenen uiteindelijk zou verzuipen. Zijn onpasselijkheid werd waarschijnlijk veroorzaakt door de boze dromen, slechte gedachten en andere spanningen die Franz Palskat in zijn gal had verdrongen en die nu door de hitte van het kokende water weer tot leven kwamen en in Adolf Erbs een verschrikkelijke chaos van persoonlijke alsmede van Palskat afkomstige psychische stoornissen aanrichtten, die hem uit zijn slaap hield. Nee, Adolf Erbs moest daarna de kwalijke concentraten van de Palskatse stenen herkauwen en uitspuwen, waarvoor hij een nacht en een halve dag nodig had, en intussen werd hij ook nog gieriger dan ooit tevoren. Zo gierig dat hij hier, op zijn eigen bruiloft, de verkwisting die hem uit Thereses genietende mond tegemoet smakt nauwelijks kan verdragen. Nog voordat de liefdeskroket effect kan hebben, spoelt Adolf Erbs de lekkere smaak met bronwater weg en gaat naast Max zitten, die aan de zijde van onderwijzer Weller zijn wijnglas volschenkt en gesprekken voert die Adolf in elk geval beter bevallen dan het gesmak van zijn echtgenote. Hij werpt een blik op dat mens, dat nu al voor de vijfde keer appelmoes opschept en met de geroosterde dobbelsteentjes brood door het braadvet van de gans strijkt. Als zo'n doordrenkt stukje brood in het gat van haar mond verdwijnt, begint Erbs te kokhalzen, net als destijds bij de stenensoep van Palskat, en hij moet zijn hoofd afwenden. Max slaat op zijn schouders, maar het helpt niets: Adolf Erbs kotst de bruiloftsdis in Lenkelischken vol. Het ruikt naar zurige sellerie en liefdeskroketten. Nadat ze de besmeurde glazen en borden en het (van de hofhouding van Globotta) geleende bestek uit de appelmoes hebben gehaald, trekken de vrouwen het tafellaken van de tafel en stoken het vuur op onder de ketel in het washok. De stank van het opnieuw te voorschijn gekomen eten is niet te verdragen, die moet zo snel mogelijk worden weggewerkt. Zo staat Therese op haar huwelijksdag in het washok en lacht om die arme Erbs, die voorlopig door Max en onderwijzer Weller van schone kleren wordt voorzien en intussen wordt beziggehouden met een ernstig mannengesprek. Max vertelt hoe, nadat de stad Riga in 1861 was aangesloten op het Russische spoornet, een groot aantal koetspaarden in de regio aan een raadselachtige ziekte waren overleden. Op de overlevering van die paardensterfte was hij gestuit bij zijn onderzoek van historische geschriften uit die tijd, die hem interesseerden in verband met de technische beschrijving van Russische treinen. Een ijverige kroniekschrijver had de eigenaren van de paarden ondervraagd en hun uitspraken opgetekend voor mensen als Max Schlupfburg, die vanaf de andere kant van de eeuwdrempel een nieuwe blik zouden werpen op de gebeurtenissen. Paardenbezitters beschreven de ziekte altijd op dezelfde manier: de dieren waren met hoge koorts aan het praten geslagen, in geagiteerd Russisch, en waren na krampen die aan de sint-vitusdans deden denken en die een uur of drie duurden, Duits sprekend gecrepeerd. De overgang tussen de talen was vloeiend geweest. Ook zouden de woorden die de dieren uitkraamden steeds zijn blijven steken in een damp van genitaliën: klote, klotespoor, kutspoorwegen, kutspoorwegbeambten enzovoort. Adolf Erbs loopt naar het washok om er bij Therese en zijn stiefdochter op aan te dringen naar Königsberg te vertrekken. Eerst moeten we hier de boel schoonmaken, zegt Therese, en ze wijst naar het tafellaken in de wasketel. Daarin wordt ook het bestek van de hofhouding van de familie Globotta uitgekookt, dat Therese meent te moeten desinfecteren nadat het met de maaginhoud van Adolf Erbs in aanraking is gekomen. Het zou immers kunnen, denkt Therese, dat de tedere August op een dag zo'n bezoedelde vork hanteert bij het eten, en met de houten wasspaan roert ze door de inhoud van de ketel. Maar ga jij maar rustig vooruit, wij komen na zodra we hier klaar zijn. Adolf Erbs is zo klein dat hij vlug weg wil van deze plek met al die grote vrouwen en reusachtige kinderen. Hij stapt in de koets die hij de vorige dag in Königsberg heeft besteld, en vertrekt in z'n eentje. Therese piekert er niet over die ouwe kerel te volgen naar haar huwelijksnacht, ze bloedt bovendien en vergeet steeds weer zijn naam, die nu ook de hare moet worden. Dagen later pas, als Thereses ouders hun dochter steeds weer op het hart drukken verstandig te zijn en zich te schikken, reist ze hem na. Haar vader moet haar begeleiden en veilig afleveren in het huishouden dat ze vlijtig, maar zonder overtuiging begint te bestieren. Wanneer Adolf Erbs haar meer dan één keer per week wil beklimmen, neuriet ze een liedje, waarvan het refrein uit twee keer luid gezongen TIRALLALA bestaat, en bij haar dochter groeien borsten en geile blikken waaronder Adolf Erbs, de bontwerker en heimelijke stenensnijder, ineenschrompelt, aan zichzelf gaat twijfelen en zichzelf uiteindelijk vergeet. Dan laat Therese hem opnemen in het stedelijke gekkenhuis, en ze blijft hem zijn melige soepen en een beetje warmte brengen, maar Adolf Erbs sterft na een halfjaar huwelijk in een toestand van totale dementie. De verbintenis wordt ongeldig verklaard, omdat Therese Schlupfburg blijft volhouden dat ze ernstig twijfelt aan de identiteit van de man en daarvan aangifte doet. Ze neemt de mannen van de burgerlijke stand mee naar het afgesloten kamertje in de bontwerkerswerkplaats, waar Adolf Erbs tijdens zijn leven organen placht open te snijden. De mannen huiveren, grijpen naar hun buik, rug en onderlijf, vertrekken hun gezicht en bevestigen de verklaring van Therese Erbs, geboren Schlupfburg, dat deze man een ander is geweest dan voor wie hij zich heeft uitgegeven. Therese is bevrijd van Erbs, het huwelijk had niets te betekenen gehad. Maar dat niets-te-betekenen had wel gevolgen, waaraan Therese (nu weer Schlupfburg) zwaar torst en welke gevolgen ze na een drietal maanden bereid is Fritz te noemen.

Het verheerlijkt glimlachende gezicht van de boreling is het laatste wat het imaginaire doek nog kan laten zien, voordat het midden in de kamer ineenzakt.

Therese zit opgewekt in haar leunstoel en lacht luid, ze weet immers wie de vader van haar zoon is. Ze herinnert zich alles en haar hoofd zet voort wat de vrouwen zo-even nog konden zien. Het geboortebewijs had destijds alleen háár vermeld als moeder van het kind. Weliswaar stond in het daarvoor bestemde hokje dat Fritz Schlupfburg als *echtelijk* kind ter wereld was gekomen, maar de burgerlijke staat van de moeder werd met *ongehuwd* aangegeven. De ambtenaar van de burgerlijke stand had het niet gewaagd toe te geven aan het dringende verzoek van Therese, en had zijn superieur erbij gehaald. Maar die had deelgenomen aan het bezoek aan de heimelijke stenensnijderij en had mede het besluit genomen het huwelijk nietig te verklaren. Therese Schlupfburgs wens een bij haar voorstellingen passend geboortebewijs te krijgen, kwam hem logisch voor, en hij gaf zijn ondergeschikte de opdracht de vrouw tegemoet te komen. Toen hij in de Löbnichtkerk werd gedoopt, was Fritz Schlupfburg het enige kind in de provincie Oost-Pruisen met een dergelijk geboortebewijs.

Therese moet alweer lachen en kan er niet mee ophouden, ze eet dobbelsteentjes brood en smakt luid, neuriet haar liedjes en giechelt als ze naar Josepha kijkt: die wordt zowel jonger als ouder bij Thereses TIRALLALA, is een klein meisje en meteen daarna een vrouw op leeftijd, tot Thereses krachten tegen middernacht beginnen af te nemen en Josepha uitgeput uitkomt op haar werkelijke leeftijd. Beiden vallen zittend in slaap.

Ottilie Wilczinski in het Beierse N., aan de andere kant van de in 1949 kennelijk definitief vastgestelde grens, houdt haar pijnlijke buik vast: ze heeft zich te heftig omgedraaid om vanuit haar ziekenhuisbed de nachtzuster te roepen. Ottilie ligt sinds een paar weken op een eenpersoonskamer van de gynaecologische afdeling van het Sint-Jorisziekenhuis. Ze hebben geprobeerd de kamer huiselijk in te richten, Ottilie moet hier namelijk op haar bevalling wachten en intussen voortdurend onder medisch toezicht blijven staan. De artsen weten nog niet dat twee jaar later, in Engeland, de reageerbuisbaby Louise Brown ter wereld zal komen, verwekt in een glazen buisje onder toezicht van de wetenschap. Dus is de zwangerschap van de zestigjarige Ottilie Wilczinski dé gebeurtenis van het medische kalenderjaar en als zodanig is het nauwelijks geheim te houden. Voor de poorten van de kliniek vechten op elk uur van de dag en de nacht opdringerige journalisten om de gelegenheid een foto te maken van de zwangere vrouw. Maar geen van hen heeft haar ooit te zien gekregen, Ottilie Wilczinski weigert interviews en inlichtingen, kijkt televisie, geeft als altijd de voorkeur aan de programma's van het derde net en aan korte misdaadfilms waarin zwartgerokte paters of bejaarde dames brute moordenaars opsporen en de politie altijd één stapje voor zijn. O, zij was menig spion ook altijd één stapje voor geweest destijds, toen ze nog met Avraham Rautenkrantz vree, als zestien-, zeventienjarig meisje in het Oost-Pruisische Königsberg. Avraham Rautenkrantz kwam af en toe uit Riga over, waar hij met Ottilie's oom Max bevriend was geraakt en bij het twintigste deel van de Letse bevolking behoorde dat regelmatig de synagoge bezocht. Wanneer Avraham Rautenkrantz op visite kwam, zette Therese vis op tafel in het huis van de overleden stenensnijder in de Sackheimer Mittelgasse. De benedenetage had ze verhuurd aan de zuinige schoenmaker Ernst Dallaw, die in de voormalige bont- en leerwerkerswerkplaats eenvoudige schoenen fabriceerde, maar veel vaker de afgetrapte schoenen oplapte van de inwoners van Sackheim, Kosse en van de wijk aan de Pregel, die niet op blote voeten naar hun dagelijks werk konden gaan in de zagerijen en timmermanswerkplaatsen, de molens en de staalfabrieken. In de Hufen woonden degenen die zich de eigenaar van niet slechts één paar schoenen mochten noemen, en die een betrekking hadden als medewerker bij de hoofdvestiging van de Rijksbank, die een betere zaak hadden dan schoenmaker Ernst Dallaw in Sackheim, of die een handeltje dreven met vlas of hennep, met kolen, barnsteen en leer. De kinderen uit de Hufen namen de nering van hun ouders over. Waren ze van het mannelijk geslacht en gaven ze er blijk van verder te willen leren, dan stonden ook de negen Hogere Opleidingsinstituten voor Jongens voor hen open. In elk geval gingen de zonen uit Amalienau en Maraunenhof naar het Friedrichscollege, naar het Wilhelmgymnasium of naar het Kneiphofgymnasium in de oude stad en werden zo slim als hun vader en moeder het hun voorschreven. Ook Therese schreef voor haar dochter Ottilie verstandige woorden boven de poort naar het leven, maar die was Ottilie allang vergeten toen ze de liefde leerde kennen in het Altstädter plantsoen. Avraham Rautenkrantz was een kreupele joodse kleermaker met een zacht karakter en een vurige blik, met een klein, vergroeid lichaam en hoge duiksprongen. Zijn huid was wit, met café-au-lait-kleurige spikkels bezaaid en hij rook naar lekkere zeep en een goede gezondheid. Avraham Rautenkrantz vree in het begin graag met Ottilie, maar na januari 1933 begon hij nare dromen te krijgen en kwam hij nog maar zelden met de boot naar Königsberg. Kwam hij toch, dan werd hij bij het vrijen gekweld door verwarrende beelden: hij zag zichzelf lange straten schoonvegen met een kleine tandenborstel van been, naast hem vele anderen in dezelfde beschamende situatie. Hij zag het schip kenteren waarmee hij door zijn angstige dromen voer, en vertelde het allemaal aan Ottilie, die hem niet kon helpen en ontroerende brieven aan hem schreef, wanneer hij Königsberg weer had verlaten en naar Riga was gegaan. Voor het laatst zag Ottilie hem in juni 1933, en Avraham Rautenkrantz had het erover dat de Duitse minister van Buitenlandse Zaken, Neurath, in Londen van de Engelse koning in een ernstig onderhoud de bezwaren van de Britten had aangehoord tegen de manier waarop de joden in Duitsland werden behandeld, maar dat hij desondanks bang was, en dat lieden voor wie de jood een doorn in het oog was, zich ook al in Letland roerden. Hij wilde liever in Riga trouwen en dan naar Witebsk verhuizen, waar zijn bejaarde ouders in hun huisje op hem wachtten. Toen hij voor immer afscheid nam van Ottilie, was hij kleiner wat betreft moed dan zij en groter in opoffering, zodat ze elkaar niets hoefden te verwijten en uiteindelijk met elkaar vreeën als nooit tevoren. Avraham Rautenkrantz mocht niets weten van de jongen die Ottilie in het begin van de lente van het jaar 1934 als toekomstige vader van de drukster Josepha Schlupfburg ter wereld bracht en die ze Rudolph noemde. De rondreizende scharensliep Karl Rappler werd er door de voogdijraad in Königsberg mee belast bij te dragen aan het onderhoud van de jongen en de ongehuwde moeder. Hij werd als vader van het kind geregistreerd en vond dat helemaal niet zo erg, omdat hij altijd had gedacht dat hij vrouwen niet zwanger kon maken. Daarom had hij ook altijd vruchteloos met hen verkeerd. Toen Ottilie Schlupfburg hem in een zomernacht van het jaar 1933 verzocht een grote schaar te slijpen waarmee ze als thuiswerkende kleermaakster voor Wiedenhöft & Zonen in haar levensonderhoud voorzag, keek Karl Rappler voorzichtig rond: hij had hier in het Altstädter plantsoen willen overnachten, maar had geen rekening gehouden met een eenzaam jong meisje met een grote kleermakersschaar in haar hand. Wat Ottilie Schlupfburg die avond ook van plan was geweest, ten aanzien van de verdere gebeurtenissen was dat irrelevant: hij deed zijn best met haar te vrijen en sleep haar gereedschap alvorens hij zich onder een eenzame eik te slapen legde. Later was hij niet altijd in staat geld te sturen voor het kind, of naar hem om te kijken tussen zijn tochten door de provincie door, en hij was altijd verbaasd over Ottilie's niet-aflatende dankbaarheid wanneer ze elkaar eens in de twee jaar ontmoeten. Hij had het kind behoed voor de ondergang, waarop het met een joodse naam in zijn stamboom zou zijn uitgelopen, maar dat wist hij niet en hij was trots op zijn zoon in Königsberg. Ottilie hielp hem, toen er korte metten werden gemaakt met het 'rondreizende tuig', aan een vast adres in de Sackheimer Mittelgasse. Ze stonden dus quitte toen Ottilie met Rudolph en haar moeder Therese aan het eind van de afgelopen oorlog in een stoet vluchtende mensen de stad Königsberg in westelijke richting verliet, terwijl Karl Rappler rondstruinde in de smalle straten van Sackheim en de soldaten van het Rode Leger aanbood hun messen en scharen te slijpen. De vermoeide strijders waren niet geïnteresseerd in de verwarde Duitse man Karl Rappler, en hij was blij toen een forse ziekenverzorgster zich over hem ontfermde en hem met de schamele papieren van haar gevallen echtgenoot naar het Oosten stuurde. Pretenderend dat hij doofstom was, kwam Karl Rappler in een dorp terecht in de buurt van Witebsk, waar hij opnieuw scharen sleep en tot eer en aanzien kwam als Gennadij Solovjov, burger van de Sovjet-Unie, geboren in het Oekraïense dorp Dragobytsch, lid van de Communistische Partij van de Sovjet-Unie en de kolchoz 'Rode Oktober', Held van de Grote Vaderlandse Oorlog, die hem had beroofd van zijn herinnering en zijn spraak, en Secretaris voor Agitatie en Propaganda van de partij-organisatie van de dorpssovjets. Weliswaar kon hij niet, zoals menig begenadigde politieke officier, verbaal de vloer aanvegen met zijn gesprekspartner, vooral niet wanneer die door de grote collectivering van de landbouw onder kameraad Jossif Wissarionovitsch was benadeeld en sindsdien onder één hoedje speelde met de overheid, maar hij kon na een paar jaar een ferm *da!* over zijn lippen krijgen, en de kameraden gaven hem een rustig baantje, waarin hij het bewuste woord net zo vaak kon uitspreken als hem beliefde. Ottilie hoorde nooit meer iets van hem, ze dacht toch al vaker aan Avraham Rautenkrantz dan aan hem. Ook nu, nu ze vanuit haar bed in de gynaecologische afdeling van het Sint-Jorisziekenhuis de nachtzuster roept, is ze juist teruggekeerd van haar geliefde in het Altstädter plantsoen. De implosie van het televisietoestel van het merk Grundig, eigendom van het ziekenhuis, heeft haar wakker geschud uit haar herinnering en haar laten schrikken, aan het beven gebracht en haar een hoestbui bezorgd zoals ze die sinds de bocht in de weg tussen Wuschken en Ruschken niet meer heeft gehad: haar longen blazen zich op tot het drievoudige van hun normale met lucht gevulde volume, dreigen te barsten onder haar ribben, duwen haar middenrif naar haar bekken, en als er geen foetus in haar baarmoeder had gezeten die met zijn beide handjes de ballon had tegengehouden – dan had het kunnen gebeuren dat Ottilie Wilczinski lang vóór de verwachte datum van de bevalling was geëxplodeerd. Maar het kind aan zijn dikke navelstreng zet alles op alles en redt zijn moeder, kneedt de lucht uit haar longen, aait geruststellend de punt van haar hart tot haar polsslag en ademhaling weer normaal zijn. Het is een kwestie van een paar seconden: het kind slaapt al weer en zuigt op zijn prenatale duimpje als de zuster de kamer binnenkomt en bij het zien van de angstaanjagende schade luid om hulp begint te roepen, ja te gillen zelfs. Ze kent de voorgeschiedenis van de opname van Ottilie Wilczinski uit het rapport van het Stedelijk Zwakzinnigeninstituut, waarin zich het anamnesierapport bevindt. (In het bewustzijn van de Beierse stad N. blijft het begrip 'Stedelijk Zwakzinnigeninstituut' bestaan, hoewel die inrichting sinds het eind van de laatste oorlog verscheidene andere benamingen heeft gehad, op het moment de naam van koningin Elisabeth.) In het hoofd van de geshockeerde zuster komt bijeen wat bijeen hoort: Ottilie Wilczinski heeft een gestoorde relatie tot beeldbuizen. Wat ze tot dusver als een grap heeft beschouwd, als een hysterisch gevolg van al dat gedoe rond Uri Geller in Zwitserse en West-Duitse televisieprogramma's, moet ze nu bevorderen tot de rang van werkelijke waarheid: in Ottilie Wilczinski's psychofysische aura breekt af en toe glas.

Er spreekt verwondering uit de gezichten van de zusters en verplegers, die haastig aan zijn komen lopen, over het feit dat ze de patiënte slapend aantreffen, een paar seconden nadat de schade is ontstaan, rustig ademend en met een sterke polsslag, wat de dienstdoende verpleegster in de curve aantekent en rood onderstreept. Een jongeman in een veel te wijde witte jas, met goedkope leren sandalen en een zachte müsli-blik tussen zijn enorme flaporen, krijgt de opdracht de scherven bijeen te vegen, het kapotte toestel naar de kelder te brengen en de plek van het ongeluk drie keer te dweilen. Het ritueel vereist dat er aan het dweilwater een middel wordt toegevoegd dat de slijmhuid aantast, om Desinfectia, de godin van de zusterlijkheid, te eren en epidemieën te voorkomen. De idee dat een ongetemde bacil een serie beeldbuisimplosies zou kunnen ontketenen, veroorzaakt bij de staf een schoonheidsmanie, terwijl dokter Zehetmayr, een farmatechneut met voortreffelijke relaties bij grote concerns die elektronische apparaten produceren, een visioen heeft van een toekomst waarin de verkoop van de implosie-veroorzakende bacil hem miljoenen zal gaan opleveren. Dokter Zehetmayr neemt dus een beetje vuil van de dweil, stopt dat in een reageerbuisje en doet de kurk erop. Ottilie Wilczinski daarentegen ontwaakt zelfs niet uit haar posttraumatische diepslaap als de dienstdoende verpleegster een ampul in de kom van haar arm prikt om bloed bij haar af te nemen: een buisje oude-vrouwenbloed dat de medici zullen analyseren in de hoop dat het definitief opheldering verschaft over de raadselachtige bijverschijnselen van de zwangerschap. Maar nog iets anders zorgt ervoor dat de artsen slecht slapen: Ottilie Wilczinski's late zwangerschap is onberekenbaar, voltrekt zich in versneld tempo, onafhankelijk van de menselijke ontogenetische regels. Omdat zij de deling van de bevruchte eicel tot morula met haar eigen innerlijke oog heeft gezien, kan Ottilie het begin van haar draagtijd weliswaar precies aangeven, maar in het begin gelooft niemand haar. Stelde de chef-arts van de afdeling na het eerste ultrasone onderzoek vast dat de zwangerschap zes weken gaande was, de monitor liet nog geen twee weken later een ruim vijftien centimeter grote foetus zien met bewegende armpjes, een goed ontwikkeld nekje en nog niet voltooide oren – het kind was ongetwijfeld al vier maanden oud. Tijdens het middagberaad na de visite van de chef de clinique moesten dus onverklaarbare dingen worden verklaard en het beraad eindigde ermee dat de chef de jongere leidende arts van de afdeling als een 'idioot' en een 'snotneus' bestempelde, die niet geleerd had zijn handen en hoofd te gebruiken en daarom verkeerde conclusies trok. De briesende chef de clinique ging vervolgens eigenhandig met ultrasone golven de stand van de ontwikkeling van de vrucht vaststellen. Hij liet de tijdens het drinken van een kopje koffie in slaap gevallen patiënte naar de onderzoekskamer rijden. Terwijl niemand tot dusver de tijd had genomen Ottilie te vragen hoe ze zich voelde onder deze uitzonderlijke zwangerschap zo lang na de overgang, begon ook de chef de clinique met een troostende hand op haar voorhoofd en met de tot dusver onbeantwoord gebleven vraag naar de vader van het kind. Ottilie ging rechtop in bed zitten, trok haar knieën op tot onder haar kin en schommelde een beetje heen en weer, zoals ze bij de patiënten van het Stedelijk Krankzinnigeninstituut Koningin Elisabeth had gezien: verzonken in oude tijden, de blik naar binnen gericht, waar een rijk zichtbaar is waarvan de artsen geen weet hebben. Ottilie Wilczinski zat aan de rand van de verlatenheid van een lange ziekenhuisopname, maar haar blik was gericht op haar eigen verte, kwam uit bij het hart van haar kind, dat meteen begon te trappelen, en raakte meneer de dokter niet, die alweer geen antwoord kreeg op zijn belangrijke vraag. Ottilie, de *gemengde* patiënte, voor wie zich zowel de psychiatrische afdeling als de gynaecologische afdeling verantwoordelijk voelt, en om wie ze elkaar in de haren vliegen tijdens ondoorgrondelijk lange vergaderingen en gesprekken met experts... Het lukte de arts Ottilie Wilczinski op de brancard te leggen en doorzichtige gelei op haar buik te smeren. Het onderzoek met ultrasone golven leverde ten slotte een twintig centimeter lang, nog ongeboren kind op dat zijn ogen al begon te openen en aan zijn piepkleine neusje krabde – kortom, een fantastische ontwikkeling doormaakte. De snelle hartslag van het kind haalde Ottilie uit haar diepe verzonkenheid, ze keek naar de monitor en zag plotseling in dat dit schepseltje de late vervulling van Bodo Wilczinski's verlangen naar een kind betekende. Een van zijn duizenden ejaculaties moest toch succes hebben gehad, maar het bevruchte ei was jarenlang in haar eileider blijven zitten, vergeten als een stuk bagage in een bagagekluis. Toen de droge stoten van Franz Reveslueh de verdorde kanalen tussen eierstok en baarmoeder in beweging hadden gebracht en het in het kuiltje van haar navel stromende sperma zijn energie door de buikwand van Ottilie heen naar de regio rond de baarmoeder had gestuurd, herinnerde het kind in de dop zichzelf en begon aan de beslissende negen maanden om de wereld te gaan betreden waarvoor Bodo Wilczinski een zwangerschap voorbehoedende angst moest hebben gehad. In elk geval weigerde zelfs zijn tot Ottilie's eicel doorgedrongen zaadje het genetisch bepaalde programma af te werken. Uiteindelijk maakten de impuls en tussenkomst van een andere, niet afgunstige man de late zwangerschap mogelijk. Toen Ottilie dat eenmaal had begrepen, begon ze steeds harder te lachen, aaide met haar beide handen over haar buik en voelde zich sterk worden tegenover de meneer bij de monitor, die ze nu belachelijk vond in zijn voortvarendheid en betreurenswaardig in zijn onwetendheid. De in verwarring geraakte arts liet de patiënte dan ook weer naar haar kamer brengen, maar hij vergat niet Ottilie's gelach als een *nieuw bewijs voor haar psychische labiliteit* in het dossier te noteren en er de veronderstelling aan toe te voegen dat het een geval was van zwangerschapspsychose. Het voorval met de beeldbuis is nu een extra raadsel in het raadselachtige verhaal, en de een halfuur later haastig arriverende, thuis opgeroepen chef de clinique voelt een beetje onrust in zijn buik, een gevoel van onbehagen dat hij kent uit het begin van zijn carrière, toen hij altijd had geaarzeld om na een tien minuten durend consult diagnoses te stellen en die met een enorme hoeveelheid op laboratoriumonderzoek gebaseerde informatie te onderbouwen. Hij ziet zijn studievriend Huckenhuber voor zich, die in het centrum van de stad een kleine homeopathische praktijk uitoefent, uitgelachen door de andere artsen, geliefd bij de paar patiënten die hij heeft behandeld, genegeerd door de meerderheid van de burgers. Huckenhuber had hem verscheidene keren uitgenodigd voor een vriendschappelijke uitwisseling over diagnose- en therapiemethodes, maar de chef de clinique was er nooit op ingegaan, zodat na verloop van tijd de uitnodigingen uitbleven en de studievriendschap geleidelijk aan ophield te bestaan. Door die onrust in zijn buik voelt de chef nu de behoefte Huckenhuber stiekem op te bellen. Collega's en familie mogen natuurlijk niet weten dat hij bij zo'n kwakzalver raad en hulp zoekt in het moeilijke geval van de laat zwangere Ottilie Wilczinski. Het blijft hem een raadsel hoe een menselijke foetus tussen het ontbijt en het kopje koffie laat op de middag bijna vijf centimeter kan groeien. Misschien kent Huckenhuber vergelijkbare gevallen? De sensatiepers beweert in elk geval dat die er zijn. De chef de clinique herinnert zich een tijdschrift dat op de afdeling van hand tot hand is gegaan en dat tot zijn ontzetting verkondigde: 'Gezonde jongen met vier ogen geboren! Twee draagt hij er onder zijn hemdje!' Weliswaar had hij er schamper om gelachen, maar zo heel onwaarschijnlijk, dat moest hij toegeven, kwam dat geval hem niet eens voor. Waarom zou je je ogen niet onder je hemd dragen, hijzelf zag ter hoogte van zijn hart zonder ogen al meer dan met de ogen in zijn gezicht. In elk geval is de chef de clinique van mening eerst de kwestie van het vaderschap definitief te moeten beantwoorden, en hij loopt naar Ottilie's bed, schudt een beetje aan de bovenarm van de patiënte, trekt dan de mouw van haar nachtjapon, die ten behoeve van de bloedafname omhoog is geschoven, weer over haar elleboog en fluistert, nadat zusters en verplegers definitief de deur uit zijn gebonjourd, wat hem toevallig te binnen schiet in Ottilie's linkeroor: kippensoeplepelhoutentreinwagonfabrieksarbeidersklasse. Honingberenkooitralies. Sumatratijgereendenbraadju. Vollemelkschaatswereldkampioen-stukbetaalvader... Op dat moment komt Ottilie in beweging, het vader-woord past bij haar droom, waarin Bodo Wilczinski en Franz Reveslueh haar en het pasgeboren kind komen opzoeken in de kraamkamer en, dat weet Ottilie heel zeker, een derde man in hun midden hebben: Avraham Rautenkrantz, de joodse kleermaker uit Riga uit een lang vervlogen tijd! Haar kind heeft dus drie vaders! En ze besluit Rautenkrantz als gevoelsva-der, Wilczinski als biologische vader en Reveslueh als betaalvader te ne-men. Maar wie zal haar geloven? Nee, dan blijft ze toch maar liever bij Re-veslueh. Onwaar, weliswaar, maar in elk geval denkbaar, het verhaal over zijn vaderschap. En als Reveslueh zich niet verzet, zou het misschien niet eens schadelijk voor hem zijn: late vaders als verantwoordelijken voor nog latere moederschappen komen in de mode. Misschien kon ze nog wel een kapitaaltje slaan uit dat zogenaamde wonder. Misschien zou het kind dan een goede opleiding kunnen volgen, waarvoor het pensioen van zijn ouders niet toereikend is. Ottilie Wilczinski's visioenen zijn praktisch van aard. Vaak denkt ze aan haar zoon Rudolph, die ze ooit is kwijtgeraakt op een kruispunt in Oost-Pruisen en nooit meer heeft teruggevonden. Nou ja, ze moet toegeven dat ze hem niet voortdurend heeft gezocht in de jaren daar-na, maar, en daarvan was de hoogste der goden getuige, niet uit gebrek aan liefde, maar omdat ze heel zeker was van haar moeder Therese, die zeker geprobeerd had hem op te sporen met al haar zeer verschillende krachten. Als die er al niet in was geslaagd, dan was zeker in de loop der geschiede-nis geen gezinshereniging voorzien, daarvan was Ottilie overtuigd, en ze had verder geen pogingen ondernomen, ook al zag ze in haar dromen af en toe het slappe piemeltje van haar opgroeiende zoon, dat kleinkinderen suggereerde, die intussen ongetwijfeld op de wereld waren gezet en die mogelijkerwijs zelf al weer waren begonnen met het voortbrengen van een generatie. Ottilie Wilczinski denkt aan de negen opgroeiende kinderen van de betaalvader Reveslueh, en ze is blij dat haar late kind in zo'n grote fami-lie wordt opgenomen. Als Bodo Wilczinski dat nog had mogen beleven: dat zijn liefde vervuld zou worden in een andere tijd! (Ottilie merkt niet dat de tijd slechts langzaam beweegt, dat de opeenvolging van de generaties als een circulatiepomp functioneert en nieuwe gestalten aanvoert, maar dat, zolang zij zelf maar in leven is, de oude tijd present blijft en een naam heeft en een gezicht voor de nakomelingen.) Slaap lekker.

De ochtendstond na de derde etappe van de expeditie heeft vals goud in de mond. Josepha grijpt hem onder zijn natte tong, haar hart heeft een aanval te verduren. Of het moordlust is of alleen maar een beetje angst voor de toekomst van het zwart-witte kind, kan ze niet zeggen. Mensen met een andere huidskleur zie je sinds een paar jaar zelfs in W. in grote aantallen. Ze zijn vanuit Cuba hierheen gekomen om diverse vaardigheden te leren bij de bouw van de kleine groene Dieselmieren, handelsmerk van de stad. Of uit Algerije, om in de stedelijke rubberfabriek slangen te fabriceren. En er waren Vietnamese vrouwen in de grote wasserij, die eerder was gesloten ten gevolge van de gratie voor bijna alle arbeiders uit de gevangenis van de districtshoofdstad. Op school werden de kinderen er algauw toe aangespoord heel erg bang te zijn voor de vreemdelingen, vooral voor de donkere mannen uit Algerije, die boodschappen deden in de Intershops en blonde vrouwen probeerden te verschalken, als je de lerares mocht geloven. En wie deed dat niet! Inderdaad waren het alleen de Algerijnse mannen die de autochtone vrouwen durfden binnen te gaan en die daar kleine bruine kindertjes achterlieten, van wie het groeiende aantal eindelijk begon op te vallen in W. De Cubanen dronken veel, en zwaarder spul zelfs dan het voetbalelftal van W., maar ze bleven altijd onder elkaar, leek het, terwijl de Vietnamese vrouwen door geen van de inwoners van de stad ooit werden waargenomen bij dagelijkse verrichtingen, men wist niet eens waar ze woonden. Eén keer staakten de Algerijnse arbeiders in de voertuigenfabriek omdat ze een bordeel wilden hebben. Allebei, de staking én de eis van een bordeel, waarvan men echter alleen bij gerucht had vernomen, maakten verontwaardiging los bij de bevolking, zodat de donkere arbeiders op een dag hun koffers pakten en door een beter getemde groep werden vervangen. En algauw lag op de tafels van het stadsbestuur, van de alras ingeschakelde provinciale en districtsorganen en op de tafel van de in rang hoogste regiobestuurder een ordeloze stapel zwart-witte emigratieverzoeken van vrouwen die deze zijde van de in 1949 kennelijk definitief vastgestelde grens wilden inruilen voor gene zijde. Simona Siebensohn wilde absoluut met haar dochter Jacqueline op reis, Christfriede Eccarius met Paul, Simon en Jean-Jacques, Marina Walter met Hatifa, Djamila, Clarence en Poularde, wier namen ze had opgehaald uit de herinneringen aan haar eigen kindertijd (ook al begreep ze niet waarom de medewerker van de Franse luchtvaartmaatschappij waarmee ze op een dag naar Algerije vloog, het persoonsbewijs van haar jongste dochter, die de naam 'Poularde Cedouchkine' droeg, drie keer liet vallen voordat hij het haar huilend van het lachen weer teruggaf), bovendien wilden Annegret Hinterzart, Mandy Magirius en Kerry Bostel, die bij Josepha in de klas zaten, naar Afrika vertrekken, en Josepha had als afscheid een feestje georganiseerd voor de kinderen Magnolia, Kassandra, Patrice en Romuald. Tegenwoordig zijn er nog maar een paar bruine gezichtjes te zien in de crèches en op de kleuterscholen in W., en Josepha voelt hoe de minachtende blikken waarmee naar hen wordt gekeken nu tot onder haar eigen huid doordringen. Josepha denkt aan haar alleenstaande lerares Frans, wier ouders in de stad een schijnheilig respect genieten. De dochter had ooit aanleiding gegeven voor zeer hoge verwachtingen – tenslotte maakte het staatsbestel een studie mogelijk voor gewillige onderdanen, meestal zelfs een studie naar eigen keus – maar toen was ze zwanger teruggekeerd uit de universiteitsstad. Haar ouders namen haar in huis en knapten op de zolder van hun huis een kamertje op. Ze leken zich bijna te verheugen op hun kleinkind. Vanaf de dag van de geboorte echter liepen de ouders met gebogen hoofd door de straten van W.: het kind had niet de gebruikelijke kleur en kroeshaar. Het groeit nu onder samengeperste lucht op, twee leuk verklede peettantes komen af en toe wat welwillendheid demonstreren. Josepha besluit haar voormalige lerares, voor wier moederschap ze tot dusver niet veel belangstelling aan den dag heeft gelegd, een keer op te zoeken en ze vraagt Therese die avond niet op haar te wachten met eten. Ze giet haar kopje voor de derde keer helemaal vol met het bruine aftreksel van het merk Rondo Melange, zonder aan de opwinding te denken die ze haar kind daarmee aandoet. Wel merkt ze, een maand te laat, dat de kalenders aan de keukenmuur op februari's zijn blijven steken, hoewel ze gisteren eigenlijk allemaal april hadden moeten opslaan. Josepha probeert een verlate, magische en tijdverschuivende blik uit, ze zoekt in haar geheugen naar de weggevallen maand, die de eerste is geweest in het leven van haar op komst zijnde kind en nu spoorloos is verdwenen alsof die maand nooit heeft bestaan. Heel even slaan de kalenders de maanden maart op en komen in april aan, maar als Josepha de keukendeur achter zich dichtdoet om naar de fabriek te gaan, glippen ze weer terug naar de februari's.

Therese neemt zich voor het expeditiedagboek met de resultaten van de afgelopen avond te actualiseren. Onder het trefwoord TIRALLALA noteert ze eerst de naam van de vader, van de zoon en van de zich herinnerende geest, daaromheen groepeert ze zwierig de bruiloftsgasten en de mensen die verder nog een rol spelen in het verhaal. Er ontstaat een indrukwekkende wirwar van menselijke namen, die vervolgens weer allerlei vragen opwerpen bij Therese en haar aanzetten om op zoek te gaan naar geschikte trefwoorden. Gelukkig vergeet ze daarbij niet het hele verhaal – op een spottende toon – op te schrijven. Lachen moet ze als de figuur Erbs voor haar innerlijk oog verschijnt, met zijn magere, kromme, machteloze lichaam, en haar gelach gaat langzaam over in een vage opwelling van medelijden, dat ze voelde als ze soepjes bracht naar de inrichting waar de man verbleef. Vandaag, 2 april 1976, wordt de bontwerker en heimelijke stenensnijder Adolf Erbs, vondeling op de stoep van de Juditterkerk in Königsberg, de tijdens zijn leven vergeten man van Therese Schlupfburg en vader van Fritz, een aanhanger van de hemel boven L.A., in Oost-Duitsland begraven onder een vloed van woorden, en Therese begrijpt opeens dat haar aantekeningen altijd ook een vorm van onderhoud zijn van het graf van de mensen die in het visnet van de geschiedenis, vanwege vermeend gebrek aan grootsheid, door de mazen zijn geglipt. Ze maakt voor zichzelf een portie spekmoes klaar en neemt er een paar slokjes wijn achteraan, haar moed is nu aan het verdwijnen en zoekt afwisseling, net als haar kind als ze TIRALLALA zong. Therese probeert in haar leunstoel een dutje te doen, maar de onbehouwen Erbs valt haar lastig, erger dan ooit in werkelijkheid, en dus gaat ze ten slotte op weg naar haar vriendin Erna Pimpernell, op de vlucht voor de aanvallen van Erbs, haar eigen bruiloft, haar zoekgeraakte dochter, de bloedende koeien, naar het stedelijk bejaardentehuis. Daar wordt niet meteen opengedaan, want de verzorgsters zitten samen te ontbijten en zijn geïrriteerd over haar bezoek, waarover de bewoners echter opgetogen zijn. Therese wacht een paar minuten in de zandstenen entree van het onder monumentenzorg vallende gebouw. Haar hart klopt wat rustiger nu, haar blik houdt op met flikkeren. Als de norse hoofdverzorgster de deur opendoet, is Therese Schlupfburg een vriendelijke oude dame, die haar vriendin komt opzoeken en de dag wil doorbrengen met een paar onderhoudende uurtjes. Denuntiata, de godin van de karakterloosheid, zweeft, onopgemerkt door de twee vrouwen, secondelang boven het hoofd van de hoofdverzorgster, maar moet nog even geduld hebben. Erna Pimpernell krijgt haar mond niet dicht, haar ogen kijken naar de geluk ontberende, onzekere toekomst, waarvan Erna hoopt dat die heel kort zal uitvallen. Therese wil Erna een beetje afleiden van al haar verwachtingen, want haar vriendin is haar jaren geleden heel erg behulpzaam geweest. Met Erna Pimpernells ondersteuning – ze werkte vroeger op het stedelijk huisvestingsbureau – hadden Therese en Josepha hun eerdere, zeer vochtige woning tegen een droge, alhoewel kleinere, kunnen inruilen, hoewel ze de status hadden van nieuwkomelingen, voor wie gewoonlijk een lange wachttijd in het verschiet lag. Erna had Therese geleerd hoe je een natte Thüringse taart uit de oven maakt, had haar knoedels aangepraat en in de Gotteshilfkerk voor haar gebeden, haar vertrouwd gemaakt met het groezelige dialect van de streek en van tijd tot tijd samen van Thereses zelfgemaakte likeur – bramen, sleedoorn, zwarte bessen – zitten pimpelen. Onderwijl hadden ze op de door verscheidene generaties achterwerken glimmend gepoetste leren bank in Erna's woonkeuken gezeten, oude foto's bekeken of pannenlappen gehaakt voor de tombola van het Nationale Front, dat elk jaar voor de burgeressen en burgers een straatfeest organiseerde, ze hadden het speenvarken dat bij dat straatfeest aan het spit zou worden geregen zoutinjecties gegeven of hadden over hart en nieren gesproken, waaraan de tijd met de jaren begon te trekken als aan kalenderblaadjes die aan de beurt waren om afgescheurd te worden. Erna Pimpernell, na de ernstige ongelukken van de ouderdom, een zware attaque en twee hartinfarcten, is ver weg van hier. Therese vangt het speeksel onder Erna's mond op met een tissue. Ze wil haar beste vriendin vertellen over de Gunnar Lennefsen-expeditie, om de opwinding met haar te delen en de vroeger onbeantwoord gebleven vraag naar de vader van Fritz Schlupfburg alsnog te beantwoorden. Achter Erna Pimpernells in het vocht drijvende blik weet Therese een stil revier met een goede aarde voor haar verhalen. Ze begint dus maar te praten, en Erna's lippen beginnen op de maat van de woorden van haar vriendin Schlupfburg mee te bewegen. Ze heeft plezier in wat Therese haar toefluistert, ze laat tussen haar tanden door wat gemompel horen en geeft op haar manier antwoord, ze roept: BLOEDWORST!, zoals haar mannelijke leeftijdgenoten af en toe AANVALLUH!!! roepen door de gangen van het tehuis, AANVALLUH!!! en BLOEDWORST!, zoveel hadden ze er wel van begrepen, de mannen en de vrouwen in de verschillende perioden van hun lange levens. Therese weet het wel, ze is voorbereid op het bezoek. In haar kreukleren handtas heeft ze een paar ons bloedworst meegebracht, met vette stukjes erin, precies waar haar vriendin van houdt. Therese vraagt de verzorgsters of ze een stuk bloedworst mag bakken. De hoofdverzorgster neemt haar mee naar de tehuiskeuken in de kelder, waar niet, zoals je zou verwachten, de gerechten worden voorbereid voor de bewoners, nee, in grote geïsoleerde vaten komt het eten uit de bedrijfskeuken van de VEB Kalenders en Kantoorartikelen Max Papp. Erna Pimpernell en Josepha Schlupfburg eten op verschillende plekken uit dezelfde pot, dat begrijpt Therese al snel, en ze besluit haar vriendin nu wat vaker een stukje bloedworst te gaan brengen en haar bovendien iets toe te stoppen van al die verboden gerechten waar Erna zo van houdt: kaas uit de Harz, bokking, rookvlees... Josepha klaagt vaak over het eten in de fabriekskantine, over de in smakeloze sauzen drijvende vlees- en groentedeeltjes, in stugge schillen gekookte aardappelen, glibberige eenpansmaaltijden. In een koekenpan laat Therese een stukje smout smelten, ze snijdt de bloedworst in plakken en braadt die tot er een bruinrode pap ontstaat waarin de stukjes vet als melige klonten ronddrijven. Op een groot bord met een groene rand hoopt ze het voedsel op, ze legt er een paar aardappelen omheen die ze uit een grote pan haalt, en brengt de maaltijd weer naar boven naar Erna Pimpernells kamer, die ze met drie andere oude vrouwen uit de stad deelt. Als Therese klaar is met voeren, komen juist de eetkarren over de gang aanrammelen, de kamergenotes van Erna Pimpernell komen doezelig uit bed, sloffen naar de deur en nemen met een blauwdooraderde greep de schotels die hun worden aangereikt in ontvangst. Mathilde, de gal, haar nap vol witachtig dieetvoedsel, bedreigt Nathalie's groene bonen met vlees: meteen is er een schaduw ontstaan boven de afvalbak. Berthe bekijkt vanuit haar roze gezicht vreugdeloos de bergen op haar bord voordat ze die begint te verslinden. Een lichte onpasselijkheid hutselt Thereses ontbijtspekmoes door elkaar. Ze trekt de lieve Erna Pimpernell stevig aan haar borst, knoopt haar blouse tot aan haar hals dicht, omdat dat haar waardiger voorkomt, en gaat er met trippelpasjes, bijna halsoverkop, vandoor.

Josepha zit op dat moment met Carmen Salzwedel in het voorvertrek van de damestoiletten van de kalenderfabriek, het ruikt hier naar huisdieren, maar dat schijnt ze niet te storen. De vrouwen wisselen nieuwtjes uit. Carmen Salzwedel heeft haar zevenendertigste halfzuster weten op te sporen, in de Hoffnungstaler Straße. Ze had haar herkend aan haar haar: net als dat van haarzelf stond het steil overeind op haar hoofd in de regen van de vorige dag. (Ook een paraplu opsteken helpt daar niet tegen. De aura van de regen gaat meteen een chemische reactie aan met de bestanddelen van het haar, dat ogenblikkelijk stijf wordt en pas nadat het weer helemaal droog is in golven over haar schouders valt. De meesten van de opgespoorde halfzusters dragen het haar daarom heel kort, zodat ze niet te veel plaats innemen als het nat is, maar sommigen van die halfzusters, onder andere Carmen zelf en haar gisteren in de regen ontdekte halfzuster Charlotte – naar haar moeder: Semmel –, kunnen gewoonweg geen afscheid nemen van hun, bij droog weer, prachtige haardos.) Josepha is elke keer blij als haar vriendin een nieuw familielid heeft gevonden, maar ze waarschuwt Carmen telkens niet op een ondoordacht moment te trouwen: niet alle halfzusters hebben het haar van de vader geërfd, maar lopen met de altijd zachte, blonde, bruine, zwarte, rossige vacht van hun moeder rond. Het zou maar al te gemakkelijk kunnen gebeuren dat Carmens begeerte voor haar eigen broer bezwijkt, en dat niemand dat dan zou weten. Dat is niet goed, weet Josepha, en Carmen zegt instemmend dat ze toch al niet van plan was te paren en dat als dat dan toch zou gebeuren, ze eerst voor honderd procent zekerheid zou willen hebben met betrekking tot de afstamming. Josepha stelt zich dat voor en is sceptisch: ze heeft geen moment aan Mokwambi Soluleres stamboom gedacht toen ze hem na een kort ritje in de tram, waarin hij tegenover haar zat en haar aankeek, meenam naar huis. Daar, tussen haar wenkbrauwen, moest hij iets bekends hebben ontdekt en hij staarde aan één stuk door naar een punt boven Josepha's neus, die hem plotseling begon te ruiken en signalen doorgaf aan haar schoot. Toen Josepha de deur van haar woning opendeed, wist ze niet eens hoe hij heette, en toen hij in de ochtendschemering vertrok, had ze met zijn zweet op de ruit geschreven: Mokwambi Solulere. Het was zijn laatste dag hier, want de aanvoerder van de rebellen, die hem ooit vanuit een soort ondergronds verzet, waarvan Josepha zich maar moeilijk een voorstelling kon maken, naar Europa had gestuurd om te studeren, was nu de belangrijkste man van het land geworden en riep hem terug. (Mokwambi herinnert zich soms hoe hij op 11 november van het vorige jaar had geprobeerd de voor hem onbegrijpelijke verkleedpartij in de woning van zijn studiebegeleider te zien als een feest ter ere van de proclamatie van een andersoortig staatsbestel in zijn vaderland.) Vier jaar lang had hij eigenhandig – hij was tenslotte niet naar Europa gestuurd om daar de bijslaap te beoefenen – voor het regelmatig lozen van zijn sperma gezorgd: zijn handpalmen waren al donker geworden toen hij Josepha's lichaamsgrenzen in de nacht van 1 maart evenzeer veranderde als de grenzen van het land dat hij op het punt stond te verlaten en later de grenzen van het beeld dat hij van beide had gemaakt... Verlangen? Josepha voelt af en toe de behoefte Mokwambi een warm teken te geven vanuit haar buik of hem mee te nemen op de expeditie.

Maar nu heeft ze in de stinkende wachtruimte voor het pishok te veel haast om ter zake te komen: ze heeft frisse lucht nodig (door de drukinkt heeft ze hoofdpijn gekregen en de koffie heeft haar kind onrustig gemaakt). Eerst moet ze Carmen Salzwedel echter vragen haar te helpen katoenen luiers te bemachtigen. Ze heeft er tot dusver na veel moeite slechts twee kunnen kopen, toen ze voor de tweede keer naar het zwangerschapsadviesbureau was gegaan. Zoiets heeft een lange voorbereidingstijd nodig, weet Josepha, en als ze Carmen Salzwedel niet had, dan zou ze haar baby in die afschuwelijke synthetische doeken moeten wikkelen! Carmen houdt nu een uitvoerig betoog over de beoogde kettingreactie van allerlei ruilhandeltjes en vraagt zich hardop af of ze haar halfzuster Charlotte Semmel niet om een gunst kan verzoeken ter ere van haar opname in de vertakte familie. Charlotte Semmel verkoopt behangselpapier in de enige verfwinkel in de stad, en Carmen weet wel iemand die ze in ruil voor behang kan verlokken tot het verstrekken van katoenen luiers. Josepha verzekert haar vriendin dat ze het volste vertrouwen heeft in de gang van zaken, die haar toch niet veel kan schelen, en verlaat het gebouw. Ze moet langs het rokerseiland, een stukje groen rond twee pasgeverfde banken, waarop veertien arbeiders elkaar verdringen. De meesten roken tabak van het merk JUWEL 72, waarop Josepha heeft geleerd allergisch te reageren: de haartjes op haar bovenarmen gaan rechtovereind staan, een hevig brandend gevoel nestelt zich aan de binnenkant van haar dijen, haar maag en haar lever zakken een handbreed naar beneden en drukken op de dikke darm, zodat Josepha vliegensvlug terug moet naar de wc. Bij het op slot doen van het wc-hokje kan ze nog net zien hoe Carmen Salzwedel hardop bezig is een stapel zakagenda's te ruilen tegen bloemetjesbehang en ze op hun beurt met een dozijn katoenen luiers probeert te verrekenen, dan valt ze flauw.

De daaropvolgende twee uur brengt ze slapend door, haar achterste stevig in de houten wc-bril geklemd, zodat ze niet van haar stinkende zitplaats kan glijden. Excrementia, de godin van de égalité, houdt haar hand beschermend boven Josepha's sluimer, die duurt totdat de nachtploeg aan het werk is gegaan, en die verhindert dat ze vandaag op bezoek gaat bij haar vroegere lerares Frans. Als Josepha thuiskomt – natuurlijk heeft Therese niet met de broodmaaltijd gewacht – wast ze een van de verschrompelde appeltjes die sinds de herfst in de kelder liggen opgeslagen. Terwijl ze daarmee bezig is, valt haar blik op de opnieuw gevulde augurkenpot, die schijnt aan te dringen op vertrek, maar hoe Therese, die bij haar is komen staan, ook smeekt, Josepha voelt zich niet krachtig genoeg voor de expeditie. Ze geeft ter overweging dat ze een zware dag achter de rug heeft, die haar op een haar na een berisping wegens ongeoorloofde afwezigheid zou hebben opgeleverd, als ze de opzichtster er niet van had kunnen overtuigen dat haar flauwte daar de onschuldige oorzaak van was. Therese komt niet veel verder dan een vage toezegging om op de woensdag van de komende week aan een nieuwe etappe van de Gunnar Lennefsen-expeditie te beginnen. Die zou dan namelijk samenvallen met Wereldgezondheidsdag.

Inderdaad komt Josepha op Wereldgezondheidsdag iets vroeger dan gewoonlijk thuis. Ze heeft 's ochtends een proefdruk blauw ingebonden zakagenda's voor het jaar 1977 aan een eerste controle onderworpen. Daarbij vielen haar een paar fouten op, onder andere had men de eredag van de werknemers in de lichte, levensmiddelen- en voedselindustrie, die op 15 oktober had moeten vallen, tot de dag van de mijnwerkers en de werknemers bij de energiebedrijven gemaakt. Laatstgenoemden zouden hun dag eigenlijk op 3 juli moeten vieren, maar op de eerste zondag in juli van het jaar 1977 was die toevoeging onvermeld gebleven. Josepha wist dat dat niet door de vingers zou worden gezien bij de definitieve versie, en zorgde ervoor dat het snel werd gecorrigeerd. De correcte rubriek 'Afkortingen in het internationale automobielverkeer' in de versie van 31-10-1974 bezorgde haar (in haar zwangere toestand) echter problemen: A voor Oostenrijk, las ze, en BS voor Bahama-eilanden, DZ voor Algerije en GCA voor Guatemala, RSR voor Rhodesië, N voor Noorwegen, J voor Japan, en de zekerheid dat ze voertuigen met een dergelijk kenteken noch in de straten van W. noch in een van de onbekende landen zelf ooit te zien zou krijgen, benam haar de adem. Een schoonmaakster vond de naar adem snakkende Josepha in het correctiekamertje op de grond, gekromd, haar armen voor haar borst gekruist, haar knieën opgetrokken tot haar kin, een vrouwelijke foetus zonder zelfstandige ademhaling, die het een paar seconden lang had gewaagd door het geboortekanaal naar buiten te kijken en toen verstijfd was door de schok. Twee arbeiders die erbij werden gehaald, legden Josepha op een verrijdbare brancard uit de eerstehulppost van de fabriek, en terwijl ze naar de bedrijfsarts werd gebracht, droomde ze dat ze in een zwarte cabriolet lag die met wisselende kentekens (NIC, RU, WAN, RA...) langzaam op het terrein van de VEB Kalenders en Kantoorartikelen Max Papp rondreed. Weliswaar verbaasde ze zich in haar versufte toestand over de slechte vering van de auto, maar de weg naar de arts was niet lang genoeg om Josepha intussen te kunnen dwingen te ontwaken. Natuurlijk werd ze meteen naar huis gestuurd, ging de volontair Manfred Hinterzart als begeleider mee en werd er onmiddellijk laboratoriumonderzoek gedaan naar de bloed- en urinewaarden. Josepha herstelde zich intussen snel en geruisloos. Manfred Hinterzart vertelde haar op weg naar huis – hij duwde haar blauwe herenfiets van het merk Diamant en probeerde heel langzaam te lopen – over zijn zuster Annegret en zijn nichtjes Magnolia en Kassandra. In haar laatste brief uit Burj 'Umar Idris had Annegret Hinterzart (inmiddels Benderdour) gevraagd om een naaimachine en begrip voor het feit dat ze niet meer zo vaak kon schrijven als vroeger, en inderdaad had ze sinds oktober van het vorige jaar niets meer van zich laten horen, ja, zelfs niet de ontvangst van de door haar ouders terstond per post verstuurde naaimachine bevestigd. En zo is ook Josepha een beetje ongerust als ze de deur van haar woning opendoet, vroeger dan gewoonlijk op een werkdag, en Manfred bij het afscheid om het adres van zijn zuster in de Algerijnse woestijn vraagt. Misschien zou Carmen Salzwedel wel iets te weten kunnen komen, wier halfbroer Georg immers de groep bruine arbeiders uit Algerije in W. vanaf het begin heeft begeleid (in de gaten gehouden, denkt Josepha) en over contacten beschikt met hooggeplaatsten van de Algerije-afdeling op het departement. Therese deelt haar bezorgdheid, want Annegret Hinterzart heeft als kleine, aardige vriendin van haar achterkleindochter een plaats in haar geheugen, een afgerond kind met lichte ogen en een muzikale knobbel. Uit het meisje Annegret Hinterzart sproeiden voortdurend liedjes en militaire marsen, menuetten en populaire liedjes, sarabande en La Bostella, twist en mazurka, boogie woogie en de toevallige, als laatste *hype* of *dernier cri* aangeduide hit van moderne overzeese makelij. Daarbij bewogen haar stevige beentjes met een vast maatgevoel, zodat het kind onmogelijk kon stilstaan of stilzitten en haar voortdurende onrust merkwaardig contrasteerde met haar mollige lichaam. Therese schudt haar hoofd, draait met haar ogen, die vervolgens bedenkelijk over de randen van haar oogleden beginnen te puilen, en maakt, met een ernstig gezicht, tot Josepha's verbazing vrolijk stampende danspassen, haar mond zingt LALALABOSTELLA BIJ TANTE ELLA, BIJ TANTE ELALALALALALALALABOSTELLA BIJ TANTE ELLLALALALALALALALAAAAA! Josepha denkt aan de zomer waarin ze voor de eerste keer aan een vakantiekamp had deelgenomen, in een Saksisch industrie-stadje, en hoe de twaalf-, dertienjarige meisjes dat populaire lied door de straten brulden en zich al ver van tevoren aankondigden als een wilde horde op weg naar de verplichte bedrijfsbezichtigingen. Ze noemden zich JOHNNY BETON EN ZIJN MORTELS, droegen hun pioniersdoeken als mondfilters of rond hun voorhoofd en plasten tot groot leed van de als toezichthouders meegestuurde adolescenten, het uil-ogige Vrije Duitse Jeugd-lid Sibylle en ene Olaf genaamde Hans-Peter, zeventien jaar oud, in hun piepende veldbedden. 's Ochtends stond vegen en dweilen op het programma, en Hanspetergenaamdolaf benutte de tijd voor een kwartiertje Sibylle in de pioniersleiderskamer. Dat weet Josepha nog heel precies, want om haar erin te laten lopen was ze er een keer op uitgestuurd om een pioniersladder te halen, terwijl de andere meisjes proestend van het lachen met van urine druipende lappen op een veilige afstand bleven toekijken. Door de op een kier staande deur zag Josepha weliswaar geen ladder, maar wel twee wijd geopende Sinylle-uilenogen kort voor het binnenrijden van Hanspetergenaamdolaf, en de meisjes kregen voortaan voor alles wat ze maar wilden toestemming. Josepha weet dus alles over de verhalen die zich in de schaduw van het lied hebben afgespeeld, Therese zal zich de hare wel herinneren, en ze is dan ook niet verbaasd als haar overgrootmoeder haar nu ook ten dans vraagt, met een zwierig gebaar en een diepbedroefd gezicht. Nu niet ophouden, Therese, nu geen slappe benen, Josepha. Vandaag is de wereld gezond, of was het *money makes the world go round?*, dan kan er nog zoveel gebeuren.

7 april 1976:
Vierde etappe van de Gunnar Lennefsen-expeditie
(trefwoord in het expeditiedagboek: KNOPENDOOS)

De vrouwen omarmen elkaar na de vermoeiende dans, duwen de namiddag de keuken uit, koken aardappelen met uien en boter, en maken zich onbereikbaar door de overgordijnen dicht te trekken en hun ogen te sluiten. Therese zit eindelijk in haar leunstoel, Josepha naast de expeditie-uitrusting – Gunnar Lennefsen roept, Therese antwoordt met het woord KNOPENDOOS, dat ze vandaag niet kan uitspreken, maar met geraspte kaas op het linoleum strooit. Meteen rolt het imaginaire doek zichzelf uit, er rammelt iets en de inhoud van een enorme knopendoos valt op de vloer van de kamer, wist de tekst van geraspte kaas half uit. De doos is uit de handen van Carola Hebenstreit, geb. Wilczinski, gegleden, op het moment dat er aan haar zich totaal onverwachts openende schoot een ondermaatse tweeling is ontglipt. Men schrijft 27 januari 1925. Op de geboende vloer van de kleine winkel in de Hohe Straße in G., die sinds jaren het eigendom is van het knopenhandelaarsechtpaar Carola en Romancarlo Hebenstreit en die ze tien minuten geleden hebben geopend om de nieuwe dag te beginnen, ligt een volledig uitgestoten vruchtblaas, waarin twee piepkleine kindjes drijven. De bloedende moeder pakt een breinaald uit een nabije lade en prikt de blaas open, haalt de kindjes eruit, bindt de navelstrengen af met de veters van haar laarsjes, scheidt de kindjes met een tornmesje los van de gemeenschappelijke moederkoek en valt flauw op het moment dat haar verraste echtgenoot een heleboel tafelkleden uit de kast trekt en de huilende meisjes begint in te pakken. Twee vrouwen, die de gebeurtenis mede moeten aanzien, gaan snel hulp halen en komen na enige tijd, die voor Romancarlo Hebenstreit net lang genoeg duurt om zijn winkel te kunnen sluiten voor huisvrouwen en dienstmeisjes die niets met de zaak te maken hebben, terugkomen met een in de buurt zijn praktijk uitoefenende vee-arts. Na een vluchtig onderzoek van de kinderen wordt nu een wasmand bekleed met breigaren, verscheidene herensokken worden volgepropt met flessen die met warm water zijn gevuld en die om de in het midden van de mand neergelegde bundeltjes kind heen worden gelegd. Als Carola Hebenstreit geb. Wilczinski bijkomt van haar flauwte, verlaat de veterinaire specialist juist de winkel, de twee helpsters dragen de wasmand naar het Oude Ziekenhuis bij het station, en Romancarlo, die nog maar een halfuur geleden even weinig af wist van de zwangerschap van zijn vrouw als zijzelf, zakt in elkaar. Met de moeder gaat het niet slecht, de onverwachte geboorte heeft haar nauwelijks pijn gedaan. Te midden van haar grote verzameling gebruikte knopen gelegen, schieten Carola Hebenstreit terstond de voornamen van de meisjes te binnen: ze wil ze Benedicta Carlotta en Astrid Radegund noemen, als ze in leven blijven. Ze ziet zichzelf al met haar meisjes achter de toonbank staan, Benedicta poetst de grote kassa, Astrid adviseert klanten over de omvang van in de mode zijnde knopen en beveelt ijzersterke garens en kookbestendige stopwol aan... Carola Hebenstreit geb. Wilczinski grijpt haar man bij zijn voeten en trekt aan hem tot hij in de kleine winkel naast haar ligt. Ze blaast met bolle wangen lucht in zijn gezicht, knoopt zijn schoenen en zijn broek open, trekt het jasje uit dat hij altijd in de winkel draagt, en talmt niet lang. Terwijl hij ligt te soezen, haalt ze schoon ondergoed uit de linnenkast, trekt het aan, brengt haar kleren in de ordelijke staat van vóór de baring en doet de deur open. Op het bijna zwarte bruin van haar rok vallen de bloedsporen niet op, en de vloer is snel gedweild. Ze is juist de dweil aan het uitwringen, als de eerste cliënte van na de geboorte binnenkomt en koord wil hebben voor een doopjurk. Er is nauwelijks een uur verstreken sinds Carola Hebenstreit geb. Wilczinski aan een meisjespaar het leven en aan haar echtgenoot twee dochtertjes heeft geschonken, en als de klant, voorzien van een goede kwaliteit wit koord, de winkel verlaat, graait de plotselinge moeder de op de grond gevallen verzameling gebruikte knopen bijeen en doet ze weer in de doos. Therese en Josepha kijken toe hoe de ene knoop na de andere van de woonkamervloer verdwijnt en ten slotte zelfs de tekst van kaas weer te voorschijn komt. Alleen op de plek van de 'O' blijft een grove parelmoeren knoop liggen die vanuit zijn tijd naar de jaren zeventig glanst. Josepha is radeloos, ze kan de gebeurtenissen op het imaginaire doek immers niet onderbrengen in haar eigen of Thereses geschiedenis. Alleen het gezicht van de barende vrouw was haar niet vreemd voorgekomen, doet haar aan een blik denken die ze al eens moet hebben gezien. Ze kijkt naar Therese, die bedroefd glimlacht en helemaal verdiept schijnt te zijn in de knopen en de koorden, het garen en de band, de stopwol en de naalden van de fournituren zaak van de familie Hebenstreit. Josepha denkt aan de afstand, die in 1925 de Oost-Pruisische stad Königsberg voor de minder bedeelde inwoners – en daarom gaat het ongetwijfeld bij het echtpaar Hebenstreit en hun kleine tweeling – vanuit de Thüringse stad G. bijna onbereikbaar moet hebben gemaakt, en ze vraagt zich nu des te meer af wat dat allemaal met haarzelf of met Therese te maken kan hebben. Ze is zozeer in gepeins verzonken dat ze niet ziet hoe Therese de parelmoeren knoop die is blijven liggen oppakt en hem tegen haar blouse glimmend opwrijft. Pas nadat ze even een halfslaapje heeft gedaan, valt het haar op dat het imaginaire doek nog niet is ingestort, maar nu aan de randen golft en in het midden heel hevig golft, een wapperende ongeduldige vlag? Josepha komt weer helemaal bij en pakt de draad van de handeling weer op, die deze keer als grijze naaizijde uit een gaatje in de parelmoeren knoop in Thereses handen wappert. Vlug wordt alles nu afgehandeld: Carola Hebenstreit geb. Wilczinski doet die dinsdag de winkel een paar minuten eerder dicht dan de dag ervoor, ze is nu immers moeder en moet zich een beetje om het nest bekommeren. Van Romancarlo kun je in dat opzicht niet veel verwachten. Hij zit allang in de huiskamer en schrijft een brief aan zijn ouders en zijn zwager in Anhalt, goedbeschouwd is het een geboorteaankondiging. Carola neemt de weg door het vervallen oude centrum naar het station en meldt zich bij de portier van het ziekenhuis als de moeder van de die ochtend afgeleverde, veel te vroeg geboren meisjes. Ga maar vlug, ga maar vlug, schreeuwt de portier, de dominee is er voor de nooddoop, het zal wel niet meer veel worden met die kinderen, wat een ellende toch! Nu moet Carola vlug en rap zijn, terwijl ze wel 250 pond vlees op haar botten heeft en alles op alles moet zetten! De kinderafdeling onder het dak van het twee verdiepingen tellende gebouw ruikt naar een sterk mengsel van lysol, eucalyptus, menthol, mosterd en ether, kotsneigingen blijven niet uit, maar Carola overwint die met haar juist veroverde moederlijke moed en baant zich door de dampen heen een weg naar de achterste kamer, waar haar meisjes, warm in doeken gewikkeld en door kruiken omgeven als rovers door een groep gendarmes, op naalddunne duimpjes zuigen. Carola's aankomst doet de borelingen terstond rustig in slaap vallen. Nog voordat de dominee komt om te doen alsof de kindertjes al dood zijn, roept Carola Hebenstreit geb. Wilczinski luid 'Benedicta Carlotta' en 'Astrid Radegund', en uit de groep aanwezige mensen maakt zich nu langzaam een knokige man los, die de ambtenaar van de burgerlijke stand blijkt te zijn. Hij vraagt de jonge moeder of zijn veronderstelling juist is dat hij zo-even de voornamen van de meisjes heeft vernomen. En waar de vader van de kinderen dan wel is? Of die de nooddoop van de arme schepseltjes niet wil bijwonen? Maar zo kan het niet, zegt hij dan ernstig, en hij vindt dat iemand eropuit moet om de verwekker erbij te halen. Hij vindt een blozende leerling-verpleegster, die hij naar de Hohe Straße stuurt om bij de woning boven de winkel van het knopenhandelaarsechtpaar aan te bellen en de mannelijke helft van het echtpaar maar buiten te halen. Maar dat neemt tijd, en dus buigt Carola zich nu eindelijk nieuwsgierig over het metalen zuigelingenbed om haar dochters, die er heerlijk fris bij liggen, te bewonderen. Natuurlijk schrikt ze een beetje, natuurlijk is ze bang die menselijke mini-exemplaren aan te raken. Bijna wil ze het beeld al weer uitwissen waarin Benedicta Carlotta de kassa oppoetst en Astrid Radegund de klanten adviseert. Gelukkig voelt ze melk schieten, zoete, vette melk spuit uit Carola's blouse, druppelt op de grond, tot die ten slotte – drie verpleegsters hebben de geschrokken moeder meteen haar te nauw geworden blouse van het lijf gerukt – in twee forse stralen uit haar borsten komt en de verblufte aanwezigen helemaal natmaakt. De arts, de drie verpleegsters en meneer de dominee proberen te vluchten, wat niet zo eenvoudig is, de melk is zo zoet dat hij plakt. Ten slotte roepen ze op de gang om hulp, om emmers, om Gods bijstand, en gaan zelf op zoek naar lappen en schrobbers. Eén man heeft de kamer intussen niet verlaten: de knokige ambtenaar, die in verwarde verstening papier en vulpen uit zijn handen laat vallen. Hij is gefascineerd en opgewonden door het schouwspel, hij trilt, nog nooit heeft hij vrouwelijke borsten zodanig in actie gezien. Hij houdt het niet meer, laat zijn broek zakken en in een met zijn knokige lijf merkwaardig contrasterende, elegante beweging ontlaadt hij zich met zijn rug tegen de muur, met zo'n kracht dat de straal van zijn zaad en die van de zoete melk van moeder Hebenstreit heel even met elkaar concurreren en door elkaar geklutst op de vloer terechtkomen. De knokige ambtenaar valt de nog steeds geschrokken Carola om haar nek, grijpt haar borsten, steekt de beide tepels tegelijkertijd in zijn mond en zuigt en slikt uit alle macht. Als hij na slechts een paar minuten

zijn buit weer loslaat, onwillekeurig boeren latend, zijn zijn voorheen inge-
vallen wangen een beetje strakker gespannen, hij ruikt niet meer zo erg
naar stof, en de melktoevoer schijnt grotendeels gestremd. Wat er nu nog
uit Carola stroomt is voor haar dochters zeker nog altijd veel te veel. Carola
moet er nu, na een ogenblik van schrik, om lachen dat een heel gewoon
lijkende man haar, om het zo uit te drukken, voor enige tijd heeft droogge-
legd, en nu kan ze eveneens dankbaar zijn dat hij helemaal geen geweld
heeft gebruikt. Ze trekt zijn broek omhoog en kust zijn hand, hij weet zich
geen raad van verlangen naar haar, ziet ze, en raapt met tollend hoofd het
papier en de vulpen op uit het slijm. Met een schoon lefdoekje maakt ze de
spullen droog en is daar juist mee klaar als het personeel met dominee en
vader de kamer weer binnenkomt. Ze proberen met lysol de vloer schoon
te maken. De leerling-verpleegster, die een kletsnatte dweil uitwringt, ruikt
iets bekends en houdt de dweil op een onbewaakt moment onder haar
neus, schudt haar hoofd en kijkt verward naar de jonge moeder, maar die
lacht ingelukkig en laat de kalmerende melk in de in hun slaap openstaande mondjes van haar dochtertjes druppelen. Meteen beginnen de lipjes te
zuigen en te smakken. De dominee schrikt, hij had de kinderen eigenlijk
al als dood beschouwd, maar krijgt door de arts een van de meisjes op zijn
arm gelegd, de knokige ambtenaar krijgt het andere meisje. De mannen
moeten de moeder, wie ze nu eindelijk een stoel hebben gegeven, de zuigelingen aan de borst houden, omdat zijzelf door de omvang van haar borsten de kinderen niet kan vasthouden. En ze doen wat voor de vader een
pijnlijk schouwspel moet zijn: dominee en ambtenaar knielen voor Carola
neer en houden de piepkleine open monden van de kinderen tegen de
tepels van zijn vrouw, de dominee met vuurrode vlekken in zijn gezicht,
de ambtenaar rood-wit gevlekt; een ongewoon luid, hevig reutelend gesmak vult algauw het vertrek. Zoals dat ook al de ambtenaar was overkomen, trekken de wangetjes van de kinderen bijna meteen strak, ze worden
gevuld met melkvet en moedersuiker, ze worden rond. Maar dominee en
ambtenaar hebben nu haast met hun beroepsuitoefening, de een gloeiende
haast, de ander sluit zich uit schaamte bij hem aan, en ze dragen de kinderen over aan de vader, die er zijn handen vol aan heeft om beiden aan het
zuigen te houden. Terwijl de dominee een kruis slaat, vult de ambtenaar
de gebruikelijke formulieren in, noteert als ouders van de beide borelings-
kes (van het vrouwelijk geslacht) het knopenhandelaarsechtpaar Romancarlo Hebenstreit en echtgenote Carola geb. Wilczinski, beiden behorende tot
de evangelisch-lutherse kerk en woonachtig in G./Thüringen, Hohe Straße
25. De namen worden als 'Benedicta Carlotta' en 'Astrid Radegund' naar
wens van de moeder en met toestemming van de vader geregistreerd, en
de dominee verzoekt de ouders de papieren naar de pastorie te brengen om

in het kerkboek te worden ingeschreven. Dat het nu niet om de doop van stervende kinderen gaat, ligt voor de hand: de tweeling is door één voeding al bijna in omvang verdubbeld, de meisjes hebben de tepels uit hun mondje laten glippen en slapen in de armen van hun vader de eerste verzadigde roes van hun leven uit. Romancarlo Hebenstreit laat nu voor de eerste keer zien hoe trots hij is, zoals Carola weet: op zichzelf. Het is dan ook geen wonder dat zelfs hij tot dusver geen ogenblik heeft gedacht aan de gezondheid en het welbevinden van de moeder van de tweeling. Niemand is er tot dan toe op gekomen dat de vrouw na de onverhoedse bevalling weleens medische hulp nodig zou kunnen hebben of zelfs een serieus medisch onderzoek zou moeten ondergaan. De feiten komen dan ook pas laat op tafel. Als dominee en ambtenaar het zuigelingenbed allang hebben verlaten en Carola door het ritmische bewegen van haar bovenlichaam een postnatale depressie probeert tegen te gaan – Romancarlo zit weer thuis zijn brieven te schrijven, Carola is bij haar kinderen in het ziekenhuis gebleven – komt laat op de avond de leerling-verpleegster met wijd opengesperde neusgaten nog een keer de kamer binnen en vraagt naar de wensen van de kraamvrouw, naar haar eetlust, haar stoelgang en haar temperatuur. Opeens bedenkt ze zich dat er toch nog iets was, iets was, maar natuurlijk, dat was het, het was een zeer snelle en onverwachte bevalling! En die melkplas midden in de kamer! En dan ook nog de geur van een zaadlozing! Ze gaat naar de nachtdokter, die vrouw heeft medische hulp nodig, zegt ze, er kan toch iets niet in orde zijn! De arts is een vlot type, doortastend bovendien, zijn handen leggen Carola bloot, zijn ogen doen dat sowieso al, en nu weet hij niet goed wat hij moet zeggen. Hier is niets aan de hand, de kraamzuivering is allang opgedroogd, het geslacht is gesloten en roze als bij de jonge meisjes, die soms door toeval of ongeval, in verzet of bewusteloos, onder zijn handen komen. Dat deze vrouw werkelijk die ochtend van twee kinderen is bevallen, lijkt hem niet echt mogelijk, dat klopt niet met wat hij van het vrouwelijke leven af weet. Maar voordat hij haar vragen stelt, onderzoekt hij Carola's borsten door haar hemd op te lichten en zijn handen over de hitsige bergen te laten glijden. De druk van zijn duim doet een klein straaltje opspuiten dat zijn nogal schaarse haardos natmaakt. Geschrokken houdt hij ermee op, constateert overvloedig zog en een robuust gestel. Met de vrouw gaat het goed. Met de merkwaardige zuigelingen eveneens. In hun dossiers staat als geboortegewicht bij elk één pond genoteerd! Hij meet en weegt opnieuw, hij kan er met zijn verstand niet bij. Deze kinderen wegen ruim een halve dag later twee keer zoveel! Zelfs dit gewicht is volgens de regels van de wetenschap niet voldoende om in leven te blijven, maar de tweelingen hebben vingernageltjes aan hun kleine, goed doorbloede handjes, hun oortjes vertonen schattige verdikkingen aan de randen, de longen zijn kennelijk zonder probleem aan het ademen geslagen en geen spoor van nesthaar stoort de indruk van volmaakte volgroeidheid! Hij is weer een en al twijfel, wat is hier aan de hand? Hij strijkt in verwarring over zijn hoofd, zoals hij altijd doet wanneer radeloosheid hem overvalt. Tot zijn ontzetting strijkt hij door een bos vol, krullend haar, waar voorheen alleen een grijs-witte rand zijn glimmend kale hoofd omkransde. Hij trekt aan de wilde bos, het doet pijn, al die krullen horen dus echt bij hem! Hij rent naar de beslagen spiegel boven de wastafel. Wat hij er nog in kan zien, is verpletterend: hij heeft rond zijn bejaarde gezicht een golvende bos kastanjebruin haar, zeker wel zo'n vijftig centimeter lang. Terwijl hij in een aanval van beginnende zwakzinnigheid op de grond zakt, komt Carola Hebenstreit langzaam uit bed, tilt de man van de grond en legt hem op haar bed. Ze vouwt de deken op, schuift het ontstane bundeltje, als om zijn kapsel te ontzien, onder zijn nek en begint zijn lokken tot dunne vlechtjes te vlechten. Later steekt ze ze met twee van haar haarspelden in een kunstig knotje op, laat bij de haaraanzet een paar haren loshangen en beziet tevreden het werk harer handen. Onder haar tevreden blik ontwaakt de nachtdokter, hij staat op en begint om zijn as te draaien, waarbij de loshangende haren om hem heen zwiepen en een dichte krans vormen terwijl ze als bloembladeren om de knot heen staan. Dat ziet ook Inclinatia, de godin van de evenwichtsstoornissen, op haar nachtelijke vliegreis door de ziekenhuizen in het hele land, en ze kan zich niet meer beheersen als ze de dokter aanschouwt. Haar schallende lach beschadigt het binnenoor van de psychisch aangeslagen arts en brengt zijn evenwichtsorgaan zozeer in het ongerede, dat hij zich alleen nog overeind kan houden door voortdurend rond te draaien. Al wervelend gaat hij de gang op, vraagt stamelend om hulp en om redding uit de poorten van de hel, die hem schijnen te willen binnenhalen. De leerling-verpleegster, die bezig is met het schoonmaken van de po's, herkent hem niet meteen en wil vanwege een kennelijk flippende patiënt de directrice bellen, maar die komt er uit zichzelf al aan, door het lawaai uit haar halfslaap gerukt. Met vereende krachten brengen de vrouwen de man ten val en identificeren hem ontsteld als de persoon die hij is. Wat er verder gebeurt, onttrekt zich aan de vertoning op het imaginaire doek, dat zich nu weer op Carola Hebenstreit geb. Wilczinski richt en de Gunnar Lennefsen-expeditie in versneld tempo naar het jaar 1927 voert. Op de tweede verjaardag van de meisjes Benedicta Carlotta en Astrid Radegund hebben familieleden zich rond de grote tafel in de woonkamer van het knopenhandelaarsechtpaar verzameld. Op deze donderdag werd de fournituren winkel al rond het middaguur gesloten, wat op een door Romancarlo kunstig beschilderd bordje in de etalage staat vermeld. Het echtpaar Hebenstreit heeft het intussen tot bescheiden welvaart gebracht, niet in de laatste plaats door de omstandigheid dat de aanwezigheid van de tweeling in de winkel de overwegend vrouwelijke klandizie tot grotere kooplust aanzet dan was voorzien. Het gebrabbel en het volmaakt identieke uiterlijk van de meisjes fascineren de vrouwen dermate, dat hun moederinstincten opspelen en hun verstand het aflegt tegen de aanblik van de eendere kindjes. Om die reden kopen jonge dienstmeisjes kant voor doopjurken van kinderen van wie de geboorte nog ver in het verschiet ligt, of stopwol voor de sokken van een nog niet gevonden echtgenoot. Moeders schaffen linnen aan voor de uitzet van hun net in de eerste groep van de basisschool zittende dochters en oudere joffers kopen fijn haakgaren om zich hun oorspronkelijke bestemming te herinneren en de mutsjes van hun ongeboren kinderen te versieren. In de nalatenschap van heel wat oude vrouwen, die eenzaam in het stedelijke verzorgingstehuis stierven, treffen later de verzorgers van de natalenschap zuigelingenondergoed aan, zorgvuldig genaaide mannenonderbroeken met kunstzinnige borduursels op speciaal voor de ballen in het kruis aangebrachte uitstulpingen en ruimvallende zoogjurken met fijne witte knoopjes op de borst. Het echtpaar Hebenstreit vindt het prima zo, nu kan er op feestdagen met de familie een konijn op tafel komen of een haan, geflankeerd door Thüringse knoedels en rode kool, 's middags pruimen- en kwarktaart, 's avonds aardappelsalade met warme worst. Ook vandaag is de verjaardagsdis royaal voorzien van erwtenpuree, gepekelde tong in mierikswortelsaus en goede rode wijn, de gasten smakken in de maat. Aan het hoofdeinde zit Romancarlo, Benedicta Carola en de stillere Astrid Radegund op zijn schoot, aan de ene kant de moeder van Carola, Viktoria Wilczinski – vader Walther is vorige zomer gestorven – en haar tweeëntwintigjarige broer Bodo, aan de andere kant Ferrucio Hebenstreit en zijn vrouw Gunhilde, Romancarlo's ouders. Ze vertellen elkaar allerlei moppen tijdens het eten, memoriseren de afgelopen twee jaar, die met allerlei merkwaardige voorvallen betreffende het opgroeien van de meisjes gepaard gingen, en wisselen recepten uit voor feestelijke maaltijden. De vader van de kinderen vertelt het altijd weer graag beluisterde verhaal van de onverhoedse geboorte, Carola het verhaal over de verbazingwekkende gewichtstoename en de razendsnelle groei van de kinderen tijdens hun eerste levensdagen: op de derde dag hadden de meisjes het doorsneegewicht van stevige borelingen bereikt, de weegschaal gaf voor beiden acht pond aan. Na elke voeding – waarbij overigens de leerling-verpleegster of Romancarlo, die Carola in het ziekenhuis kwam bezoeken – hand- en spandiensten bewezen, was er een pond levend gewicht bijgekomen, zodat Carola en de kinderen op de ochtend van 28 januari 1925 het ziekenhuis konden verlaten. Vanaf dat moment vertoonde de gewichtstoename de gebruikelijke curve, de meisjes wogen op hun eerste verjaardag bijna twintig pond. (Maar nu lijkt het wel, zegt Carola tegen zichzelf, alsof ze niet meer zo goed gedeien. Leeftijdgenoten komen me steviger voor dan mijn beide kinderen, en vooral Astrid Radegunds gezicht vind ik smaller geworden de afgelopen weken...) De gasten volgen verrukt het verdwijnen van de spijzen in de monden van de anderen, tot Bodo Wilczinski eindelijk merkt dat de twee kinderen nog niets hebben genuttigd. Maar wat is er toch met die schatjes? Maar wat willen we dan, liefjes? Happerdepap? Een voor mama, een voor papa? Binkiebinkie? Kakkerdiestinkie? Benedicta Carlotta en Astrid Radegund trekken een walgend kleutergezicht. Alleen Carola merkt de ernstige trek die tussen de neus en mond van haar dochters verschijnt en schrikt. Romancarlo wil een echte vader zijn en de familie daarvan een demonstratie geven en geeft Benedicta Carlotta een draai om haar oren, terwijl hij een stukje van de in de saus gedompelde knoedel voor haar mondje houdt. Dat blijft zelfs nog gesloten als het kind het vervolgens op een huilen zet en met beide handjes tegen het hapje voor haar neus slaat. Astrid Radegund, aangestoken door het gehuil van haar zusje, begint nu ook te brullen, en Carola probeert voorzichtig met een lepel kleingesneden tong in de mond van het kind het luide gejammer te smoren. In het daaropvolgende opgewonden familiegesprek wordt haar dochter van haar schoot gerukt en op die van de vader gezet, die nu uit alle macht probeert met beide handen eten in de door de aanwezigen met geweld geopende mondjes te proppen. Het hele gedoe maakt Carola hevig van streek. Dat het heft haar zo uit handen lijkt te worden genomen, maakt haar woest, ze pakt de schaal met knoedels en kwakt die zonder meer tegen de muur. Dan valt iedereen meteen helemaal stil, alleen het gehuil van de kinderen houdt aan. Terwijl de schaal in gruzelementen valt, pakt Carola de kinderen, zet er één op elke heup en brengt ze naar de echtelijke slaapkamer, waar links en rechts van de ouderlijke sponde metalen bedjes staan. Benedicta Carlotta en Astrid Radegund trekken huilend de donzen dekbedjes over hun hoofd en vallen meteen in slaap. Carola legt de gasten in de woonkamer uit dat het beter is om de kinderen een poosje te laten slapen, met dit vochtige en koude weer weet je maar nooit, en misschien was dat allemaal alleen maar het begin van een griepje. Ze zal daarom meteen even naar de apotheek op de markt gaan en iets halen om de meisjes mee in te wrijven. Romancarlo sputtert nog een beetje over het onaangename verlies aan respect, maar de gasten hebben zich intussen op de rode wijn geconcentreerd en willen doorgaan met feestvieren.

Carola Hebenstreit geb. Wilczinski koopt in de apotheek inderdaad een zalfje om de kinderen mee in te wrijven, gaat dan niet meteen terug naar huis, maar loopt een nauw steegje bij de markt in, kijkt om zich heen, gaat een laag huis binnen, verlaat het aan de achterkant, loopt door een klein tuintje, klautert over een muurtje naar het tuintje van de buren, loopt door een tuintje, klautert over een muurtje, loopt door een tuintje, klautert over een muurtje, loopt door een tuintje, klautert over een muurtje, tot ze wederom een laag huis binnengaat. Als ze de trap oploopt, wordt boven op de zolder meteen een deur geopend, een man vliegt haar tegemoet, tilt haar op en draagt haar zijn kamer binnen, zet haar midden in de kamer weer op de grond, laat haastig zijn broek zakken met een vloeiende, uitstekend bij zijn atletische lichaam passende, elegante beweging. Carola ontbloot haar borsten (nog steeds groot en vol onder haar blouse, maar haar lichaam heeft sinds de geboorte van haar kinderen een flinke honderd pond vlees verloren en een heel mooie vorm aangenomen), strekt haar armen uit, en de atleet werpt zich aan haar borsten. Hij pakt die, steekt de twee tepels tegelijkertijd in zijn mond en zuigt en slikt uit alle macht. Daaraan herkent ook Josepha, Therese weet het allang, dat deze atleet niemand anders is dan de ooit knokige ambtenaar die twee jaar geleden Benedicta Carlotta's en Astrid Radegunds geboorte in het geboorteregister heeft opgetekend en bij die gelegenheid verslaafd is geraakt aan Carola. Sindsdien worden ze verbonden door de liefde, die ze steeds in hetzelfde standje beoefenen (zijn sperma stroomt, de door zijn gezuig opgewonden geraakte Carola merkt het nauwelijks, langs haar dijen in haar schoenen). Sindsdien drinkt hij met tussenpozen, die door Carola's echtelijke verplichtingen worden bepaald, haar nog altijd zoete melk, waarvan man noch kinderen weten dat die nog steeds stroomt. Had ze aanvankelijk de ambtenaar van stof bevrijd, zijn huid met vlees gevuld en zijn libido gestimuleerd, haar moedermelk paste zich later wat voedingswaarde betrof aan de veranderde situatie aan en werd minder vet, maar wel veel zoeter en dunner, precies wat hij nodig had om zijn geest te stimuleren. Hij liet ambtelijke loopbaan en bescheiden privileges varen, huurde een zolderkamertje en verdient nu als nieuwbakken lid van de Communistische Partij wat geld met artikelen over de revolutionaire ontwikkeling in de Sovjet-Unie, over de vermaatschappelijking van de productiemiddelen in het algemeen en als absolute voorwaarde voor een zeker welzijn van de mensheid in het bijzonder, en ook over de vrije liefde. Wat dat laatste onderwerp betreft werd hij zelfs een min of meer populaire spreker op vormingsdagen voor arbeiders, terwijl hij voor zijn artikelen niet vaak afnemers vindt en de kans bestaat dat hij door al dat ongepubliceerde werk opnieuw onder het stof bedolven raakt. Heeft een stapel papier de omvang van een kubieke meter bereikt, dan begint hij die per post over de meest uiteenlopende kranten van het land te verspreiden, en dan komt het werkelijk weleens voor dat de een of andere verhandeling toch nog wordt gepubliceerd. Dat hij ervan kan leven, is echter alleen maar mogelijk door wat zijn melkvrouw hem af en toe toestopt, die daarom ook weleens de getallen in de boekhouding van haar echtgenoot vervalst en haar atleet bovendien de enige voeding die hij werkelijk nodig heeft gratis verstrekt: haar melk. Omdat de huiselijke situatie en de opvoeding van haar dochters haar niet vaak vrij laten, vult ze er tijdens de keren dat ze de atleet bezoekt een paar grote flessen en een gebloemde porseleinen pot mee. Al eerder heeft ze hem geleerd hoe hij boter, kaas en kwark moet maken. Op die manier kan hij de tussenpozen tussen de paringsrituelen goed over-bruggen, en Carola leert mettertijd inschatten hoe lang hij toe kan met de geleverde melk. En vandaag is het de hoogste tijd voor een nieuwe levering, Carola ervaart de behoeftigheid waarmee de man aan haar zuigt bijna als pijnlijk. Ze is blij dat ze zich gedwongen voelde haar huis te verlaten. On-der deze omstandigheden, met al die familie in de kamer, die haar hele-maal in de war heeft gebracht. Met die demonstratie van vaderlijke macht van de kant van haar man. Met al die bezorgdheid om haar dochters, die haar zo onverwacht ernstig en smalletjes leken die middag. Willi Thaler-thal, zegt Carola tegen haar atleet, wil je, als je genoeg hebt gedronken, vandaag luisteren naar mijn radeloosheid? De voormalige ambtenaar is een gevoelsmens geworden en laat haar borsten ogenblikkelijk los, zodat ze de lucht van zijn zolderkamertje in beweging brengen en het stof doen op-waaien. Ze beheersen zich en gaan aan tafel zitten, en Carola Hebenstreit geb. Wilczinski vraagt aan het enige lid van de Communistische Partij dat ze persoonlijk kent naar de principes van de moderne pedagogiek en de plaats die de ouderlijke macht daarin inneemt. Ha, die vraag is een kolfje naar zijn hand, met dat soort vragen houdt Willi Thalerthal zich al twee jaar bezig. Nu kan hij breed uitweiden en met zijn zichzelf als proletarisch beschouwende vuist de kleinburgerlijke slaapkamer, waaraan hijzelf, veel te laat, op het nippertje en bovendien jichtig meent te zijn ontsnapt, een opdonder verkopen. In zijn ouderlijk huis had men waarde gehecht aan een strenge opvoeding die gebaseerd was op militaire discipline, waarbij een vrouw slechts denkbaar was als incarnatie van volmaakte reinheid of van verwerpelijke ontucht, maar waarbij ze in beide gevallen een gezicht had noch een naam droeg. Zijn vader had hem een keer, toen hij zijn zaad nog onder de dekens tot stromen bracht en daarop was betrapt, op dreigen-de toon toegesproken over laagstaande vrouwen die in fabrieken werkten, in plaats van gezellig voor man en kinderen te zorgen, en die, met een bezigheid die hij 'hoererij' noemde, de moraal bezoedelden. Deze vrou-wen, vertelde zijn vader, hadden de gestalte van vrouwelijke partizanen, forse lijven met zwart behaarde holten, en ze drukten zich op een stuiten-de, ordinaire manier uit. 'Communisme' noemde zijn vader de duivel aan wie die vrouwen zich hadden overgeleverd en wiens leiderschap ook een hele reeks mannen had verleid, die maar al te graag hadden toegegeven aan hun vleselijke lusten. En bij die mannen begon het mis te gaan toen ze zichzelf onder de dekens aftrokken, terwijl een echte man zijn zaad bij zich hield tot hij een christelijk huwelijk had gesloten. De spontane ontlading van zijn intussen bijna vergeten geslacht bij de aanblik van de melkspuitende Carola op de dag van haar snelle en onverwachtse bevalling, had zijn tot op dat moment met succes onderdrukte lust een object verschaft met officiële papieren (een officieel geregistreerd staande naam!) en met het lichaam van een partizanenvrouw, zoals zijn vader hem dat had geschilderd, alleen had de confrontatie daarmee hem helemaal niet angstig gemaakt en was het gezicht van Carola een begrijpende spiegel van zijn opluchting geworden. Terstond sloot hij zich bij dat communisme aan. Op de dag waarop hij zijn ambtelijke loopbaan beëindigde, riep zijn vader hem ter verantwoording bij zich en hij antwoordde doodgemoedereerd dat de christelijke moraal nergens anders thuishoorde dan in de prut, en wel de prut van het avondland. Daarover vertelde hij Carola, en ook dat het hem liever was dat ze zich van haar man liet scheiden en in een fabriek ging werken, dat ze niet afhankelijk moest zijn van de vader van de kinderen en dat ze dan ook beter aan de geboden beantwoordde van het nieuwe geloof waarvan hij intussen een aanhanger was geworden. De meisjes moest ze weliswaar bij de knopenhandelaar achterlaten, dat ging nu eenmaal niet anders, maar het was ook een uitdaging om uit nieuwe, vrij geboren kinderen van de liefde Nieuwe Mensen te vormen! Carola verslikte zich, ho ho, dat had ze niet helemaal goed begrepen. Gaan scheiden? Ze vindt Romancarlo toch niet slechter dan hem, de atleet, en om Benedicta Carlotta en Astrid Radegund in de berm van haar levensweg te deponeren, daar prakkiseerde ze geen moment over! Hoe kwam hij erbij! Ze was vandaag radeloos omdat ze niet wist of de kinderen onrecht werd aangedaan door hen tot eten te dwingen, en omdat ze soms een beetje veel in beslag werd genomen door de meisjes. Omdat niemand haar ooit had verteld hoe je zo'n mens moest opvoeden opdat hij een beetje slaagt, en omdat Hebenstreit er weinig slag van heeft. Maar in de fabriek gaan werken? Dat wilde ze niet. De knopenwinkel bracht immers genoeg op! Bovendien kon ze tijdens haar werk op de tweeling passen, van wie ze immers houdt en die ze goed wil opvoeden. En Romancarlo wil er nog een kind bij hebben, een jongen, en probeert haar met het oog daarop regelmatig te bevruchten, waarom zou ze daar verandering in brengen? De wilde liefde en nu ook een ernstig gesprek, heeft ze met hem, de atleet, dat is precies aan wat het haar thuis ontbreekt. Maar de rest was toch goed geregeld, was hij dan niet ook tevreden met de ontstane situatie? Dat stiekeme geklauter over muurtjes en het gehol door tuintjes was niet erg eerlijk, maar een overspelige vrouw was ze daarom niet, en Romancarlo was voor haar even vanzelfsprekend als Willi Thalerthal! De wolken waaruit die tijdens deze toespraak valt, moeten een paar meter boven de nok van het huis zijn uitgestegen: Willi Thalerthal valt als een zak op de vloer, zijn spierkracht, die de val had kunnen breken, begeeft het, en zo ligt hij als vormloos hoopje man Carola bijna in de weg, terwijl ze eigenlijk naar huis moet, maar ze tilt nu zijn hoofd op en haalt nog één keer haar borst te voorschijn en steekt die in zijn mond. De gereactiveerde zuigreflex haalt Willi Thalerthal terug uit de duisternis, hij komt weer bij, bezint zich, kalmeert zichzelf eerst maar eens met haar melk en laat haar gaan. Dat zal hij als een nederlaag van zijn begeerte moeten accepteren, waarop hij heeft geleerd te vertrouwen, net als op zijn denken, waarin hij zich zo moeizaam heeft geoefend.

Carola Hebenstreit geb. Wilczinski is in elk geval nog radelozer dan vóór haar bezoek aan de zolderkamer. Haastig loopt ze terug naar het verjaardagsfeestje, dat een uurtje verder is intussen en de kleur van rode wijn heeft aangenomen. Daarom merkt de familie ook niet dat Carola langer is weggebleven dan voor de wandeling naar de apotheek nodig is. Ook de meisjes missen haar niet tijdens hun middagdromen, ze slapen nog als Carola met een bezorgde blik naar hen komt kijken: ze vindt dat de kinderen er bleker uitzien dan rond het middaguur, de slaapwangetjes kleuren de gezichtjes niet rood, en vooral de armpjes van Astrid Radegund zijn dunner geworden. De schrik zit nog in haar benen als ze vlug teruggaat naar de woonkamer om voor haar familieleden de taart aan te snijden en op te dienen. 's Avonds, de gasten zijn weg en alleen Bodo Wilczinski slaapt in de woonkeuken op de canapé en wil pas morgen weer naar huis, neemt Romancarlo Hebenstreit zijn radeloze echtgenote onder zich, maar wat hij zich heeft voorgenomen, speelt hij niet meer klaar. Een blik op de zwarte hemel maakt hem in één klap duidelijk dat hij nooit een zoon zal hebben. Cerealia, de godin van de papmaaltijden, is op pad gegaan en bestraft zijn poging om zijn dochtertjes te dwingen vlees en knoedels te eten, door hem van een zeer bijzondere zwartgalligheid te voorzien. Voortaan zal Romancarlo Hebenstreit aan een zeer slecht humeur lijden zodra Benedicta Carlotta en Astrid Radegund uit zijn blikveld verdwijnen of gaan slapen. Omdat hun afwezigheid, ook al liggen ze alleen maar te slapen in de metalen bedjes, voor hem de absolute voorwaarde is voor het slagen van het echtelijke verkeer, maar tegelijkertijd de veroorzaker is van zijn depressieve impotentie, zal hij nu nooit meer een zoon kunnen verwekken. Carola zal begrip opbrengen voor zijn situatie en ook hijzelf zal zich er zonder te klagen bij neerleggen, want Cerealia verklaart hem de samenhang en velt haar vonnis met een mannenstem op rustige ambtenarentoon, wat hij als bewijs voor haar autoriteit accepteert. Het imaginaire doek verdwijnt nu met een klapperend geluid in een gat in het midden van de kamer...

Therese grijnst schaamteloos schalks vanuit haar ooghoeken naar Josepha, die het verhaal met een steeds vlugger wordende ademhaling heeft gevolgd, en nu compleet verrast wordt door de stilte na het slot en het agressieve gekletter dat het zich anders zo geruisloos terugtrekkende doek deze keer veroorzaakt. Ze heeft het vage vermoeden dat dat gekletter door de knopendoos werd veroorzaakt, het openspringen van een blikken doos met deksel op het moment dat die op de houten planken viel en door de over de vloer rollende knopen. Wat had dat, had dat wat te betekenen? En zo ja, voor wie? Ze zit zo te piekeren naast de bagage, dat ze helemaal niet kan zien wat voor schalks grijnsje Therese haar met haar ogen toewerpt. Al die mensen in Thüringen in de jaren twintig, toen haar familie nog in Oost-Pruisen woonde! Had Therese het verkeerde sleutelwoord gekozen? Ongeschikte proviand meegenomen? Alleen al die sprakeloosheid aan het begin van de onderneming, het met kaas geschreven woord, had haar moeten waarschuwen. In plaats daarvan heeft ze nu – en ze kijkt op de klok: vierenhalf uur! – de verkeerde richting gevolgd, geboeid weliswaar en aandachtig, maar op een ongepaste manier opgewonden, en ze kijkt nu toch naar Therese om haar een vraag te stellen, die ze echter niet over haar lippen krijgt op het moment dat ze de oude vrouw ziet: die zit daar zo vergenoegd te grijnzen, die heeft het allemaal zeker wél begrepen, begrepen? Nu gaat Josepha een licht op, ze loopt naar de kamer ernaast, naar de commode waarin de vrouwen belangrijke papieren bewaren en haalt haar geboortebewijs uit een map: Josepha Schlupfburg, geslacht vrouwelijk, geboren op 27 maart 1954 in G. als kind van de echtelieden Schlupfburg, Rudolph en Marguerite, geb. Hebenstreit. Josepha voelt een prikkeling die van het uiterste puntje van haar rechter kleine teen langzaam naar boven kruipt, langs de buitenkant van haar rechterbeen, dan via haar heup naar haar oksel, van de binnenkant van haar rechterarm naar de binnenkant van haar hand, dwars over haar handpalm naar het topje van haar pink, over de buitenkant van de arm weer naar boven, via haar schouder naar haar nek, tot de prikkeling in haar oorschelp verdwijnt. Therese, die haar tijdens haar verkramping heeft gadegeslagen, trekt Josepha mee naar de badkamer en trekt haar daar voorzichtig haar kleren uit. Nog steeds grijnst ze, maar niet meer zo schalks als eerst, en ze wijst de naakte Josepha op de dunne rode streep die over de rechterbuitenkant van haar lichaam loopt: Diploida, de godin van de afstammingsleer, heeft uit het onbewuste van Josepha de tot dusver ontbrekende moederlijke lijn met fijne naalden in haar opperhuid getatoeëerd. Josepha begrijpt: Carola Hebenstreit geb. Wilczinski was haar grootmoeder, de een halve eeuw geleden onverwachts geboren Benedicta Carlotta en Astrid Radegund waren dus haar tantes, de zusters van haar moeder, als ze het goed heeft en Thereses geknik voor vol neemt. Omdat haar moeder Marguerite in 1935 ter wereld is gekomen, acht jaar nadat Romancarlo Hebenstreit werd behept met de praktische onmogelijkheid zich voort te planten, kan de knopenhandelaar dus niet de vader zijn geweest! Dan blijft er dus toch nog iets open, denkt Josepha (Therese knikt), dit was pas het begin (Therese knikt), dan was het gekletter van het doek bij het ineenstorten mogelijkerwijs de aankondiging van een voortzetting van de vierde etappe van de expeditie (Therese knikt)! Het is laat geworden, Josepha moet morgen weer naar de fabriek, ze heeft er voor vandaag schoon genoeg van, van al die grollen, het was haar echt een beetje te veel. Ze is doodop, en Therese, die allang veel minder slaap nodig heeft dan haar achterkleindochter, begrijpt dat en legt de parelmoeren knoop op de commode met de documenten. Het met kaas geschreven woord wordt tot de volgende nacht met een bakblik bedekt, om het te beschermen tegen tocht en eventuele voetstappen, en de vrouwen begeven zich naar bed, maar pas nadat Therese de rode streep op Josepha's rechter lichaamshelft voorzichtig met ontstekingsremmende glycerine-handcrème van het merk Wuta Kamill heeft ingesmeerd.

De Wereldgezondheidsdag was in de landelijke media in het jaar aan gene zijde van de in 1949 kennelijk definitief vastgestelde grens aanleiding geweest om in de ziekenhuizen een beetje naar misstanden te zoeken, hier en daar een beetje te neuzen naar medische schoonheidsfoutjes en benadeelde patiënten, en een ietsepietsje propaganda te maken voor de verbetering van de volksgezondheid. Ook de op leeftijd komende kleinburgeres Ottilie Wilczinski in het Beierse N. was in de afgelopen weken weer een populair, maar voor het journaille onbereikbaar gebleven object geweest. De implosie rond het middernachtelijk uur van 7 op 8 april van het enkele dagen daarvoor naast haar bed geplaatste ultrasone beeldscherm (op het moment namelijk dat het imaginaire doek kletterend instortte, zoals gemakkelijk is vast te stellen, maar noch door Ottilie Wilczinski noch door Josepha en Therese Schlupfburg kon worden vermoed) is die nacht een behoorlijke schrik geweest, men had immers gemeend met het verwijderen van het televisietoestel uit de kamer van de zwangere vrouw zulke incidenten in de toekomst te kunnen voorkomen. Met het opstellen van ultrasone apparatuur had men het pijlsnel groeiende ongeboren kind beter willen observeren. (De chef de clinique, die het nog steeds niet waagt zijn hart eens uit te storten bij zijn studievriend Huckenhuber, houdt rekening met een deling/verdubbeling van de foetus in de laatste drie maanden van de zwangerschap, dokter Zehetmayr heeft voor de maand april alle nachtdiensten op zich genomen, de jonge afdelingsarts voelt zich triomfantelijk in zijn gelijk gesteld wat de onberekenbare groei van het kind betreft en laat zijn chef elk uur de laatste opname van het ultrasone apparaat toekomen, bovendien heeft hij voor de duur van de zwangerschap zijn permanente intrek genomen in het ziekenhuis en twee studenten gecontracteerd, die buiten diensttijd beurtelings de beelden naar het huis van de chef de clinique brengen.) Zehetmayr botst voor de kamer van Ottilie Wilczinski tegen de jonge afdelingsarts op, en waar de nachtzuster bij staat geeft hij hem een vermaning wegens een overtreding van de dienstvoorschriften: alleen hij, Zehetmayr, heeft de bevoegdheid tijdens de uitoefening van zijn door het maandrooster gelegitimeerde nachtdienst de patiënte te hulp te komen, de eed van Hippocrates is daarvoor simpelweg niet afdoende. Het moet altijd ordelijk toegaan, beste collega, en ordelijkheid staat bij ons hoog in het vaandel, nietwaar? Ottilie Wilczinski, die de implosie min of meer gelaten heeft ondergaan, luistert geamuseerd naar de ruzie, ook al heeft ze geen idee van de zakelijke belangen van dokter Zehetmayr. Weliswaar is ze een beetje verbaasd dat de nachtarts, nadat hij haar kamer heeft betreden, niet in de eerste plaats voor háár belangstelling heeft, maar voor de splinters van het beeldscherm op het linoleum, waarvan hij, gebruikmakend van een spatel en een pincet, een paar stukjes oppakt en die in een reageerbuis stopt, maar de glimlachend-verwarde hulp die de nachtzuster haar biedt, vindt ze toch al heel veel prettiger dan die van de arts. Ze heeft het zich inmiddels helemaal afgewend om enig gewicht te hechten aan de verrichtingen van de uitsluitend mannelijke gynaecologen en kraamhelpers. Haar zwangerschap, die ze nu heeft leren accepteren en goeddunken, zal de medici niet meteen veel slimmer, maar wel een stuk eerzuchtiger maken. Die masculiene drang om voor alles een verklaring te vinden, vindt ze grappig (en doet haar in zijn intensiteit zelfs denken aan Bodo Wilczinski's hardnekkige inspanningen), maar ze is toch af en toe bang dat het kind door al dat tasten, duwen en beluisteren en door de ultrasone golven onnodig zal worden gestoord. Maar het kind bungelt opgewekt en nieuwsgierig aan zijn streng, is zich ervan bewust dat het de kracht heeft van drie vaders. Weliswaar worden er meer kinderen van drie vaders geboren dan de openbaarheid bereid is te aanvaarden, maar bijna altijd leveren de betrokken mannen in het lichaam en de geest van de zwangere vrouwen een gevecht. Vóór of tégen hun rol als emotionele-, betaal- of verwekvader. Vóór of tégen het kind. Vóór of tégen de moeder. Vooral tegen elkaar. Meestal is het onbewuste het toneel van de gevechten, vooral wanneer de mannen elkaar niet kennen. (Diploida heeft daarmee in de loop der eeuwen veel te stellen gehad...) De uit dat soort conflicten geboren zogenaamde onweerskinderen zijn dan natuurlijk zwakker, vermoeider of kwetsbaarder in vergelijking met de kinderen van slechts twee vaders of zelfs met de kinderen van één enkele. Eén enkele vader te hebben is daarmee vergeleken meestal een zeer voorspoedig verlopende zeldzame aangelegenheid. Maar nog zeldzamer is het geval waarin de kracht van drie vaders een kind ten deel valt. Dat gebeurt alleen wanneer de vaders elkaar accepteren in de gedachten van de moeder of, zoals in Ottilie's geval er ook nog bij komt, zonder elkaar de zwangerschap niet op gang hadden kunnen krijgen. Zonder Avraham Rautenkrantz' leerzame en intieme neukuurtjes in het Altstädter plantsoen had Ottilie tijdens de verschillende gebeurtenissen in haar latere leven niet aan de liefde kunnen blijven geloven, zonder Bodo Wilczinski's sperma zou er geen bevruchte eicel, en zonder Franz Revesluehs droge stoten geen verdere ontwikkeling zijn geweest. Geluk gehad, baby. Terwijl dokter Zehetmayr nu eindelijk tijd heeft voor Ottilie's toestand, heeft de nachtzuster de rommel al opgeruimd en het defecte apparaat met de lift naar de kelder gebracht. Zehetmayr is alleen met de patiënte met een dubbele indicatie. Dat maakt hem moedig genoeg om de vertrouwensman uit te hangen. Hij strijkt haar haar van haar voorhoofd, frummelt aan de knoopjes van haar nachthemd en zegt dat alles alleen maar voor haar eigen bestwil is. Of ze misschien een nachtmerrie heeft gehad kort voor de implosie, of zich aan een ongebruikelijke manier van zelfbevrediging heeft overgegeven? Ottilie grijnst schalks uit haar ooghoeken naar de man met al zijn, och gut, geborneerdheid, en draait zich met haar gezicht naar de muur. Of ze zich bijvoorbeeld kan indenken hem te laten deelhebben aan die activiteit of aan de nachtmerrie, net wat haar uitkomt? Ottilie valt half in slaap. Hij is, zegt hij, toch zeker een specialist in die dingen! De nachtzuster komt tijdens die dreigende uitroep binnen, Ottilie valt nu helemaal in slaap. Als de chef de clinique de volgende ochtend de laatste foto van het ongeboren kind van vóór de implosie met een groepje collega's analyseert, barst de bom: op de foto grijnst het kind schalks met opgeblazen wangen, de rechterhand op ooghoogte tot een vuist gebald en met een opgestoken rechtermiddelvinger bekroond. Geen twijfel mogelijk, mompelt de jonge afdelingsarts. We moeten Huckenhuber erbij halen, denkt de chef, nog steeds zonder dat hardop te zeggen.

Josepha is op deze achtste april jachtig aan het werk. Ze moet inpakken, is met ingang van vandaag ingezet als invalster: de vrouwelijke bedrijfsarts heeft in verband met de zwangerschap voorspeld dat ze vaak zal verzuimen en dat heeft ze gisteren meteen ook maar meegedeeld aan de brigadeleiding. Josepha is boos over de schending van de medische geheimhoudingsplicht. Vlug zet de opzichtster haar een met liefde gemaakte Rote Grütze van kostbaar diepvriesfruit voor, die ze met een milde, vooruitziende blik nog laat op de avond heeft voorbereid. Sinds het begin van haar zwangerschap voelt Josepha zich belaagd door allerlei nooit eerder ervaren neigingen, waaronder deze: onverdraagzaamheid tegenover aantastingen van een domein dat ze vroeger nooit als privé zou hebben beschouwd, maar dat ze nu – als leefwereld van het zwart-witte kind? – hardnekkig verdedigt. Haar tot dusver verbazingwekkend dikke pantser tegen psychische en fysieke aantastingen heeft een deuk gekregen, een haarscheurtje opgelopen, waardoor een andere wind naar binnen waait, scherper en haar altijd op een gevoelig punt rakend. Meestal in haar onderlijf, maar ook in haar hart of haar nieren. Het tocht, Josepha. Ze slaat met haar vuist in het schaaltje griesmeel met rode vruchtenmoes, en over het bureau van de opzichtster heen spat een kers tegen het oog van het staatshoofd. De zo merkwaardig mild geworden opzichtster wordt door de griesmeelpap geraakt, die ze geduldig uit haar haar kamt en van haar gezicht veegt. Maar een van de glibberige korreltjes wijkt niet van zijn plaats en blijft op haar neus plakken, op de plek waar eerst de wrat zat, wijkt niet van zijn plaats en blijft plakken, verandert van samenstelling en groeit aan de opzichtster vast, terwijl van het oog van het staatshoofd de kers naar beneden glijdt, naar zijn lippen. Daar blijft die voorlopig onbeweeglijk zitten. Schrik, schande, doekje, lippen, god – de opzichtster weet niet wat er als eerste als verheven, hoog gilletje uit haar mond moet komen. De late overwinning van de wrat – het vastgegroeide griesmeelkorreltje op haar neus ziet er nu eenmaal zo uit – wenst ze niet te erkennen, maar ze stuurt in plaats daarvan Josepha gillend weg om een lap en een emmer te halen, maar Josepha heeft, zegt ze zelf, belangrijker dingen te doen en poetst de plaat. Dreigend zwijgen. Weliswaar vindt Josepha dat wat ze te doen heeft niet meer zo belangrijk als nog maar een paar weken geleden: maar wegwezen is wegwezen. Een beetje moedig zijn. Het tocht, Josepha. Josepha roeit met haar armen naar haar plaats, een beetje met de smaak van bindmiddel in haar mond, terwijl de opzichtster zelf een lap is gaan halen en nu de mond van het staatshoofd onder handen neemt. Bijna teder veegt ze zijn lippen schoon, gooit de rest van de kers in het sopje, wringt de lap tevreden uit en laat hem verdwijnen door de emmer leeg te gooien. Het valt haar voorlopig niet op, maar als 's middags de ploegleiders, om de weekroosters op elkaar af te stemmen, bij elkaar komen in het hokje, groet vanuit zijn lijst het staatshoofd hen met kersenrode lippen, die de vorm hebben van een pruilend hartje, en ook een heimelijk uitgevoerde tweede schoonmaakbeurt kan daar niets aan veranderen. Voordat de late ploeg begint, moet het portret in het diepste geheim worden weggehaald. De opzichtster neemt het mee naar huis, want ze durft de foto niet ergens in de fabriek te verstoppen. Ze schuift hem onder haar bed, duikt zelf onder de wol, en als bij de dames Schlupfburg het imaginaire doek zich langzaam ontvouwt voor de vierde etappe, stulpt uit de platte foto een zinnelijke mond die de opzicht-

74

ster onmisverstaanbaar tot allerlei handelingen uitnodigt, wat een smeerlapperij denkt ze nog, dan valt ze in een diepe bewusteloosheid...

8 april 1976:
Vervolg van de vierde etappe van de Gunnar Lennefsen-expeditie

Op het moment dat Josepha na haar eerste werkdag als invalster bij VEB Kalenders en Kantoorartikelen Max Papp de deur van de woning opendoet, haalt Therese het bakblik van de geraspte kaas. Als ze nu naast de expeditiebagage plaatsneemt, zit ze ook meteen midden in de gebeurtenissen: een knopendoos valt met een klap op de grond, terwijl er bij de onverwachtse en snelle bevalling van Carola Hebenstreit geb. Wilczinski uit haar schoot een kleine vruchtwaterblaas komt die op de vloer van de fourniturenwinkel in de Hohe Straße in G. valt. Josepha denkt dat ze dat al eens eerder heeft gezien, maar ze blijft aandachtig kijken: er staan allemaal nieuwe kasten in de zaak, de knopendoos is van blinkend metaal en met hoekig eikenblad versierd. Twee magere meisjes van een jaar of tien komen de winkel binnen, kennelijk komen ze net uit school – ze dragen op hun rug zware schooltassen onder hun vlechten – en begroeten hun moeder met een woord dat Josepha niet verstaat voordat ze geschrokken neerknielen bij hun zusje: in de in zijn geheel uitgestoten vruchtblaas is vaag een piepklein meisje zichtbaar! Als Carola Hebenstreit geb. Wilczinski de vruchtblaas opent, vallen de buitengewoon atletische lichaamsvormen van het kind op, dat hoogstens vijftien centimeter lang, maar helemaal compleet is. Carola wil nu in geen geval haar hoofd verliezen, ze weet wat haar te doen staat. Ze zal het kind in geen geval naar de kliniek laten brengen en er al helemaal niet zelf heen gaan. In geen geval zal ze de winkel sluiten, die na de schaarse jaren van de economische crisis weer wat beter is gaan lopen. Ze stuurt de meisjes naar boven, naar haar echtgenoot, die al tien jaar aan een uitzonderlijke zwartgalligheid lijdt en de uren tijdens welke zijn dochters naar school zijn in catatone verstarring doorbrengt op de zolder. Natuurlijk zie je even later een goedgehumeurde Romancarlo de trap afkomen – zijn dochters hebben er weinig moeite mee hem naar beneden te krijgen, hij volgt hen meer dan bereidwillig naar de vrolijke fase van de dag. Carola heeft intussen het kind van de navelstreng bevrijd, gewassen en in spinwol warm verpakt. Ze slaapt niet, haar bosbessenblauwe blik dwaalt rond, haar duim zoekt de weg naar haar mond. Verrassing in de ogen van de ouder wordende Hebenstreit: wanneer heeft ze dat kind gemaakt en met wie? In plaats van zijn zoon ligt er nu alweer een dochter in de naaimand, Hebenstreit heeft er de pest over in en staat te trillen, maar hij bekijkt het kind van dichtbij. Vrijwel meteen heeft hij het gevoel

75

dat dat allemaal helemaal niet zo erg is. Een derde kind houdt zijn falen voor de wereld verborgen, bindt hem, als hij verder zijn mond houdt, aan zijn vrouw en zal hem, als hij het op de juiste manier aanlegt, misschien van zijn toestand af kunnen helpen – doordat hij bij dit kind alles goedmaakt wat hij bij Benedicta Carlotta en Astrid Radegund allemaal verkeerd heeft gedaan. Dus helpt hij Carola door op te houden met trillen en een pul moutbier te gaan halen om het zog op gang te brengen, met Astrid Radegund aan zijn hand. Nog steeds weet hij niets van de voortdurende galactorroe van zijn vrouw. Carola heeft gisteren de voorraad van Willi Thalerthal – Josepha denkt: van mijn grootvader! – aangevuld, ze hoeft maar even over haar borst te aaien en meteen komt er een straal melk uit... Ze neemt nu de tijd om zich te verwonderen over hoe dit kind het voor elkaar heeft gekregen in haar te ontstaan, ze heeft het mannelijke aanhangsel van die voormalige ambtenaar immers nooit bij zich binnen laten dringen! Ze heeft er geen verklaring voor, tot het teiltje haar te binnen schiet waarin zij zich net als hij na hun ontmoetingen wast. Een tijd geleden moest hij plotseling weg, terwijl zij nog druipnat in de kamer stonden, een klein mannetje – een koerier, zoals Willi haar zachtjes toefluisterde – mompelde samenzweerderige codes achter de woningdeur. In het teiltje dat op de marmeren wastafel stond reinigde Willi Thalerthal zich snel, liet zichzelf niet zoals anders opdrogen, en verdween. Ja, alleen zo kon het zijn gebeurd: toen Carola, alleen gelaten, zich intern waste, zoals ze altijd deed, gebruikte ze in de haast hetzelfde water... eau, eau, eau, ze slaat haar hand tegen haar voorhoofd.

Een waterkind dus.

Ze neemt het nu toch aan de borst en probeert het te zogen. Het kind zuigt uit alle macht en inderdaad groeit het een beetje, alleen staat het in geen verhouding tot de groei van haar halfzusters op de dag van hun geboorte, tien jaar geleden. Langzaam begrijpt ze dat het Thalerthals melk is, geen colostrum, haar lichaam is niet ingesteld op het nieuwe, piepkleine kindje, en misschien is haar melkachtige overgave aan Willi Thalerthal ook wel de oorzaak van de zwakke constitutie van haar tweeling, die altijd in de schaduw van de voormalige ambtenaar met weinig genoegen moest nemen, en het recht op vetten en suikers in hun voeding niet hebben kunnen doen gelden tegenover de volwassen, bovendien zich psychisch en fysiek dagelijks verder ontwikkelende man! In Willi's naam! Ontzet valt Carola Romancarlo om zijn nek als hij terugkomt met moutbier, het kind valt bij die omarming alweer op de grond, zonder dat de moeder en de vader-volgens-de-burgerlijke-stand het merken. Benedicta Carlotta tilt haar zusje op en legt haar op haar strakgetrokken rok, helemaal verrukt. Ze wiegt het kindje, terwijl haar ouders, voor het eerst sinds ze zich kan herinneren, elkaar in haar aanwezigheid kussen.

Het waterkind doet er enige tijd over voordat lengte en gewicht die van een gemiddelde boreling benaderen. Omdat ze niet huilt, maar met grote, bosbessenblauwe ogen rondkijkt in de huiskamer, de keuken en het kamertje, wordt haar komst net zolang geheimgehouden tot ze zeven pond weegt. Meer dan drie maanden na de bevalling wikkelen Romancarlo Hebenstreit en zijn vrouw Carola geb. Wilczinski op een winderige ochtend het meisje in een deken en gaan met haar naar de dokter en naar de burgerlijke stand. Eindelijk mogen Benedicta Carlotta en Astrid Radegund tijdens de bijeenkomsten van de Jungmädel vertellen dat de Führer (en dat klopt dus) hun een zusje heeft geschonken, heel plotseling en onverwachts geboren op de ochtend van 1 mei 1935, zoals het geboortebewijs nu vermeldt, als Marguerite (de wens van de zogenaamde vader) Eaulalia (de wens van de werkelijke moeder) Hebenstreit, dochter van knopenhandelaar Romancarlo Hebenstreit en zijn echtgenote Carola geb. Wilczinski. Weliswaar was de ambtenaar van de burgerlijke stand, een stevige jongeman trouwens in het gangbare uniform, danig geprikkeld over de eerste 'a' in de tweede voornaam, maar Carola had haar zin gekregen door erop te wijzen dat ze aan deze traditionele spelling van de eeuwenoude arische naam de voorkeur gaf. Omdat ze tegen de Franzosengekte van haar wederhelft – ze knipoogde daarbij naar de ambtenaar, terwijl ze Romancarlo veelzeggend in zijn hand kneep – immers toch niets kon uitrichten!

En Willi Thalerthal? Het imaginaire doek gaat een stukje terug in de tijd: voor Carola is het intussen lastiger geworden om ongezien te blijven, de stad is niet groot en de blokwacht heeft sluwe kinderen die hun vader een handje helpen bij het luisteren en gluren. De merkwaardige overgang van de ambtenaar naar het communisme was ooit even onderwerp van gesprek geweest in G., maar meer in de militair-ambtelijke burgerlijke families dan in de schamele stegen van de oude binnenstad, waar hij nu woont en waar ook de blokwacht als kind heeft gewoond. Maar de vrouw van de blokwacht wordt een vochtige furie als ze Willi Thalerthal met zijn atletische figuur ziet. Ze laat hem klusjes voor haar doen als haar man op pad is, ze komt zout bij hem lenen en vraagt of ze een wasje voor hem kan doen en ze brengt hem af en toe worst en kaas, die ze op de boerderij van haar ouders haalt, maar het heeft allemaal geen zin. Het lukt de vrouw van de blokwacht niet hem daarmee te versieren en ze probeert er nu achter te komen hoe hij het bestaat haar als vrouw te negeren. 's Ochtends zit ze voor het raam aan de straatkant en kijkt of de oplossing van dat raadsel soms zijn huis betreedt. Carola Hebenstreit geb. Wilczinski heeft ze al vaker langs zien komen, maar het komt niet in haar op dat het huis aan de achterkant een deur heeft die op de binnenplaats uitkomt. Tot dusver ging alles goed.

Willi Thalerthal zorgt ervoor dat hij 's ochtends het huis aan de voorkant verlaat en er een paar minuten later aan de achterkant weer binnengaat, soms tegelijk met Carola, nadat die haar dochtertjes, die op weg gaan naar school, gedag heeft gezwaaid (Om die reden heeft ze zelfs winkelhulpje heeft in dienst genomen), en rond het middaguur komt hij fluitend weer thuis – denkt de vrouw van de blokwacht, die meteen achter hem aan loopt en vraagt of hij iets heeft voor de kookwas of dat ze misschien een paar eieren voor hem zal klutsen. Moeten moet niet, maar kunnen kan wel, zegt Willi Thalerthal dan en doet later de roereieren in een zakje voor zijn kameraden. Enkelen van hen zijn helemaal ondergedoken en moeten worden verzorgd. Enkelen van hen zijn verbaasd over de zoetige kaas, die Thalerthal hun, zelden, komt brengen, meestal wanneer de worst en de kaas van de vrouw van de blokwacht op zijn. Dan is het wel lekker dat er ter afwisseling roerei wordt gebracht. Thalerthal heeft het zo geregeld dat de vrouw van de blokwacht de vuile was doet van de illegalen. Ze staat dan in de dichte damp van haar waskeuken en wijdt zich aan de communistische onderbroeken, wrijft de geur in haar gezicht en vergrijpt zich aan de witte was. Thalerthal wordt zich ervan bewust dat een beetje toeschietelijkheid van zijn kant meer veiligheid betekent voor hem en zijn onderduikers: als ze zich helemaal op hem concentreert, zal ze minder tijd hebben om haar plicht te vervullen, namelijk de blokwacht helpen met afluisteren en gluren. Hij naait voor zichzelf, zoals hij van Carola heeft geleerd, een erg strakke broek, die hij 's middags aantrekt, wanneer hij, althans dat denkt de vrouw van de blokwacht, thuiskomt. Wanneer hij de trap oploopt, hij weet nu heel zeker dat ze hem van achter haar spionnetje volgt tot de overloop en op haar hoede is voor haar man, die in de keuken soep zit te eten, stelt hij zich voor hoe Carola hem voedt. Die aangename en nuttige oefening voert hij langzaam en grondig uit, de vrouw van de blokwacht kan nu heel goed zien wat er in die strakke broek gebeurt, en als hij zover is, spreekt hij haar naam uit in het trappenhuis. Wel alle drommels, de vrouw van de blokwacht knapt bijna uit haar blouse, maar ze durft niet al te ver te gaan wanneer haar echtgenoot thuis is. Hoogstens glijdt ze met haar hand in haar onderbroek en ruikt daarna aan haar vingers, maar daar blijft het bij. Thalerthal is er tamelijk zeker van dat ze zich daarna terugtrekt van het raam aan de straatkant – hij is nu immers weer thuis – en afleiding zoekt in het tijdschrift van de Rijksvrouwenbond of een broek verstelt voor haar man, die al vlug weer weg moet.

Na de geboorte van het kind Marguerite Eaulalia probeert Carola een paar keer bij Thalerthal op bezoek te gaan. Elke keer staat ze voor een gesloten deur, en bedenkt op een ochtend in maart dat hij weleens verhongerd op zijn zolderkamertje zou kunnen liggen. Ze snuift door het sleutelgat de lucht op, het ruikt naar stof, maar niet naar ontbinding. Ze stelt zich het lijk dus voor in een constante luchtstroom, die al voor mummificering heeft gezorgd, en moet huilen. Lang kan ze niet voor zijn deur blijven staan, de vrouw van de blokwacht, heeft hij gezegd, laat niet met zich spotten. Dus verlaat ze het huis zoals ze gewend is, klautert, en rent thuis regelrecht in Hebenstreits armen, die net van de zolder komt ten gevolge van de vandaag vroeger dan anders uit school komende tweeling. Ze heeft hem, die geen vragen stelt, niets verteld over de vader van zijn kind. Zijn medewerking sinds de tweede onverwachtse en snelle geboorte geeft haar de moed hem te vragen bij de blokwacht te informeren naar Thalerthal. Benedicta Carlotta en Astrid Radegund horen – hoe zou het anders mogelijk zijn Hebenstreits oor te bereiken – hoe hun moeder hun vader opheldering verschaft over de afkomst van hun zusje. Natuurlijk laat Carola de details in het vage, het zou te veel zijn voor de kinderen en ook voor de op leeftijd gerakende Hebenstreit, die zijn eigen constitutie intussen een gegronde reden vindt voor de buitenechtelijke begeerte van zijn vrouw. Natuurlijk verzwijgt ze ook Thalerthals hang naar wat de krant de joodsbolsjewistische ongeest noemt. Maar ze draagt hem op een smoes te verzinnen om bij de blokwacht navraag te kunnen doen, en stelt hem voor de blokwacht te vertellen dat Thalerthal de familie Hebenstreit twee rijksmark schuldig is voor het aanbrengen van slijtageband in een aantal pantalons. Romancarlo is er bijna toe genegen zijn verbond voor het leven uit te breiden met Thalerthal, zozeer is hij bereid goed te zijn voor het nieuwe kind, en gaat meteen op pad. Benedicta Carlotta en Astrid Radegund gluren verlegen vanachter hun vaders rug wanneer die aanbelt bij de blokwacht in het woonhuis van Thalerthal, en een corpulente blondine de deur opendoet: of er iets is, hij is immers meneer zus en zo uit de zus en zo-straat, hè, haar man is er niet, zegt ze, maar hij kan rustig even binnenkomen, ze is net aan het dweilen, hè, daarom ziet ze er zo uit (haar jasschort kan het felroze van haar ondergoed niet volledig verhullen). Hebenstreit doet wat ze zegt, en vraagt nu naar Thalerthal, voor wie hij, verdomme, broeken heeft versteld met solide slijtageband en die er tot dusver niet over heeft gepiekerd ervoor te betalen. O, echt? Die arme man, reageert ze, kon er waarschijnlijk niets aan doen, hè, hij was al een paar weken niet meer thuis geweest, ook haar man had zich er al over verwonderd en inlichtingen ingewonnen, hè, bij de politie en bij officiële instanties, doch zonder resultaat. Maar nu was men geatendeerd op zijn verdwijning en begonnen hem op te sporen, mijn god, er zal hem toch niets zijn overkomen? Die rooien, hè, die waren nog steeds niet uitgeroeid, misschien hadden die hem om zeep gebracht in hun haat tegen het werkende Duitse volk? Romancarlo Hebenstreit kucht verlegen, omdat de vrouw van de blokwacht nu een trillende mond krijgt en haar lippen stevig opeenklemt, tot er dan ondanks alles kleine, stroperige tranen op haar boezem vallen en haar dik opgebrachte gelaatskleuren door elkaar laten lopen. Benedicta Carlotta tast naar haar vaders hand en trekt er een beetje aan, Astrid Radegund geeft haar zakdoek aan mevrouw de blokwacht. Tja, als het er zo voor staat, dan heeft het nu allemaal geen zin, dan moest hij onverrichterzake maar weer eens op huis aan. Maar bedankt, mevrouw. Mevrouw – Heil Hitler, hè! roept ze terug als ze juist de buitendeur al laten dichtvallen, komt hen na-gerend en stopt de man, die steeds meer begint te kuchen, twee rijksmark in de hand, waarvoor hij immers is gekomen, toch? Die wil ze graag geven, die Willi Thalerthal, hè, dat is zo'n beste vent, die moest je toch zeker hel-pen, die mocht toch niet op de lat staan, als het om eer gaat, hè? Dat is toch vanzelfsprekend, dat is toch vanzelfsprekend, meneer Hebenstreit, hè?

Meneer Hebenstreit maakt tegelijk met het omhoog- en vooruitstrekken van zijn arm een buiging en begeeft zich op weg naar huis. Benedicta Car-lotta loopt al twintig meter voor hem uit, dat felroze ondergoed is niet naar haar smaak en maakt haar verlegen, terwijl Astrid Radegund in gedachten meer problemen heeft met de inhoud van dat ondergoed. Zo komen ze van hun eerbare veldtocht thuis, de drie zo dappere krijgers, en brengen het bericht over van het verdwijnen van de echte vader. Carola raakt meteen bewusteloos en ontwaakt pas drie dagen later weer. Terwijl zij plat op bed ligt, moet haar kind regelmatig aan haar borst worden gelegd, de meisjes krijgen om die reden drie dagen vrij van school met de smoes dat ze last hebben van diarree en braken, en als de bewusteloosheid voorbij is, heeft Carola een diepe mannenstem. De wegens ziekte gesloten winkel is het laatste wat het imaginaire doek nog vermag te vertonen.

Therese reikt Josepha het expeditiedagboek aan, dat ze tijdens het tweede uitstapje naar de Thüringse stad G. in het jaar 1935 heeft versierd met de parelmoeren knoop uit de blikken trommel van Carola Hebenstreit (geb. Wilczinski). Josepha pakt lusteloos het boek aan, strijkt met de hand die zich aan de kant waar haar hart zit, bevindt over de knoop en schudt haar hoofd voordat ze in slaap valt. Therese bekijkt in het lamplicht, nadat ze de mouw van het geruite lievelingsoverhemd van haar achterkleindochter omhoog heeft geschoven, dier moederlijke lijn en is blij dat die een beetje dieper in het vlees is gedrongen... Maar Ottilie Wilczinski in het Beierse N. aan de andere kant van de in het jaar 1949 kennelijk definitief vastgestelde grens, heeft vandaag geen implosieprobleem, omdat er niet zo snel voor vervanging van het gisteren in gruzelementen gespatte beeldscherm kon worden gezorgd. Weliswaar slaapt ze onrustig, droomt van muitende hor-des onder oostelijke wilde volkeren in het steen-rijk Europa, maar ze slaapt

in elk geval. Wanneer de volgende ochtend de crew van praktiserende artsen in de kamer van de chef de clinique op de vrouwenafdeling van het
Sint Jorisziekenhuis bijeenkomt voor het ochtendberaad, vertelt de jonge
afdelingsarts langs zijn neus weg dat zijn beeldbuis het gisteren om 23.46
uur heeft begeven, zodat hij nog midden in de nacht een wandeling heeft
gemaakt in het park van het ziekenhuis. Zehetmayr herinnert zich een
vergelijkbaar voorval in zijn spreekkamer, maar zegt niets en glimlacht
inwendig geïrriteerd. De afdelingszuster brengt de heren koffie en vertelt
geagiteerd dat ze vandaag zo opgewonden is, omdat ze nu helemaal niet
weet of Liv Ullmann inderdaad uit de kleren is gegaan: haar televisiebeeld
had gisteren kort voor middernacht een met veel lawaai gepaard gaand
geflakker vertoond, zodat ze er maar liever de stekker uitgetrokken had dan
een implosie te riskeren, en of een van de heren misschien wist hoe het
met die Ullmann-film was afgelopen? Ze duwt uitnodigend haar heupen
richting de mannelijke blikken. De jonge afdelingsarts kijkt angstig naar
zijn chef, die kijkt door het raam naar de grijsrode morgenlucht. Een stads-
duif valt van boven in het blikveld van de chef loodrecht naar beneden,
vlak voor de huisdeur van Huckenhuber. Niemand schijnt er een idee van
te hebben dat Fauno Suïcidor, de god van de dierlijke zelfmoord, een van
zijn subobjecten in de vrije val heeft gestuurd. Alleen Huckenhuber ontcij-
fert het dode teken: hier wil iemand iets van hem, en die durft hem niet te
benaderen! Hij besluit het spreekuur van die ochtend te laten vervallen en
in plaats daarvan bij zijn geheugen te rade te gaan, op een bepaald moment
zou het laatje met de passende naam vast wel opengaan. Huckenhuber
verlangt naar grote daden zoals Josepha er vroeger als kind naar verlangde
jeugdleidster van een groep kinderen te zijn en belangrijke taken, een blauwe halsdoek en een heel erg schoon pioniersgeweten te hebben. Ook destijds was het Fauno Suïcidor, die haar door middel van een dode kamer-
vlieg het teken tot vertrek had gegeven. Josepha had er geen verklaring
voor gehad hoe het beestje midden in de provisiekast en omringd door
kaas, stukken spek en een hoop aardappels kon zijn verhongerd. De vlieg
had er zo jong en gezond uitgezien dat zijn dood alleen veroorzaakt kon
zijn door tekortschietende hygiënische maatregelen van haar overgrootmoeder. Josepha richtte dagen later een solidariteitscomité op bestaande
uit Annegret Hinterzart, Kerry Bostel en zichzelf, om de kleinburgervrou-
wen in W. een onbezorgde socialistische oude dag te bezorgen. Om de
beurt deden de kinderen de afwas, haalden kolen uit de stinkende kelder,
voerden dikke katten en schurftige honden, zochten naar onvindbare bril-
len en hoestdrank, wollen sokken en opgegeven breiwerkjes, en altijd hadden ze daarbij het prettige gevoel gehad nuttige kinderen te zijn. (Alleen
toen ze een keer het povere pensioentje van burgeres Friedbertel Eccarius,

geb. Bohnstengel, wilde afhalen, was het meisje Josepha weer onverrichter-zake weggestuurd: om zo veel geld af te halen moest mevrouw Eccarius zelf komen of een volwassen persoon een volmacht geven.)

Fauno Suïcidor had heel wat te doen, hele varkensstallen vallen door zijn toedoen ten offer aan vlekziekte en varkenspest, zo-even nog gelukkige koeien besmetten elkaar met klauwziekte, rashonden krijgen plotseling last van hondenziekte, en zelfs katten hebben de moed om van de tiende ver-dieping van flats te springen op het moment dat Fauno Suïcidor ze nodig heeft om mensen sensibeler te maken. Aan de andere kant van de in het jaar 1949 kennelijk definitief vastgestelde grens heeft hij hele groepen jongelui bekeerd tot dierviendelijk gebruik van dierlijke energie. Ze boycot-ten producten waarvan het bestaan op dode dieren berust, jouwen mensen uit die bont dragen, eten noch gemarineerde noch gekruide noch op een andere manier toebereide vleesgerechten, noch worst noch visfilet noch gummibeertjes. Kaas, melk en eieren zijn meestal wel toegestaan, afhanke-lijk van de groepspressie en de overtuiging, en vrouwen en mannen breien wat ze nodig hebben van onbewerkte wol van het schaap, de kameel of de hond. Aan dit soort omwentelingen en geeft de god van de dierlijke zelf-moord zijn medewerking, anders dan zijn goddelijke zusters is hij een missionaris met zendingsdrang en een missie. Huckenhuber heeft hij jaren geleden in zijn macht gekregen toen die verschrikkelijk veel proble-men had met het therapieresistente volgevreten gevoel van drie vrouwelijke patiënten van een bejaardenhuis van het welzijnswerk. De vrouwen leden aan een opgeblazen gevoel in buik en hersenen, vocht in de benen en ge-zwollen armen. De symptomen wisten ze allemaal, onafhankelijk van el-kaar, door behandeling van de ziektes goed onder de knie te krijgen, maar het gevoel van onwelbevinden wilde maar niet wijken. Een van de patiëntes dacht zelfs dat ze zou barsten, zo dik was haar buik, een andere patiënte voorzag haar eigen dood op grond van een pijnlijke druk in de wortel van een kies, de derde dacht luciferdikke haarschachten in haar hoofdhuid te hebben. Huckenhuber was radeloos, tot hij op een dag over een tijdens de copulatie overleden, in elkaar verstard kattenpaar voor de deur van zijn garage struikelde en de vrouwen vervolgens naar een gynaecoloog stuurde. Het onderzoek bevestigde, zoals Huckenhuber had verwacht, ondanks de postmenopauze, intacte maagdenvliezen en constant gezwollen schaamlip-pen, gepaard gaande met een aanzienlijk vergrote clitoris. De vrouwen hadden zo veel niet-genoten lust in hun lichaam opgeslagen, dat ze niet anders konden dan zichzelf barstensvol voelen. Huckenhuber nodigde de patiëntes uit voor een kopje thee in zijn spreekkamer en confronteerde de dames met de naakte feiten, schilderde breeduit de verschrikkelijke gevol-gen van zulk verkrampt gedrag, refereerde aan precedenten in de Verenigde Staten van Amerika en smeekte de dames zich bewust te worden van hun onderdrukte verlangens en er een oplossing voor te vinden. Natuurlijk gaven de vrouwen daar geen gevolg aan, want wat de dokter daar allemaal over hun lichaam zat te bazelen, vonden ze absoluut walgelijk. Ze verlieten verontwaardigd de spreekkamer, hoofdschuddend en met hun neus in de lucht. Huckenhuber, specialist voor inwendige ziekten, volgde spoedig daarna aan een particuliere academie voor natuurgeneeskunde een vierjarige cursus, volgde af en toe lessen bij een zeer succesvolle en daarom bekende hypnotherapeut, verrijkte zichzelf met een tantrisch bewustzijn en ging na afloop van de door het ministerie van Gezondheid niet-erkende opleiding opnieuw bij de drie vrouwen op visite. Het bejaardentehuis was intussen opgeheven en het duurde enige tijd voordat Huckenhuber de dames in een klein bejaardenpension in de Zwitserse Alpen had opgespoord. Daar leefden ze in comfortabele omstandigheden, wat – vermoedde Huckenhuber – niet bepaald goedkoop kon zijn. Ten slotte lukte het hem om met een toespeling op een fonkelnieuwe therapie tegen het gevoel compleet barstensvol te zitten, de dames bij een kopje thee aan het praten te krijgen. Ja, ze leden nog steeds onder hun oude pijnen, maar hier in de ijle lucht van de bergen hadden ze immers een hogere ademfrequentie en daarom een versnelde stofwisseling, wat een beetje verzachting bood. Huckenhuber was royaal met complimentjes met betrekking tot het uiterlijk van de voormalige patiëntes en de prettige woonsituatie. Die was mogelijk, verklaarden ze ten slotte, door een erfenis, die ze gemeenschappelijk hadden gekregen als 'nabestaanden' van de ss-Standartenführer Krivosjnick-Fülfe. Vanuit Argentinië had, vertelden ze, het afgelopen jaar een advocaat contact opgenomen met de Duitse overheid om hulp van hogerhand te vragen bij het zoeken naar de verblijfplaats van de drie dames. Het bleek dat Krivosjnick-Fülfe de dames en hun eventuele nakomelingen als erfgenamen had benoemd van zijn niet onaanzienlijke vermogen, dat nu, na zijn dood, moest worden uitbetaald. Ze kenden Krivosjnick-Fülfe uit zijn tijd als Ortsgruppenführer van de Nationaal-Socialistische Partij en vertelden nu aan de dokter dat ze destijds als vriendinnen hadden geïnformeerd naar de mogelijkheid het zaad van de Führer te ontvangen. Krivosjnick-Fülfe had hen niet afgewezen, maar geheimhouding geëist en geslachtelijke ongereptheid, dan zou hij wel iets voor hen kunnen doen, en hij wist uit betrouwbare bron dat de Führer op zoek was naar geschikte maagden. Opdat ongeschikte personen zichzelf nu niet zouden komen aanbieden, moest de zoektocht onder uiterste geheimhouding verlopen. Maar hij, Krivosjnick-Fülfe, zou instaan voor de drie maagden, ze moesten alleen geduld hebben. En dat hadden ze dan ook altijd uitgeoefend. Krivosjnick-Fülfe had hen twee of drie keer per jaar bij hem thuis uitgenodigd, hun intactheid onderzocht en hun een behandeling van hun verzoek in het vooruitzicht gesteld. De Führer was erover geïnformeerd, maar hij werd nog te zeer in beslag genomen door de gebeurtenissen aan het front. Daarom had hij een depot laten aanleggen van zijn zaad, waarmee nu in volgorde van de wachtlijst inseminaties zouden worden verricht. Ze hoefden alleen maar af te wachten, op een dag zou het geluk op de stoep staan. Na het eind van de oorlog, de Führer was officieel dood, maar de vriendinnen geloofden daar niets van, hadden ze toch nog een keer iets gehoord van Krivosjnick-Fülfe, die hun vanuit een Italiaans klooster en kennelijk kort voor zijn inscheping naar Zuid-Amerika had geschreven dat het binnenkort zover was, ze moesten zich gereedhouden. Inderdaad had er op een dag een man met het geluk in een thermosfles op de stoep gestaan van hun om praktische redenen gemeenschappelijke woning, en met de hartelijke groeten van Krivosjnick-Fülfe om entree gevraagd. Elk van de drie vrouwen had daarop met een klisteerspuit vijf millimeter van het ejaculaat door de opening in het maagdenvlies heen toegediend gekregen. De man was weggegaan, nadat hij vijf dagen bedrust had voorgeschreven. Toch was geen van hen zwanger geraakt. In vereend verdriet hadden ze sindsdien gewacht op een teken van de Führer, dat hij zich hen nog herinnerde en dat hij wilde weten of het wel goede kinderen waren geworden. Dan hadden ze hem ook kunnen verzoeken de poging tot bevruchting te herhalen en kunnen vragen of de Führer, nu de oorlog voorbij was, het niet persoonlijk zou kunnen komen doen, op natuurlijke wijze. Krivosjnick-Fülfe konden ze nu niet meer om zijn bemiddeling verzoeken. Bij navraag bij verschillende Duitse ambassades in Zuid-Amerika hadden ze steeds te horen gekregen dat er nimmer een man met die naam het land was binnengekomen, hun bemiddelaar leek dus spoorloos verdwenen. Dat ze een verkeerde keuze hadden gemaakt, hadden ze elkaar echter nooit willen bekennen, dat begon Huckenhuber intussen te begrijpen, en ze weigerden hardnekkig andere relaties aan te gaan, bleven eenzaam bij elkaar en wachtten op de dag waarop de Führer of ten minste Krivosjnick-Fülfe hen zou bedanken voor hun trouw. Ze leerden intussen hun permanent gezwollen geslachtsdelen te vergeten, zoals ze ook vergaten waarom ze elke ochtend een propje watten tussen hun schaamlippen stopten – het werd een gewoonte. Huckenhuber dacht een tijdje over zijn nieuw verworven wijsheid na, alvorens hij de vrouwen verzocht met hem mee te gaan naar Duitsland voor een tantraweekend. Dat zou hen genezen. Inderdaad had alleen al het vrijuit kunnen praten de vrouwen opgelucht en meegaander gemaakt, Huckenhuber meende de lucht die ze uitstootten en het zweet dat ze afscheidden te kunnen voelen. Ze werden een beetje minder vol, en hij was blij met het goede resultaat, dat ook de vrouwen ervoeren. Toen ze zich een paar weken later op een idyllisch eiland in de Noordzee tantrisch lieten behandelen, was Huckenhuber er niet bij, maar hij liet zich door zijn collega op de hoogte houden van de vorderingen met de dames. Het verwachte resultaat bleef niet uit nadat een oudere heer met een snor zich bereid had verklaard de dames te openen: ze raakten minder gezwollen en verloren het gevoel barstensvol te zitten. Van nu af aan zou zich dat slechts met regelmatige tussenpozen weer voordoen, en de dames voelden het wanneer het tijd werd hun zelfhulpgroep weer op te zoeken, met welk doel ze nu één tot twee keer per maand – de erfenis stelde hun daartoe in staat – een vliegtuig namen en zich op het eiland lieten afzetten. (De snorrenmans van middelbare leeftijd ging later, op uitnodiging van de gebrekkiger wordende dames, in de Zwitserse Alpen wonen.) Huckenhuber was niet erg gesteld op het stelletje dames, maar hij had gedaan wat hij als zijn plicht beschouwde en wat zijn professionele eerzucht van hem had verlangd. Hij dacht aan zijn even oude nicht van vaderskant, die, terwijl de dames naar hun geliefde Führer smachtten, gedwongen werd in een ss-bordeel in het bezette buurland te werken. Men had betreffende niet voordien gehalveerd in een asjkenazisch en een Beiers deel, en het was haar niet gelukt zich die deling voor te stellen, die de mannen in het bordeel nog leken te onderstrepen door haar doormidden te scheuren. Bovenlijfs allang dood, stierf ze in 1946 op een leeftijd van vijftien en een half jaar, bij een poging zichzelf met een motorzaag in tweeën te delen en zichzelf zo weer in harmonie te brengen met de voorstelling die ze van zichzelf had.

Als Josepha Schlupfburg op de ochtend van 9 april op de fabriek arriveert en naar het kamertje van de opzichtster loopt om te informeren naar wat voor soort werk ze vandaag geacht wordt te doen, heerst daar een enorme opwinding: de opzichtster is er niet, en het portret van het staatshoofd ontbreekt boven het bureau! De leiders van de ochtend- en van de nachtploegen doen alle moeite om te verbergen dat ze op z'n minst de oorzaak kennen van de afwezigheid van partij en regering in de persoon van het staatshoofd, en Josepha vermoedt dat het mogelijk iets te maken heeft met het geklieder met de Rote Grütze van gisteren. Maar het feit dat de opzichtster zelf niet aanwezig is, zonder zich voor aanvang van haar werk te hebben verontschuldigd, kan niemand van de groep zegevierende proletariërs verklaren. (Zo'n betrouwbare collega, vreemd, terwijl ze immers telefoon heeft.) Carmen Salzwedel draait uit haar geheugen het uit vier cijfers bestaande nummer van de opzichtster, maar aan de andere kant neemt niemand op. Josepha, de invalster, krijgt de opdracht persoonlijk te gaan kijken hoe het met haar bazin gesteld is. (Misschien is ze bij het wegmoffelen van het geschonden portret betrapt en hebben ze haar meteen gearresteerd? De heren ploegleiders staan te trillen op hun benen, wat hun onder-geschikten niet mogen weten.) Het magazijn wordt vervolgens bemand, plaatsvervangend worden de lijsten met streefcijfers uitgedeeld, twee vrou-welijke scholieren, die hun schooldag verplicht in de volgens socialistische principes georganiseerde fabriek doorbrengen, worden als vervangsters voor een dronken groenteschoonmaker naar de keuken gestuurd, en zoals gebruikelijk geeft de leider van de vroege ploeg gedurende de vijf minuten durende voorlichting over politieke actualiteiten een samenvatting van de gisteravond uitgezonden en in het hele land te ontvangen nieuwsuitzen-ding.

Josepha's route naar haar zoekgeraakte opzichtster is een tocht door de eindelijk doorzettende lente. Ze kan zich moeilijk concentreren op haar doel, zozeer wordt haar aandacht opgeëist door de duidelijk waarneembare contrasten. Aan de heldere, nog koude lucht kun je al voelen hoe warm het 's middags zal worden, de zon legt een vettige glans over de natte, zeer zwarte grond van de voortuintjes, waar krokussen en een paar late sneeuw-klokjes prijken en opkomende tulpen naast opkomende hyacinten en nar-cissen staan. Josepha heeft de smoor in dat ze dat door de week allemaal niet kan zien – als ze naar de fabriek gaat, baadt het stadje nog in het duis-ter – en dat ze verzuimt het op haar vrije dagen in het weekend te gaan bekijken. Ze slaapt dan liever uit. Ze moet erover nadenken waarom haar het ontbreken van zo'n indruk in het alledaagse bestaan pas opvalt wan-neer ze er door toeval van kan genieten. Ze bekijkt zichzelf terwijl ze door-loopt, en constateert dat onder de boord van haar mouw de rode lijn nu dieper in haar huid ligt ingebed. Van vreugde daarover maakt ze een spron-getje in de eerste de beste plas, het modderige water spat en spettert net zoals gisteren de Rote Grütze alle kanten op, en zie, een gebocheld manne-tje verspert haar verontwaardigd de weg, voegt haar scheldwoorden toe, duwt de punt van zijn vuil geworden jas onder haar neus, slaat met zijn kennelijk uit voorzorg meegenomen paraplu en zou die in zijn rechtlijnige burgerlijke woede waarschijnlijk in Josepha's buik hebben gestoken, als ze zich niet had omgedraaid en hem haar achterste had getoond. Ze loopt nu hard weg en struikelt, de voetpaden, hunkerend trottoirs genoemd, lijken op slecht bevestigde ponskaarten, maar ze leiden haar uiteindelijk naar het woonhuis van de opzichtster, de Töpfersturm. Josepha kom vaak langs deze oude vestingtoren, die weliswaar niet hoog is, maar wel een behoorlij-ke doorsnee heeft, zodat er gemakkelijk een woning in ondergebracht kon worden in het jaar van de kennelijk definitieve vaststelling van de grens. De barakken van de gastarbeiders aan de zuidkant van de stad waren met-een na de oorlog als woningen in gebruik genomen, 'voorlopig', zoals Erna Pimpernell het altijd uitdrukte, wanneer het gesprek erop kwam, 'voor de

86

overgangstijd'. Josepha had nooit het gevoel ontwikkeld dat het, wat haar land betrof, om een normale eindsituatie ging, want de barakken waren helemaal thuis geraakt op de licht glooiende heuvel, waren met verf en teer aangepast aan de erbij horende tuintjes, waarin nu volop fruit en groente groeit, waarin konijntjes en kippen worden gehouden en, sporadisch, bijen. De overgangstijd blijft dus voortduren en is redelijk te verdragen. Josepha heeft hier boven vanaf de Töpfersturm uitzicht over het benarde stadje, waaraan ze tot dusver zelden twijfelde, maar dat sinds het begin van haar zwangerschap schijnt te krimpen. Er ontstaat een druk op haar borst, haar keel wordt dichtgesnoerd, haar kuiten krampen soms, als ze dat voelt. Josepha beschouwt de symptomen weleens als het gevolg van het uitdijen van haar lichaam, hoewel er met een normale blik nog geen uitdijing van haar lichaam waar te nemen is, en graaft dan bij het wandelen met haar handen kuilen in de lucht. (In die kuilen wil ze aan de toenemende druk ontsnappen, en inderdaad vormt er zich, wanneer ze zich op die manier beweegt, een groengele nevel rondom haar gestalte.) Vandaag heeft ze geen kuil nodig, en de lucht is heel zacht door de lente en de zon, Josepha ademt vrij en diep en belt aan bij de opzichtster. Met opgewonden trippelende voeten kom er iets de trap af en doet open, het Iets laat onder giechelende ogen een genotvol klokkend geluid ontsnappen, schopt met haar voeten een knot wol de straat op en kijkt die na als die in de richting van het kerkhof naar beneden rolt en in een put van de gemeenteriolering verdwijnt. Dat Iets is, bij nadere beschouwing, een met de sporen van kussen bezaaide, rood-gevlekte opzichtster aan gene zijde van de wellustgrens. Knotsgek! realiseert Josepha zich en grijpt de zieke bij haar volle bovenarmen om haar weer naar binnen te duwen en haar tot zitten te bewegen. De cheffin is in haar maniakale toestand vriendelijk, lacht bemoedigend als Josepha haar een zitkussen in de handen drukt en haar met een rood-wit geblokt tafelkleed vastbindt aan een keukenstoel. Als Josepha ten slotte een blik in de slaapkamer werpt, door de opzichtster aangemoedigd met gekir en geknik, treft ze daar op het bed het portret van het staatshoofd aan met de gezwollen, kersenkleurige mond, die voortdurend obsceniteiten uitbraakt of zijn rode tong stompzinnig langs de ronde opening van zijn lippen laat glijden. Josepha schrikt, maar ligt algauw krom van het lachen en doet een plas in de slaapkamer van haar cheffin, die daarop woedend met de stoel onder haar achterste door de kamer hopst. Er ontstaat een gevecht als het tafelkleed door het gehops met de stoel losraakt en de zieke haar schat nu probeert te beschermen tegen lachwekkendheid. Ze geeft zich volledig over aan de natte kussen van het staatshoofd, trapt tegelijkertijd naar Josepha en probeert met één hand al het wasgoed uit de kast in de plas te slingeren. Josepha besluit haar cheffin met een list te kalmeren en zoekt in de woning naar potplanten. Ze vindt een nog weelderig bloeiende azalia, twee verbleekte sanseveria's, een slappe cactus en een rubberboom met bruine vlekken. Eén voor één worden de planten neergezet op de toilettafel in de slaapkamer. (De opzichtster heeft zich intussen weer helemaal op de foto geconcentreerd en rollebolt ermee over de vloer.) Ten slotte wordt er links een stoffige adventskaars op de tafel gezet en in het midden eentje recht-overeind gezet, en een opengeklapt deel van de Beknopte Encyclopedie *De vrouw*. Tegen die boekensteun zet Josepha nu de portretfoto neer, die ze de cheffin met zachte drang heeft ontfutseld, en ze steekt de kaars aan. Die aanblik maakt meteen een einde aan de opwinding van haar bazin. Met glanzende ogen waarin de tranen opwellen, knielt ze voor haar altaar neer, zwijgend met gevouwen handen. Josepha kan nu de medische alarmcentrale bellen en zich herinneren hoe onbehaaglijk ze zich voelde toen enkele weken geleden het karakter van de opzichtster zo onverwachts was omge-slagen in mildheid. Catastrofale gevolgen waren te voorzien geweest bij dat goedmoedige gedrag, en nu was ervan gekomen wat te verwachten viel: de totale ontsporing. Ze heeft medelijden met de knotsgekke vrouw, Josepha verwacht immers dat het staatshoofd onschuldig zal worden verklaard aan de misère, aangenomen dat de omstandigheden die tot de ziekte hebben geleid werkelijk worden opgehelderd. Ze kijkt naar het altaar op de toiletta-fel en heeft er de smoor in dat de oude man ondanks al zijn lachwekkend-heid ook aanmatigend is en veeleisend en tussen zijn bevelen door ook nog dreigementen laat horen. Josepha verbaast zich juist dat haar cheffin zo rustig, als versteend, met een stralend gezicht luistert naar zijn aanwijzin-gen, als ze de ambulance van de medische alarmcentrale de Töpfersturm hoort naderen en ze vlug naar de deur rent om die open te doen. De entree is vanaf de straat niet goed zichtbaar, stelt Jospeha vast, dat is een geluk voor de arme opzichtster. Als eindelijk de bleke, dunlippige arts de slaapka-mer binnenkomt met aan zijn zijde een robuuste chauffeur, blijft hij als een zoutpilaar staan, laat hoed en tas vallen en slaat, als hij de maar al te bekende stem, die hier zo heel andere dingen zegt dan gewoonlijk, hoort, zijn handen tegen zijn broeknaad. De chauffeur schijnt een helder hoofd te hebben en niet verrast te zijn door het gedrag van het sprekende portret, gooit het met een klap op de glazen toilettafel en grijpt de opzichtster beet. Gewillig laat ze zich met een injectienaald een kalmerend middel toedie-nen en naar de ambulance brengen, waar ze op een draagbaar wordt vast-gegespt en toegedekt. Maar wat te doen met de verstijfde arts? Nu is hij toch te bang, deze chauffeur, om doortastend te zijn en de arts een spuitje te geven, waar de situatie eigenlijk om vraagt. Terwijl hij nog nadenkt over wat de beste optie is, ontdooit de arts uit zijn onbeweeglijkheid en loopt gedecideerd naar de telefoon, neemt de hoorn op en draait – hij kent het uit zijn hoofd – een nummer van vier cijfers. Kom snel, zegt hij slechts, de vijand. Dan gaat hij zwijgend in de keuken zitten, rookt een sigaret van het merk Duett en neemt grote slokken uit een halflege fles zoetige rode wijn. Ennu? vraagt de chauffeur, ken ik rije? De sfeer wordt wat ontspannener nadat de ziekenauto is weggereden. Weliswaar krijgt Josepha geen antwoord op de vraag welke vijand hier dan wel actief is geweest, de klassenvijand misschien met zijn weeïge stank?, de agenten van het imperialisme?, maar ze voelt hoe de rode wijn de zintuigen van de arts benevelt. Ze weigert een van zijn sigaretten te roken, ze weigert met hem uit de fles te drinken, ze weigert, merkt ze, te geloven aan de onschuld van het staatshoofd.

Als er wordt aangebeld, gebaart de arts Josepha te blijven zitten. Hij doet zelf de deur open. De dialoog met de aanbeller is heel kort: waar? In de slaapkamer. Hoe? Kijk zelf maar. Nou, maar hoe? Japan vermoedelijk. Allemachtig! Sst! Josepha ziet niet dat de man die erbij is gehaald naar de lamp in de gang wijst. Ze volgt de twee mannen naar de slaapkamerdeur. Zwijgend neemt de onbekende man de situatie in ogenschouw, zoekt naar de bron van de smakgeluiden en obsceniteiten, draait op de toilettafel het portret om en laat het ontdaan weer vallen. Na een uur, waarin de mannen de slaapkamer nauwgezet hebben onderzocht op sporen, doen ze het sprekende portret in een dokterstas, kijken met rollende ogen naar boven en verplichten Josepha ijzig tot strikte geheimhouding. Josepha kan er nu bij het wegruimen van het altaar over nadenken of ze zich aan die verplichting zal houden. De twee mannen hadden toch zomaar de slaapkamer van een hun volkomen vreemde vrouw doorzocht, niet alleen haar slipjes één voor één opengevouwen en weer opgevouwen, maar ook in haar papieren en brieven geneusd, haar fotoalbums doorgebladerd en haar kleine voorraad eenvoudige cosmetica bekeken. Josepha stelt zich voor dat ze dat ook bij haar en Therese thuis zouden doen, onder werktijd en terwijl Therese ergens op bezoek is of boodschappen doet! En ze schrikt als ze het vage vermoeden krijgt dat ze medeverantwoordelijk is voor het ongeluk dat de opzichtster is overkomen. Had ze maar niet in de Rote Grütze geslagen met haar gebalde vuist... Maar dat is toch niet meer terug te draaien, dat is verleden tijd. Hoewel Josepha niet van plan is te zwijgen over wat ze heeft meegemaakt, ziet ze toch in dat ze een waarheidsgetrouw verslag van de gebeurtenissen tegenover haar collega's niet kan verantwoorden. Wie zou haar al willen geloven? En als iemand het gelooft, is de autoriteit van de opzichtster voor eens en voor altijd naar de knoppen. Een sumiere weergave dan? Omschrijven? Mooier doen voorkomen dan het is? De slappe cactus, die ze zo-even heeft gepakt om hem terug te brengen naar de woonkamer, prikkelt Josepha's eerzucht zich op een elegante manier van de affaire af te maken, met charme en grandezza. Dus koopt ze op de terugweg naar de fabriek zes flessen mousserende aardbeienwijn en de populaire pinda-rotsjes die 'meelwormpjes' worden genoemd, en openbaart aan de verbaasde brigade dat de opzichtster heimelijk in het huwelijk is getreden. Haar geliefde echtgenoot had haar vandaag, op de ochtend na de huwelijksnacht, verrast met een reis naar de Unie van Socialistische Sovjet-Republieken. Die reis zou vanavond al beginnen en de opzichtster had daar niets van geweten en had het niet gewaagd zo plotseling aan te kondigen dat ze twee weken afwezig zou zijn, en daarom had ze stilletjes willen verdwijnen en haar collega's een aardige brief willen schrijven uit Leningrad of Doesjanbe, Alma-Ata of Kiev. Dat Josepha haar had verrast bij de voorbereidingen voor de reis, kwam haar heel goed uit, dan kon ze meteen iedereen de groeten doen en het bedrijf om begrip vragen, ze was immers zo gelukkig en men moest het maar door de vingers zien, die dingen overvielen je immers altijd, en het speet haar werkelijk heel erg. Iedereen begint te brullen en er wordt al driftig onderhandeld hoeveel iedereen zal bijdragen aan een huwelijkscadeau, vijf mark of beter zeven, als de leider van de vroege ploeg moed vat en Josepha, die totaal uitgeput is van al dat praten, ter zijde neemt. In het hokje duidt hij vragend met zijn hoofd op de nog steeds bleke plek op de muur. Ze knikt, ook al bedoelen ze beiden heel verschillende dingen met hun zwijgende overeenkomst erover te zwijgen. De jonge invalster, Josepha Schlupfburg, neemt ongerustheid waar en angst: de ploegleider bibbert, de arts had een angstaanval, de onbekende man eveneens, en ook zijzelf voelt zich uiteindelijk helemaal niet lekker als ze aan de dingen denkt die zojuist zijn voorgevallen. Er gaan twee weken voorbij, de opzichtster komt niet terug.

Mei

Ook op 1 mei is ze nog niet terug, wat vooral opvalt omdat iedereen de braadworst en het obligate bier nu zelf moet betalen. (Zij had er een traditie van gemaakt op strijd- en feestdagen van de Internationale Arbeidersklasse genoemde klasse gratis van een hapje en een drankje te voorzien...) De brigade heeft vijf handdoeken gekocht en een wit bedgarnituur voor het paar, elke volgende dag begint nu met vruchteloze gissingen, tot op 5 mei, na de middagpauze, de bedrijfsleiding een brigadevergadering belegt. Het is een mooie, zonnige woensdag, iedereen is blij en gaat buiten zitten, op het rookeiland, in afwachting van de overheid. Die verschijnt in de gestalte van de directeur alsmede de jeugd- en volwassenenbegeleider van het bedrijf. Maar in hun gezelschap is ook een onbekende. Een lange, magere man van een jaar of vijftig, hoestend in de rook van zijn sigaret, met een heen en weer flitsende, onrustige blik onder grijze wenkbrauwen. Je moet je hem zogezegd voorstellen als een kameraad wie de veiligheid zogezegd van onze arbeidersstaat zogezegd na aan het hart ligt, zegt de directeur en geeft hem het woord: beste kameraden, wij treuren niet, want wie ons verraadt, is het niet waard betreurd te worden, nietwaar. Jullie opzichtster heeft jullie allemaal verraden, en daarmee onze zaak, onze gemeenschappelijke grote taak, beste kameraden, ze is lafhartig overgelopen, nietwaar, naar de klassenvijand namelijk. Ik denk dat jullie een titelgevecht voeren, beste kameraden, maar dat kunnen jullie natuurlijk vergeten. En hij draait zich om. Met opgeslagen kraag verdwijnt hij in de richting van de fabriekspoort.

Josepha Schlupfburgs mei lijkt met een sisser af te gaan lopen. Als vergeetachtigheid gaat haar weerzin vermomd tegen de regelmatige bezoeken aan het zwangerschapsadviesbureau om zich te laten meten en wegen, het dringende verzoek aan te horen de blijkbaar cruciale vraag te beantwoorden. De diepgebruinde vrouwelijke arts staat op haar strepen, uit haar mond sproeien opmerkingen over fatsoen als wondwater uit een slecht genezende wond, ze kan het er gewoonweg niet bij laten zitten dat iemand de helft van de chromosomenverzameling verzwijgt. Dat soort vochtig rondspattende toespraken is in dit land traditie achter de voor de mond gehouden hand van de meerderheid. Josepha is dus allang blij dat de arts ze openlijk uitspreekt en een zwangerschapsattest opstelt. Nu weet Josepha waar ze aan toe is en ze kan verder zwijgend de gespitste oren van het provinciestadje negeren. Intussen is ze namelijk een beetje uitgedijd, niet op haar buik, maar op haar heupen en op haar borsten is enige zwelling onmiskenbaar. Bovendien gaat het onder hun daken als een lopend vuurtje rond wat zich bij de VEB Kalenders en Kantoorartikelen Max Papp afspeelt. Maar Josepha heeft daar ondanks alles weinig last van. De opzichtster houdt haar bezig met haar verdwijning in een 'het Westen' genoemde ziekte. Josepha heeft in Pfafferode rondgekeken, de in aanmerking komende psychiatrische kliniek, ze heeft na werktijd in allerlei vermommingen de verzorgingstehuizen in het district, later zelfs in de hele regio bezocht om de verdwenen vrouw te vinden. Wanneer zich ten slotte in de namiddag van 26 mei het jonge poesje van een kat van een van de buren voor haar ogen wil verdrinken in een stroompje badwater, is de maat vol: Josepha haalt het als een tijger gestreepte diertje uit het water, stopt het tussen haar borsten, zodat het kopje vriendelijk glimlachend uit de v-hals van haar halfwollen in een kabelsteek gebreide trui steekt. (Fauno Suïcidor wil haar met het teken van de kat aanmoedigen geen compromissen te sluiten wat haar naspeuringen betreft. Vermoedelijk heeft hij niet begrepen dat Josepha haarfijn openstaat voor de kwetsende wind die typisch is voor het land, sinds ze een kind in het vooruitzicht en in haar buik heeft en ze de spleet met allerte zintuigen probeert te verwijden. Ze gaat heel langzaam de toestand van dunhuidigheid – het tempo mogelijk aangepast aan de toegenomen omvang van haar lijf? – tegemoet, ze weet het. Mannelijke goden hebben vaak moeite met de toestand van de zwangerschap.) Josepha brengt het onderkoelde, maar al snel warmer wordende poesje naar de dokter, naar de eerste hulp van de polikliniek. Ze willen haar de wachtkamer uit sturen, natuurlijk, ze moet eigenlijk naar een dierenarts, maar Josepha weigert weg te gaan omdat ze weet wie er dienst heeft: de arts die weken geleden de razende opzichtster eerste hulp heeft geboden en haar daarna heeft laten wegbrengen – *wieweetwaarheen?* – de arts die later de deur van de Töpfersturm opendeed voor de onbekende man en met hem gemene zaak maakte wat konkelen en zwijgplicht betrof. Hem wil ze vragen wat er aan de hand is met de eerst mild en later wild geworden opzichtster. Waar ze is. Wat haar scheelt en wat niet. Wie dat moet verantwoorden. Of daar een wet voor bestaat. En vooral: hoe je die wet overtreedt. Dat zegt ze niet tegen de eerstehulpzuster, maar ze grijpt naar haar eigen hoofd, naar haar buik, naar haar wangen en billen en ten slotte naar haar hart. De zuster komt onder de indruk van al dat vertoon, twijfelt nog, maar glimlacht reeds met neerbuigende bereidwilligheid. Als ze wordt opgeroepen, gaat Josepha de spreekkamer binnen, zet het jong van de kat van de buren op de behandelstoel en gaat met vooruitgestoken heupen demonstratief tegenover de man staan. Och. O schrik. Mijn god, hebtt u soms. Waar. Dat is toch onmogelijk. Weg met dat beest. Nu of nooit... Op die manier is een gesprek toch niet mogelijk, mevrouwtje, doet u eerst eens uw jas uit. Het wapen? Weest u toch rustig (luid), alstublieft (zachtjes). De zuster komt even kijken of alles wel in orde is. Alles in orde, dokter? Ach ja ja, weet u, dat lieve diertje, ik moet wel even helpen en even attent zijn als deze burgeres hier, dat is echt prijzenswaardig wanneer een burger zo oplettend is, toch? Ze gaat weer weg. Alleen gelaten met Josepha stoot de dunlippige bleekscheet nu als gedempte schoten klinkende sissende reeksen woorden uit:

Umoetzichnietmetdatsoortdingenbemoeien...

Uhebttochgezwo...

M'nkopgeriskeerdvoorhaar!

Josepha vraag hem zijn mond open te doen, die opgeblazen hartvervanger. Haar blozende haar vormt een scherp contrast met de groengele nevel die ze intussen met haar armen produceert als ze daarmee zwaaiend woorden zoekt in deze benardheid. Vlegel die u bent! Wat hebt u gedaan met die vrouw! De manier waarop u dingen verkeerd ziet is walgelijk! Josepha schrikt van haar eigen vermetelheid, het poesje zit nog steeds vrolijk glimlachend op zijn stoel en begint zich nu langzaam uit te rekken, behaaglijk een hoge rug op te zetten. Kleine nageltjes laat hij bij al dat gerek zien, doet zijn bekje wijd open, begint zich te wassen. In een hulpeloos moment grijpt de arts naar de telefoon, maar voordat hij het nummer van vier cijfers kan draaien, is het diertje al op zijn arm gesprongen, bijt zich vast in zijn witte jas en blijft er, de grijze vechtersbaas, agressief aan hangen. Josepha ziet de zinloosheid in van haar poging de arts tot een gesprek en tot het geven van inlichtingen te dwingen, maar voelt ook dat hij innerlijk niet sterk genoeg is om zelf een gedachte te ontwikkelen. Daar heeft hij zijn adjudant voor nodig, de onbekende rondneuzer en slipjesopenvouwer! Nou goed, hoort Josepha zichzelf zeggen, ik laat het er niet bij zitten, als u dat maar weet. We leven in iets wat we socialisme noemen, is mijn mening (meent ze nog!), meneer! Ik zal een klacht indienen, pas maar op! (Denuntiata, de godin van de karakterloosheid, heeft met dat wat socialisme wordt genoemd goede ervaringen opgedaan en zweeft met een tevreden blik boven het haar van de medicus...) Inderdaad let de dokter goed op dat het kattenbeest van zijn arm afkomt. Hij vraagt Josepha het dier op te pakken en dan te verdwijnen, hij zal zijn best doen, maar het is een zaak van hogere orde, hijzelf is slechts een klein licht in de totale verduistering. Josepha is woedend en kondigt aan morgen terug te komen, dan kan hij er nog even over nadenken, en als dat niets oplevert, zal ze haar dreigementen uitvoeren! Welke dreigementen dan, welke dreigementen, lispelt hij, naar de bekende weg vragend, een beetje angst in zijn hoofd doet een poging zich iets te herinneren wat Denuntiata niet goed in haar kraam te pas komt. Hij ziet zichzelf met zijn studiegenoten tijdens het afleggen van de eed van Hippocrates. Als ze de kamer uitloopt, hoort Josepha nog hoe hij, eerder tegen zijn dienstrooster dan tegen haar, roept: maar toxoplasmose, hebt u dat laten onderzoeken? Kan gevaarlijk zijn voor een ongeboren kind...

Ze is al op weg, het beestje in haar v-hals en helemaal in de war, loopt dwars door de stad naar de Töpfersturm, en gaat op de stoep voor het huis van de opzichtster zitten. Nog één keer passeert in haar hoofd de dag van de ontvoering de revue. Het plan om voortaan ook andere aan de muur hangende staatshoofden van een kersenrode mond te voorzien is snel gemaakt.

26 mei 1976:
Vijfde etappe van de Gunnar Lennefsen-expeditie
(Trefwoord in het expeditiedagboek: WINDHOOS)

Josepha verlangt naar een moeder als ze thuiskomt. Therese ziet dat meteen, ze heeft zelfs sinds de laatste etappe van de expeditie gewacht op die uitdrukking op het gezicht van haar achterkleindochter. Ze neemt Josepha in haar armen, zwijgt, en ze sloffen met gebogen hoofd naar de keukentafel. Therese wil Josepha een groot glas cognac inschenken, maar denkt dan aan het ongeboren kind en drinkt het zelf leeg. Josepha krijgt een kop thee, van pepermunt gebrouwen, met een mespuntje kardemom erin. In een schoenendoos, die is bekleed met een op maat geknipte handdoek, komt het poesje tot rust, glimlacht voortdurend tot op z'n minst gedeeltelijke vreugde van de twee vrouwen, en valt uiteindelijk in slaap. Josepha vindt in een voor later tijden op de zolder bewaarde koffer met alle poppen uit haar jeugd een flesje waarin pareltjes suiker hebben gezeten en dat voorzien is van een rood, rubberen zuigspeentje. Het jonge beestje terugbrengen naar zijn moeder komt niet in de vrouwen op: een besluit tot zelfmoord betekent tenslotte dat het kind elke vorm van verwantschap opzegt. Dus moet een mengsel van melk en water, gekookt en tot een lauwwarme temperatuur afgekoeld, het jong in leven houden. Josepha bereidt alles voor voor het ogenblik waarop het poesje hongerig wakker zal worden, en gaat dan in de woonkamer zitten, waar Therese allang op het begin van de expeditie zit te wachten. Met het expeditiedagboek op haar knieën spreekt ze met ruisende stem het woord WINDHOOS – Josepha heeft er nog nooit een gezien – de kamer in. Josepha's verlangen naar een moeder stelt voor vandaag een verdieping van de moederlijke lijn in het vooruitzicht. Des te verbaasder zijn de vrouwen dat het imaginaire doek hen meevoert naar het Königsbergse huishouden van de sociaal-democratische arbeider Wilhelm Otto Amelang, die – Josepha en Therese weten het nog – in de gasfabriek bij station Holländerbaum werkt en een dochter heeft met de naam Senta Gloria. Het vruchtwater van die dochter, door de oude Jevrutzke opgevangen in een blauwe fiool, heeft ooit Thereses tweede zwangerschap afgebroken, toen de liefde van de tedere August was binnengelopen in de haven van een huwelijk met een andere vrouw. Vandaag, 23 juli 1938, het is een zaterdag, trouwt Senta Gloria Amelang met de politieagent Hans Lüdeking uit Neutief aan het Frische Haff. Alle gasten zitten rond de eettafel in de woning in Sackenheim. Het valt meteen op dat er geen werkelijke vreugde heerst bij het feestmaal. De bruid heeft een rond gezicht onder haar bruidssluier, uit haar ogen spreken tegelijkertijd liefde en droefheid. De gasten eten ter inleiding op het menu vissoep en praten niet veel, alleen de bruidegom glimlacht tussen de lepels door uit het raam, in gedachten verzonken. De stoel aan het hoofdeinde van de tafel blijft leeg, de soep is ook op die plaats opgediend. Wilhelm Otto Amelang ontbreekt, er wordt niet gepraat aan tafel. Door het raam valt zon in de kamer en geeft de gasten bleke gezichten. Niemand maakt grapjes over de huwelijksnacht, men eet zwijgend de vis op. Als de moeder van de bruid opstaat om het braadstuk uit de keuken te halen, vliegen de luiken met veel lawaai open, een windhoos veegt over de tafel en verwoest de fraaie orde waarin de borden, glazen en het bestek zijn neergezet, maakt een bocht om de mensen heen en rukt in plaats daarvan aan de kasten en laden: de inhoud daarvan wervelt door elkaar, de tafellakens ontvouwen zich, een paar boeken worden in hun vlucht ontbladerd en spelen gemene zaak met rondfladderende brieven. Even later verdwijnt de windhoos door het raam, dat weer vanzelf dichtgaat en de weg vrijmaakt voor de binnenvallende zon. De sprakeloze gasten kijken naar de moeder van de bruid, verstomd en geschrokken. Mevrouw Amelang gaat nu niet het braadstuk halen, ze huilt en heeft medelijden met zichzelf, vraagt de Heer om vergeving en de gasten om hulp bij het op orde brengen van de rommel. Iedereen bukt en maakt stapeltjes van de verwaaide spullen, oppervlakkig slechts, maar wel zo dat in elk geval de weg naar de keuken begaanbaar wordt. De kamer ziet er nu uit als bij een verhuizing en helemaal niet als bij een bruiloft. Tussen de stapels door wordt gebraden vlees binnengebracht en aardappelpuree. Omwille van het bruidspaar, zegt mevrouw Amelang, doen we net alsof er niets is gebeurd. Ik zal de boel hier morgen opruimen, het is een straf. Josepha en Therese zien hoe achter het etende gezelschap het uur van de waarheid er slinks vandoor gaat, zonder dat iemand het merkt. De expeditie gaat erachteraan, zodat het imaginaire doek nu een van de kampen laat zien van welks bestaan de bevolking aan beide kanten van de in het jaar 1949 kennelijk definitief vastgestelde grens ook decennia later beweert weinig te hebben geweten. In het Noord-Duitse moeraslandschap rijzen uit de modder houten torens op en veel prikkeldraadversperringen, in driedubbele lagen en onder stroom. Lage gebouwen, symmetrisch aan beide zijden van een kampweg neergezet, zouden er in de zomerse hitte voor dood bij liggen, wanneer er niet mannelijk gehuil als rook uit een van de schoorstenen zou komen: Wilhelm Otto Amelang zit in de stront van een mannenlatrine en denkt aan zijn enig kind, dat vandaag in het verre Königsberg zonder zijn toestemming in het huwelijk treedt. Hij houdt heel erg veel van haar, van Senta Gloria, en dat ze met die Lüdeking trouwt is een ongelooflijke ellende. Een ellende is zijn leven al meer dan twee jaar, sinds hij hier dus gevangenzit in het moeras, en dat de ellende om zijn enig kind daar nog bij komt, had hij eigenlijk wel verwacht. Hij is daarom ook een beetje verbaasd dat hij toch moet huilen. Twee jaar geleden had hij dagenlang gehuild, en hij was niet de enige in het transport die de tocht naar het kamp maar liever niet had overleefd. Maar nu leeft hij nog steeds, en zijn leven is niet alleen de drieëndertig pond vlees lichter geworden, die hij in de tussentijd is kwijtgeraakt in het kamp en in de steengroeve. Hij heeft juist gisteren met Willi Thalerthal gesproken, wie het net zo is vergaan. Willi Thalerthal heeft echter nog veel grotere problemen dan hijzelf om zijn fysieke bestaan gedurende de tijd dat hij gevangenzit in stand te houden: hij moet voortdurend kotsen, verdraagt soep en kampbrood nog slechter dan zijn medegevangenen. Hij is zo mager geworden dat er soms zelfs medelijden zichtbaar is op de gezichten en sommigen hem iets wil afstaan van wat men elkaar in hevige vechtpartijen en door vijandelijke intriges afhandig heeft gemaakt. Maar Willi Thalerthal kan niets meer binnen houden. Wat Wilhelm Otto Amelang niet weet: Thalerthals lichaam heeft het vermogen om iets anders in zijn stofwisseling op te nemen dan vrouwenmelk nagenoeg verloren. Dat hij nog leeft, heeft hij te danken aan de bruine siroop die er soms is en die wat zoetheid en samenstelling betreft op de vroege melk van Carola Hebenstreit lijkt. Daarmee kan hij zijn spijsverteringssysteem eventjes voor de gek houden, maar die siroop is er maar heel zelden. Thalerthals verlangen is geheel en al op Carola gericht, toch verbiedt hij zichzelf contact met haar op te nemen, om haar niet in gevaar te brengen. Zo weet hij nog steeds niets van het kleine meisje in G., dat nu al drie jaar oud en zijn dochter is. Zo kan hij aan Amelangs verdriet om diens enig kind wel in zijn hoofd, maar niet in zijn hart deel hebben. Amelangs gesnik steigt op uit de schoorsteen, en Thalerthal is nog steeds een gloeiende, meent hij, aanhanger van het communistische gedachtegoed. Eén keer, toen Wilhelm Otto Amelang hem met pijn in zijn hart een heel klein beetje siroop had afgestaan, was het tussen de mannen tot lichamelijk contact gekomen, dat hen, als het door iemand zou zijn gezien, een roze driehoek had opgeleverd of een chanteerbare plaats helemaal onder aan de gevangenenhiërarchie. Maar zo was slechts een kortstondige geruststelling het resultaat geweest van de gebeurtenis, en de herinnering daaraan brengt hen soms voorzichtig in elkaars buurt. Ze zijn bang voor de herhaling, maar kennen elkaars armelijke geuren en de aangename warmte van elkaars huid, zodat ze elkaar in het voorbijgaan, maar al te zelden, even beroeren met hun handen, of het zo weten te schikken dat hun wangen elkaar heel even raken. (Toen Thalerthal wegens zijn diarreeachtige braakneigingen weer eens naar de ziekenboeg verdween, had Amelang, in ruil voor twee hele dagrantsoenen brood en spek, zich daar laten indelen bij de verpleegdienst en de kont gewassen van zijn heimelijke vriend en het opgedroogde braaksel van de matras gekrabd.) Willi Thalerthal weet heel goed dat alleen Carola hem kan redden, zelfs wanneer hij dit hier zou overleven, en Wilhelm Otto Amelang weet heel precies dat hij de bruiloft van zijn dochter noch kan verhinderen noch ooit ongedaan zal kunnen maken, als hij dit hier zou overleven. Hij koestert haat jegens Hans Lüdeking, een haat die niet uitsluitend gevoed wordt door zijn sociaal-democratische overtuiging. Lüdekings zachte gezicht heeft zijn dochter om de tuin geleid, is zijn mening, want hij weet dat Lüdeking een mensenverachter is. Nauwelijks drie jaar geleden, de Verschrikkelijke Wetten, zoals hij ze noemt, waren net van kracht geworden, had Wilhelm een keer Lydia Czechovska, het dienstmeisje van de familie Biermeier uit Amalienau, vergezeld naar haar geboortedorp Neutief. Ze was op die dag zogezegd voorzorgshalve ontslagen uit haar betrekking omdat ze zwart krullend haar en een kromme neus had. Het echtpaar Biermeier, verder heel tevreden met het werk van de zestienjarige Lydia, had het meisje gevraagd wie haar vader was. Lydia Czechovska, buitenechtelijke dochter van een Poolse thuiswerkster, had daarover geen mededelingen kunnen doen. Ze pakte dus haar schamele spullen in en verliet in het donker het huis van haar werkgevers. Wilhelm Otto Amelang was het huilende meisje opgevallen toen hij zich haastig naar huis spoedde na het bezoek aan een conspiratieve communistische bijeenkomst, die hij als gast had bijgewoond. Het meisje, een kind nog bijna, zei niet veel, maar dat was ook niet nodig: Amelang besloot terstond haar naar huis te brengen, nadat ze de uitnodiging van de hand had gewezen de nacht in zijn woning door te brengen. Vanaf station Rathhof volgden ze met de fiets, Lydia Czechovska op de bagagedrager, de spoorlijn naar Pillau, via Metgethen, Seerappen, Lindenau, dwars door Fischhausen. Vanuit

Pillau was het nog maar vijf kilometer naar Neutief, en Amelang, uitgeput door de urenlange rit, duwde nu de fiets, om het kind niet alleen te laten. Een kilometer voor het dorp kwamen ze Hans Lüdeking tegen als een zachte en goedaardig uitziende jongeman, die eveneens op weg was naar zijn woning in Neutief. Na een kort gesprek bood Lüdeking aan Lydia Czechovska verder te vergezellen, dan kon Amelang eindelijk naar huis, over een paar uur zou de werkdag alweer beginnen. Hij zwaaide het tweetal na, waarna hij zich omdraaide en wegreed. In Pillau pauzeerde hij en besloot op de ochtendtrein naar Königsberg te wachten, dat scheen hem, als hij op tijd op zijn werk wilde zijn, kansrijker dan de vermoeiende fietstocht. Maar toen hij die ochtend opstond van de bank in de wachtkamer, liep hij opnieuw Lydia Czechovska tegen het lijf, die alweer huilde. Uit haar gestamelde woorden maakte hij op dat Lüdeking zich aan haar had vergrepen voordat ze het dorp hadden bereikt en haar toen, lachend over het *jodennummertje*, had aanbevolen op te rotten: haar moeder zat vast en zeker al te wachten op zo'n smerige slet. Amelang begreep wat er was gebeurd, sprong op zijn fiets en reed naar Fischhausen, waar een politiebureau was. Iedereen lachte toen hij het meisje de kamer in duwde, zijn naam en adres opgaf en vertelde wat hij wist. Een van de politieagenten gaf zijn collega een teken dat eruit bestond dat hij in het gat dat hij met de duim en wijsvinger van zijn linkerhand had gevormd, de wijsvinger van zijn rechterhand stopte, wat allen nog uitbundiger gelach ontlokte. Hij wist, zei Amelang, wie het had gedaan. Wij ook! Wij ook! lachten de mannen zich krom. Toen de deur openging, kwam Hans Lüdeking in uniform binnen om zijn dienst te beginnen, de dorpsagent... Hij deed de aanbeveling de zaak te laten rusten, het meisje had *er* immers ook iets aan gehad, hoewel hij zich er natuurlijk helemaal niet mee had moeten inlaten haar er enig plezier aan te laten beleven, maar Amelang wist immers zelf hoe die waren, die jodenwijven, tenslotte had hij die slet niet voor niets helemaal vanuit Königsberg naar huis gebracht, ze was er nog helemaal kleverig van geweest. De sociaal-democratische arbeider Wilhelm Otto Amelang voelde een angst die hij daarvoor nog nooit had gekend, trok het meisje aan haar arm mee naar buiten, weg van het mannengelach, en bracht haar met de fiets rechtstreeks naar Neutief. Maar de Poolse Klaudyna Czeschovska haatte haar kind, en ook de onmiskenbare mishandeling kon daar geen verandering in brengen, zodat Wilhelm Otto Amelang het meisje weer meenam. Laat in de middag kwam hij in Sackheim aan, het werk was allang begonnen, maar hij droeg het jonge ding over aan zijn vrouw, voordat hij naar station Holländerbaum vertrok. Mevrouw Amelang, eigenlijk niet erg moedig, was in elk geval moedig genoeg om het meisje na twee weken beraadslagen van nieuwe kleren te voorzien en van een treinkaartje naar

Landsberg an der Warthe, waar haar zuster een klein boerenbedrijf had en bovendien een Hitler-vijandig huwelijk leidde. Die zou haar wel willen opnemen, *voorlopig ben je dan gered*, en daar moest het kind dan maar verder zien. Toen Lydia Czechovska al hoog en breed in de trein zat en halverwege de reis een hap van een boterham nam, waren in Sackheim de poppen aan het dansen: Lüdeking, vergezeld door een onaangenaam uitziende vrouw, kwam het huis van de Amelangs binnen, officieel op zoek naar Lydia Czechovska, ze hadden al in Neutief naar haar gezocht en ook in het huishouden van de communist Biermeier, want het meisje moest wegens verwaarlozing en onzedelijke gedragingen, mede in het belang van een zekere geslachtelijke volkshygiëne, in een tehuis voor minderjarige psychopaten worden opgenomen. Amelang wist niet waar hij het zoeken moest van angst, maar beheerste zich, toen onverwachts zijn dochter de kamer binnenkwam en terstond en ongeacht al het verdere ongeluk verliefd werd op Lüdeking. Ook Lüdeking werd helemaal week door de ogen van het meisje en vergat de aanleiding voor zijn bezoek en de onaangenaam uitziende begeleidster voor een paar seconden, waarin hij de plotselinge liefde van Senta Gloria begon te beantwoorden. Amelang wist alweer niet waar hij het zoeken moest toen hij zag waarmee daar een begin werd gemaakt, onbegrijpelijk, en hij stuurde zijn dochter naar bed, het was tijd, zei hij. Het was tijd, in godsnaam, om die Lüdeking eruit te gooien, zo vriendelijk als maar kon, op een natuurlijk manier, hem uit het huis en het hoofd van zijn dochter te verdrijven voor immer en altoos. Hij verzekerde hem dat hij Lydia Czechovska nooit weer had gezien (na Lüdekings *jodennummertje*, dacht hij), en verzocht Lüdeking beleefd hem te geloven en hem zijn werk te laten doen, hij moest nog een paar schoenen repareren die hij morgen dringend nodig had. Met tegenzin ging Lüdeking weg, zijn begeleidster maakte stekelige opmerkingen over de afloop van de zaak, die ze als veel gedoe om niets beschouwde. Maar uiteindelijk stonden ze allebei weer op de stoep, en toen Lüdeking, helemaal week geworden, omhoogkeek langs de gevel, stond achter het raam op de tweede verdieping Senta Gloria, die vol verlangen op hem neerkeek. De volgende dag al werd Wilhelm Otto Amelang gearresteerd – iemand had verraden dat hij twee weken eerder had deelgenomen aan de communistische bijeenkomst – en in voorlopige hechtenis genomen, waarvandaan het toen niet meer ver was naar het kamp in het Noord-Duitse moeras. De brieven van zijn vrouw hadden hem sindsdien steeds weer schrik aangejaagd: hij had niet meer tegen haar kunnen zeggen dat Lüdeking de verkrachter van Lydia Czechovska was. Mevrouw Amelang schreef over de verloving van hun dochter, was spaarzaam met mededelingen over de toekomstige schoonzoon en had kort geleden de bruiloft aangekondigd. Intussen vindt ze die Lüdeking wellicht helemaal zo gek nog niet, waarom zou ze ook. Senta Gloria had hij de afgelopen drie jaar steeds met respect behandeld, hij had een vaste baan, en het kind hield nu eenmaal veel van hem. En natuurlijk kan Amelang vanuit zijn situatie niets van zich laten horen. (Wat hij niet weet: Hans Lüdeking is Lydia Czechovska allang vergeten als hij met Senta Gloria Amelang de trappen van de kerk oploopt. Hij verheugt zich op de mooie tijd na de huwelijksvoltrekking, op de maagdelijkheid van zijn bruid en de beëindiging daarvan, op heel veel waardevolle kinderen, wat met Senta Gloria ongetwijfeld gegarandeerd is, en op zijn bevordering naar hogere functies.) Willi Thalerthal, met een zevende zintuig voor de tranen van zijn vriend, gaat nu bij Amelang in de latrine zitten, ze proberen een beetje over de gesteldheden van de ziel te praten, maar Amelang kan maar niet stoppen met huilen. Hij huilt nog steeds als het imaginaire doek overschakelt naar Königsberg. Het is avond geworden, het bruidspaar houdt onder de tafel elkaars hand vast en Lüdeking vertelt hoe moeilijk het hem is gevallen naar een meisje te dingen wier vader in een concentratiekamp zit. Maar zijn zuivere liefde heeft hem de kracht gegeven voor deze stap, en met een beetje goede wil moet de opgeborgen schoonvader het voor elkaar krijgen weer terug te keren in de schoot van de familie. De huidige tijd biedt toch elke fatsoenlijke vent een kans, nietwaar? De moeder van de bruid kromt tijdens die toespraak haar tenen, maar ze proost mee, als Hans Lüdeking met haar op de toekomst wil klinken. Via het imaginaire doek is die toekomst snel bereikt: Senta Gloria Lüdeking heeft ook in de vierde zomer van haar huwelijk nog geen kind ter wereld gebracht, hoewel haar man daar danig zijn best voor doet. Ze is verdrietig en weet niet waaraan dat nu eigenlijk ligt. Misschien komt het door het verdriet, denkt ze weleens. Haar vader heeft ze sinds de avond waarop ze haar echtgenoot heeft leren kennen, niet meer gezien. Naar zijn begrafenis de afgelopen winter, sinds bijna drie jaar is het nu al oorlog, is ze helemaal alleen met haar moeder gegaan. In het kamp is hij gestorven aan een longembolie, had men hun meegedeeld, en met dezelfde post de urn gestuurd, die ze zonder rouwstoet ten grave hadden gedragen.

In Senta Gloria Lüdekings onvruchtbaarheid mengt zich op de avond van 15 juni van het jaar 1942 haar stralende echtgenoot en verkondigt dat het Volksduitse Bemiddelingsbureau vandaag positief heeft gereageerd op haar verzoek een kind te mogen adopteren. Ze kan een kind afhalen, zegt hij, een leuk meisje, van wie een echte Duitse onderdaan gemaakt kan worden, naar de foto te oordelen ongeveer vijf jaar oud en helemaal zonder ouders! Senta Gloria springt van haar keukenstoel en op de heupen van haar man en is blij. Wat een maandag! Een jaar geleden ongeveer hadden ze gelezen dat er ouders werden gezocht voor weeskinderen van arische afstamming uit de bezette gebieden, toen was ze helemaal rood geworden van opwinding en had er bij Hans Lüdeking op aangedrongen het aanvraagformulier voor zo'n kind snel in te vullen. Ze kan het haast niet geloven, nu is het dus bijna zover! Weliswaar woont het kind sinds enige tijd, vertelt Hans Lüdeking, bij pleegouders in Landsberg an der Warthe, maar daar kan het niet blijven, de mensen hebben er niet meer de energie voor en zijn ook wat soort en gezindheid betreft niet echt geschikt. Dus gaat Senta Gloria zodra ze de nadere details weet (en toch: zonder te weten!) naar Landsberg, het spoor volgend dat Lydia Czechovska lang geleden in haar ongeluk naliet. Eerst gaat ze op bezoek bij haar tante en haar oom, hoewel haar moeder haar op het hart heeft gedrukt dat niet te doen, dat was immers helemaal niet zo gunstig nu ze een kind wilden aannemen. Haar tante is op de hoogte van de zorgen van haar nicht en vermijdt een gesprek dat haar in de problemen zou kunnen brengen. In plaats daarvan komen ze wel over het kind te spreken, ze zijn immers heel erg nieuwsgierig hoe het eruit zal zien! Ach ja, verzucht de tante, herinner je je Lydia nog, die jullie ooit hiernaar toe hebben gestuurd? Senta herinnert zich het gezicht van het meisje, dat meer dan zes jaar geleden korte tijd bij hen had gelogeerd. Haar ouders hadden destijds gezegd dat het een heel erg arm kind was, dat, verstoten door haar moeder en haar werkgevers, nu een nieuwe toekomst wilde zoeken en zich er daarom op verheugde bij de oom en tante in Landsberg in dienst te treden. Ja ja, ze herinnert het zich, waarom? Ach, weet je, zegt de tante, die heeft toch zo'n leuk kindje gekregen, wie weet wat voor een vent dat bij haar heeft verwekt. Het meisje was even ongelukkig met het kind als haar eigen moeder met haar, vertelde ze soms. Als ik het wist, had ik het er niet bij laten zitten. Maar het meisje wist het immers zelf niet, zo jong als ze was, en zoals zij eruitzag. We hebben het niet geheim kunnen houden dat ze een kind heeft, het huilde zo hard omdat het niet gewenst was. Op een dag is Lydia hier weggegaan en heeft het kind bij ons achtergelaten, een schatje. We hebben naar haar gezocht, maar ze was domweg verdwenen. Er kwam toen een keer een juffrouw van het bureau en vertelde dat het kind een halfjoods Pools kind was, zoals de naam al deed vermoeden, *Małgorzata Czechovska*. We hebben haar moeten afstaan, hoewel we dol op haar waren en haar graag hadden gehouden. Waarschijnlijk hebben ze haar in een tehuis gestopt, wat hadden we anders kunnen doen zo zonder de moeder! Senta Gloria Lüdeking luistert aangedaan naar het verhaal, misschien had ze haar verlangen naar een kind al veel eerder kunnen vervullen als ze dat alles had geweten. Aan de andere kant, bedenkt ze, zag die Lydia Czechovska er zo vreemd uit, het kind kan met zo'n moeder beslist geen goede erfmassa hebben gehad. De volgende ochtend, mevrouw Lüdeking heeft bij tante en oom overnacht, ontmoet ze op het afgesproken tijdstip voor het huis van de pleegouders van haar toe-komstige kind een een moederlijke indruk makende ambtenares van het Volksduitse Bemiddelingsbureau, de eerste formaliteiten zijn allang per post afgehandeld, en ze krijgt een blond meisje met een doordringende blik, ze schrikt er bijna van, benevens een koffer met kleren, twee poppen, een geboortebewijs en wat papieren overhandigd. Het kind, hoort ze, heeft twee jaar in een tehuis doorgebracht, men had de ontwikkeling van het kind vanuit rasrechnisch oogpunt enige tijd willen observeren om haar dan later aan pleegouders te geven, omdat ze zo veel moeite had gehad met het aanleren van de Duitse taal. Tegen de afspraak in hadden ze het kind echter gewoon Pools laten praten, wat een schande was. Dit kind, dat is duidelijk te zien, is het waard opgenomen te worden in het volkcorpus. Senta Gloria ondertekent voor de huilende pleegouders een schriftelijke bevestiging van de overdracht van het meisje en de ontvangst van de bijbehorende voorwer-pen, krijgt een formulier dat haar echtgenoot ook nog moet ondertekenen en dat dan per post aan het Volksduitse Bemiddelingsbureau moet worden gestuurd, en wil met kind en koffer nog even langs haar tante gaan om zich nu als moeder aan haar te presenteren. Onderweg blijft ze even op een bank zitten, het meisje praat niet, en de nieuwbakken moeder weet nog niet eens de naam van het kind! Dus haalt ze het geboortebewijs uit haar tas: Magdalene Tschechau heet haar dochter, geboren op 2 juli 1936 in Danzig, ouders: Edwin Karl Tschechau en zijn echtgenote Hermine Vikto-ria, geb. Bodensee. Leentje! zegt ze hardop en aait het kind over het hoofd-je. Het kind mompelt alleen maar iets, *mawgo*, verstaat Senta Gloria, *maw-gorschata, mawgorshata, shata!* Arm meisje, wees maar gerust, we hebben thuis een vader, die is politieagent en kan je altijd beschermen, lieve Leen-tje. Als ze in de buurt van het huis van de tante komen, aarzelt het kind, staat stil, trekt aan haar blonde vlechten en huilt stilletjes en wil geen stap meer verzetten. Senta Gloria, die een goede moeder wil zijn, streelt het kind en neemt haar op de arm. Vooruit, je hebt ook al veel moeten doorma-ken vandaag. Laten we maar meteen naar het station gaan, ik kan tante ook een foto van je sturen. En bovendien is vader blij als we nu vlug naar huis gaan, Leentje. In de trein, die bijna leeg is, tilt het kind haar koffertje op de houten bank. Daar zit bijna helemaal niets in, als ze het opendoet: een paar jurkjes en rokjes, een jasje, slechts twee paar kousen en een gebreid muts-je. Leentje klimt in de koffer, gaat op de kleren liggen, haar hoofd tussen de twee poppen, en doet het deksel dicht. Senta Gloria, die door al haar gehunker veel over haar baarmoeder nadenkt en zo graag had gehad dat ze daar een kind in zou voelen, denkt nu dat het met het meisje omgekeerd is: ze heeft vast en zeker erg naar haar moeder gehunkerd en naar de war-me tijd toen ze nog in haar buik leefde. Senta Gloria begrijpt dat het kind terug wil en, wanneer ze er kans toe ziet, in elk geval een hol maakt. De baarmoederkoffer staat niemand in de weg op de bank. Als de conducteur naar de op het reisbiljet vermelde tweede passagier vraagt, wijst Senta Gloria naar het gangpad, even de benen strekken, het meidje, kan nog niet zolang stilzitten, hè. Ze tilt later het deksel een stukje op. Leentje slaapt, haar knietjes opgetrokken tegen haar kin, haar armen als twee zwaarden gekruist voor haar smalle borst, in een afwerende houding en toch heel rustig. Mevrouw Lüdeking is blij en bekijkt de bijbehorende papieren nu nauwkeuriger. Magdalene Tschechau, staat daar, was een vondeling, vader en moeder onbekend. Op het moment waarop ze was gevonden, had het kind, een jaar of twee oud, een paar stereotiepe Poolse zinnen almaar voor zichzelf herhaald. Alle tekenen duidden na diepgaand onderzoek op een overwegend hoogwaardige afstamming, zodat het kind met de kwalificatie 'in staat zich tot een Duitse vrouw te ontwikkelen' met als doel haar te laten adopteren werd vrijgegeven. Bij het aanleren van de Duitse taal in een voorbereidend kindertehuis had ze zich weerbarstiger getoond dan was verwacht. Daarom was ze weer bij pedagogisch geschoolde ouders ondergebracht, maar die waren vervolgens onbetrouwbaar gebleken. Men wenste het adopterende gezin het allerbeste en gaf de raad zo snel mogelijk nieuwe papieren aan te vragen. Het bijgevoegde geboortebewijs was voor het welzijn en in het belang van het kind gefingeerd en droeg een voorlopig karakter. Senta Gloria gelooft dit alles, ze is niet bekend met de gebruikelijke methode om de afkomst van zulke ter 'vernoordsing' uitverkoren kinderen onder een vloed van zogenaamde officiële documenten te verdoezelen, het spoor uit te wissen voor het geval er toch nog een kind gezocht zou worden door de biologische ouders, of het kind later zelf op het idee zou komen op zoek te gaan naar een bedolven kindertijd. Er wordt zelfs aandacht aan besteed dat de valse namen op de werkelijke lijken, om het kind op die manier een ongeschonden identiteit te suggereren. En daarom kan Senta Gloria dan ook geen vermoeden hebben van wat ze op het punt staat te doen: ze sluit het kind van haar man en Lydia Czechovska in haar hart, een kind dat verscheidene generaties ervaringen met haat en geweld in haar lijf draagt en verwekt is tijdens het zogenaamde *jodennummertje*, waarna Hans Lüdeking tegen zijn zestienjarige slachtoffer Lydia Czechovska zei dat ze kon doodvallen. Therese en Josepha huilen net als Wilhelm Otto Amelang op 23 juli 1938 in het schijthuis, en als rook steigt dat mannelijke gehuil op uit het gat waarin het imaginaire doek midden in de kamer verdwijnt.

Het poesje komt aanwaggelen, trippelt rond Josepha's voeten en vlijdt zich ertegenaan. Therese kan nu even ophouden met huilen en haalt uit de keuken het poppenflesje. Ze houdt het beestje op haar arm als Josepha probeert iets bij hem naar binnen te gieten. Gretig sabbelt hij de met water aangelengde melk op, spint en tolt uiteindelijk van de slaap. De vrouwen leggen hem weer in de schoenendoos en kijken elkaar aan. Het zal een lastige klus zijn dit alles op te schrijven in het expeditiedagboek, Therese neemt zich desondanks voor het de volgende dag te doen. Op twee borden rangschikt ze nu in de keuken wat dobbelsteentjes geroosterd brood en bestrooit die met kaas. De thee is allang koud geworden, dus zet ze opnieuw een pot vol, deze keer met kamille en een beetje dennenhoning, ze roept Josepha, die op de chaise longue aan Lydia Czechovska ligt te denken. Zodra ze aan tafel zitten, vertelt Therese over Willi Thalerthal, die ze een enkele keer, toen ze nog niet wist dat hij Josepha's grootvader zou worden, heeft ontmoet. In het begin van de jaren vijftig, Therese was juist met haar kleinkind naar W. verhuisd, waar ze na de onrust van de vlucht- en aankomstjaren een thuis hoopte te vinden, leerde Rudolph Schlupfburg Marguerite Hebenstreit uit het naburige G. kennen, een bleke, jonge vrouw van zeventien zonder ouders, die in het huishouden van de lokale dierenarts op haar volwassenheid mocht wachten. Over haar vader en haar moeder sprak het meisje nooit, hoewel de familie, waartoe ooit ook een tweeling, twee meisjes, had behoord, niet ongelukkig moet zijn geweest. Vast en zeker waren ze een vreselijke dood gestorven. Therese wist alles van vreselijke sterfgevallen af en vermoedde vierendeling of op z'n minst een zelfmoord achter Marguerites zwijgen. Rudolph hechtte zich hunkerend aan dat eenzame meisje, dat net als hij pretendeerde geen verleden te hebben. Therese wist dat ze met elkaar vreeën, heel zachtjes en alsof ze er niet helemaal met hun gedachten bij waren, als ze elkaar in Rudolphs kamer ontmoetten. Ze bundelden hun krachten, om gemeenschappelijk iets meer doorzettingsvermogen en ondernemingszin te krijgen. Therese had er niets op tegen dat Marguerite, na het bereiken van de meerderjarige leeftijd en een heimelijke bruiloft, waarop dus niemand had gedanst, in Rudolphs kamer trok. Op een herfstdag was er iemand op bezoek gekomen bij Marguerite, een vreemde man, broodmager, met tuberculose onder de leden, nam ze aan. Een merkwaardige man, die haar naar haar moeder vroeg, naar haar vader en zusjes, toen aan de keukentafel ging zitten en niets wilde eten, hoe Therese ook haar best deed de aardappelpannenkoek aan te prijzen en, voor het geval hij een zwakke maag had, hem griesmeelpap aanbood. Het bericht van de dood van Carola Hebenstreit geb. Wilczinski, waarover Marguerite geen uitvoerige mededelingen deed, maar die ze met weinig woorden vermeldde, deed hem flauwvallen. Toen hij weer bijkwam, hechtte zijn blik zich aan Marguerites piepkleine borstjes. Dat ongelovige gestaar irriteerde het meisje ten slotte, en ze vroeg hem weg te gaan, zij noch iemand anders kon hem verder helpen. Marguerite informeerde 's avonds bij haar schoongrootmoeder naar de symptomen van een zwangerschap, want ze voelde spanning en trekken in haar borsten. Therese bevestigde de betekenis van die symptomen, en het verbaasde haar niet dat Marguerites borsten zich de volgende morgen hadden ontwikkeld tot de omvang van suikerbieten. Een zwangerschap werd medisch echter uitgesloten, zodat ze allemaal een beetje verbaasd stonden. Therese schreef de vergroting van de borsten toe aan de liefde, op het plotselinge rijp worden van een geremde natuur en op de verandering van lucht, die na de ingebruikname van de grote chemische fabriek in W. had plaatsgevonden. Het feit dat Willi Thalerthals gedurende lange jaren al maar toenemende honger, de borsten van zijn dochter hadden doen opzwellen, is haar nu pas duidelijk geworden. Marguerite was heel blij met de verandering van haar figuur, ze voelde voor het eerst zoiets als een ruimtelijk bestaan en werd ook tijdens het bedrijven van de liefde wat luider en vrolijker. Thalerthal betrok een kamer in Hotel zum Hirschen in W. Als hij had geweten dat Marguerite zijn dochter was, dan had hij wellicht de moed gehad zich tegenover haar uit te spreken over zijn ellende. Ze had hem misschien kunnen helpen een vrouw te vinden die bereid was hem te voeden. Nu kon hij niet veel anders doen dan zich met zwarte suikerbietensiroop in leven houden. Maar hij kon zijn spijsvertering daarmee alleen heel af en toe bedotten. Thalerthal had geen fut meer om zich aan zijn wetenschappelijke werk te wijden, hoewel hij als slachtoffer van de dictatuur een uitkering kreeg. Zijn zoektocht naar vrouwenmelk werd het motief van zijn overlevingsdrang en uiteindelijk, door de vruchteloosheid ervan, tot de ineenstorting daarvan. Therese herinnert zich dat in het plaatselijke nieuwsblad destijds een vrouwenmelkdief de schrik van de kraamklinieken en de vroedvrouwenpraktijken was. 's Nachts sloop een onbekende man de ruimtes binnen waar de afgekolfde melk voor zwakke of zieke zuigelingen werd bewaard, en verorberde de voorraden. Eerst wilde bijna niemand het geloven, men dacht dat er agenten van de CIA achter de acties zaten, die het erop hadden voorzien de jongste socialistische generatie te verzwakken. Die beschuldigingen deden Thalerthal twijfelen aan zijn geloof in de idee van het communisme, denkt Therese nu, en daarom zal hij wel op 17 juni 1953 zelfmoord hebben gepleegd als een zeer persoonlijk protest daartegen. Men vond hem op de ochtend van genoemde dag bevroren in de vriesruimte van de kraamkliniek aan de Geizenberg, om hem heen alle melkflessen die hij te pakken had kunnen krijgen en die hij in een aanval van enorme honger had leeggedronken. Hij had de deur van de vriesruimte van binnen gesloten en de sleutel vervolgens in een afvoergootje in de tegelvloer gegooid. Met zijn urine had hij hem in de riolering gespoeld en zich laveloos gedronken aan de melk. Hij moet een vredige dood zijn gestorven, het was zijn eigen wil geweest. Therese weet dit allemaal van Erna Pimpernell, die destijds in opdracht van hogerhand een woning voor kameraad Thalerthal, Willi, had moeten zoeken, en daar van hogerhand vervolgens van had moeten afzien toen haar in vertrouwen de omstandigheden werden meegedeeld waaronder genoemde kameraad was overleden. Men dacht natuurlijk dat Thalerthal gek was, wat weliswaar jammerlijk, maar gezien zijn problematische burgerlijke afkomst geen wonder was.

Josepha begrijpt de bochten waarin het imaginaire doek zich met het oog op de moederlijke lijn moet wringen nu een beetje beter... Ze moet aan Genealogia, de godin van de familieclanvorming denken, die kennelijk al decennialang probeert een relatie te leggen tussen de families Amelang, Schlupfburg, Thalerthal en Hebenstreit-Wilczinski. Josepha valt nu laat op de avond van 26 mei 1976 in slaap met een gevoel van nieuwsgierigheid of in haar persoon de pogingen van Genealogia werkelijk resultaat hebben afgeworpen, terwijl de op leeftijd gerakende kleinburgeres Ottilie Wilczinski in het Beierse N. aan gene zijde van de in het jaar 1949 kennelijk definitief vastgestelde grens een zeer zware zuigeling met de naam Avraham Bodofranz in haar armen houdt, haar tweede kind, wiens oudere broer Rudolph Schlupfburg zij is kwijtgeraakt, op elfjarige leeftijd, in een bocht van de weg tussen de plaatsen Wuschken en Ruschken. De gecompliceerde bevalling – het kind heeft haar door haar leeftijd niet meer zo soepele symfyse ingescheurd – heeft, als je het medische verslag mag geloven, plaatsgevonden tussen 18.10 en 21.30 uur, na een zwangerschap van drie maanden van de zojuist eenenzestig geworden, voor de tweede keer bevallen vrouw. Bij de moeder had men, naar men zei, na de bevalling niet alleen haar symfysedefect moeten behandelen, maar ook de vastzittende placenta manueel moeten losmaken. Verbazingwekkend was het feit dat de moederkoek vijfenhalve kilo had gewogen en daarmee even zwaar was als het pasgeboren kind zelf. (Zehetmayr heeft de placenta heimelijk achterovergedrukt, omdat hij van het gebruik ervan als rozenmest een enorm commercieel succes verwacht.) De bevalling stond onder leiding van dokter Edwin Huckenhuber en vond plaats volgens de bevallingsgewoonten van de Comanche-indianen: Ottilie Wilczinski knielde op de grond en hield zich overeind met een stok, terwijl Franz Reveslueh als vader-volgens-de-burgerlijke-stand achter haar hurkte en met het strelen en kneden van haar buik hielp het kind eruit te krijgen. (Hij had twee weken eerder tegenover zijn vrouw klare taal gesproken over zijn liefde en late vaderschap, maar zijn echtgenote had die oprechtheid niet weten te waarderen en hem het huis uit gevloekt. Hij woont sindsdien in de woning van Ottilie en ze hadden hem er vanavond bij gehaald om de barende vrouw bij te staan.) Het kost Avraham Bodofranz Wilczinski moeite onder de vetrolletjes in zijn gezicht door te kijken, maar hij waagt het erop en ziet een nu eindelijk publiek geworden belangstelling: men heeft de voor de deur wachtende journalisten binnengelaten en twee van hen zelfs toegelaten tot het gezinsgeluk, nadat Franz Reveslueh met succes onderhandelingen met hen heeft gevoerd. Ottilie is verzwakt en heeft nogal wat lichamelijke pijnen te verduren, terwijl haar moederblik met welbehagen het gezicht van Avraham Bodofranz bekijkt. Zo veel spek had Rudolph, toen hij met zijn vijftig centimeter lengte ter wereld kwam, destijds niet. De huid van het kind is volmaakt glad en vertoont op alle beweeglijke delen braadworstvormige vetrollen, die Ottilie zo schattig vindt, dat ze de enig aanwezige van de drie vaders een sappige oorvijg geeft als die het kind betast en zijn indruk een naam geeft: Spekki Zwoert. Franz Reveslueh wordt er vervolgens op gewezen dat zijn situatie volkomen rechteloos is. Alleen op uitdrukkelijke wens van dokter Edwin Huckenhuber was het hem immers toegestaan de kraamkamer te betreden, terwijl hij normaal gesproken als buitenechtelijke vader absoluut uit de buurt had moeten blijven. Daarom dient hij zich te gedragen alsof hij een genode gast is, en zich aan de regels van het fatsoen te houden. En hij mag de vrouw in het kraambed niet irriteren of het kind te ruw aanraken, dat pas zijn kind zal worden door een administratieve formaliteit! Reveslueh knikt, de weduwe Wilczinski kust de oortjes van haar zoon aan beide kanten van zijn gezicht week, de fotografen maken van dat alles saillante opnamen... Wanneer het bijna middernacht is, wordt de zuigeling – op Huckenhubers bevel – in een bedje naast de smartelijk slapende moeder gelegd en wordt er voor Franz Reveslueh een brits neergezet op enige afstand, zodat het drietal de eerste nacht van hun gemeenschappelijke leven eendrachtig kan doorbrengen, ook al kunnen de jonge afdelingsarts en een paar verpleegsters het niet laten de ongepastheid van zo'n overnachting in een fatsoenlijk Beiers ziekenhuis tegenover de voor de ingang wachtende media uitvoerig uit de doeken doen. De volgende ochtend laat een fotomontage op de voorpagina de grijze moeder op het kraambed zien in een wellustige omarming met Reveslueh, op de voorgrond het gezicht van hun zoon:

Vraag van een onschuldige zuigeling:
Kun je er maar niet genoeg van krijgen, mama?
Bejaarde weduwe buitenechtelijk zwanger en baarde klein knuffeltje. Vader liet vrouw en kinderen in de steek en mag de nacht doorbrengen in de kraamkliniek van zijn geliefde! Duitsland, waar moet dat heen?

Andere kranten leggen daarentegen het accent op de sensationele leeftijd van de moeder, terwijl de snelle rijping van het kind binnen drie maanden tot dusver niet bekend is geworden. Alleen Reveslueh, die kort voor de bevalling twijfels uitte over zijn vaderschap, was ingelicht over het medisch onverklaarbare fenomeen van de ontogenetische versnelling. Een paar buren van de weduwe zijn verbaasd, helaas publiekelijk in de ochtendeditie van de lokale pers, dat ze zo lang niets hebben gemerkt van de toestand van hun plaatsgenote, terwijl ze toch op het moment van haar opname in de psychiatrische kliniek al in de zesde of zevende maand van haar zwangerschap moet zijn geweest. De discussie in de schaduw van het bladenwoud over de omstandigheden rond de geboorte zal er uiteindelijk toe leiden dat bij de echtgenote van Reveslueh de woede op haar weggenaaide levensgezel omslaat in een bodemloze, zwarte droefheid, en ze op de dag na de geboorte van de *bastaard* van het dak van haar huis springt, met in haar mond nog een laatste, gehaakt kleedje. Dat verschrikkelijke bericht rukt Reveslueh zogezegd los van Ottilie's borsten, waaraan Avraham Bodofranz in verzadigde verrukking beurtelings sabbelt, en doet hem terugkeren naar huis, waar hij zijn vrouw uiterlijk ongeschonden aantreft. Ze is in een seringenstruik gevallen en heel zachtjes terechtgekomen, zegt de dokter. Hij moet maar eens kijken. Franz Reveslueh kijkt: zijn vrouw slaat haar ogen op en haar armen om hem heen. De dokter neemt afscheid en vraagt mevrouw Reveslueh op de ambulance te wachten, die haar ter observatie naar het ziekenhuis zal brengen. Hij is nog niet weg of mevrouw Reveslueh opent haar geslacht en trekt haar echtgenoot erin, wie het helemaal zwart voor de ogen wordt. Hij krijgt het algauw op zijn heupen en heeft enorm veel zin in zijn wettelijke echtgenote, gaat in haar lijf tekeer met grote verrukking. Plotseling komt mevrouw Reveslueh, in strijd met hun decennialang gekoesterde traditie, haar man tegemoet met een zeer gewaagd orgasme en dwingt hem, door zijn lid met haar vaginale spiermassa vast te klemmen, diep in haar lichaam te ejaculeren. Reveslueh schreeuwt van verlossing en voelt hoe zijn zaad nog steeds uit zijn opening gutst als mevrouw Reveslueh allang het hazenpad heeft gekozen door middel van een glimlachende zelfmoord. Hij vermoedt dat deze laatste vrijpartij de in hun jeugd overeengekomen vrede tussen hen weer heeft hersteld, en wel voor zolang de toekomst duurt, en haar dood heeft voor hem nu de betekenis van een onverdiende tegemoetkoming in een niet zo eenvoudig te verklaren aangelegenheid. Reveslueh is verdrietig. Als de ambulance arriveert om zijn vrouw ter observatie naar het ziekenhuis te brengen, moet de chauffeur een lijkwagen laten komen, en voordien nog een arts, die het overlijden van mevrouw Reveslueh officieel moet bevestigen. Rode vlekken op haar borst en haar gezicht verlenen de dode vrouw een opgewonden aanzien, terwijl haar ontspannen trekken daar niet goed bij passen. Reveslueh trekt zijn vrouw haar slipje en panty weer aan, terwijl de chauffeur van de auto telefoneert. Ook haar opengegleden jasschort wordt dichtgeknoopt over haar borst, zodat de rode vlekken in elk geval op die plek bedekt zijn. Reveslueh haalt uit het wandkastje in de badkamer het enige parfum dat zijn vrouw ooit heeft gebruikt, en spuit er een heleboel van in haar navelkuiltje, nadat hij de jasschort ter hoogte van haar middel nog een keer heeft opengeknoopt. Als de dokter komt en zeer verrast door het overlijden van mevrouw Reveslueh haar begint uit te kleden om haar medisch te onderzoeken, ziet de nieuwbakken alimentatievader zich genoodzaakt melding te maken van het onverwachtse en zeer hevige hoogtepunt van zijn vrouw als haar laatste teken van leven. Natuurlijk heeft de dokter de verschillende ochtendkranten gelezen en Reveslueh herkend als de op het kraambed van zijn bijzit in extase rollebollende ouwe geile bok, en hij huivert over de schaamteloosheid waarmee deze man zijn eigen echtgenote niet alleen schandelijk heeft bedrogen, maar haar er bij al haar ongeluk ook nog eens flink van langs heeft gegeven! Hij noteert de noodzaak van autopsie om de exacte doodsoorzaak vast te stellen en laat de dode vrouw dan naar de koelcel van de afdeling pathologie brengen. Reveslueh passeert hij vol verwijt en zwijgend, alsof hij van zijn geloof in de uiteindelijke overwinning van de christelijke moraal moet getuigen, en hij laat hem alleen met zichzelf en de nalatenschap van een lang, lustarm en kinderrijk huwelijk. Reveslueh merkt dat het hem hier een beetje te veel wordt en sluipt het huis uit zonder sleutel, wat hem, denkt hij, een terugkeer bemoeilijkt, struint door de stad, langs het riviertje de Rednitz, en herinnert zich ten slotte de Heimelijke Hoer Rosanne Johanne, die in de gedaante van een Beierse waardin in Katzwang het café-restaurant Dornstübl uitbaat. Naar haar was hij vaak toe gegaan wanneer zijn huwelijk helemaal platgewalst leek, er nergens meer een heuveltje te bekennen was geweest, geen hogergelegen terrein, zelfs niet aan de horizon, en er toch weer een kind op komst was, van wie, waarvan hij wist dat het hem weer danig onverschillig zou laten. Zijn vader had hem over de Heimelijke Hoer Rosanne Johanne verteld, die al eeuwenlang in wisselende gedaanten verdrietige mannen van enige troost in hun bestaan voorziet. Geen vrouw had de Heimelijke Hoer ooit kunnen ontmaskeren, hoewel velen het steeds opnieuw hadden geprobeerd en iedereen wist dat ze bestond. Maar aan verdrietige mannen openbaart Rosanne Johanne zich vanzelf, en degenen die door haar zijn getroost, vormen uit dank een front tegen de jagende, vragende vrouwen.

Als Reveslueh het café-restaurant Dornstübl binnenkomt, jongleert Rosanne Johanne juist een *Kalbshaxe* door de volle ruimte naar een van de tafeltjes achterin, ze zet er een glas bier naast en vraagt hem, alsof ze op hem heeft gewacht, aan tafel te gaan zitten. Rosanne Johanne heet hier mevrouw Annamirl Dornbichler en bedient in een groen-rode dirndl, haar borsten opgestuwd en haar haar gevlochten in een blonde knot. Ze heeft een echtgenoot, die Hubertus Dornbichler heet en er geen idee van heeft dat zijn vrouw de Heimelijke Hoer Rosanne Johanne is, want hij heeft nooit verdriet en beleeft achter de toonbank heel vanzelfsprekend zijn pleziertje rechtstreeks vanuit zijn Lederhose. Wanneer nu de waardin mevrouw Dornbichler Franz Reveslueh diep in de ogen kijkt, zoals hij had gehoopt op weg hiernaar toe, mag hij haar herkennen. Alleen voor hem doet ze vandaag jurk en kapsel, corset en kousen, rouge en slipje uit en staat voor hem als naakte, bedroefde vrouw met een moe gezicht en zacht-bruin lang haar. Terwijl de waardin mevrouw Dornbichler doorgaat met in strak zittende kleding bier en Kalbshaxe te serveren en intussen grapjes maakt met de gasten, ziet Franz Reveslueh de Heimelijke Hoer Rosanne Johanne, haar lijf is getekend door verscheidene baringen, haar borsten hangen slap neer op haar buik. Wat zijn haar oksels warm, denkt Reveslueh en hij verlangt ernaar. Rosanne Johanne wacht op het meisje dat mevrouw Dornbichler om 13.00 uur aflost. Dan gaat ze met Franz Reveslueh naar de zolder, maar niet dan nadat ze Hubertus Dornbichler een spottende kus op zijn voorhoofd heeft gegeven. Reveslueh kent de enorme ruimte onder het dak, die een heel gewone zolder is zolang Rosanne Johanne hier als de waardin Dornbichler optreedt. Maar komt ze, zoals vandaag, met een verdrietige man en daarom in haar ware gedaante de zolder op, dan wordt die zolder een boerenkeuken met door de rook zwart geworden muren en een fornuis onder de schuine ramen. In een koperen ketel maakt ze een zoete pap van melk en meel klaar, die na het troosten samen ten afscheid zal worden genuttigd, en een glas landwijn is er meteen bij het begin van de ontmoeting, rood en droog van smaak. De Heimelijke Hoer houdt van haar oude beroep en gaat als een vakvrouw te werk. Ze vraagt niets, ze neemt Revesluehs hoofd tussen haar handen, tot hij huilt en jammert om vrouw en vrouw en kind en kinderen en de verschrikkelijke gelijktijdigheid van geboorte en sterven, de nalatenschap van zijn huwelijk en de angst voor de publiekelijke ophef waarvoor zijn late vaderschap heeft gezorgd. Rosanne Johanne weet waarom Reveslueh hier is en verzekert hem nu dat zijn vrouw werkelijk uit eigener beweging en zeer vredig het aardse leven heeft verlaten, omdat ze zich met hem heeft verzoend. Aan die verzoening heeft hij evenveel bijgedragen als zijn vrouw, een slecht geweten hoeft hij niet te hebben, hijzelf heeft het tenslotte voorvoeld in het aangezicht van haar dood. Nu moet hij leren het offer te aanvaarden dat zijn echtgenote hem uit aanhankelijkheid heeft gebracht, en vrij rouwen omwille van de achtergebleven kinderen alsook ten behoeve van Ottilie en Avraham Bodofranz. Weliswaar zijn de Reveslueh-kinderen schijnbaar volwassen, zijn ontstentenis als vader heeft in hun zieltjes toch een kwetsbare kinderlijkheid achtergelaten, die nu tot genezing kan komen in de schoot van een groot gezin, waarin ook voor zijn dode echtgenote beslist een plek is. Reveslueh twijfelt nog als de Heimelijke Hoer haar haar om zijn gezicht legt, hem uitkleedt en kust en met zich meetrekt naar het midden van de keuken. Reveslueh houdt van de traagheid van haar bewegingen, de moeheid en loomheid van haar lichaam, de oprechtheid die uit dat alles spreekt en die hem zijn gebruikelijke neiging te doen alsof verbiedt. Ze doet hem aan Ottilie denken en eigenlijk ook aan zijn gestorven vrouw, als hij haar bovenlichaam voorzichtig over de tafel in het midden van het vertrek legt, waarop zij zichzelf met haar armen ondersteunt, hij vervolgens in haar bilspleet tast en graait en haar rode onderlijfmond daardoor begint te stuiptrekken. Als dan Reveslueh de lippen van die mond met zoekende hand ontplooit, zijn die door dat gestuiptrek nat geworden en nodigen hem uit niet te dralen, zodat hij met een zachte druk zijn eerst halfstijve lid ertussen schuift en zich verbaast hoe dat opeens opzwelt en opnieuw het spul uitstoot waarvan hij dacht dat het voor vandaag al helemaal was opgebruikt na de laatste ontmoeting met zijn vrouw, en zich nog erger verbaast dat zijn lid even later opnieuw stijf wordt en zijn bewegingen verhevigt, alsof er nog voorraad is voor een tweede keer. En inderdaad, het komt tot sterke stoten en energieke terugtrekkende bewegingen, tot Rosanne Johanne zich verdoofd en jammerend op de tafel laat vallen en zich op haar rug draait, zodat hij nu haar benen over zijn schouders legt en zich met zijn gezicht haar haar toe bij haar naar binnen schroeft en haar gejammer met een zacht kneden van haar borsten probeert te verhevigen, omdat het hem goed doet haar op te monteren en een eind te maken aan haar vermoeidheid en goed te letten op haar gekreun en op het ruisen van haar nu om haar heen slaande haar, op het geluid dat wordt veroorzaakt door het zachte tegen elkaar botsen van hun lichamen, en op het laatste moment, waarop hij zich even wil inhouden en toch tot haar moet overlopen. Voordat het zover is, overvalt een kramp, die hij al kent, Rosanne Johannes lichaam, ze ligt, vanaf een afstand gezien, bijna stil en vibreert toch, als je wat dichterbij komt en nauwkeuriger kijkt, over haar hele lijf, haar mond staat open en roept stemloos om moeder en vader, en bovendien om alle heiligen en om Hubertus Dornbichler, en ze sluit zich strak om Franz Reveslueh heen, net als die ochtend diens stervende echtgenote. Als hij dan ook nog zijn gezicht op haar buik laat vallen en er uit het kuiltje van haar navel precies de geur opstijgt die hij de dode ter camouflage van het gebeurde had opgespoten, moet hij zich uitstorten, is hij eindelijk helemaal leeg en bereid tot nieuwe dingen. Dat was het wat de Heimelijke Hoer Rosanne Johanne hem als troost te bieden had. Ze probeert zoveel mogelijk van haar huid tegen de huid van Reveslueh te drukken en de uitwisseling van warmte te voelen die daarbij plaatsvindt en die haar voor haar werk beloont. Daarbij gaat ze weer op haar buik liggen zonder Revesluehs afgepeigerde werktuig los te laten, ze gaat voor hem op haar tenen staan en dwingt hem met haar mee te lopen naar het fornuis, waar ze twee kommen volgiet met pap. De pap wordt weer meegenomen naar de tafel en Reveslueh krijgt de uitnodiging op een stoel te gaan zitten, waarop ze hem in innig contact volgt. Nu zitten ze allebei in elkaar, op elkaar en wrijven hun rug en buik tegen elkaar aan, de pap oplepelend, die heet is en het zweet op de huid (en zo ook het loon voor de Heimelijke Hoer in de hoogte) drijft. Reveslueh voelt zich als de drie jaar oude Franz die hij was, die na de bereidwillige verrichting van een grote boodschap van zijn kussende moeder een heerlijke beloning krijgt, en hij vreet zich helemaal vol in de angst dat dat gevoel weer snel zal verdwijnen. Maar dat gebeurt toch, en Reveslueh voelt zich gelukkig weer de sterke man die hij is. Hoe zekerder hij van zichzelf wordt, des te meer trekt de Heimelijke Hoer zich terug, trekt voor zijn ogen ook weer haar corset en dirndl aan, haar onderbroekje en kousen, rouge en kapsel en beent weg op haar hooggehakte schoenen, die Hubertus Dornbichler altijd zo geil maken op zijn Annamirl. Als hij eens wist, denkt Reveslueh, als hij opgewekt het café verlaat, alsof hij daar alleen maar even naar de wc is gegaan en zijn rekening heeft betaald.

Juni

De ambtenaren op het censuurbureau aan deze kant van de in het jaar 1949 kennelijk definitief vastgestelde grens hebben de zaak waarschijnlijk zeer zorgvuldig getoetst alvorens ze op 9 juni het volgende nieuwsbericht in de, veelzeggend, *Organ* genaamde krant van de Thüringse districtsleiding lieten opnemen:

LATE BEVALLING

Berlijn (adn). Eenenzestigjarige burgeres van de Bondsrepubliek Duitsland heeft medio mei na een zwangerschap van slechts drie maanden een vijfenhalf kilo zware jongen ter wereld gebracht. Betrouwbare bronnen melden dat moeder en kind het goed maken.

Josepha ziet het bericht aanvankelijk over het hoofd als ze op 13 juni, een zonnige zondag, de kranten van de afgelopen week nog een keer doorkijkt alvorens er een touw om te doen. Therese is sinds haar verhuizing naar W. op het blad geabonneerd, maar las het slechts zelden, en het valt haar met de jaren steeds minder gemakkelijk om enig plezier te beleven aan de toon waarin de berichten in het blad zijn gesteld. Josepha bladert de gemengde berichten in de rubriek 'In de marge' graag door. Maar nu verbaast ze zich over een alinea op pagina twee van de uitgave, die ook het bericht over de late bevalling bevat, een alinea met de volgende inhoud:

PROVOCATIE VAN DE SUPERIORITEIT
VAN HET WERELDOMVATTENDE SOCIALISME MISLUKT

Berlijn (adn). In de omgeving van de Beierse stad N. hebben zich de afgelopen drie maanden herhaaldelijk ongecontroleerde storingen van het televisieprogramma voorgedaan. De bevoegde instanties van ons land ontdekten een aanslag van het wereldwijde imperialisme op onze vredelievende republiek door de installatie van stoorzenders, die de ontvangst van het eerste en tweede televisieprogramma in de Thüringse districten E., G. en S. onmogelijk moesten maken. Door techni-

sche tekortkomingen is in de staten van het wereldwijde kapitalistische systeem de vijand zelf het slachtoffer geworden, die klaarblijkelijk niet in staat was de in Beieren opgestelde stoorzenders op het zendergebied Thüringen te richten. De bevolking van ons land protesteert ten scherpste tegen de provocatieve acties van de reactionaire regering in Bonn en roept onze regering ertoe op ook in de toekomst zorg te dragen voor een goed functionerende bescherming van onze staatsgrens en de vijanden van het socialisme eenduidig een halt toe te roepen.

Josepha, met haar nog maar heel minieme haarscheurtje, voelt een lichte onpasselijkheid, die zich sinds enige tijd altijd voordoet wanneer er sprake is van *bevoegde instanties*. Ze beschouwt de *bevoegde instanties* intussen wellicht als de kersenrode lippen van het staatshoofd, want ze vindt het obsceen wat die instanties over bijvoorbeeld de verdwijning van haar opzichtster zeggen. Ze gaat aan het bed van haar grootmoeder zitten, die vandaag niet voor het gemeenschappelijke ontbijt uit bed is opgestaan, omdat ze vanuit haar bed naar de zonnige hemel wil kijken en wellicht aan de tedere August wil denken. Josepha leest vragend voor wat ze zo-even heeft ontdekt, en verzoekt haar om een wereldwijs en ervaren commentaar met betrekking tot de *bevoegde instanties*. Inderdaad doet Therese negatieve uitspraken over het boze oog dat haar uit de kranten schijnt aan te kijken, en ze wil nu ook een toelichting leveren, want ze heeft sinds de eeuwwisseling een paar mediatijdperken meegemaakt, die daar haar nu nog kramp in haar hartstreek bezorgen. Alsof iemand aan haar hartpunten zat te frummelen, de kamerdeuren opensmeet. Tegelijkertijd komt er urine uit haar onderbuik, en als Josepha geschrokken schone lakens gaat halen, pakt Therese de krant die er de schuld van is. Natuurlijk vermoedt ze ogenblikkelijk dat er een samenhang is tussen provocatie en late bevalling, en ze onderzoekt haar lichaam op vervreemde herinneringen. Als ze ten slotte in haar herinnering nog één keer de handen van de tedere August op haar lijf voelt, schiet Ottilie haar te binnen, zijn dochter, en haar opwinding wordt nog groter. Ze is op de goede weg, het is een teken! Josepha vindt een in elkaar gerold bundeltje mens in het natte bed als ze met het laken terugkomt, legt haar overgrootmoeder op een deken op de grond en zet de matrassen tegen de muur om te drogen. Ze is niet bang dat er iets met Therese aan de hand is en verbaast zich daarover, maar dan gaat ze naast haar liggen en doet een paar ademoefeningen in de hoop dat Therese mee zal doen. Ze is namelijk nieuwsgierig, en alleen een ontspannen Therese kan haar iets vertellen! Langzaam vinden de vrouwen de maat, hun longen stuwen in hetzelfde ritme hun borstkas omhoog, en rust en ontspanning vervullen de zich ontspannende bejaarde. Wat ze nu zegt, stelt Josepha niet helemaal tevreden: weliswaar vindt Therese de samenhang van beide berichten vanzelfsprekend en betrekt ze die op zichzelf, maar ze kan ze nog niet plaatsen en weet bovendien niet wat ze moet ondernemen vanuit W., zomaar in het wilde weg... Tijdens het middageten (een simpel stuk varkensspek, maar dan wel knapperig gebakken in smout en tijm) probeert Therese in haar hoofd allerlei mogelijkheden uit en roept vanachter een aardappel (waarbij haar Leipziger accent vermengd wordt met haar Oost-Pruisische accent): Ik ben grootmoeder geworden! Josepha, die tegelijkertijd dus tante is geworden, reageert niet meteen als Therese golvenwirwar! roept en zenderchaos! en wetenschappelijk-technische vooruitgang! en ten slotte tussen wortelpartjes en peultjes door LEVE DE EXPEDITIE...

13 juni 1976:
Zesde etappe van de Gunnar Lennefsen-expeditie
(trefwoord in het expeditiedagboek: REGENRATTEN)

Toen 's middags de gemoederen een beetje waren bedaard, hadden ze het volgende begrepen: de expeditie, meer dan drie maanden geleden met z'n tweeën begonnen, was nu in een beslissend stadium gekomen.

Twee nationale feestelijkheden mengden zich in de gebeurtenissen, de dag van het spoorwegpersoneel en de dag van de werkenden in het verkeerswezen. In Josepha's kennissenkring is er niemand die om die reden in de bloemetjes gezet moet worden, hoewel er in W. een station met een kaartjesloket en in de omgeving enkele met bomen beschermde spoorwegovergangen zijn. Carmen Salzwedel daarentegen kent drie wisselwachters, die haar halfbroers zijn. Maar ook zij denkt er niet aan bij de mannen op bezoek te gaan, hun een bosje bloemen te overhandigen of een fles wijn. Wél belt ze aan bij de Schlupfburgse huisdeur en nodigt de beide vrouwen uit voor een wandeling op de late middag. Josepha en Therese zijn er echt aan toe om de benen te strekken en een frisse neus te halen, en accepteren gretig de uitnodiging, en zo zie je in de zonneschijn drie vrouwen de Burgberg op wandelen naar het slot, een van hen sjokkend, zoals ze het zelf noemt: Therese loopt moeilijk en een beetje strompelend. Vanaf de top van de Burgberg heb je een weids uitzicht op de bergen en, aan de andere kant, over de laagvlakte die zich uitstrekt tot de hoofdstad van het district, waar de spoorlijn naar toe loopt en op die manier het gebergte weer met het land verbindt. Een schoolvriendin van Josepha, de precieze Angelika met het rechtopstaande handschrift, woont nog steeds hierboven in het slot bij haar oude ouders, die er intussen ongetwijfeld veel moeite mee hebben om hout en kolen met een handkar de berg op te brengen of levensmiddelen te halen uit de winkel in het dorp. Als de drie vrouwen een beetje rondhangen op het slotplein onder de imposante lindeboom, komt Angelika met een emmer afval uit een van de trappenhuizen en steekt, diep in gedachten verzonken, het vierkante plein over. Josepha loopt snel naar haar toe en neemt de emmer na een blije begroeting van haar over. Angelika is eveneens blij en wil de emmer weer terugnemen, zodat de vrouwen elkaar verlegen de loef af proberen te steken in beleefdheid, en ten slotte dragen ze het afval samen naar de ton, verdwijnen dus voor een paar seconden door de slotpoort uit het gezicht. Carmen Salzwedel, die een zwakke blaas heeft, moet snel even gaan zitten, omdat ze verschrikkelijk moet lachen bij het zien van twee vrouwen die vechten om een afvalemmer, en ook Therese neemt snel plaats op een van de banken op het plein. Tenslotte heeft ze vandaag al een keer in de nattigheid gelegen, ook al was dat dan niet van het lachen... Als Josepha terugkomt, gezellig babbelend met de precieze Angelika, komen ze er alle twee bij zitten en ze praten over de zo vroeg begonnen zomer, het dochtertje, dat Angelika vijf jaar geleden ter wereld heeft gebracht en dat vandaag op bezoek is bij haar vader in de hoofdstad van het district, en over Angelika's werk als lokale kroniekschrijver in de oudheidskamer. Haar rechtopstaande handschrift is aan deze kant van de in het jaar 1949 kennelijk definitief vastgestelde grens, en daarmee aan gene zijde van de ontwikkeling van de moderne schrijftechnieken, een kapitaaltje en als zodanig potentieel systeemvijandig. Josepha herinnert zich een mop die haar geliefde leraar Pfuhlbrück een keer tijdens het laatste uur vóór de grote vakantie had verteld: een Zwitserse politieagent komt een Zwitserse drukkerij binnen en arresteert de drukker in verband met het vervaardigen van vals geld. Zegt de drukker: hé, wacht even, zoiets heb ik mijn hele leven nog nooit gedaan! Zegt de politieagent: maar u hebt er wel de equipage voor! Zegt de drukker: zo, arresteert u me dan ook wegens ontucht? Zegt de politieagent: maar waarom dan, beste man, heb je dan ontucht gepleegd? Zegt de drukker: dat niet, maar ik heb er wel de equipage voor! (Dat het om een Zwitserse politieagent en een Zwitserse drukker ging, moest aan de ene kant iets te maken hebben met het feit dat het woord 'equipage' heel mooi werd uitgesproken door de mond van Pfuhlbrück, aan de andere kant moest waarschijnlijk onderstreept worden dat zoiets als valsmunterij en ontucht in het eigen land niet voorkwam.) Voordat Josepha zover is de mop luid ten beste te geven met een het Zwitsers imiterend accent, ziet Therese op de bodem van de leeggemaakte emmer de doorweekte, maar nog goed leesbare krantenpagina liggen, die haar vandaag al eerder uit haar psychofysische evenwicht heeft gebracht, en weer krimpt ze ineen en beginnen haar ledematen te trillen. Angelika nodigt de vrouwen uit voor een kopje kalmerende thee, nadat Josepha haar heeft verzekerd dat Thereses opwinding een blijde opwinding is. De precieze Angelika blijkt een echte heks te zijn: op de hellingen van de Burgberg verzamelt ze het hele jaar door kruiden en kan nu een mix van vlier- en lindebloesem, kamille, rozenbottel en kalmoeswortel aanbieden. (De gasten merken niet dat ook een goed gedoseerde hoeveelheid Sint janskruid de drank versterkt en de droefgeestige gedachten verdrijft, die Angelika, ondanks Josepha's ontkenningen, terecht vermoedt in de vrouwenhoofden.) Zijzelf neemt een koud aftreksel van puur Sint janskruid tot zich, want dit voorjaar heeft zij het behoorlijk zwaar gehad door het slechte weer en de verpletterende eenzaamheid bij haar oud geworden ouders. Rustig vertelt ze tegen haar zwijgend voor zich uit starende bezoek dat haar ouders dit jaar voor het eerst de in het jaar 1949 kennelijk definitief vastgestelde grens willen passeren: de zuster van haar moeder in Hamburg heeft hen uitgenodigd haar gouden bruiloft aan de Alster te komen vieren. Nu hebben de ouwelui een jurk en een pak nodig, alsmede jassen en schoenen voor de feestelijke gelegenheid, en Angelika vraagt of Carmen Salzwedel niet... *Nou en of!* zegt die meteen, daarna iets terughoudender: *zal 'ns zien, wellicht.* Ze gaat in gedachten al haar familieleden na en stuit ten slotte op haar halfbroer Lutz in het grootste warenhuis van de districtshoofdstad. Hij werkt daar als Lucia, vertelt ze, verkoopt dames- en herenkleding, sinds hij heeft besloten als vrouw door het leven te gaan en daarmee is ontsnapt aan de na zijn eindexamen vrijwillig aangegane verplichting tien jaar in het leger te dienen. (Inderdaad trof men bij het medische onderzoek achter zijn fors ontwikkelde mannelijke geslacht een grote vrouwelijke schede aan, waarin hij nu zijn penis en scrotum opbergt, waarvan hij ook als verkoopster geen afstand wilde doen.) Zijn leven deelt hij met een echtpaar, van wie hij beide delen kennelijk evenveel bemint, en vijf kinderen, van wie hij er één heeft verwekt en twee heeft gebaard na steeds negen maanden onopvallende zwangerschap. Een van zijn dochters heeft, weet Carmen, de merkwaardige geslachtelijke constellatie Lutz-Lucia geërfd, en de drie ouders hebben kennelijk plezier in hun gemeenschappelijke geluk: men ziet het grote gezin vaak stevig gearmd en pret makend door de stad lopen. Alleen de burgerlijke stand heeft veel problemen met deze afwijking van de algemene norm: Lutz is Lucia geworden op advies van de onderzoekscommissie, wat het bevestigen van het vaderschap voor de door hem verwekte jongen uitsluit. Anderzijds moest hij na de geboorte van zijn dochter bewijzen dat hij niet ook haar vader was, waarvoor hij met succes een beroep deed op de hulp van de mannelijke huwelijkspartner. Diens vaderschap werd met de hoogstmogelijke waarschijnlijkheid vastgesteld, en het gezin werd dankzij de kennelijk zeer voorspoedige ontwikkeling van alle kinderen niet blootgesteld aan een nader onderzoek door de voogdijraad.

Josepha vermijdt het zoveel mogelijk zich het steeds nauwer om haar sluitende W. als woonplaats van Lutz-Lucia voor te stellen en vraagt zich af of ze niet ook naar de grote districtshoofdstad zou moeten verhuizen, waar toch ook een paar beroepsopleidingsinstituten met bijbehorende studenten, galeries, bibliotheken en musea voor moderne kunst te vinden zijn, te midden waarvan je je kennelijk een beetje kunt onttrekken aan de voortdurende controle door de kleinburgers. Het verheugt haar dat Lutz-Lucia in de voor het land zo typische bekrompenheid, die een opzichtster op grond van een doorzichtig smoesje doet verdwijnen of een donker gekleurd kind een pak slaag geeft, zich een plekje heeft kunnen veroveren. Josepha voelt de haarfijne spleet een beetje, als de precieze Angelika Carmen Salzwedel bedankt voor de aangeboden hulp bij het in de kleren steken van haar oude ouders, en de hartelijke groeten doet aan Lucia, die, zo belooft Carmen haar, ze vanavond nog zal bellen.

Wat Angelika die avond vanonder de poort van haar slot kan zien, is een vredige afdaling van de berg boven de provinciestad: drie vrouwen arm in arm, de oudste in het midden sjokkend, maar niet al te voorzichtig. Therese draait haar hoofd naar links of rechts, de vriendinnen praten zo opgewekt (de groenige thee...), de zon staat nog hoog genoeg voor een idylle. Even voorbij de bocht die de weg kort voor de stad maakt, ontmoeten de vrouwen een dik kind van een jaar of vijf in gezelschap van haar vader. Josepha kijkt geïnteresseerd naar het kleine gezichtje en ontmoet, wat het kind niet kan weten, de Angelika-blik. In stilte voorspelt Josepha het meisje nog snel een rechtopstaand handschrift, voordat ze met Carmen Salzwedel en haar overgrootmoeder rechtsaf slaat de smalle straat in die parallel loopt aan de bergkam.

Als de Schlupfburg-vrouwen in hun keuken een avondboterham eten, zet Therese nadrukkelijk de pasgevulde augurkenpot midden op tafel en probeert een beetje schuins uit haar ooghoeken te grijnzen, wat haar niet erg goed afgaat. Josepha doet de dop van de congnacfles en giet er tien centimeter van in een waterglas, voor Therese. Daarop trekken de vrouwen zich terug in de woonkamer en doen de gordijnen dicht. Josepha gaat op de kale vloer zitten met haar rug tegen de muur, Therese, in haar leunstoel, slaat het expeditiedagboek op. Het trefwoord is deze keer opgenomen in een gedichtje dat ze zich tijdens haar bevingen van die ochtend heeft herinnerd en dat ze, nadat ze van de middagwandeling thuiskwam, snel heeft opgeschreven:

Ach moeder knijp je ogen toe
De regen en de ratten
Die komen door de kieren heen
Die we vergeten hadden

Wat moet er van ons worden
Ons dreigt zo grote nood
Van de hemel op de aarde
*Vallen de engelen dood**

Josepha krijgt de melodie in haar mond als Therese de regels met een eentonige stem opzegt, ze begint te neuriën, te zingen en herhaalt het ontstane lied drie keer, voordat het imaginaire doek zichzelf opspant en de Altstädter Holzwiesenstraße in het Oost-Pruisische Königsberg van het jaar 1934 de kamer binnenhaalt. Een vochtig koude novemberdag houdt de vingers van zo'n vijftien jongens stijf als ze in een leegstaande werkplaats aan de Neue Pregel hun mannelijkheid oefenen. Sigaretten gaan van mond tot mond, ze zitten op lege vaten en stapels planken, door het kapotte spijltjesraam dringt mist naar binnen die maakt dat de derde dertienjarige jongen van rechts niet meteen herkend wordt, maar dan schreeuwt Therese al: haar zoon Fritz, later een aanhanger van de Hemel boven L.A., zuigt aan een echte havanna, die waarschijnlijk gestolen is in de tabakswinkel in de Hochmeisterstraße. Zo lang heeft Therese haar zoon niet gezien, die soms als geüniformeerde man in haar dromen opduikt en die ze toch slechts een enkele keer in uniform heeft gezien, een paar weken voor zijn heimelijke bruiloft tijdens de vijfde oorlogswinter! Therese bijt haar lippen helemaal kapot, zozeer gaat ze op in de film, die ze nooit in werkelijkheid heeft gezien. Een jongen van dertien rookt gejatte sigaren en waagt het klaarblijkelijk niet om net als de anderen onderwijl zijn min of meer rijpe geslachtsdeel uit zijn wijde broek te halen en te masseren. Haar jongen wordt helemaal rood als hij ziet hoe de halve mannen ploeteren en zweten, af en toe haastig een trekje van de rondgaande sigaar nemend, helemaal gericht op resultaat. Therese is bang dat ze zich zullen verwonden, zo ruw gaan ze met zichzelf om, en ook Josepha kan bijna niet geloven met welke kracht de kinderen zichzelf bewerken. Door hun inspanning heeft geen van hen in de gaten dat Fritz Schlupfburg zijn hand in zijn broek op en neer beweegt en dat zijn rode gezicht droog, en niet zo bezweet lijkt als dat van de anderen. De kleine roodharige linksbuiten is als eerste klaar met zichzelf en spuit een ongelooflijk grote portie sperma in achtereenvolgende golven door het kapotte raam. De anderen volgen hem op gepaste afstand, steeds gadegeslagen door degenen die zich al hebben ontladen, en daardoor steeds meer onder druk, maar toch weet iedereen het voor elkaar te krijgen, ook al valt het resultaat soms wat bescheiden uit en bereikt het niet het raam, maar kwakt domweg op de grond of, een schreeuw, raakt het de

*[Uit 'Het Barlach-lied' van Wolf Biermann]

schoen van de buurman. Uiteindelijk blijft alleen Fritz Schlupfburg over, en nu is het duidelijk te zien: hij houdt zijn lid verborgen, en de anderen, bij wie de piemel nog los uit de broeksopening bungelt, komen belangstellend naar hem toe, vol begrip, lijkt het wel, en helemaal niet zo wreed als Therese in het begin dacht dat de scène zich zou ontwikkelen. Nou, komt er nog wat van, Schlupfburg? Schlupfburg glimlacht verontschuldigend, schudt zijn hoofd en haalt zijn hand uit zijn broek. Lukt vandaag niet. Blijf maar zitten, zegt de roodharige jongen nu vol begrip. Kennelijk hebben de jongens een pauze tussen twee lessen benut om zichzelf te beproeven, en ze willen nu weg. Kom later maar. Fritz Schlupfburg is dankbaar, hij had zeker iets anders verwacht. Als de jongens weg zijn, haalt Fritz Schlupfburg zijn lid toch te voorschijn en bestudeert het aandachtig en ziet wat hij allang weet: het is anders gevormd dan dat van zijn vrienden en niet vooraan bij de eikel open, maar aan de onderkant van de penis, die daardoor klein en misvormd lijkt en die, als hij zich opricht, Fritz probeert het, krom blijft. Hij schaamt zich ervoor, sinds hij weet wat de andere jongens allemaal met hun pikken voor elkaar krijgen. Nooit zou het hem lukken zo uit het raam te spuiten, en dat zijn buurman zo-even de schoen van zijn vriend heeft bevuild, is ook geen troost voor hem, ook al deed het hem wel een beetje plezier. Zover zou hij wellicht ook nog wel kunnen komen. Maar hoe had hij het ding op het laatste moment uit zijn broek moeten halen zonder dat iemand het zou zien, en het na het afdruppelen weer ongezien laten verdwijnen? Fritz Schlupfburg maakt zich zorgen en merkt helemaal niet dat ook hij nu hevig zit te rukken, helemaal in zichzelf verdiept en minder ruw dan de anderen. Hij droomt er borsten bij, zo denkt Therese aan gene zijde van de wereldoorlog en de gevolgen daarvan, en ze kijkt naar haar zoon, geenszins gegeneerd, maar vol tederheid en bedroefd dat ze heeft verzuimd die intieme ellende van haar kind voor te leggen aan een chirurg. Die had zeker kunnen helpen zonder er veel ruchtbaarheid aan te geven. Maar zo stroomt uit het ontblote geslacht van de jongen het schuimende goedje schuin naar achteren, tussen zijn benen, geen wonder dat hij zich schaamt. Fritz Schlupfburg weet wat hem te doen staat: hij vangt het spul op in een oude krant, duwt zijn vinger erin en trekt draden, voordat hij het papier verfrommelt en achter een stapel planken gooit, zijn broek dichtknoopt en nonchalant de laatste sigaar, die de jongens welwillend voor hem hebben achtergelaten, in zijn mondhoek laat bungelen. Hij wil net weggaan, als hij door de kieren in de muren heen geraakt wordt door regen, en tegelijkertijd twee ratten het droge zoeken onder een stapel hout vlak naast hem. Fritz Schlupfburg griezelt van de ratten, maar nat worden wil hij ook niet, dan weet de leraar immers meteen wat ze hebben uitgevreten en dat leerling Schlupfburg zich niet om reden van aanhoudende misselijkheid op de wc heeft opgehouden. Dus besluit Fritz Schlupf-burg nog even te blijven zitten en te hopen dat de regen spoedig zal ophou-den. Als hij bukt om de vochtige prop papier vanachter de stapel te voor-schijn te halen, komen twee giechelende meisjes de loods binnen, die ook voor de regen willen schuilen en nu geducht schrikken als ze de dertienja-rige Schlupfburg zien. Voor negenjarige kinderen is *dertien* een enorme leeftijd, temeer wanneer het iemand van het andere geslacht betreft. Opge-wonden willen de meisjes rechtsomkeert maken, maar dan nodigt Fritz Schlupfburg ze uit om te blijven, ook hijzelf, zegt hij, schuilt hier alleen maar voor de regen, en bovendien kan hij ze goed beschermen, zegt hij, als ze echt bang zijn. Voor hem hoeven ze dat natuurlijk niet te zijn, hij is hier alleen maar heel toevallig terechtgekomen (en hij stopt de prop achter zijn rug stevig tussen twee planken, zodat die niet meer te zien is). De meisjes beraadslagen met elkaar door middel van twee, drie veelbetekenende blik-ken en besluiten kennelijk te blijven, want ze gaan arm in arm op een vat zitten en kijken een beetje verlegen naar de grond, terwijl Fritz Schlupf-burgs ogen over de Neue Pregel dwalen op zoek naar iets bijzonders. De stilte wordt verstoord door het gefluit van de twee ratten, die er niet aan denken te vertrekken en in plaats daarvan van pure verveling bliksemsnel een geroutineerde geslachtsdaad voltrekken. O, wat een lawaai stijgt er op uit die meisjeslongen! De kinderen, op het toppunt van hun gegriezel, slaan hun armen om elkaar heen, doen hun ogen dicht, en Fritz Schlupf-burg, die zich vermant de ratten nu toch maar met stokslagen en trappen te verdrijven, heeft zichtbaar moeite de meisjes te kalmeren. Uit angstige ogen kijken ze toe en vragen hem hen te beschermen. Therese meent even dat ze het verkeerd heeft verstaan als haar zoon daarop de meisjes voorstelt met hem te trouwen, ze daarmee instemmen en hem vragen aan wie van hen beiden hij dan wel de voorkeur geeft? Nu ziet ook Josepha: de meisjes lijken op elkaar als de twee blikken Fischsoljanka in haar koelkast, en ze zijn mager en benig, zoals meisjes van negen nu eenmaal meestal een beetje moederlijk liefdesspek tekortkomen, en ten slotte herkent ze in de halfvervallen schuur Benedicta Carlotta en Astrid Radegund, haar tantes van moederskant! Fritz Schlupfburg blijft bij zijn huwelijksvoorstel en zegt dat ze hem allebei bevallen, en als het ooit echt nodig zou zijn, zou hij wel een keuze kunnen maken. Maar voor het zover is, dat zoud nog wel een paar jaar kunnen duren, en ze moesten eerst maar wat meer eten, want voor een echt huwelijk heb je immers heel veel energie nodig. Maar daar-om zijn we hier immers! roepen de meisjes als uit één mond. We moeten dik worden, heeft onze mama gezegd, en daarom zijn we hierheen ge-stuurd, om in de gezonde lucht te leren eten, en morgen gaan we naar Cranz, om baars te eten en overmorgen naar Rauschen, omdat je altijd zo'n honger krijgt van zeelucht! Dat komt wel goed hier met ons, maak je maar geen zorgen! En dan beginnen ze al om het hardst te vertellen en merken helemaal niet hoe Genealogia, de godin van de familieclanvorming, opstijgt uit de vochtige prop papier en lachend haar weg zoekt naar de wijde broek van Fritz om te kijken of het daar wel pluis is. Wat ze daar aantreft, doet haar vermoeden dat het allemaal wel in orde komt, omdat Benedicta Carlotta in de toekomst minder geneigd zal zijn genoegen te nemen met een mannelijk lid dat niet helemaal goed functioneert, en dus de stillere, genoegzamere Astrid Radegund de voorrang zal geven bij het huwelijk. Daarmee zou de jongeman dus geen keuze hoeven maken en kan hij zich later helemaal op een van de twee toekomstige vrouwen concentreren, wat aan Genealogia's plannen tegemoetkomt. (De rustige Schlupfburg zou, weet ze, liever helemaal niet trouwen dan de tweeling door zijn keuze te verdelen, of nog liever allebei aan zich binden, wat absoluut het veiligst zou zijn, en hij zou door Genealogia naar vermogen worden ondersteund, wanneer daar nu sprake van zou zijn!) Ze zou in elk geval een keer met Diploida moeten praten, neemt ze zich voor, want vaak heeft die iets anders in haar hoofd. Sissend stijgt de glimlachende godin als een wolkje op uit Fritz' broekspijp en trekt zich terug in de grijze lucht, terwijl de kinderen adressen uitwisselen en de meisjes elk een klein fotootje bij de briefjes doen. Als ze afscheid nemen, is de jonge Schlupfburg heel kalm en goed toegerust voor het leven. Met de spelletjes van de anderen hoeft hij voortaan niet meer mee te doen, want hij weet dat hij al een huwelijkspartner heeft gevonden, en als tien jaar later – het imaginaire doek voltrekt de overgang moeiteloos – Fritz Schlupfburg de briefjes met de adressen van de meisjes weer uit het zakje dat hij om zijn nek draagt haalt en een brief schrijft waarin hij zijn bruiden vertelt wat zijn beroep is en van wie hij afstamt, voor zover hem dat bekend is, zijn lichaamslengte en gewicht niet vergeet te vermelden en ten slotte met behulp van een tekening de afwijking van zijn geslacht heeft beschreven, stopt Astrid Radegund in het Thüringse G. de kleine heimelijkheden van haar meisjesleven inderdaad in een groen gemêleerde koffer, omarmt de zich onthoudende Benedicta Carlotta en reist naar het verre Königsberg om daar haar heimelijke oorlogsbruiloft te gaan vieren. Ze brengt het niet op alles met haar moeder te bespreken, want die heeft de dood van Romancarlo Hebenstreit, op de dag waarop hij voor het leger werd opgeroepen, nog niet verwerkt. Heel stil was hij gestorven in de lange rij mannen die op hun trein naar het Oosten stonden te wachten. Weliswaar had hij bij Marguerite Eaulalia inderdaad iets kunnen goedmaken wat Cerealia ooit aanleiding had gegeven tot een vervloeking, maar het had hem niet meer helemaal kunnen verlossen. Hij heeft met zijn vrouw, die haar vruchtbaarheid sinds het verdwijnen van Willi Thalerthal tegen een diepe mannelijke stem had moeten inwisselen, de laatste twee jaar weer kunnen vrijen, maar in tegenstelling tot de catatone verstarring was het verdriet tijdens de afwezigheid van zijn tweelingdochters nooit overgegaan, en het zou, zo wist hij, op zo'n grote afstand van zijn gezin ondraaglijke proporties aannemen. Dat wist hij te verhoeden en hij maakte zijn vrouw tot oorlogsweduwe, voordat hij zich in Rusland of Polen in zijn borst moest laten schieten van verdriet. En nu gaat Carola Hebenstreit geb. Wilczinski dagelijks naar het kerkhof en bezoekt haar dode echtgenoot, en niemand valt het op dat ze ook Willi Thalerthal beweent aan het graf van haar man. Ze zet steeds twee bossen bloemen naast elkaar als ze verse bloemen meebrengt, of legt in de winter twee bloemstukjes eendrachtig op het graf. Nu moeten Benedicta Carlotta en Marguerite Eaulalia zonder hun zuster de wekelijkse weg naar hun vader afleggen, waarop ze hun moeder niet meenemen, want die rouwt zo anders dan de meisjes, ze begint zo erbarmelijk te huilen dat de dochters zich generen, ook al zijn ze aan het eind van zijn leven erg gesteld geraakt op Romancarlo. De jongste merkt weleens dat haar moeder haar en haar zuster heel verschillend aankijkt en vanonder verschillende tranensluiers, maar ze vraagt nooit iets. In plaats daarvan bespiedt ze zondags, als Astrid Radegund en Benedicta Carlotta twee uur een gezelschapsspelletje gaan doen bij hun vriendin Hermine, soms door het sleutelgat haar moeder. Carola haalt in de echtelijke slaapkamer haar borsten te voorschijn en streelt er teder melk uit, terwijl ze jammert, haar lijf kromt, vooroverbuigt en met haar vingers onder haar rok verdwijnt, tot er heel diepe klanken uit haar keel komen. Ze stopt dan haar borsten weer weg en gaat, voor heel even verzoend met zichzelf, in de keuken op de benedenverdieping een doekje halen. Die korte tijd benut Marguerite Eaulalia graag om met uitgestoken tong een paar druppels van de nog steeds zoete melk van de tafel of de planken vloer te likken, dan rent ze naar haar eigen kamer en wacht op haar zusters of trippelt naar haar moeder om aardappelen te schillen en het zogenaamde konijn te braden.

Op zo'n zondag verlaat Astrid Radegund overhaast het huis, alleen haar tweelingzuster weet waarheen en waarom. Ze zwijgt, als haar moeder zich erover verbaast dat het meisje niet terugkomt, en ze zwijgt als haar moeder haar met vragen bestookt, en ze zwijgt op haar hoezo en waarom. Carola is geen moment overstuur, ze weet dat het leven van de oudste dochter door haar toedoen enige schade heeft opgelopen, en dat dus de een of andere onverwachtse ommekeer zeer waarschijnlijk is. Ze doet de weken daarop wat minder boodschappen en bewaart de porties die voor de verdwenen dochter zijn bestemd tot die zal terugkeren, en als Astrid Radegund Schlupfburg geb. Hebenstreit met nieuwjaar een kaartje stuurt en zowel een kleinkind aankondigt alsook haar vlucht uit de provincie Oost-Pruisen richting Saksen, pakt Carola Hebenstreit haar spullen, appelleert bij de achtergebleven helft van de tweeling aan haar eergevoel als dochter, stationeert de kleine Ohla, zoals zij haar noemt, bij het gezin van de veearts en reist met Benedicta Carola naar Dresden, om haar zwanger geraakte kind op te halen, dat nu, tien jaar nadat ze een eetkuur heeft gedaan, eindelijk dik aan het worden is...

De Führer beschouwt de vesting Königsberg weliswaar als onneembaar en wijst, voor het geval de Rus Oost-Pruisen zogezegd van het Rijkslichaam zal afscheiden, op de dan nog altijd open verbinding met de zee, maar Astrid Radegund droomt erg zwaar en is heel bang voor de verbinding met de zee, haar man is aan het front, en haar schoonmoeder kent ze niet, omdat Fritz Schlupfburg het contact met haar lang vóór de bruiloft om nog onbekende redenen heeft verbroken. Als in januari 1945 Gumbinnen in brand staat – Memel, Schirwindt, Tilsit en Eydtkuhnen zijn allang gevallen – weet Astrid Radegund dat het tijd is, en ze zoekt een oplossing. Daarbij komt het haar van pas dat het ziekenhuis, waar ze een baantje heeft gevonden als verzorgster, overgeplaatst zal worden naar Pommeren. In de trein stappen, is zinloos: nog steeds is de massale vlucht niet toegestaan, alleen goederentreinen rijden naar het Westen, en ook die komen al snel weer terug, omdat de spoorverbinding is geblokkeerd. In Maraunenhof, waar de chef de clinique woont, werpt ze zich in het winterse stof en smeekt een man haar mee te nemen in zijn auto. Via Elbing-Marienburg moet er af en toe door te komen zijn: inderdaad neemt de man haar in de auto mee tot Kontken. De patiënten liggen intussen voor anker in de haven van Pillau, waar de schepen in verband met drijvende mijnen niet kunnen uitvaren, en sterven bij horden. Wanneer de Russische artillerie op 26 januari Königsberg onder vuur neemt, heeft Astrid Radegund haar angst allang tot haar belangrijkste transportmiddel gemaakt en ze trekt te voet, een al trappelend kind van Fritz Schlupfburg in haar buik, door de frontlinie heen naar Dresden, waar Carola en Benedicta Carlotta al dagen op de sporadisch binnenkomende treinen wachten en om de beurt de wacht houden bij de toegangswegen vanuit het Oosten. En inderdaad brengt af en toe een wagen, een paardenslee of een medelijdende fietser de zwangere vrouw, die zichzelf verbiedt haar moedertaal te spreken, een stuk verder: op de ochtend van 12 februari bereikt Astrid Radegund Dresden, ze heeft last van vroegtijdige weeën en voelt niet hoe Genealogia's oprechte medelijden boven haar hoofd fladdert. Ze herinnert zich haar eigen prille kracht na haar plotselinge geboorte, haar zeer snel verlopende groei, en koestert hoop voor haar eigen kind door zoekend in haar borsten te knijpen, maar die liggen slap aan beide kanten van haar magere borstkas. Gelukkig blijft het kind in Astrid Radegunds buik zitten, en de drie vrouwen ontmoeten elkaar niet meer voordat ze in de nacht van 12 op 13 februari in Dresden in het smeltende asfalt van twee verschillende straten letterlijk doodkoken.

Het imaginaire doek laat rookvaantjes opstijgen in de Schlupfburgse woonkamer, alvorens het midden in de kamer in elkaar stort.

Josepha voelt een verwonding in de omstreken van de moederlijke lijn, trekt haar mouw en haar broekspijp omhoog en ontdekt een vleeskleurige uitslag aan de rechterbuitenkant van haar lichaam. Minieme vergroeiingen die op vijgachtige wratten lijken, flankeren de al diep in het vlees gedrongen rode tatoeage van Diploida en maken die op sommige plaatsen bijna onzichtbaar, overwoekeren die. Josepha is verbaasd over de machteloosheid van de godinnen: Genealogia heeft de relatie tussen de Schlupfburgse en de Hebenstreit-Wilczinskise families niet duurzaam kunnen maken en heeft er steeds weer aan moeten werken. Generaties had ze af en toe in haar ijver zelfs een pak rammel gegeven. Astrid Radegunds kind was gesmolten in het plaveisel samen met de moeder, de mogelijkheid van een tweede poging was met de dood van Benedicta Carlotta vruchteloos geworden, zodat Marguerite Eaulalia, Josepha's moeder, in deze zaak de laatste (meent Josepha) hoop van Genealogia moet zijn geweest en daarom was getekend door zwakte en de toewijding aan haar enig kind, uitmondend in het opgeven van haar eigen leven. Josepha voelt zich niet helemaal lekker bij de gedachte dat haar ouders uit eigener beweging, uit liefde zelfs, wellicht nooit bij elkaar zouden zijn gekomen. Als ter bevestiging van dat vermoeden was ze tenslotte zes jaar na de dood van haar moeder ook haar vader min of meer kwijtgeraakt, die op een niet te excuseren afstand was komen te staan, waarvan ze niet wist wat die had veroorzaakt. Al sinds vele jaren had ze niets meer van hem gehoord, en haar overgrootmoeder had hij zelfs geen geld meer gestuurd tijdens de laatste schooljaren van zijn dochter. Weliswaar had Josepha altijd weer een prettige opwinding gevoeld wanneer ze het beeld van haar vader in haar gedachten opriep, maar dat was in de loop van de tijd steeds zeldzamer geworden... Therese volgt de gedachten van haar achterkleindochter, die ze meent te kunnen aflezen aan de plooien in haar gezicht, met toenemende onrust; ze heeft haar kleinzoon Rudolph Schlupfburg toch zeker een paar jaar bij haar in huis gehad, zoals later zijn dochter. Ze weet hoe onvoorwaardelijk de ouders van Josepha op elkaar zijn ingegaan en hoezeer deze eenwording tegemoet was gekomen aan de plannen van Genealogia. Twee kinderen hadden een stevig kind gefabriceerd in de winter van het jaar 1953, en ze hadden het in hun kinderlijke dromen Josepha genoemd. Welzeker was het een erg onverstandige manier van liefhebben geweest, die de vaderloos moederloze ouders elkaar hadden aangedaan, en natuurlijk hadden ze liever niet gewild wat er toen gebeurde, namelijk de moederloze, vaderloze kindertijd van het stevige kind Josepha, maar wie krijgt er nou precies wat hij wil, maar wie weet er nou wat hij krijgt, maar wie wil er nou wat hem dat niet oplevert. Therese probeert nu in elk geval met een bekentenis een einde te maken aan Josepha's gepieker: ze vertelt dat ze haar Fritz niet als haar zoon had kunnen aannemen. In het begin had ze, als ze naar hem keek, steeds moeten denken aan de fantasieloze manier waarop zijn vader met haar had geneukt, later had ze met de vader ook de zoon compleet vergeten. Het was niet alleen dat ze het niet de moeite waard had gevonden ook maar één moment aandacht te besteden aan zijn hypospadie en de daarmee gepaard gaande ellende voor de jongen, ze had domweg vergeten dat ze hem ooit ter wereld had gebracht. Hij woonde bij haar als een commensaal, in de tijd dat hij zich als fotograaf in leven hield en het erover had over een paar jaar te willen trouwen, twee meisjes uit Thüringen hadden zich daartoe al bereid verklaard. Steeds weer had hij foto's voor haar meegebracht, waarop Therese als een minnares de verschillende oorlogsjaren tegemoet lachte: heimelijk had hij foto's van haar gemaakt met zijn lawaaierige fototoestel – als dat een knal gaf, was alles voorbij en te laat. Pas nu begrijpt ze, en ze moet ervan huilen, dat de blik van de jongen haar tot minnares had gemaakt, en dat ze die blik nooit heeft beantwoord. Toen ze het baantje bij de medische dienst van het leger kreeg en altijd vis mee naar huis kon nemen of een stuk vlees, had ze goede maaltijden kunnen maken, ook voor de jongen, het had hem aan niets ontbroken behalve aan moederlijke toewijding. Toen hij vervolgens het huis uitging om in het leger te gaan en steeds zeldener brieven schreef, alleen af en toe een foto meestuurde waarop vreemde landschappen te zien waren of rustig in de herfstzon liggende dieren in een weiland, irriteerde het haar dat hij geen vrouw had die hem brieven kon sturen. Op een avond, midden in de oorlog, terwijl zij dacht dat hij aan het front was, had hij aangebeld, een opgejaagde, verwarde man met een moeizame manier van praten. Ze had hem binnengelaten en met tegenzin het werk waarmee ze bezig was laten liggen: ze breide iets van uitgetrokken wol voor haar kleinzoon Rudolph. Hij haalde een stapel foto's uit zijn jaszak en gooide die op de tafel, en Therese moest ogenblikkelijk kotsen toen ze al die in graven opgehoopte kinderlijken en vrouwenlichamen zag. Op een van de foto's hield Fritz, zijn commandant had de foto gemaakt, in een keurig uniform een jonge, naakte vrouw bij haar bovenarm beet, een donkerharige vrouw, van opzij gefotografeerd. Helemaal rechts op de foto een van ellende vertrokken kindergezicht, dat huilt omdat het kind kennelijk bij een lichaam hoort dat weggeleid wordt, een andere kant op. De moeder had misschien haar arm nog net naar achteren willen steken om het kind toch nog bij zich te houden, maar iets pakte die arm vast en liet hem niet los. Kowno, mompelde Fritz over de tafel heen en viel in een diepe bewusteloosheid, terwijl Therese de tafel en de vloer van haar braaksel reinigde en de foto's erin liet verzuipen. Had je niet moeten doen, jong, jammerde ze tegen het kots, had je niet moeten fotograferen, de oorlog. Ze duwde haar uitgebluste zoon de deur uit en wilde hem niet meer zien en zag hem inderdaad nooit weer terug. Ze begreep: hij nodigde haar niet uit toen hij Astrid Radegund Hebenstreit tot vrouw nam, nadat hij er met onvermoede list voor had kunnen zorgen dat hij naar het Westen werd overgeplaatst en toch nog dagelijks zijn broek volscheet van angst dat hem iets dergelijks kon overkomen als daarginds in Kowno. Hij kon allang niet meer slapen en besteeg zijn vrouw met een droefheid, die onbegrepen moest blijven en uiteindelijk Astrid Radegund aan het twijfelen bracht, temeer daar ze hem elke keer hielp om haar met zijn gekromde geslacht te raken en zij hoopte dat intimiteit het mooie gevolg daarvan zou zijn. Want ze was werkelijk erg dol op hem, de fotograaf van de verschrikkingen die ze niet kende. Therese begreep dat zij zich schuldig had gemaakt aan het uitgeblust raken van haar niet-geliefde zoon, evenals aan de dood van zijn vrouw en het kleinkind, alsmede aan de dood van Benedicta Carlotta en Carola Hebenstreit geb. Wilczinski, en zelfs, en daarvan viel ze helemaal voorover, aan het zwijgen over de dood van de jonge joodse vrouw, wier foto in de bagage van de expeditie zat en die in het uniform van een jonge Duitser niemand anders liet zien dan haar zoon Fritz, later aanhanger van de Hemel boven L.A.... Het was in de loop der jaren een beroemde foto geworden, die je kon vinden in veel naslagwerken over de misdaden van het volk, waartoe zij behoorde, jegens andere volkeren, en die steeds verwondering opriep over de zachte trekken van de jonge Duitser en de bijna liefdevolle drang waarmee hij de jonge vrouw bij haar arm had en wegleidde. Therese vroeg zich af of haar zoon de negatieven wellicht aan iemand had gegeven, in plaats van de afdrukken die zij in de kots had proberen te verzuipen. Josepha waagt het niet iets te vragen of Therese te storen bij haar verdere voorbereidingen op de expeditie. Haar hart bouwt niet alleen een brug voor Astrid Radegunds kind een brug in het tuintje achter het huis, waar ze de volgende dag een heuveltje maakt, er stenen omheen legt en een klein bordje in de grond stopt: hier rust met alle anderen mijn kleine nichtje/mijn kleine neefje van moederskant, mijn kleine tante/mijn kleine oom van vaderskant, doodgekookt op 13 februari 1945. Het jaargetijde staat het toe een fuchsia met traanvormige bloempjes aan de voet van de heuvel te planten, die nu wordt begoten en is omzoomd door een rand gras, die uit het gazonnetje aan de voorkant van het huis is gestoken. Therese lijdt intussen nog lang aan het expeditiedagboek.

Het is weer zondag als het poesje gezelschap krijgt: een Siamees rattenpaar met mahoniehoutkleurige vacht komt Josepha bij het hek van de voortuin tegemoet. Het regent, en de diertjes kijken haar zo trouwhartig aan vanonder hun lange, natte wimpers (een mutatie! denkt Josepha natuurlijk), dat ze ze in haar regenjas stopt en hun staarten vanaf dat moment, als teken van alle mogelijkheden, uit allerlei openingen in Josepha's nonchalante kleren piepen. Een paar jaar later zullen op het lichaam gedragen ratten tot de basisuitrusting behoren van een gestaag groeiende randgroep van de grote-stadsjeugd van Europa en uiteindelijk zelfs aan deze kant van de in het jaar 1949 kennelijk definitief vastgestelde grens in meestal ongewassen jonge-mensennekken te zien zijn. Maar niemand zal dit als een laat effect van de Schlupfburgse (zogezegd voortijdige) dierenliefde beschouwen, maar als een *vijandig-negatieve demonstratie*, en de *bevoegde instantie* zal dan ook alles in het werk stellen om de route naar de hoofdstad, via welke het dan nog steeds heersende staatshoofd dagelijks naar de hoofdstad rijdt, te zuiveren van rattendragers. Het staatshoofd zal nooit weten dat het de klassenvijand in 1976 een halfjaar lang was gelukt aan zijn flauwtjes glimlachende konterfeitsel in het zuidelijke deel van het land obscene uitspraken te ontlokken zodra een klodder kersen op zijn vertrokken mondje belandde. Verscherpte grenscontroles zullen niet tot de arrestatie van de persoon hebben geleid die de aanslag met griesmeel had gepleegd, zodat men ten slotte wel moest vermoeden dat die zich in het eigen land ophield en toen vanzelfsprekend alle betrokkenen een spreekverbod oplegde. Noch de *bevoegde instanties* noch het staatshoofd zullen te weten zijn gekomen dat niemand minder dan Souf Fleur, de tijdgeest, uit de zwangere Josepha spreekt.

De elektromonteur Franz Reveslueh gaat op de avond van 13 juni in zijn woning in het Beierse N. onverwachts in dekking: de beeldbuis van het televisietoestel, dat zijn vrijwillig gestorven vrouw pas een paar weken geleden had gekocht om zichzelf afleiding te bezorgen van de voor haar zo gênante onthullingen in de lokale pers, implodeert met een zacht smakkend zuigelingengeluid. Op de modderkleurige opklapbare bank gezeten, gooit de op leeftijd komende kleinburgeres Ottilie Wilczinski ter bescherming van de zo-even nog zuigende Avraham Bodofranz haar armen en benen over diens gezicht, wat gelukkig overbodig blijkt te zijn – zoals ook het ermee gepaard gaande geluid en de implosie zich zacht en bescheiden in het binnenste van het apparaat terugtrekken. Ze kijken elkaar aan en weten: dat kennen we al, dat is niet het einde, daarmee is het begonnen. Franz Reveslueh, die zijn echtgenote noch niet aan de aarde heeft toevertrouwd en er de komende dagen rekening mee moet houden dat de overledene wordt vrijgegeven voor crematie, bekommert zich bezorgd om zijn zwaargewichtige zoon, terwijl Ottilie, niet half zo geschrokken als bijvoorbeeld op die als lang vervlogen beschouwde dagen in maart, toen ze voor het eerst met dat soort merkwaardigheden werd geconfronteerd, een groot, wit tafellaken met een prachtige, gehaakte rand uit de Revesluehse linnenkast pakt en over de onheilsplek uitspreidt. Voordat ze die boel opruimt, denkt ze plotseling, moet er wat deze kwestie betreft worden besloten nooit meer een van die apparaten aan te schaffen. Reveslueh, weet ze, zal dat als een poging zien om hem wat de uitoefening van zijn beroep betreft te onteigenen en onvruchtbaar te maken. Maar, denkt ze verder, wat wanneer bij het kennelijk steeds wisselende karakter van de implosies de kleine Avraham Bodofranz zich een keer zonder toezicht in de buurt van het gebeuren bevindt en mogelijk verwond wordt? Ze geeft de man van haar late levensfase een kus en neemt het kind weer van hem over, terwijl ze tegenover hem het alles beslissende voorstel uitspreekt. Reveslueh hoort bevend aan wat Ottilie hem te zeggen heeft en gebiedt, hij knoopt zijn overhemd open en legt haar hand op zijn bonzende borstbeen, drukt het kind even later weer ter hoogte van zijn hart tegen zich aan en denkt na. Welke kant moet het op met dat gedoe? Hij herinnert zich hoe hij van zijn laatste bezoek aan de Heimelijke Hoer Rosanne Johanne thuiskwam en de slotenmaker erbij moest halen om zijn doodgewaande woonkamer te kunnen betreden, en hoe hij, gesterkt door de postcoïtale soep, frisse moed vatte om het geschenk van zijn dode vrouw aan te nemen, met Ottilie te trouwen, zijn infantiele kinderen nog wat te laten narijpen en voor Avraham Bodofranz een fantastische vader te worden. Wat moest hij doen om dat te bereiken? Ottilie's besluit om zijn aanbod te aanvaarden bij hem te komen wonen, had hij beantwoord met het ontruimen van zijn echtelijke slaapkamer, die Ottilie met het kind met haar eigen meubels huiselijk heeft ingericht. Rechtstreeks uit de kliniek was ze hiernaar toe gekomen om haar buren uit de weg te gaan, die op haar thuiskomst hadden zitten wachten achter de deur van hun woning. Niet dat een van hen het zou hebben gewaagd haar te behandelen als een principiële verdediger van het Beierse fatsoen, maar ze hadden mevrouw Wilczinski toch graag een beetje geplaagd. Misschien door op de muur te kloppen als het kind 's nachts huilde, of door haar zonder groeten te laten passeren wanneer ze haar met haar nu weer wat omvangrijker geworden tassen boodschappen in de ene en het kind aan haar andere hand in het trappenhuis tegen zouden komen, ja, ze hadden zich er heel wat van voorgesteld, een beetje afleiding in elk geval, en ze zouden immer zonder meer in hun recht hebben gestaan. Ottilie Wilczinski was dat allemaal uit de weg gegaan door haar beslissing om in te trekken bij de derde van de vaders, niet zonder voordien in de kliniek een lucratief contract afgesloten te hebben voor het commercieel uitbuiten van haar verhaal in de vorm van een tv-serie bij een van de landelijke zendgemachtigden. Van het rijkelijke voorschot had ze een deel belegd voor de onbezorgde toekomst van Avraham Bodofranz, het andere deel wilde ze niet gebruiken om er bijvoorbeeld een luxeleventje mee te financieren, nee, ze dacht erover met man en kind op zoek te gaan naar een geschikte bejaardenwoning ver weg van het hele gedoe, in een zo afgelegen als mogelijk deel van de aarde, op een eiland in de Pacific bijvoorbeeld of in een gebied in Alaska, beroemd geworden door goudvondsten, maar wel navenant dunbevolkt. De tv-serie, die haar verhuizing mogelijk maakte, zou ze toch niet willen bekijken.

Te midden van de ondanks het versplinteren van de beeldbuis zo vredige sfeer, rinkelt nu de telefoon genadeloos, Reveslueh pakt de hoorn, luistert en geeft hem aan Ottilie, die begint te beven zoals bij de vroegere implosies: *hier spreekt uw verleden!* klinkt het in haar oor, *hier spreekt Ildiko Langenscheid*, zegt in werkelijkheid een een vrouwenstem die de s voor de p scherp door haar neus blaast, *Hamburg-Harvestehude*, en informeert voorzorgshalve of mevrouw Reveslueh haar wel goed kan verstaan. Nu verliest het voorval natuurlijk snel zijn opwindende aspect, Franz Reveslueh was vergeten dat zijn wettelijke echtgenote een ander was en dat het dus helemaal niet om Ottilie gaat, hij verontschuldigt zich bij de belster en stelt haar op de hoogte van het overlijden van zijn vrouw, maar voordat hij kan informeren wie haar aan de andere kant dan wel wil spreken, heeft mevrouw Ildiko Langenscheid de hoorn er al opgegooid. Maar het TELEFOONTJE UIT HAMBURG wordt voor Ottilie Wilczinski de aankondiging van een spoedige verandering in haar leven, ze voelde zich immers terugverplaatst naar de opwinding die de gebeurtenissen van de laatste maanden hebben ingeleid. Dat terwijl ze in de decennia na de laatste oorlog nog wel zo veel moeite heeft gedaan de magische en tijd-verschuivende krachten van het vrouwelijke deel van haar onvindbaar geworden familie met gehaakte kleedjes en voedselzendingen te bedekken.

De zomer is al volop bezig, wanneer die op 21 juni ook op de kalenders mag beginnen. Josepha overwint haar afkeer en brengt een bezoek aan de vrouwelijke arts, in verband met het identiteitsbewijs dat haar na de geboorte van het zwart-witte kind duizend Oost-Duitse mark zal opleveren, indien ze kan bewijzen dat ze tijdens haar zwangerschap bij de tandarts is geweest. (Met duizend Oost-Duitse mark is ze de koning te rijk, ze verdient per maand slechts een kwart daarvan, en dat is niet eens weinig.) De arts draagt iets gebreids zonder mouwen en haar huid spant zoals gewoonlijk bronskleurig om haar botten. Josepha kijkt naar haar eigen witte omhulsel, haar kuiten met de grote, grove poriën, haar witte bovenarmen, haar bollende buik. Niet erg elegant, zegt ze min of meer hardop, en kruist haar armen over het kind. *Zo zo, mevrouw Schlupfburg, u hebt dus nogal een grote mond. Hou daar maar mee op, ik heb al gehoord dat u een grote mond hebt bij de dokter. Maar dat flikt u mij niet, zeg ik u!* De zuster, moeder van een wisselwachter-halfbroer overigens van Carmen Salzwedel, kruist met een dreigend gebaar eveneens haar armen voor haar borst, alsof ze weigert de zwangerschap te erkennen. De geschrokken Josepha heeft helemaal niet beseft dat men haar tussen neus en lippen door gemaakte opmerking over haar eigen lichamelijkheid als een provocatie heeft opgevat, en ze is nu zeer verbaasd. *Ik heb al gehoord...* Het identiteitsbewijs wil niet terug in haar zak, Josepha krijgt achter de afschermende hand van de zuster een rode A op haar patiëntenkaart geschreven. Spontane spleetpijn, Josepha schreeuwt *waarom?* en *wat is dat?* vanaf haar gynaecologische spreidbed. *Weet u dat niet? Dat is de a-socialenregistratie, dan weet de sociale dienst waar ze heen moeten.*

Aanmatiging grijnst uit het vrouwengezicht en wil van Josepha een klein papklontje maken, maar Josepha verzet zich en scheurt de A van de kaart, naam en adres scheurt ze er ook af, ze rent naar de deur, bezint zich, rent weer naar de tafel en grijpt mét haar identiteitsbewijs en de snippers ook de kaart: nu krijgt ze de boel veel vlotter in haar handtas en het glijdt waarschijnlijk ook door de voelbaar groter geworden haarscheur bij Josepha naar binnen, want daar staat de boel nu op stelten, haar organen zwaaien arm in arm heen en weer op de maat van het 'Bergbeklimmerslied', dat uit de Stralsund-ontvanger op de plank met de patiëntenkaarten galmt. *De paden op, de lanen in!* Josepha smijt de deur achter zich dicht en heeft een vermoeden van wat zich daarachter nu afspeelt...

Buiten beneemt de hete lucht haar de adem, de ratjes snakken in de kreukleren handtas naar lucht en hebben de patiëntenkaart al helemaal kapotgebeten wanneer Josepha die eruit haalt en de overblijfselen in haar borstzak stopt. Met verscheurde ambtelijke papieren denkt ze zeker geen problemen meer te hebben? Die zijn gemakkelijk te hanteren en vliegen niet weg! Dat moet ze goed onthouden, denkt ze, al ietwat gerustgesteld door haar eigen moed. Terwijl ze doorloopt, zich afvraagt of het werk roept of dat ze zich vandaag ziek zal melden wegens hoofdpijn en woede, herinnert ze zich het trefwoord in de vorm van een gedicht voor de meest recente etappe van de expeditie. Haar bebrilde student in de psychologie had haar een keer de groene map van dun karton met teksten gestuurd, waaruit Thereses herinnering nu trefwoordgedichten vist. Groene mappen van dun karton oefenen op Josepha's aandacht hoegenaamd geen prikkels uit, zodat ze de inhoud, na er vluchtig voor bedankt te hebben, achteloos aan Therese had gegeven nadat die nieuwsgierig op haar deur had geklopt. Weliswaar weet Josepha dat Therese een lezende overgrootmoeder is, weet ze wie haar lievelingsschrijver is, die vroeger ooit in de Oost-Pruisische-Poolse-Litouwse regio woonde en in Berlijn begraven ligt, ook Josepha leest af en toe in de bundel *Sarmatische Zeit*, en in *Schattenland Ströme*, maar ze wist echt niet hoe serieus Therese met woorden omgaat. In elk geval kan haar geheugen hele trefwoordgedichten opvissen, terwijl Josepha's tekstreservoir hoogstens met een paar regels is gevuld waaruit je nooit iets zou kunnen citeren: *Ik heb de sleutel van de tuin waarvoor drie meisjes staan te wachten – het eerste heet Binka, het tweede Bibeldebinka, het derde Zwichnicknacknobeldebobeldebibeldebinka. Het waardevolste wat het mens bezit, is het leven. Dat zal slechts eenmaal bestaan... Geiser Garl gon geen gummelgorreltjes gauwen.*

Laat maar. Zo teleurgesteld kan Josepha onmogelijk naar de Papp-fabriek gaan. De al vroeg brandende zon hindert haar blik op een bejaard echtpaar, dat haar aan de overkant van de straat tegemoet komt en luid naar haar roept. Pas als ze dichterbij komt, herkent ze ze: Angelika's ouders staan voor haar en danken haar voor de bemiddeling in het contact met Lutz-Lucia in G., die heel bruikbare kleren en schoenen heeft gestuurd voor de grote reis naar de Alster. *Stante pede!* bromt de heer verheugd en laat zijn grote voeten zien in nieuwe bruine veterschoenen, die bij het lopen knarsen. De moeder van de precieze Angelika trotseert Josepha's afwerende houding met een deux-pièces, blauw met witte stippen, en knoopt die van voren open om stralend de wittige blouse te laten zien, die het zweet opvangt dat bij de stof Dederon altijd rijkelijk stroomt. Josepha komt er bijna niet toe de dank af te weren. Het is immers mevrouw Salzwedel die moet worden bedankt, mevrouw Salzwedel heeft immers... Ja, natuurlijk, tja, zeker, maar onze Angelika zou juffrouw Salzwedel toch nooit hebben ontmoet zonder u, juffrouw Schlupfburg! En weg zijn ze al, ze draaien zich almaar om in dank, en meteen is Josepha hen achternagelopen met een plotselinge inval: dat kan de oplossing zijn voor het contact leggen! De ouders van de precieze Angelika met het rechtopstaande handschrift worden uitgenodigd voor een kopje koffie, er valt iets te bespreken, iets wat met een kleine wederdienst te maken heeft die de oude mensen wellicht als tegenprestatie willen vervullen. Meneer bromt nu niet *stante pede!*, kucht een beetje verlegen, staat met zijn nieuwe schoenneuzen in het stof op het trottoir te draaien, en de moeder verliest terstond iets van haar glimlach. Josepha schrikt, omdat de spleet intussen wijd genoeg is om de vrees van het echtpaar toe te laten tot Josepha's vreugde. Ach, neemt u mij niet kwalijk, zo bedoel ik het helemaal niet, ik nodig u gewoon uit voor een stuk taart! Ik ben geen *bevoegde instantie*, ik ben gewoon nog steeds Josepha, die met uw Angelika op school heeft gezeten en nooit zo rechtop heeft leren schrijven als uw lieve dochter, wilt u dat wel geloven? En haar gezicht staat nu smekend en bedroefd omdat ze bang is angst te hebben veroorzaakt met haar simpele uitnodiging voor een gesprek. Ze is daarom dubbel zo blij wanneer het glimlachje terugkeert, een beetje gemengd met verlegenheid, en beiden beloven in de middag een uurtje langs te komen, ze zijn immers gepensioneerd, zeggen ze, en hebben eigenlijk tijd genoeg. Josepha krijgt ter plekke weer zin om naar haar werk te gaan en stapt in de bus, die op weg naar de hoofdstad van het district bij VEB Kalenders en kantoorartikelen Max Papp stopt. Zo arriveert ze daar precies aan het eind van de ochtendpauze, ze had zich toch al tot tien uur verontschuldigd in verband met haar bezoek aan het zwangerschapsadviesbureau, dat haar vrijwaart van werk en twijfel. Carmen Salzwedel schrikt wanneer haar vriendin haar handtas opent en voor haar neus een handvol papiersnippers in de lucht gooit, die, als ze terstond wil weten wat dat te betekenen heeft, de overblijfselen blijken te zijn van een a-socialenarchiefkaart. Geschrokken veegt Carmen Salzwedel de hoopjes papier weer bij elkaar, en Josepha peinst er niet over haar daarbij te helpen. Carmen houdt haar hand voor haar mond, vindt dat haar vriendin een hoopje verwarde ellende is en trekt haar achter zich aan mee naar de wc, waar ze uit voorzorg onder alle deuren kijkt of ze voeten ziet, en, als ze er zeker van is dat ze alleen zijn, een deur opentrekt, Josepha op het wc-deksel duwt en de deur van het hokje achter zich sluit. Daar zitten ze dan, terwijl Excrementia, de godin van de gelijkheid, bijna hoorbaar zucht, omdat ze na de pauze graag even een dutje had willen doen. Als ze hoort wat de vrouwen met elkaar te bespreken hebben, geeft ze zichzelf dan ook met een gerust hart over aan de verraderlijke sluimer: hier dreigen flauwte noch problemen met de ontlasting. Josepha schildert uitvoerig het onvoltooid gebleven bezoek aan de dokter, waarbij ze alle mogelijkheden van de geluidsproductie benut, zelfs het 'Bergbeklimmerslied' dringt zwak door tot Excrementia's aan iets heel anders gewend geraakte oor, en als de godin slaapdronken een laatste keer een wc-deksel opklapt, ziet ze twee op de maat heen en weer wiegende jongedames op het houten deksel van een damestoilet van Hal 8, en draait zich ten slotte om. Aan Carmen de taak bezorgd-zorgend na te denken over de mogelijkheid hoe ze Josepha zo snel mogelijk weer onder de hoede krijgt van het landelijke zwangerschapsadviesbureau, goedbeschouwd zitten er Oost-Duitse marken vast aan de benodigde stempels, en ze adviseert een verhelderend gesprek met Lutz-Lucia in G., die tenslotte ervaring heeft met gynaecologisch onderzoek. Maar Josepha, hoe nieuwsgierig ze ook is naar de nadere kennismaking van de vader-moeder, slaat het aanbod glimlachend af. Lutz-Lucia heeft tenslotte al op haar verzoek moeten bijspringen voor de ouders van de precieze Angelika met het rechtopstaande handschrift, dan moet die niet meteen alweer... Ze gaan aan het werk.

De afbeelding van het staatshoofd in de hokje van de opzichtster is voorlopig vervangen door dat van een jonge, Russische taartenbakster, wat niet zo eenvoudig is voor Josepha. Het meisje is haar op het eerste gezicht sympathiek, ze praat met haar als ze alleen zijn, maar Ljusja antwoordt niet. Ook de poging om haar door het liefdevolle insmeren van haar zwart-witte lippen met een lepeltje Rote Grütze, tot spreken te verleiden, heeft geen succes gehad. Josepha voelt dat Ljusja haar iets mee te delen heeft en neemt zich voor zich ondanks haar toestand meteen aan te melden voor vrijwillig overwerk, en zich tijdens het weekend heimelijk te laten insluiten. Dat zou toch voldoende moeten zijn om Ljusja te overtuigen van de ernst van haar verlangen naar gedachtewisseling. Ze groet haar in het voorbijgaan vanuit haar ooghoeken en ziet niet hoe Ljusja spottend één oog dichtdoet achter het glas.

Het haar toegewezen werk voert Josepha onverschillig maar tot ieders tevredenheid uit: ze moet ongeveer drie pond aktes van de medische dienst van het bedrijf verzendklaar maken voor het hygiënische inspectiebureau van het district, een zending gemengde groenten in glazen potten voor de bedrijfskeuken in ontvangst nemen en een groep eindexamenkandidaten, die arbeidsdienst heeft, de machines in Hal 8 leren bedienen. Een van de leerlingen, die bij haar in de straat woont en die ze soms bij de stedelijke voetbaltoernooien heimelijk geluk heeft gewenst, omdat hij op onmiskenbare o-benen rondloopt, biedt aan Josepha na werktijd op zijn motorfiets mee naar huis te nemen. Het toernooi 'Schnepfe' tegen 'Goethe' (zo heetten de twee vijandige straatbendes) in juni 1972 wordt nog een keer in alle details glimlachend doorgesproken, voordat Josepha voor haar huisdeur afscheid van hem neemt. Op de gang wordt ze al verleid door de geur van zojuist gebakken *Purzel* en *Raderkuchen*, die Therese in de keuken opstapelt tot kniehoge bergen. Drie stuks van de gebakken deegrondjes verslindt Josepha meteen bij binnenkomst, ze gooit dan pas haar tas op de grond en omarmt ter begroeting de oude vrouw. Aan Thereses vraag hoe laat het bezoek dan wel wordt verwacht, merkt Josepha hoe op dit moment de stemming is: Therese heeft last van voorgevoelens en weet al dat precies op dit moment Angelika's ouders zullen aanbellen. Opnieuw laat Angelika's moeder dankbaar de wind door haar jurk waaien, door op de drempel rond te draaien. Worstkleurig grof corduroy bedekt haar van haar borst tot aan haar knieën, een overgooier waarschijnlijk, die de daaronder gedragen, vermoedelijk spencer genaamde, gebloemde blouse trefzeker in de buurt brengt van de scheidslijn tussen ondergoed en bovenkleding, maar het verder bij die onduidelijke toestand laat en Josepha onzeker maakt. Meneer, in zijn schimmelgrijze Silastik-pak, ziet er in vergelijking tot zijn vrouw bijna goedgekleed uit. Heel even moet Josepha aan een jurk denken die Therese een keer voor een vakantiekamp voor haar heeft genaaid: bananen, sinaasappels en ananas op pepita, een klokrok onder een laag ingezette taille. Wegens haar ontembare lust om in de vruchten te bijten, had Josepha haar overgrootmoeder gevraagd of ze de jurk aan Annegret Hinterzart cadeau mocht doen voor haar verjaardag, wat Therese eerst erg verdrietig had gemaakt, maar haar later er toch plezier deed beleven wanneer Annegret het fruit liet dansen boven haar stampende beentjes en er een liedje bij zong. *Twee sinaasappels in haar haar en op haar heupen bananen draagt Rosita sinds vandaag bij haar jurk van kokosnoot...* Op het lijf van haar vriendin had die jurk geleken op elke andere, zelfgenaaide jurk. Hij week af van de doorsneejurken uit de confectie-industrie, maar wekte niet het verlangen op erin te bijten.

De worstkleurige moeder deed zich te goed aan de Purzel en de koffie, en deed uitgebreid de biografie van haar zuster aan de Alster uit de doeken, met speciale aandacht voor de onafwendbaar geworden bruiloft op de leeftijd van zestien jaar. Therese deed een tegenzet met een vervreemde variant van het verhaal van de eerste onverwachte en snelle geboorte in huize Hebenstreit, welke naam ze wijselijk verzwijgt. De twee vrouwen rammen met hun verhalen enorme planken om zich heen in de vloer, zodat Josepha en de oude heer zich algauw uitgesloten voelen en een wandelingetje ondernemen door de tuin achter het huis. Hun weg leidt langs het graf naar de vroege aardbeien, die tot hun verrassing al heel zoet en smakelijk blijken te zijn en smelten op de tong. Gebabbeld wordt er over het beroep van de oude heer, de vroegere vriendschappen van de precieze Angelika, het ontwikkelingsniveau van de kleindochter van vijf, en de akelige omstandigheden in de winter, waaraan de familie elk jaar is blootgesteld, wanneer hout, kolen of aardappelen opraken, omdat de voorraadkelder te klein is, onderwijl komt Therese binnen ter zake door een paar foto's uit haar schoenendoos te halen en, nadat ze een zorgvuldige selectie heeft gemaakt, ze verzoekt vriendelijk te proberen haar aan gene zijde van de in het jaar 1949 kennelijk definitief vastgestelde grens woonachtige dochter Ottilie geb. Schlupfburg op te sporen en dier herinnering aan haar moeder door middel van de overhandigde foto's nieuw leven in te blazen, voor het geval naast de feestelijkheden van de gouden bruiloft nog een beetje tijd zou overblijven. Bijvoorbeeld moest het toch zeker mogelijk zijn de pers – Therese overhandigt nu ook nog het krantenbericht over de late bevalling – op de hoogte te stellen van de situatie en via die weg haar dochter te laten weten waar Therese verblijft, waarbij natuurlijk enige discretie gepast is met het oog op de *bevoegde instanties*. Ze giechelen. Angelika's moeder ziet hersenschimmen en de scène waarin moeder en dochter elkaar kort na de reis naar de Alster aan deze koffietafel weer zullen kunnen ontmoeten en omarmen. Maar daar willen zij en haar echtgenoot natuurlijk graag bij zijn! Zoiets, na zo veel jaar, dat is toch niet te versmaden! Of mevrouw Schlupfburg er echt helemaal zeker van is dat die op hoge leeftijd bevallende vrouw werkelijk haar dochter is? Ik voelde het aan mijn water, antwoordt Therese, en Angelika's moeder glimlacht enigszins begrijpend. (Die uitdrukking, die ze heel lang niet had begrepen, werd ook door haar dochter Angelika gebruikt, wanneer die wilde uitdrukken dat ze een sterk voorgevoel van iets heeft.) De gebakberg is, wanneer Josepha en Angelika's vader terugkeren van hun tuinbezoek, dermate geslonken dat Josepha zich gedwongen ziet onopvallend de ritssluiting van de corduroyovergooier te inspecteren. Beleefd moet ze nu ook de man wat gebak aanbieden, die eveneens toetast en het erg fijn vindt dat Therese voor hem een paar Raderkuchen in een trommeltje stopt. Ze weet niet zeker of Angelika's moeder haar man iets zal vertellen over de affaire: in haar gelaatstrekken zit namelijk iets van huisvrouwelijke heerszucht, die gecamoufleerd wordt door bezorgdheid en een gedegen kennis op het gebied van huishoudelijke voorschriften en kleinsteedse omgangsvormen, en hem verbiedt om op aan het koken gewijde zondagochtenden een biertje te gaan drinken in het Beierse Hof, waarop hem niets anders te doen staat dan de vuile pannen af te wassen en de tafel te dekken voor de creativiteit van de kokkin. Dat noemt ze dan: 'hulp in de huishouding' en dat houdt ook in de man zo dom mogelijk te houden en voor hem te verzwijgen wat vrouwen onder elkaar bij een kopje koffie bepraten. Hoe dan ook, Therese weet dat haar verzoek een nieuwsgierig hart heeft gevonden en daar goed is ondergebracht. Zo veel belangstelling zou de vader van Angelika toch al niet kunnen opbrengen, *stante pede!*, voor vroege en late bevallingen, denkt ze en ruimt, als het tweetal weg is, de tafel af, brengt het resterende gebak naar de voorraadkamer, stopt de schoenendoos onder haar bed en brengt zichzelf naar het vak met dromen. Goedenacht.

Juli

11-12 juli 1976:
Zevende etappe van de Gunnar Lennefsen-expeditie
(trefwoord in het expeditiedagboek: ZURINGSOEP)

Josepha heeft vakantie. Dat is voor een vrouw zonder schoolgaand kind een flink geluk, zo midden in de schoolvakantie. Eergisteren zijn Angelika's ouders naar Hamburg vertrokken, Therese bevindt zich in een opgewonden stemming, wat Josepha probeert te temperen door haar overgrootmoeder op de schoonheid van de Oostzeekust attent te maken. Voor het eerst sinds Josepha's kindertijd zijn ze samen op reis: Carmen Salzwedel heeft via een halfzusterlijke relatie onderdak weten te versieren in Usedom bij gelovige pensionhouders, een houten tuinhuisje met een echte poepdoos, allerlei soorten bessenstruiken voor de deur en een hok vol konijntjes onder het raam van het piepkleine slaapkamertje. 's Ochtends en 's avonds die beesten voer geven is de prijs die is overeengekomen voor het verblijf, en zo kun je Josepha al vroeg met sikkel en mand in de berm van de nauwelijks bereden stoffige weg paardebloemenblad zien snijden. Therese zaagt thuis intussen oudbakken brood in stukken, dat bijna voor niks bij de dorpsbakker te krijgen is. Een deel daarvan legt ze opzij, het past precies op een middelgroot bakblik, en ze schuift het in het elektrische oventje om het te roosteren. Als Josepha terugkomt, ruikt ze, wéét ze, wat er staat te gebeuren. Gunnar Lennefsen maant tot vertrek, terwijl intussen de biënnale Oostzee-week begint met sentimentele zeemansliederen en volle glazen, verbroederingen tussen de aan de Kleine Wereldzee wonende kunstenaars, worstjes- en viskramen, de consumptie van talloze gebraden kippen en echte kunst. In een groene rugzak hebben de twee vrouwen de uitrusting voor hun tocht hiernaar toe gesjouwd en ze bereiden zich nu voor. Natuurlijk is het beter de avond af te wachten, vanwege het licht, en dus neemt Josepha Therese overdag mee naar het strand, waar ze, verscholen achter de muur van het zandkasteel, met zonnebrandolie en kruiswoordpuzzels de stemming erin houden. Het zwart-witte kind kan niet meer over het hoofd worden gezien en verleidt Therese zo nu en dan tot aaien. Tussendoor slaapt ze, Josepha gaat zwemmen en wiegt haar buik in de golven, legt er kwallen, zand of zeewier op en vraagt het kind wat het voelt. De bewegingen van het kind, meent ze, correspondeerden precies met het aantal lettergrepen van het juiste antwoord, een slimme baby! roept ze vanuit het zout naar Therese. De groengeblokte luchtmatras, een cadeautje van haar vader toen ze nog een kind was, schommelt van meeuw naar meeuw, van boei naar boei, van het ene verlangen naar het andere. Josepha zou bijvoorbeeld wel zin hebben in een tedere bijslaap rond het middaguur en een blauwe kinderwagen met een diepe bak voor de eerste tijd met het kind – allebei moeilijk aan te komen, denkt ze nog, als haar luchtkasteel al instort en ze in de armen van een achter duikbril en snorkel niet meteen herkenbare man belandt. *Sorry, sorry, dat was geen opzet. Bent u ook van de amateurtoneelgroep Rotklöppel uit het Ertsgebergte? Heb ik u gisteren niet in de vestibule gezien of in het restaurant op de pier?* Josepha smoort hem de mond met haar lippen, het geklets van de kerel vindt ze onverdraaglijk wegens het harde voorwerp in zijn nauwe zwembroekje dat ze onder haar billen voelt, en ze vraagt hem beleefd haar een plezier te doen in plaats van haar met allerlei inleidende praatjes te vervelen. En voordat hij er helemaal op bedacht is, glijden haar benen in het water, schuift ze zichzelf over zijn verstijfde instrument en wacht gespannen af. Hij kijkt om zich heen: de zwemmers amuseren zich op gepaste afstand van het plotselinge paar, een blik op het strand, waarvan Josepha vermoedt dat het om een intiem vriendinnetje van de man gaat die daar een middagdutje ligt te doen, stelt hem kennelijk gerust, en de man duikt onder en begint lol te krijgen in Josepha's verzoek. Therese ziet vanaf het strand even later hoofd en armen van haar achterkleindochter als in haar slaap op de luchtmatras liggen. Het schommelen van de hele verschijning is, denkt ze, het gevolg van de zachte golfbewegingen van het water. Eigenlijk zou het haar moeten opvallen dat er bijna geen wind is, en de lichte rimpelingen van het wateroppervlak geen samenhang vertonen met de hevige bewegingen van de luchtmatras, maar ze leunt achterover in de zonneschijn en ziet de snorkelpijp niet van de zwijgende Berlijner, die een gemakkelijke onderwaterpositie heeft ingenomen voor zijn inspanningen.

Op weg naar huis meent Josepha de ontmoeting in de zee nog te kunnen ruiken in het decolleté van haar jurk, en als Therese bij het avondeten een blikje vis opendoet, voelt ze zich bijna betrapt. Er wordt echter met geen woord over gerept, Therese grijnst niet eens schuin uit haar ooghoeken. De expeditie begint. Harmonicazonweringen van papier sluiten de rest van het daglicht buiten als Therese het trefwoord uit haar murmelende mond haalt als een per ongeluk in het brood terechtgekomen stuk papier, ZURINGSOEP, en stroperig verspreidt de ZURINGSOEP zich door de enige gesloten inrichting van de zomernacht op Usedom. Het doek, dat de indruk maakt vast te zitten, een beetje aarzelend in de hoop dat de vrouwen haar met rust zullen laten, wordt een sensatie, het verzet zich hevig, legt zich ten slotte neer bij zijn reputatie en laat een wondkramp-starre winter zien in de hoofdstad van de provincie Oost-Pruisen. Josepha legt haar oor te luisteren bij de vermeende stilte van het beeld: het slepende been van een kreupele man valt uit zijn broek, *klak!*, in de tunnel van ruïnes die nog steeds 'Französische Straße' wordt genoemd, het been is van hout, zou je nu wellicht denken, maar het is slechts een stalen stomp, een provisorische prothese, in grote haast aangepast in een Westfaals lazaret. Dat heeft de invalide geschoten man in elk geval een vakantie opgeleverd van West naar Oost, waar immers iedereen die nog een beetje kan lopen, ook degenen die ledematen missen of op andere plekken zijn geamputeerd, eigenlijk Sturm is puur Volkssturm. Het volk heeft in zijn stormachtige drang Königsberg al bijna vrij van joden gemaakt, en dat wil wat zeggen! Af en toe kruist nog een sterdragende gedoogjood de blik van de kreupele man, die dan de andere kant op kijkt. Het ziekenhuis, waar zijn zwangere vrouw als verpleeghulp werkt, zo weet hij uit haar laatste brief, wordt geëvacueerd, ze zal proberen hem stiekem mee te nemen als *hoopje ellende*, onder deze omstandigheden. Ze zullen samen scheep gaan van Pillau naar Pommeren, en dan *eentweedrie* maken dat ze in Denemarken terechtkomen, waar geen Rus een poot naar kan uitsteken in zijn terechte woede. Hij heeft nog iets bedacht, Fritz Schlupfburg, voordat hij wil sterven in het diepe water van de zee: zijn vrouw en zijn kind moeten ginds aankomen en niet in woedende Russische handen vallen. Hij heeft vreselijke dingen vernomen op weg hierheen, zodat misselijkheid en angst het voortstrompelen nog meer bemoeilijken en Kowno, waarvoor hij al een been heeft betaald en de rest van zichzelf tot aan de overtocht heeft verpand, hem elk uur inhaalt, terwijl hij het toch al zo goed in zijn buik had ingekapseld, had laten verstenen in een geweldige pijn, die zich bij het schijten voordeed. Kowno laat je nooit meer los, maar Astrid moet je er nog uit zien te krijgen zoals je haar erheen hebt gebracht – Fritz Schlupfburg vloekt en vraagt de weg door de puinhopen naar de Chirurgische Kliniek aan de rand van het kapotgeschoten centrum. Die schijnt nog een beetje overeind te staan, zodat Fritz eerst eens diep de winterlucht moet inademen om het bewustzijn niet te verliezen. Staat in de sterren: het licht en het vergeten, de verlossing en de afstand? Weifelend stil staat zijn hart als de kleine soldaat tegenover de Führer en is bevreesd, maar niet lang, dan raken stukken steen los uit een muur en vallen op het hoofd en het resterende lichaam van Fritz Schlupfburg, bedelven hem bijna helemaal en laten hem aan een voortijdig einde geloven. Terwijl hij valt, wil hij nog *Astrid* roepen en doet zijn mond open voor de handvol kruimelig cement dat net langskomt. Hij kokhalst, hij snuift en schuift het handvat van zijn kruk tussen zijn tanden, hij wil de das nog van zijn nek trekken om meer lucht te krijgen, maar dan heeft een meedogenloze duisternis hem al in het donker gehuld. Hij valt niemand op onder de hoop stenen, hoewel zijn enige schoen eronder vandaan steekt en zijn beide krukken boven de top van het bergje uitsteken. Niemand valt dat nog op, omdat de drukgolven van de ver weg plaatsvindende gevechten de bombardementen van de afgelopen zomer steeds vaker aan een vertraagd effect schijnen te helpen, doordat ze veel nog net samenhangende dingen doen instorten. Ook mensen die zich allang strompelend voortbewegen komen nu ten val. Op de bovenste verdieping van een geïsoleerd staand behouden gebleven huis in de Lange Reihe is een goedgestemde piano te horen. Gesmoord geschreeuw tussen de geromantiseerde arpeggio's. Over de enig overgebleven schoen van Fritz Schlupfburg rijden nu de rechterwielen van een paard-en-wagen, langzaam en knarsend in de naven door het zand van de achtergelaten boerderij. Therese spert haar ogen open als ze boven in het beeld Genealogia ziet verschijnen, de godin van de familieclanvorming, die langzaam aan komt zweven en het raam opent, waardoor het pianospel nu luider te horen is. De wagen beneden op de straat komt tot stilstand, de twee vrouwen die erop zitten kijken omhoog naar de zo-even nog in hun sponningen op de maat heen en weer zwaaiende ramen: Senta Gloria Lüdeking geb. Amelang valt naar beneden en breekt haar blik op de rand van een met houtsnijwerk versierd dressoir van donker gebeitst eikenhout. Haar val verplettert meteen ook de twee zusters, de doden kiepen zijdelings over de planken van de hoog opgetaste wagen, vergroten Fritz' heuveltje en vangen de val op van een ongeveer negenjarig meisje, dat ook uit het pianoraam wordt gegooid en nu niet, zoals de bedoeling was, de dood vindt. Fritz, helemaal onderop, kan weer voelen dat daar waar zijn geschonden huid eindigt, iets anders begint en uit gesproken wonden bloedt. Hij duwt met zijn volle gewicht tegen de berg boven hem, tilt hem op, schuift hem opzij naar het gehuil. Het kind is stijf als haar hoofd uit de puinhoop steekt en kruimelig cement uitspuugt. Het kind heeft een vrouwengezicht van een jaar of veertig op haar schouders, die alleen met een nachtjapon zijn bedekt en er prepuberaal schonkig uitsteken. Fritz Schlupfburg maakt aanstalten zich iets te herinneren, alleen ontbreekt hem daarvoor geheel en al een gevoel... Hij trekt de dode zusters de kleren uit, de dikke jassen van wol en bont, en hangt de ene jas over zijn eigen, de andere over de schouders van het meisje naast hem, opdat ze ontdooit uit haar verstarring, hij zet haar naast zich op de bok van de wagen en drijft de klaarblijkelijk melancholiek geworden paarden aan. De prothese ligt nog steeds in de puinhoop, waarschijnlijk is hij vergeten dat hij er een had.

Wat hij allemaal doet, weet hij ook niet, hoezeer hij ook bij zichzelf te rade gaat en het merkwaardige beeld dat zijn lijf oplevert met zijn geheugen probeert te verbinden. Hij blijft voor zichzelf een onbekende en rijdt met een onbekend lijf en een onbekend kind en een onbekend paard en een onbekende vracht door de Alte Pillauer Landstraße westwaarts, tussen de vele kerkhoven door, die hij ooit weleens meent te hebben gezien. (Therese is weleens met hem over het IIIde Neurologische Kerkhof gewandeld, naar het scheen doelloos en ter stichting, maar Therese, in het kamertje in het tuinhuisje in Usedom weet nu dat het kind zich aangetrokken moet hebben gevoeld tot zijn allang vergeten vader.) Luisenwahl aan zijn rechterhand komt hem bekend voor, en als links de Psychiatrische Kliniek opdoemt, worden de paarden schichtig, gaan langzamer lopen, omdat Fritz Schlupfburg begint te zweten van de fantoompijn. ZURINGSOEP, zegt op dat moment het veertigjarige kind vanuit haar verstarring en trekt hem naar zich toe, ZURINGSOEP zegt ze nog een keer met een onverschillige blik en gaat achter op de wagen liggen, waar ze kort daarna in slaap valt. Het voertuig zal niet veel later de tocht naar het Westen via Lawsker en Juditter Allee voortzetten en zo de spoorlijn volgen naar Pillau, zoals lang geleden Wilhelm Otto Amelang op zijn fiets, toen hij het meisje Lydia Czechovska van het ene ongeluk naar het andere ongeluk vervoerde. Therese ziet haar zoon verdwijnen in het ontelbare aantal mensen die intussen, het is 28 januari 1945, net als hij moeizaam op weg zijn naar Pillau, in de hoop een plaats te bemachtigen op een schip, maar dan sluit de ring om de stad zich naar het schijnt definitief en beginnen wind en wonden Russisch te spreken.

De geur van zuring en meel tempert op de vermeende ochtend de levensfuncties van de nachtelijke avonturiersters, die op het moment van het in elkaar zakken van het imaginaire doek terstond, zoals ze elkaar nu verzekeren, in slaap moeten zijn gevallen. Geen enkele herinnering kan de afstand tussen expeditie en dromen vullen. (Door de Fürstenschlucht, boven de Ratslinden, fluistert Therese sibellijns, hoe kom ik daar nu toch op?) Maar niets kan het plotselinge einde van de zevende etappe beter verklaren dan de natuurlijke slaap, zo abrupt is Fritz Schlupfburg verdwenen in de chaos van de vlucht, samen met het raadsel van de ZURINGSOEP, het voorjaarsgerecht van in water gekookt meel, zuringblaadjes en een scheut room om het af te maken. Maar toch zeker niet in de winter! BIETENBORTSCH, dat zou Therese wél hebben begrepen: soep van rode bieten, een wintergerecht. Maar zuring in januari? Groen en fris als brandnetels, hoop en gras? Peulvruchten, Dokter Oetkers kleffe puddingen met sneeuw gekookt, vlees uit blik, zelfs opengereten paarden werden gegeten, maar zuringsoep?

Therese vertelt hoe ze een keer een menselijke knie voor een stuk kluif had gehouden en pas toen ze er iets van proefde had gemerkt dat het wel-eens iets anders zou kunnen zijn dan varkensvlees. Dus alles was denkbaar, maar zuringsoep?

Usedom baadt in hartje zomer als Josepha voer gaat halen voor de konijnen. Het is al middag, wat hebben ze geslapen! Allemaal doodgeschoten door de oorlog, mompelt Therese tussen de krakende happen van het verlate ontbijt door. Op de Sternchen-radio van de verhuurders speelt de Oost-zeeweek een luid getoeterde smartlap, hol als een boei en met volle schetterende klanken, voor het zeemansvrouwenhart? Josepha spuit spottend lachend koffie tussen haar proestende lippen door, moet mond en tafel droogmaken en legt haar hand rond Thereses kin, die voortdurend trilt. Josepha onderzoekt ook haar pols: de polsslag is heel vlak, lusteloos spookt het hart erin rond. Haar druppels is ze vergeten, de schat, dat maken we wel weer goed. En daar slikt Therese al met hevig bevend hoofd het verster-kende middel en het vatenverwijdende medicijn. Voor het eerst bevatten Josepha's gedachten de vrees dat de reis een te grote belasting zou kunnen betekenen voor de gezondheid van een tachtigjarige vrouw. Fürsten-schlucht, Ratslinden? Voor de psyche wellicht ook. Aan die dag in de winter moet ze nu denken, die een simpele eerste dag in maart had kunnen wor-den, als die het kleine hiaat tussen de uiterlijke omstandigheden en Jose-pha's innerlijke klok had kunnen overbruggen: de kalenders waren die ochtend in februari blijven steken, merkwaardig genoeg, na Josepha's ge-routineerde klap-blik, en op die maand hingen ze nog steeds – ze had na de mislukte poging op 2 april niet meer naar de kalenders gekeken – en Therese had haar moeten kalmeren na een verhitte fietstocht rond de stad, waarbij ze van al haar ervaringen met vrouwenzaken gebruik had gemaakt. Zo superieur had Therese destijds geleken, wat Josepha's vragen betrof. De sindsdien vergane tijd, dat moet worden toegegeven, moet toegestoken hebben, met welk mes dan ook, moet twijfel hebben gezaaid over wat door ervaring al bijna onomstotelijk scheen, en intussen was Therese toch altijd zo vredig geweest! Ze was nooit uit op confrontatie en ontsteltenis! (Souf Fleur, uit een gat in het gebloemde behang, glimlacht, ze is ook tijdens de vakantie niet zichtbaar voor de ratten dragende Josepha...)

We moeten het er nog een keer op wagen! roept Therese opeens vastbe-raden en ze trekt aan de snoertjes van de papieren zonweringen, het wordt donker in het vertrek, dat nog steeds zuur (zuringsoep?) ruikt. Het is niet eens nodig het codewoord uit te spreken, geur paart zich met duisternis tot het verlossende ogenblik: de vrouwen bevinden zich weer in de haven van Pillau, waarheen een paar dagen geleden vanuit Königsberg een vrije door-gang is gehakt door de snelle en grijpgrage troepen van generaal Lasch –

het moet februari zijn in het finale jaar van het Rijk. Fritz Schlupfburg ligt onder dekens en huiden met het veertigjarige kind, dat met haar hoofd op zijn arm ligt en zwijgt. Natuurlijk weten Therese en Josepha dat het bij het meisje om niemand anders kan gaan dan om Lenchen Lüdeking, Magdalene Tschechau en Małgorzata Czechovska, die haar pleegmoeder door sterke hand werd nagegooid in een gewis gewaande dood tussen de ruïnes van de Lange Reihe in Königsberg, maar die door toedoen van Genealogia werd opgevangen door de berg van Schlupfburg, wat hem in zekere zin het leven redde. Fritz Schlupfburg is zijn geheugen kwijtgeraakt terwijl hij onder het puin werd bedolven, alleen *Kowno* spookt als een versteend woord door zijn knorrende darmen en doet bij het schijten pijn – een pijn zonder beelden, die zijn oorsprong niet prijsgeeft.

In zijn zakken vindt Fritz Schlupfburg, terwijl het meisje naast hem duurzaam slaapt, papieren: de huwelijksakte van soldaat eerste klas Schlupfburg, Fritz, met de verpleeghulp Hebenstreit, Astrid Radegund, geboren in het Thüringse G. in januari van het jaar 1925, bovendien een ontslagbriefje uit frontdienst in verband met verwondingen van soldaat e.k. Schlupfburg, Fritz, woonachtig: Lizentgrabenstraße 25, echtelijke woning, alsmede een brief van genoemde Astrid Radegund Schlupfburg, geb. Hebenstreit, waarin ze haar man bericht over het begin van een zwangerschap, gedateerd 12 september 1944. Fritz zal voortaan zichzelf voor zichzelf houden, zonder zichzelf nog te kennen, en de negenjarige Lenchen Lüdeking met het oude gezicht voor de met hem gehuwde, bovendien zwangere vrouw Astrid Radegund. Als hij, wat intussen zelden genoeg voorkomt, weer moet schijten, veegt hij zijn achterste af met de huwelijksakte en overhandigt zijn zwangere vrouw met hetzelfde doel de ontslagbrief. Dat hij niet kan praten, merkt hij pas als de Deense schipper Trygve Spliessgaard hem medelijdend aankijkt en hem vragen stelt over de merkwaardige gestalte aan zijn zijde, en ziedaar, Lenchen zegt maar één enkel woord: ZURINGSOEP en haalt uit haar zak een verkreukeld stukje geel, dat ze een keer heeft opgeraapt van het trottoir en voor haar ouders verborgen heeft gehouden. De Russen, weet hij, zien daarin geen verschil. Alle joden in Oost-Pruisen zijn dood, en als er toch nog een in leven is, dan moet die gecollaboreerd hebben. En omdat het Rode Leger Königsberg spoedig definitief zal afsnijden van wat de Führer het 'Rijksgebied' noemt, sleept Tryvge Spliessgaard die avond Lenchen Lüdeking en Fritz Schlupfburg, nadat hij hen met een bevroren vis een klap voor hun hoofd heeft gegeven, aan boord van zijn kotter en laveert op Pommeren aan, vol vrees voor Russische onderzeeërs en Duitse partrouillevaartuigen. In zijn scheepspapieren noteert hij het Deense echtpaar Amm en Ann Versup, hij visser, zij vispekelaarster, die tijdens zijn laatste vistocht bij hem in dienst zijn geweest. In Pommeren kan hij niet voor anker gaan wegens angst en ijs en hij koerst ten slotte naar Gedser met zijn zeezieke, hongerige vracht, achter de grote vrachtschepen aan door de van ijs vrijgemaakte geul. Małgorzata Czechovska, Magdalene Tschechau, Lenchen Lüdeking en Ann Versup hebben tijdens de overtocht met stuntelige reeksen letters, die, schijnt het, haaks op de gangbare spelling en de interpunctie staan, iets opgeschreven:

ik heb immers steeds weer het spelletje moeten spelen ook als ik niet wilde: de spinnen in hun hart kijken met veel plezier de ravenzwart dikbenige geveerd vellige of ook roze op fucsiabloemen zich ophoudende diertjes midden in hun hart openscheuren hoefde ik ze niet en vond het fijn hoe ik onder hun bovenste huiden kon kruipen met mijn muizige snuffelblik ook al zegt de leraar dat spinnen niet zo'n hart hebben weet ik het beter ik zag hoe het trilt ik kon hem een halster aandoen van angst voor kinderen kon ik het berijden het hart van elke spin en heel raar uithalen als ik het wilde bang was ik voor de malmignatte en de tarentula fasciiventris tot ik gelukkig begreep dat die de weg van de zogenaamde cultuur uit het zuiden niet volgden en dientengevolge ook niet als cultuurvolgers optreden terwijl ik zelf die elke spin in het hart kijk en naloop de voor verschillende vrouwen die ik tot moeders moet maken steeds konijnenblikkiger word. nemen we lydia czechovska de uitgerekte breispin hoe ze me uitstootte met een fluitje uit de longen moet ik moeten zeggen ze had geen hart toen ze me aankeek? die loten van de arachnoïden kunnen niet tegen een grapje of pijn moet ik zeggen? halsterhoog vrees in de facettenblik kan ik uithouden vreeshoog de halster in het blikvak houd ik uit alleen niet de onzinnige bewering dat ze zonder hart zou zijn de uitgerekte breispin lydia czechovska. nemen we als volgend voorbeeld hoe de vetspin uit de landsberger wachtkamer lydia czechovska asyl gaf toevoegend aan mijn hartkijken moet ik zeggen ze had geen hart omdat ze de breispin niet vastbond aan mijn aanblik? ik heb het zien trillen in de warthetante ik had zo graag gehad dat ze dikbloedig was als een paard op het land en meegaand in het lijden want het was moeilijk het razende hart van een lijdende vetspin niet zo serieus te nemen bij het afscheid. toen de kinderzuster uit de familie van de zesogen mij een klets op mijn gat had verkocht en me zo vanuit de verte kon opvoeden bij mijn eerste beschouwingen moest ik haar meteen tot moeder maken ik zag haar in haar spinnenbuis zitten de opening aan de voorkant met draden omkranst waarop ik moest letten opdat ze me niet helemaal kon opvreten bij mijn gedwongen spel haar in het trillende hart te kijken zonder haar kapot te maken zou ik haar kapot hebben kunnen maken was het beter geweest moet ik daarom zeggen dat ze geen hart had? een andere nodigde me uit tot leren spreken ik ontleedde in het begin haar door arisch bloed verduisterde hart met bezwaren en moet haar eigenlijk helemaal per ongeluk bij wijze van uitzondering zogezegd van binnen hebben aangeraakt met mijn konijnenmuizige snuffelblik zodat ze eindelijk mijn tong niet meer wilde veranderen tot de afmetingen van een duits exercitieterrein ze nam me serieus als een blondgelokte moedermaakster en huilde erop los toen ik altijd alleen in het pools de harten van de spinnen beschreef ze wist precies wat ik zei. om het eindelijk over de familie van de trechterspinnen te hebben: senta gloria – ik noemde haar tegenaria mijn langzaam aan het liefhebben gerakende hoekspin – leed niet aan trillend hart eerder aan lange spinwratten die ik vermeed als ik erin wilde kijken. haar in ons huis levende soort weefde de bekende driehoekige netkleedjes die in een korte buis overgaan ik moest altijd weer tijdens de hopeloze paringstijden haar masculine tegenhanger 's avonds zien rondlopen radeloos nerveus. weliswaar legde ze eieren maar ging er niet van dood zoals de meeste spinnen ze had mij immers. ik besloot op haar leeftijd te komen en van haar over te nemen de zorg om de eieren en de tegenhanger en vergat intussen het mannelijke deel van de omstelling in het hart te kijken ik was altijd zo tot de vrouwelijke spinnendieren beperkt in mijn spel dat de uitspraak van de leraar spinnen hebben geen hart mij volstrekt harteloos voorkwam en ik nooit heb geprobeerd mannelijke dieren onder hun huid te komen snuffelen als konijnenmuis tot ik hem veel te vreemd was die hans lüdeking met mijn oude gezicht en het lijf van een negenjarige springspin. mogelijk dat ik hem vroeger al een keer had doorzien (ook spinnen hebben zoals bekend verscheidene levens doordat ze door hun kinderen worden opgegeten en later weer geboren worden) hij kwam me bekend voor als hij me aankeek keek ik terug. in mijn acht ogen in elk geval schenen de twee voorste bijzonder groot wat niet met de waarheid overeenkwam ik zag tamelijk goed ook met de achterste in tegenstelling tot de meeste spinnen dat had mij nogal vreemd gemaakt. ik ben geoefend in het maken van erg kleine vangnetten ik spring het objekt op zijn rug voordat ik het zacht overmeester maar wie wist dat al wanneer hij me optilde omdat hij zijn cultuur wilde volgen. Het waren er te veel waarschijnlijk die mij het spel hen in het hart te kijken gedwongen oplegden moet ik nu daarom zeggen dat ze geen hart hadden? mijn langzaam aan het liefhebben slaande hoekspin ik noemde haar tegenaria andere senta en gloria al naar gevoel speelde altijd piano wanneer mij de krolsheid van haar tegenhanger te zeer aan het hart ging (de loten van de arachnoïden kunnen niet tegen een grapje of pijn?) wanneer hij uit een enorme buis gelei in me deponeerde hoewel ik toch alleen maar de kleine springspin met het oude gezicht was in zijn oog als hij mij daarmee aankeek keek ik terug: in zijn pupil verscheen zijn gezicht nog een keer en de uitgerekte breispin lydia czechovska in het licht (tegenaria zat aan de piano) terwijl het toch mijn gezicht was dat weerspiegeld werd in zijn versperde blik hoe moest ik dat begrijpen mijn gezicht in twee stukken in het zijne en lydia's en beide weer versmolten in de mijne. moest ik dan zeggen dat hij geen hart had?

ik hoop dat mijn kind mij zal opeten als het daar sterk genoeg voor is zoals bij ons gebruikelijk is. lydia czechovska heeft het geweten: ik zou haar hebben opgevreten nadat ik haar trillende hart tot het eind had gezien daarom is ze verdwenen ik moest dan altijd verschillende vrouwen tot moeder proberen te maken om eindelijk die ene te vinden die ik op haar beurt zou opvreten vanwege mijn bestemming – het is niet gelukt. nu word ik zelf een moederdier het is merkwaardig hoe ik tegenaria's vertrek beleefde ze sprong uit het raam haar mooie driehoekige netkleedjes hingen zonder zin in de kamer zodat ik me verwonderde en een daarvan achter haar aan gooide dat ze moest vangen, toen pakte ook al haar hans lüdeking mijn zoeven bezwangerde springspinnenlijf en stuurde me het raam uit om het net te halen dacht ik nog en inderdaad ving het me op. moet ik nu zeggen dat hij geen hart had? zuringsoep kon hij klaarmaken in het voorjaar en dat zonder hart? zoals hij me meenam door het altstädter stadsplantsoen met sterke hand en wij de zure net verschenen blaadjes van de stengel trokken en in onze mond staken helemaal zonder hart? tegenaria zat altijd huilend achter haar soep die hij kookte van onze buit hoewel hij daarna de paringstijden met mij doorbracht zoals ik het altijd had gewild om haar te ontlasten ik zag haar in het hart en het trilde als een glaucoom in een heel ver binnenin gelegen oog ik wil het onthouden het zag er zo gevaarlijk uit en maakte me verlegen dat ik het mannelijke deel van de omstelling niet eerst op zijn rug sprong maar meteen op zijn buik. hij droeg me menige nacht op zijn enorme buis langs tegenaria die aan de piano zat en speelde met gesloten ogen tot het glaucoom op een dag begon te bewegen en haar blik bereikte ze hoefde nu niet meer haar ogen dicht te doen hij kon op een halve meter afstand langs haar lopen zonder dat ze hem zag en zoals hij mij klein dier op zijn spit reeg en met de riem vastmaakte aan zijn buik zodat hij nu alle handelingen zonder handen kon uitvoeren zonder me te verlaten. en dan moet ik zeggen dat hij geen hart had? tegenaria begon onze spullen in te pakken de weg via rathshof lawsken juditten metgethen seerappen lindenau klein blumenau caspershöfen fischhausen naar pillau te plannen en las me voor een klein verhaaltje over schoorsteenvegers roetgezicht (ze sprak het als roesgezicht uit) toen het weer zo kwam en ze sprong uit het raam. degeen die me vond is een vreemd exemplaar ik herken hem niet en ik kan niet in zijn hart kijken dat hij draagt hij zit helemaal dicht voor mijn pogingen. een paar dingen duiden op de familie van de rondnetspinnen: zoals hij me af en toe een stukje te eten geeft om me meegaand te maken. maar zoals hij dan zelf als ik kort en symbolisch daar een beetje van heb gegeten allang weer slaapt (heeft hij geen hart?) de loten van de arachnoïden kunnen niet tegen een grapje of pijn?) is merkwaardig en past niet bij zijn soort. we moeten elkaar leren kennen.

Małgorzata Czechovska
Magdalene Tschechau
Lenchen Lüdeking
Ann Versup
(uit de familie van de salticiden)

P.S. LIEVE TEGENARIA: KONIJNENMUIS IS DOOD!

Het kind, Therese wil het verder *Lenchen* noemen, Josepha beschouwt *Małgorzata* als de enige mogelijkheid, opent, niet ontevreden met zichzelf, schijnt het, een klep in de zijkant van het kleine kombuisje, waarin de visser lege blikken en flessen bewaart, haalt er een donkergroene bierfles uit, draait het beschreven papier voorzichtig door de flessenhals naar binnen, sluit de fles met de witte, porseleinen stop waar een rubberen ring omheen zit, gaat zachtjes aan dek en gooit de post in het opengebroken ijs van de Oostzee. De tussen de schotsen op en neer dansende fles is het laatste beeld dat het imaginaire doek laat zien.

De vrouwen proberen zwijgend op een rijtje te krijgen wat er allemaal is gebeurd. Voorlopig zal Fritz Schlupfburg met de vermeende Astrid Radegund op trektocht zijn, er zal een kind ter wereld komen van wie hij denkt dat het van hem is, maar dat kind en kleinkind tegelijk is van de voormalige dorpsdiender van Fischhausen en door vier verschillende moeders ter wereld wordt gebracht in de schaduw van de ondergang. Hoe Frits in L.A. terechtkomt moet voorlopig onopgehelderd blijven, ook al roept Therese af en toe ZURINGSOEP om het imaginaire doek te bevelen terug te keren en uit te leggen waarom het zo in gebreke is gebleven – er is niets te bespeuren behalve een bijtend zure geur die door de kamer zweeft. Josepha besluit na aankomst in W. het houten bordje aan de voet van het heuvelgraf in de tuin weer te verwijderen en er een nieuw bordje neer te zetten, dat de dood van Astrid Radegunds kind bevestigt en tenietdoet, documenteert en twijfelachtig maakt en zo een opening laat voor de spinnen in de wereld en hun trillende harten.

Ze kijken vandaag anders naar de zee dan gisteren, merken de vrouwen, als ze later op het strand zitten en naar de verre horizon kijken, die al vlug met ijs bedekt is en met geschreeuw, om meteen daarna weer zomers stil zijn stomende schepen te wiegen en de verder dan de zee reikende blik te belemmeren door zijn bestaan. Het geschommel van de schepen plant zich voort tot op het strand, de zandbodem zwaait heen en weer onder Therese, onder Josepha, de lucht zindert boven het water, dat op een drukbevaren straat begint te lijken en de toeristen er merkwaardig genoeg van weerhoudt aan zwemmen te denken. Alles en iedereen zwijgt en schommelt in de zon, zelfs kinderen liggen stilletjes in de gekromde arm van hun ouders of broers of zusjes, duwen hun duim of hun ringvinger diep in hun mond en proberen te slapen, de meestal krijsende meeuwen stoppen op de steiger hun koppen onder hun vleugels en zwijgen alsof ze zo-even aan een slaap van honderd jaar zijn begonnen, en als Josepha langzaam om zich heen kijkt, komt het haar voor alsof daarginds, waar anders de strandhaver wuift, een doornen haag over haar heen groeit. Ze dommelt in.

Voor de op leeftijd komende kleinburgeres Ottilie Wilczinski in N. is het zover: het TELEFOONTJE UIT HAMBURG bereikt haar gemoed op de avond van 11 juli, terwijl daarginds de Gunnar Lennefsen-expeditie aan zijn zevende etappe begint. Ottilie heeft de afgelopen dagen half angstig, half gretig op het bevelende gerinkel gewacht en is nu niet verbaasd, eerder bevend in haar eigen sappen, in het kookvocht van de herinnering. Niet Ildiko Langenscheid, Hamburg-Harvestehude, meldt zich met het alles beslissende bericht, maar de Alster-zuster van Angelika's moeder midden in haar gouden bruiloft. Ze wil haar broers en zusters uit het oosten van het vaderland een plezier doen op deze dag en heeft meteen na aankomst van zwager en zuster uit het Thüringse W. geprobeerd bij een aantal landelijke dagbladen de interesse te wekken om Ottilie Wilczinski, wier naam ze tot voor kort niet kende, in Beieren op te sporen. Tot haar geluk bleek een tot dusver door Ottilie strikt van de hand gewezen dagblad belangstelling te hebben voor het DE STORY genaamde verhaal over een gezinshereniging over muur en prikkeldraad heen, en hoopt daarmee ook nog het recht te krijgen op DE WERKELIJKE STORY, namelijk de precieze omstandigheden en achtergronden van de sensationele late bevalling. Op voorwaarde het telefoontje te mogen opnemen, komt een journalist eindelijk met het nummer van Franz Reveslueh op de proppen, dat hij heeft weten op te sporen na de krantenberichten in mei. De Alster-zuster van Angelika's moeder tettert door de telefoon in scherp plat-Duits de wens van Therese Schlupfburg naar Beieren, eigenlijk eerder een juichkreet verwachtend dan secondelange sprakeloosheid, of in elk geval een enthousiaste, donkere bewusteloosheid, maar Ottilie staat stijf en star te zwijgen en doet iets wat ze in Hamburg niet kunnen zien: ze begint te beven. Ik, denkt ze, dochter van de tedere August en de meid Therese. Ik, denkt ze, heb mijzelf geen doel gesteld in het leven. Ik, denkt ze, heb het desondanks bereikt. Ik, denkt ze, moet naar het Oosten. U, zegt ze met een gladde, genoegzame stem, hebt mij erg geholpen, hartelijk bedankt, en doet u haar de hartelijke groeten, ik kom haar opzoeken. Legt de hoorn erop. Dan is er echter een pauze tijdens het diner van het bruiloftsgezelschap, dat eerbiedig kan mee-luisteren via de technische voorzieningen van de redactie! Maar melkvet en moedersuiker bedekken in de ether alles, dat kun je je wel indenken! Zo sterk kan de dochterliefde zijn dat iemand naar Oost-Duitsland wil! Naar de dictatuur! Terwijl de meeste mensen op iets heel anders hadden gere-kend! Dat de van haar pensioen levende mevrouw Schlupfburg uit W. zelf naar het Beierse N. zou kunnen komen! Danig teleurgesteld schakelt de journalist het op een bandje opgenomen gesprek uit en besluit Ottilie Wilczinski op het hart te drukken dat hij zijn aandeel wil hebben in de zaak. Bijvoorbeeld een paar mooie foto's van de zuigeling en zijn lieve ou-ders, de lijst van mee naar het Oosten te nemen spullen, uitvoerige inter-views met Franz Reveslueh aangaande de lengte en de kracht van zijn voortplantingsorgaan, een analoog gesprek met Ottilie (of ze dan nog regel-matig bloed in haar slipje had gehad voordat de zwangerschap werd gecon-stateerd, hoezo en waarom of hoezo en waarom niet), informatie over het standje van het paar bij de bevruchting, en over hun seksleven in het alge-meen, een wilsbeschikking van de vader van het kind waarin hij instemt met moeder en kind naar het Oosten te gaan of misschien wel niet enzo-voort, enzovoort. Bij de teraardebestelling van de onder niet geheel opge-helderde omstandigheden gestorven mevrouw Reveslueh een week of vier geleden had hij foto's gemaakt, maar ze tot dusver niet aan een verhaal kunnen ophangen. Misschien kon je er iets van maken als je alles met elkaar in verband bracht. Maar Ottilie denkt nog in slakken als ze dit teken ziet: slijmsporen vertonen zich op haar voorhoofd, die Franz Reveslueh, getuige van het telefoongesprek, nog niet op de hoogte van wat er is mee-gedeeld, probeert af te vegen. Als het kind even later melk wil hebben, haalt hij uit de keuken mineraalwater voor de voedster en moutbier, opdat alles beter begint te stromen en een beetje wordt verdund, nog nooit heeft hij slijmerig zweet gezien. Avraham Bodofranz drinkt met volle teugen, de tv-reparateur kan er niet genoeg van krijgen naar het kind te kijken en naar hoe hij gezoogd wordt, en hij dringt Ottilie hongerig de eerste bijslaap op van na de bevalling, door haar wijsvinger naar zijn van verlangen met blau-we zijde overtrokken eikel te voeren. Ottilie vindt het te voorschijn komen van vloeistof ontroerend, maar het tijdstip nog wat te vroeg, hoewel de kraamzuivering is opgedroogd en haar onderlippen tijdens de borstvoeding zijn opgezwollen. Wat kan ze al doen? Ze vertelt wat de vrouw uit Ham-burg aan de telefoon te vertellen had, dat haar moeder in levenden lijve nu een Thüringse is in het stadje W., dat ze via een knipsel uit een communistische krant had vernomen wat er was voorgevallen en met behulp van haar eigen magische en tijdverschuivende krachten meteen het vermoeden had gehad van een samenhang en via een reizende van haar pensioen levende vrouw contact met haar heeft opgenomen. Al het andere moest eerst nog maar eens worden bewezen, maar ze wist dat ze naar het Oosten moest om poolshoogte te nemen. Of hij mee zou gaan daarheen? Avraham Bodofranz heeft een oudere broer, Rudolph, die met Therese was zoekgeraakt tijdens de vlucht en ongetwijfeld ook ergens in het Oosten rondhing, dat kereltje, ach god. Ottilie legt de drinkbuidels weer in hun mandjes en gaat zelf ook liggen, in het Altstädter plantsoen, denkt ze, op Revesluehs modderbruine zitbank.

Augustus

Ze zijn weer in W., na zand en zee en pakijs: de ronde Josepha had er nog geen idee van wat haar te wachten stond, toen ze tussen daar en hier, op de terugweg dus eigenlijk van het toernooi in de woelige baren van de expeditie, op een noordelijke kruising tegen de auto van de biënnalecommissaris van de Oostzeeweek botste. Na twee weken Usedom door de verschillende zeeën bruisend en bruiner dan noodzakelijk, gebeurde vlak voor de brug over de Peene – de pensionhouders waren zo vriendelijk hen met hun piepkleine autootje naar Anklam te brengen, naar de trein – het ongeluk: ze werden geramd. Niet een Wartburg of een Škoda, geen Sapo en geen Dacia scheurde het kartonnen voertuig aan één kant open bij het inhalen, maar een nogal indrukwekkende wagen van westerse makelij sneed het portier aan de kant van de chauffeur door alsof dat van boter was. De hevige schrik smeet Josepha van haar plaats en deed haar op een onbekend gebleven stuk weiland belanden in de armen van een dichteres die het Zwaabs beheerste, terwijl Therese en de pensionhouders in de auto waren blijven zitten en moeizaam, ieder op zijn manier, de botsing probeerden te verwerken. Achter in de westerse wagen ontwaarde Josepha twee heren in uniform, die elke beweging schenen te vermijden en eruitzagen als officieren van het garnizoen in de districtshoofdstad G., Russen wellicht of Oekraïeners, Moldaviërs misschien of Letten. Uit het feit dat er niemand op de bestuurdersstoel van de Mercedes zat, concludeerde Josepha dat de dichteres uit Zwaben ook de chauffeuse moest zijn, en ze vertrouwde de vrouw haar bezorgdheid toe over de toestand van het zwart-witte kind. De heren achter in de auto schenen onrustig te worden toen de Zwaabse dichteres Josepha in het gras legde en haar zorgvuldig begon te onderzoeken. Intussen vertelde ze met ongekunstelde woorden haar levensgeschiedenis, wat Josepha enigszins verblufte. Na een poosje werd duidelijk dat de vrouw zelf ook doodsbang was. Haar man, de commissaris van de biënnale en een door haar bewonderde houtsnijder, was ter kalmering van de Scandinavische kunstenaars, die aan de kust woonden en die zich als burgers uit het noordwesten buitengesloten voelden betreffende de voorbereidingen op de grote kunsttentoonstelling, door de *bevoegde instanties* ontboden en zat vermoedelijk in Rostock in de rats over haar welbevinden, terwijl zij het verzoek had gekregen (van de *bevoegde instanties*), met de twee kameraden uit de Sovjet-Unie een plezierritje te maken. Die wilden namelijk als gasten van de Oostzeeweek a) een westerse automobiel leren kennen en b) Peenemünde bezichtigen. Een westerse auto was alleen maar bij de commissaris te vinden geweest, maar die had nooit leren autorijden, en dus moest de dichteres opdraven met haar vijfenvijftig jaar oude vrouwelijkheid en in haar eigenschap als vooruitstrevende burgeres. Ze had gereden als een bezetene. Maar met het kind ging het kennelijk goed, zijzelf had ook verscheidene kinderen ter wereld gebracht en had ervaring met dat soort dingen. Pas wanneer ze de politie erbij zou halen, zou dat onvermijdelijk problemen opleveren zoals de zaken ervoor stonden. Maar het geschiedde dat een witte Wartburg wegscheurde van de parkeerplaats van het bij de brug over de rivier de Peene gelegen café-restaurant en op de plaats van het ongeval kwam afrijden, waar reeds een paar auto's waren gestopt waarvan de inzittenden de pechvogels allerlei hulp aanboden. Op wonderbaarlijke wijze konden de twee mannen die uit de Wartburg stapten alle omstanders bijna zonder woorden weer naar hun auto's terug laten keren en de plaats van het ongeval doen verlaten. Josepha zag ze pas toen een van hen zich over haar heen boog en de burgeres Schlupfburg het bevel gaf het contact met de Zwaabse dichteres meteen te vergeten. Het ging hier om een gebeurtenis die op instructie van hogerhand absoluut geen opzien mocht baren. Daarbij refereerde hij aan *bevoegde instanties*, die hem er voorzorgshalve op uit hadden gestuurd het voorval te onderzoeken. Toen het in Josepha's hoofd begon te dreunen, vermoedde ze daarachter geen stampende nachtegalen, noch een door het ongeluk veroorzaakte druk in haar hoofd. De pijn van het scheurtje was het, die haar teisterde, tot de Zwaabse weer achter het stuur zat en met de witte Wartburg achter haar aan in richting Usedom wegreed... Men had kunnen vermoeden dat de wagen van de gelovige pensionhouders total loss was gereden. Maar toen vanuit de richting van het eiland een in geen geval door de betrokkenen opgeroepen reparatiewagen aan kwam rijden, werd de reparatie ter plekke uitgevoerd, werden deur en spatborden in de juiste kleur vervangen en werd alles gerepareerd wat sinds lang aan reparatie toe was geweest. Er werd zelfs niets in rekening gebracht, en de pensionhouders waren er nu helemáál van overtuigd dat ze in hun tuinhuisje hooggeplaatste personen hadden beherbergd. Ze beloonden dat idee met een toename van hun dienstbetoon en sjouwden in Anklam zelf de bagage van de twee vrouwen naar de treincoupé. Met de wens dat ze toch maar spoedig weer terug zouden komen, namen ze toen sneller afscheid dan Josepha en Therese lief was: ze hadden hun nog graag de Thüringse salami overhandigd, die ze speciaal voor dit doel sinds hun

aankomst meesjouwden. Toen Therese eindelijk de salami uit de berg onderbroeken en badpakken had opgediept, waren de pensionhouders in
geen velden of wegen op het perron meer te zien. Terwijl Josepha vond dat
ze er een pakje van moesten maken en dat vanuit W. nasturen, ging Therese praktischer te werk, ze sneed de worst aan en nodigde haar achterkleindochter uit voor het middagmaal tussen Anklam en Ducherov.

13 augustus 1976:
Achtste etappe van de Gunnar Lennefsen-expeditie
(trefwoord in het expeditiedagboek: MIRABEL)

De laatste plakken van de bereisde salami vormen op de hier te beschrijven
avond van 13 augustus de basis van de vrijdagse avondmaaltijd. Josepha,
moe van een bijeenkomst die middag in de districtshoofdstad, waarop de
beveiliging was gevierd van de in het jaar 1949 kennelijk definitief vastgestelde grens door de bouw van een muur rond het westerse deel van de
hoofdstad precies vijftien jaar gelede,n en waaraan ze als invalskracht had
moeten deelnemen, zit met bloeiende buik achter de duurzame worst en
weigert te eten. Ze voelt zich zo dik alsof ze de belangrijkste spreker van
die middag heeft opgegeten, die ook hartje zomer met hooggesloten boord
had staan praten en zich zo aan Josepha blootgaf als de man die op 5 mei
het verdwijnen van de opzichtster verraad had genoemd en de titelstrijd
van de bijeengeroepen brigade met één enkel woord had gestopt. Een war-
rige duisternis vormde de aura die hem omgaf en verhinderde dat hij de
menigte mensen kon waarnemen tot wie hij sprak zonder tegen hen te
spreken. Wij dragen allen een aan het hart bevestigd oor diep in ons, hoort
Josepha zichzelf mompelen, en een uit de plooien in de huid puilend tweede mondje tussen onze wenkbrauwen. En ons tweede mondje is in werkelijkheid – maar die kennen we immers niet – ons eerste mondje, dat allang
heeft gesproken wanneer de zogenaamde echte lippen zich openen voor
een zin of uitroep. Therese weet dat in Josepha de tijd rijpt voor het vertrek
van de expeditie en is ze niet verbaasd, want ook zij heeft vandaag uit de
tussenruimte tussen haar wenkbrauwen de belangrijkste zin van de dag
gezegd: tegen de postbode namelijk, die haar Ottilie Wilczinski's levensteken in de vorm van een dikke brief uit het Westen is komen aanreiken met
een verbaasde vraag. Ook hij sprak niet uit zijn mond, maar uit de opening
boven zijn neuswortel een ZOZO NOUVANWIEDANWEL NOUHOEZO. En ze
had geantwoord met een forse blikspreuk: NOUZEG NOUBEMOEI NOUJE
NOULIEVER NOUMET NOUJE NOUEIGEN NOUZAKEN. Zonder een geluid
te maken, alleen maar vantussen haar ogen. En ze hadden elkaar goed
begrepen.

Josepha neemt nu toch een dobbelsteentje geroosterd brood uit de augurkenpot bij een plak salami, alleen voor kaas ontbreekt haar de wil. Therese neemt de proviand mee naar de woonkamer en roept haar reisgezelschap, waarop Josepha op de chaise longue neervalt en zuchtend haar benen strekt. Het trefwoord is deze keer geen verdichtsel en geen waarheid, maar een in het donker geel klinkend MIRABEL uit Thereses mond. Het imaginaire doek vertoont om te beginnen het dorp Eschwege in Hessen in maart van het jaar 1947, om dan in te zoomen op het kantoor van de administratie van het UNRRA-kamp*

Sinds het eind van de oorlog zijn in de gebouwen van de voormalige luchthaven joden ondergebracht. Twee *displaced persons* zitten achter een enorme schrijftafel en spelen met een meisje van ongeveer anderhalf jaar oud. In een blikken speelgoedemmertje verstopt het meisje allerlei voorwerpen, terwijl de volwassenen hun ogen dicht moeten doen om vervolgens te raden wat ze heeft verstopt. Alleen vragen zijn geoorloofd, die het kind enkel met JA of NEE kan beantwoorden. Het valt Therese meteen op dat het meisje als een zesjarig kind spreekt en denkt, en tegelijkertijd een dik pak luiers om haar bips gebonden draagt. Het meisje is de dochter en kleindochter van de voormalige dorpsdiender van Fischhausen, de tengere vrouw ernaast Małgorzata Czechovska, Magdalene Tschechau, Lenchen Lüdeking en Ann Versup in één, aan de zijde van haar echtgenoot, met wie ze niet hoefde te trouwen om zijn wettelijke echtgenote te zijn. In plaats daarvan wordt ze door hem als Astrid Radegund geb. Hebenstreit gekoesterd en gehoed, wat voor haar een oneindig plezierige omstandigheid is en haar gezicht een paar jaar heeft verjongd, zodat je je nu hoogstens een beetje kunt verbazen over het jeugdige figuur dat de (op het oog) middendertigjarige zelfs na de geboorte van een kind heeft kunnen behouden. Therese begint bij het zien van haar zoon te huilen.

Mirabel, roept Ann Versup, zullen we niet liever ziekenhuisje spelen? En Mirabel duwt de plooien van haar geelzijden rokje tussen haar benen en schommelt met haar bovenlichaam naar voren en naar achteren, waarbij ze met haar hoofd tegen de muur achter haar stoeltje bonkt en haar ogen naar binnen richt. Ziekenhuisje spelen moet een poging zijn het kind een poosje stil te houden, want een Amerikaanse soldaat komt met dokter Schlesinger de kamer binnen om het echtpaar te ondervragen naar hun achtergronden en voornemens. Op het bureau spreiden ze een paar papieren uit, die hun van Zweedse zijde zijn toegestuurd. Therese en Josepha vernemen stomverbaasd de feiten rond het geval Versup, echtelieden Amm

---

*[United Nations Reconstruction and Rehabilitation Administration.]

en Ann, die in de zomer van 1945 door een Deense visser, bij wie ze voor enige tijd onderdak hadden gevonden, op het Zweedse vasteland waren afgezet na een veilige overtocht over de Öresund. De visser Trygve Spliessgaard had al een keer eerder, het waarschijnlijk in oktober 1943, door de Duitse bezetters van zijn land was de liquidatie van de joodse gemeentes aangekondigd, joden naar Zweden gebracht en had nu aangenomen dat zijn uit Königsberg geredde ontheemden daar het beste verder konden worden geholpen. Gebleken was namelijk dat ZURINGSOEP het enige woord bleef dat het veertigjarige kind af en toe uitsprak, en ook de man scheen praktisch geheel beroofd te zijn van het vermogen tot spreken, wanneer je afzag van zijn gesteun en gehuil bij het schijten. In Zweden had de voormalige privé-onderwijzer Julius Samuel uit Eschwege zich over de vluchtelingen ontfermd en ze ondergebracht in een psychiatrische kliniek. Julius Samuel was al in 1930 naar Zweden geëmigreerd en bij verre familieleden terechtgekomen, die aan hem hadden gedacht toen hun enige zoon leerplichtig werd, maar wegens zijn zeer onstuimige karakter niet op een gewone school kon worden geplaatst. Samuel was het, die het woord ZURINGSOEP voor de naam van een Oost-Pruisisch gerecht hield en in geen geval voor een werkelijke naam. Hij had daarom een bevriend psychiater verzocht de kennelijk verwarde vluchtelingen aan een therapie te onderwerpen. De arts, die het Duits niet machtig was, had met Samuel besproken hoe ze te werk zouden gaan en hem de opdracht gegeven eerst door middel van een beeldwoordenboek herinneringen aan de voormalige moedertaal op te roepen. Hoezeer ze ook hadden geprobeerd hen met de namen van allerlei fruit- en gebaksoorten, worstvariëteiten en taartrecepten op weg te helpen, het was hun niet gelukt enig resultaat te bereiken. Alleen met fruitsoorten had Ann Versup zich steeds iets langer beziggehouden, misschien omdat ze de voorstelling van zure vruchten associeerde met ZURINGSOEP. In september van het voorafgaande jaar was, door een snede dwars over de magere buik van de vier moeders, het kind ter wereld gekomen, en toen de vroedvrouw met de arts besprak hoe ze aan een naam moesten komen voor het fijngebouwde meisje, daar de ouders immers geen kik gaven, en er al sprake was van *Gunilla*, waar uit voorzorg *Sara* aan werd toegevoegd, toen dus *Gunillasara*, bleek spook, door de genarcotiseerde sensitiviteit van de zojuist van een kind verloste vrouw waarde, ontsnapte aan de nog maar net weer dichtgenaaide vier moeders een vierstemmige ademtocht die de naam MIRABEL bevatte. Ze had gedroomd van het kostelijke gele fruit, dat in de tuinen van haar prille jeugd, in Landsberg an der Warthe, en in het Altstädter plantsoen zo weelderig groeide. Dus stonden korte tijd later in de provisorische persoonsbewijzen vermeld Versup, Ann en Amm en kind Mirabel Gunillasara, geslacht vrouwelijk, geboren te Hel-

singborg/Zweden op 12 september 1945. Hier in Eschwege zijn ze terechtgekomen met de zegen van de oude privé-onderwijzer Julius Samuel, die
weer aan het corresponderen was geslagen met dokter Schlesinger. Dokter
Schlesinger was van Samuels oude joodse kennissen uit Eschwege de enige geweest, die hij na mei 1945 had weten op te sporen, alleen waren ze
nog niet begonnen met hun gedachtewisseling, omdat Schlesinger een taal
bezigde in zijn brieven, die Samuel niet beheerste. Weliswaar kon hij de
letters tot woorden en de woorden tot zinnen samenvoegen, en wanneer
hij de brieven van Schlesinger hardop las, de Duitse taal aan haar klank
herkennen, maar hij begreep niet wat de oude vriend hem wilde meedelen,
hij las eroverheen. Dat het Schlesinger echter ernst was met Samuel, kon
hij wel aanvoelen, net als de relatie die er tussen de linguïstische bijzonderheden van de vermeende Versups en zijn vriend moest bestaan. En
wanneer ze dan al geen gedachten konden uitwisselen, dan op z'n minst
mogelijkheden, en hij stuurde de Versups, Ann en Amm en Mirabel Gunillasara, op eigen kosten naar de door de Amerikanen bezette zone, naar
Eschwege in Hessen. Schlesinger verzocht hij per post dringend zich over
hen te ontfermen en hij hoopte dat het bij de ontmoeting tot een explosie
zou komen, die zowel Schlesinger als ook de Versups met één klap uit hun
merkwaardige linguïstische bevriezing zou verlossen. Wat hij niet kon
weten: het kleine en het nog kleinere meisje met de gezamenlijke vader
Hans Lüdeking uit Neutief aan het Frische Haff, leerden elkaar spreken,
door op het zusterlijke aspect van hun relatie in te gaan en bijna geheel het
feit buiten beschouwing te laten dat de een de moeder van de ander was.
Zo viel het Ann Versup gemakkelijker voor haar zusje te zorgen, dat zij ter
wereld had gebracht ter nagedachtenis aan Senta Gloria Tegenaria, en
soms meende ze in de spiegel zelfs Konijnenmuisje te herkennen, als ze
erin keek. Doordat ze tegelijkertijd waren begonnen de summiere uiterlijke
levensdata van Astrid Radegund Schlupfburg geb. Hebenstreit als houvast
in hun eigen bestaan in te lijven, was het haar bovendien gemakkelijk gevallen voor zichzelf een verleden te fantaseren dat haar beter beviel dat het
verleden dat ze zich kon herinneren. Op heel wat avonden zette ze haar
dochter-zuster op de dichtgestikte buik van de vier moeders en vertelde
over Astrid Radegunds kindertijd, zoals ze zich die wenste voor te stellen.
Het kleinere meisje luisterde geboeid naar de stem van haar moeder-zuster
en praatte mee wanneer haar iets moois te binnen viel. Dat Ann Versups
mond zich durfde te openen tijdens de eerste levensmaanden van haar
zuster, en er op reis naar Duitsland al hele gesprekken mogelijk waren,
had Samuel nooit durven dromen. Ook dokter Schlesinger begreep niet
wat zijn oude vriend eigenlijk had bedoeld: de beide schepsels, die hij als
moeder en kind beschouwde, waarmee hij zowel gelijk als ongelijk had,

spraken weliswaar met elkaar op een manier die niet helemaal leek te passen bij de leeftijd van het kind, maar ze waren niet stom, zoals Samuel hem had meegedeeld. Zelfs het gezinshoofd deed af en toe een duit in het zakje, als het hem zo uitkwam. Dat kon dokter Schlesinger heel goed waarnemen toen hij een keer de buik van de vier moeders betastte en vond dat het litteken moest worden verzorgd: zo klein, had Amm Versup gezegd, terwijl hij met vaderlijke hand over het litteken streek, zo'n kind en al zo geboren. Dat kon Schlesinger weliswaar niet goed begrijpen, maar het was toch meer dan Samuel had voorspeld. Wat hem een probleem leek bij een integratie van de ontheemden in Duitsland: ze hadden zich ingekapseld, onderhielden alleen contact met elkaar, hadden een ondoordringbare ballon om zichzelf heen getrokken, die hun net genoeg lucht liet om te ademen en hun merkwaardige gesprekken te voeren. Een vreemdeling kon daar nauwelijks in doordringen. Dat Amm Versup door dokter Schlesingers bemiddeling een opleiding tot meubelmaker volgde, grensde al aan een wonder, dat goedbeschouwd alleen maar tot stand was gekomen omdat Ann Versup hem om een kastje had gevraagd om de doorstane catastrofe in op te bergen, een goed afsluitbaar, door haar merkwaardige echtgenoot eigenhandig gemaakt kastje, dat ze hier wil achterlaten wanneer ze naar Amerika vertrekken, zoals dokter Schlesinger hun juist belooft vanachter zijn bureau. Hij vertaalt de mededeling van de Amerikaanse verantwoordelijke persoon, die het eens was met de mening van de arts en een pleidooi had gehouden voor de toelating van de familie Versup tot de Verenigde Staten. Het zal echter niet gemakkelijk zijn een verblijfsvergunning te krijgen. Een wet sluit na 22 december 1945 in Duitsland aangekomen gedeporteerden uit van opname in de immigratiequota. Het imaginaire doek laat daarop versneld afgespeeld zien hoe het meisje Mirabel naar de kleuterschool van het kamp gaat terwijl Ann Versup een naaicursus volgt. Therese moet lachen als ze de groei van het kind in versneld tempo volgt, Josepha ziet met nauw verholen plezier hoe de moeder-zuster een beetje spek aanzet. Thereses zoon daarentegen zit maandenlang na zijn werk als meubelmaker over het hout van een kunstzinnige klus gebogen: hij is druk in de weer met inlegwerk, maakt van hout beeldcomposities die hij in zijn hoofd heeft zitten, wie weet waarvandaan, hij kan ze niet thuisbrengen, maar ze verlaten hem voor een poosje wanneer hij ze op de deuren en zijwanden, de laden en de achterwand van het catastrofekastje heeft ingelegd. In 1950 vertraagt het imaginaire doek de loop der dingen tot het normale tempo: de immigratie in de Verenigde Staten van Amerika wordt goedgekeurd op voorwaarde dat dokter Schlesinger, en hij doet dat onverwijld, de reiskosten voorschiet.

Nu worden koffers gepakt en wordt er Engels geleerd, het kleinere meisje wordt Mairebärli genoemd, en Mairebärli bevalt die nieuwe naam niet slecht. Voor Mairebärli wordt een jurk genaaid door haar moeder-zuster, die nu al erg gehuwd is met de zogenaamde meneer Versup. Er wordt geaarzeld, omdat mevrouw Versup, om de rol van Astrid Radegund als een veilige huid over zich heen te trekken, het huwelijk met meneer Versup wil beklinken, terwijl hij zijnerzijds helemaal geen aanstalten maakt. In de kamer waarin ze al meer dan drie jaar wonen zou het haar wellicht beter lukken dan in een coupé dan wel een kajuit tijdens de overtocht, of in het vreemde Amerika, waar ze heel veel tijd nodig zullen hebben voor het opzetten van een eigen huishouden. Omdat ze van de lichamelijke voltrekking van het huwelijk een voorstelling heeft die is gebaseerd op de herinnering aan Lüdekings enorme fluit, waarop ze, vastgehouden door de ceintuur, door de kamer reed langs de blind wordende Tegenaria, weet ze niet zo goed hoe ze het moet aanleggen om een eenbenige man tot zo'n Circe-achtige daad aan te zetten. Op de avond voor het vertrek eindelijk, het is intussen laat in de zomer, waagt ze het erop zichzelf met een grofleren riem vast te gespen op de slapende zoon van Therese. Maar Fritz Schlupfburg begrijpt de uitnodiging niet en schrikt eerder een beetje van de aanraking, die hij niet kent. Als zijn blik bij het radeloze rondkijken in de kamer op de catastrofekast valt, die hij in de afgelopen dagen heeft voltooid, verlost een vrouwengezicht, dat hij heel mooi uit berkenhout heeft gesneden en in kersenhout heeft ingelegd, de onder het puin bedolven Fritz, op wie Ann Versup sinds een poosje wil rijden, uit zijn elk gevoel onmogelijk makende verslapping.

Omdat op de ochtend van het vertrek de ogenschijnlijk lege kast, zorgvuldig gesloten, met sleutel en al als afscheid en herinnering als cadeau aan dokter Schlesinger wordt overhandigd en voorlopig op het enorme blad van zijn bureau wordt neergezet, hebben Josepha en Therese even tijd om het inlegwerk te bekijken: Therese herkent zichzelf in verschillende fases van haar leven, bovendien de oude Agathe en de zeer jonge Astrid Radegund, en wie de kast opendoet, dat weet ze heel zeker, zal op de binnenkant van de deurtjes een jonge, naakte jodin moeten kunnen zien, die door een even jonge, in een Duits uniform geklede soldaat, naar haar latere graf in Kowno, het hedendaagse Litouwse Kaunas, wordt gebracht. Dokter Schlesinger komt er vooralsnog niet aan toe het kastje open te maken, dat hij bewonderend in ontvangst neemt en voor welks onverwachtse geschenk hij bedankt. Na een laatste ontbijt in Eschwege met bruin brood, zwarte surrogaatkoffie en geel glanzende jam van appel gemengd met kruisbessen, stappen ouders en kind Versup (volgens Schlesinger), Fritz Schlupfburg met Lenchen Lüdeking en de kleine Lüdeking-dochter-zuster (volgens Therese), oudoom Fritz met Małgorzata Czechovska en Mairebärli (volgens Josepha), de eenbenige weetniet Schlupfburg alias Amm Versup met Astrid Radegund geb. Hebenstreit en hun lijfelijke dochtertje Mirabel Gunillasara (volgens Thereses zoon zelf), de merkwaardige Schlupfburg, mogelijk uit de familie van de rondnetspinnen, met de intussen vijftienjarige, als Astrid Radegund verklede springspin alsmede klein zusterdier (volgens de vier moeders) op de trein naar Frankfurt am Main, van waaruit de reis op een nog onbekend tijdstip zal worden voortgezet naar Hamburg. Het imaginaire doek stoot rook uit tijdens het ineenstorten.

Josepha op de chaise longue vraagt of Therese een foto van haar kind Fritz uit de Königsbergse jaren kan laten zien, en Therese laat zich niet lang bidden, haalt de schoenendoos vanonder het bed vandaan en geeft aan Josepha wat haar trillende handen eruit halen: het kind Fritz, ingeklemd in een schoolbank, met lei en griffel, de opgeschoten jongen met korte broek in de dierentuin voor de leeuwenkooi. Niet veel. Een fotootje nog waarop hij naast grootmoeder Agathe in de tuin van het huisje in Lenkelischken zit, een verjaardag wellicht of een andere familiegebeurtenis, die Therese zich niet meer kan herinneren. Niet veel, flapt Josepha eruit, ze houdt meteen haar hand voor haar woordensproeier en kijkt op naar Therese, die knikt en huilt en nog maar één stap verwijderd is van de wanhoop. Maar er was toch, nu schiet het haar te binnen, tante Spitz! Ja natuurlijk, tante Spitz! roept Therese vlak voor de afgrond, en ze doet een stap achteruit. Van tante Spitz heeft de kleine Fritz gehouden, dat ik er blij van werd! Therese vertelt nu hoe Fritz Schlupfburg, nog maar net in de eerste klas, op zijn zoektocht naar binding tante Spitz was tegengekomen en meteen verliefd was geworden op die geweldige dame, die gescheiden was en ongehuwd samenwoonde met een eigenwijze slager. In de winkel was het haar vermoedelijk opgevallen dat Fritz altijd tweeënhalf ons bloedworst kwam halen en het geld heel precies met stralende ogen neertelde, omdat hij zijn moeder daarmee een plezier kon doen. De gescheiden tante Spitz had een neus gehad voor Fritzjes problemen en altijd een plakje worst voor hem afgesneden voor uit het vuistje, tot Therese een keer naar haar toe was gegaan en had verklaard dat ze dat niet nodig vond omdat Fritz genoeg te eten kreeg. Dat had tante Spitz al wel begrepen *zoals dat kereltje eruitziet*, daar twijfelde ze niet aan. Maar hij kwam haar een beetje eenzaam en verloren voor op zijn leeftijd, zo rijp en evenwichtig, zo verstandig. Zijzelf had geen kinderen en vroeg na enige tijd of Fritzje tijdens de weekends niet met hen mee kon, wanneer ze die op het platteland doorbrachten. Dan zou Fritzje kunnen paardrijden en de varkens voeren, melken en paarden roskammen, en er zou dan altijd iemand zijn die zich om hem bekommerde. Ze kon zich wel voorstellen, had tante Spitz gezegd, dat het niet eenvoudig

was om in je eentje, met een weduwepensioen, twee kinderen op te voeden, het was toch vanzelfsprekend dat mevrouw Schlupfburg er wat bij
moest verdienen. En al ze dat deed, dan zou ze Fritzje toch af en toe voor
een tijdje bij haar kunnen stallen, mensen moesten elkaar helpen, toch? Ja
ja, roept Therese, die tante Spitz, die hield van hem, en die wilde dat hij op
zijn leeftijd niet zo erg hoefde te lijden! Dat ik daar niet meteen op ben
gekomen! Misschien heb ik hem wel helemaal niet zo ongelukkig gemaakt,
misschien heeft hij ook tante Spitz kunnen liefhebben als een moeder! zo
verbeeldt ze zich en wordt bleek als ze eraan denkt hoe tante Spitz toen
gestorven is vlak voor de oorlog, aan een plak vergiftigde ham. De mensen
konden haar niet goed uitstaan, tante Spitz met haar onzedelijke levens-
wandel met de slager. Hoe het gif in de ham terecht was gekomen, kon
niet worden opgehelderd. Alleen dat dat gif erin zat, stond vast. Waar je al
niet op komt als de dag maar lang genoeg duurt! roept Therese Schlupfburg en windt zich vreselijk op. Ze had niet het lef gehad naar de begrafenis te gaan, en was zelfs boos geworden toen Fritzje zich daar niets van
aantrok, maar oprecht rouwde, van de slager hoogstpersoonlijk een zwart
pak leende en de stoet rouwenden aan diens zijde aanvoerde. Later was ze
een keer als toevallig naar het 11de Altrossgärter kerkhof gegaan, met tram-
lijn 2 was ze door de Königsstraße gereden, die destijds al de Straat van de
SA heette, tot aan het Königstor. Een eindje te voet nog door de Labiauer
Straße richting Kalthof, daarvandaan was het toen niet meer ver naar tante
Spitz' kleine granieten grafsteen met het gouden opschrift:

HIER RUST IN GOD DE HEER ONZE GELIEFDE ANNI AMALIE SPITZ,
GEB. SAHM, *13.2.1897 IN STRECKFUSZ, OVERLEDEN 4.5.1939 IN
KÖNIGSBERG/PR.

Buxusboompjes had de slager op het graf gezet, en in narcissen die in een
lege weckpot stonden, herkende Therese het boeketje dat Fritz Schlupfburg
de voorafgaande avond bij een bloemenhandelaar bij station Noord had
gekocht en 's nachts in een emmer onder het aanrecht had bewaard. Voor
een vriendin, had ze zo gedacht. Maar toen ze die narcissen op het graf zag
staan, had ze plotseling ingezien dat Fritzje nooit bloemen zou kunnen
kopen voor het graf van zijn moeder, hoewel ze niet kon zeggen waarom
dat zo was. Misschien had ze het waarschijnlijk geacht dat haar zoon jong
zou sterven, of de vervreemding tussen hen waargenomen, die ze echter
destijds nog niet vermeldenswaardig vond, bij Anni Spitz' met buxusboompjes omringde rustplaats. Na het bezoek aan het kerkhof was Anni Spitz
vlug verdwenen uit Thereses uitvoerige denk- en voelsysteem, was ergens
ondergedoken in het vage beeld dat haar zoon had achtergelaten. Dat ze nu

vanaf de andere kant van de laatste oorlog nog een keer zichtbaar wordt, hoe ze door de Ratslinden loopt om vervolgens de Fürstenschlucht over te steken naar het restaurant Fürstenteich, daar een glas witte wijn neemt en een sigaret rookt door een enigszins lang uitgevallen pijpje, dat vindt Therese werkelijk heel erg indrukwekkend. Ze ziet tante Spitz in de onnavolgbare charlestonstijl, waaraan ze ook nog tien jaar na zijn bloeitijd de voorkeur geeft: de roklengte tot op de knie, een stukje er boven zelfs. De vleeskleurige kousen van kunstzijde. De taille van de japon laag op haar heupen, op haar hoofd daarentegen al naargelang haar stemming een breedgerande klokvormige hoed of een kleine potvormige, diep over haar voorhoofd getrokken. De smalle, puntige schoenen van licht leer met knoopgespen versierd. Haar kortgeknipte haar ruikt altijd een beetje naar tabak van een goed merk, en haar gelaatstrekken zijn een geschminkte imitatie van diva's uit de stomme film. Vanzelfsprekend baart ze opzien in die uitdossing, omdat de vrouwen om haar heen hun haar in gevlochten rollen rond hun oren plegen te dragen, als ze er nog jong genoeg voor zijn, of de moederlijke knot in hun nek vastspelden boven strenge mantelpakken of eenvoudige japonnen, die een zeker dorps fatsoen schijnen uit te stralen. De moeders met hun kleine kinderen in de dierentuin houden van witte kraagjes, die ze uit zelfgebreide vesten laten gluren. Therese herinnert zich geblokte deux-pièces, die ze van haar moeder Agathe had gekregen toen Fritz zijn geloofsbelijdenis deed, en dat ze niet erg graag droeg omdat het kledingstuk haar vlezige knieën bedekte. Wanneer ze die ontblootte, werd haar manier van lopen een ware strooptocht der lust. Daarom, ja natuurlijk, had ze liever kortere rokken gedragen, omdat ze zich in de blikken van de mannen spiegelde en daaraan waarde ontleende. Soms had ze een liefhebber van knieën toegestaan die forse delen van haar aan te raken, in het stadspark bijvoorbeeld, als Fritzje met andere jongens verstoppertje speelde achter bomen en struiken. Het was ook voorgekomen dat de hand van een opgewonden heer uitgleed op Thereses dijen en in de buurt van haar volle sappigheid terechtkwam. Maar ze had het steeds bij de mogelijkheid gelaten om op een later tijdstip toegang te verschaffen – ze riep Fritzje en ging naar huis, waar ze zichzelf toegang verschafte bij zichzelf als het kind sliep. Zeker had ze tante Spitz benijd om haar durf een zichzelf met trots presenterende vrouw te zijn met een waas van geslachtelijkheid om zich heen, terwijl Therese zich weliswaar in stilte van zichzelf bewust was en haar licht niet onder de korenmaat liet schijnen, maar met de jaren toch steeds meer verborgen hield dat het daar brandde. Sinds de mislukte standjes met Adolf Erbs had ze nog twee keer mannelijkheid in haar lijf gevoeld, maar ze kan zich niet meer herinneren welke gezichten daarbij horen. Wat je niet allemaal te binnen schiet als de dag maar lang genoeg duurt! roept ze nog een keer, zodat Josepha eindelijk merkt hoe laat het is geworden. Zo laat, dat de volgende dag zich al aankondigt op de luid tikkende klok. Dan moet je voortmaken, onder de wol kruipen, uitrusten, bovendien is de kwestie met Mirabeltje nu op de goede weg, beter kan het niet! Therese is opgewonden, smacht – naar Fritzje zelfs? – en blijft in de woonkamer zitten, de foto's voor zich uitgespreid op de tafel, haar rechterhand tussen haar nog steeds volle dijen. Als Josepha allang slaapt, besluit ze in het weekend eens naar het koffieuurtje van de Volkssolidariteit te gaan om een relatie te zoeken.

De brigade van Hal 8 van de VEB Kalenders en Kantoorartikelen Max Papp begint te breien voor de zwangere collega. Babywol is een van de artikelen in de garen-en-bandwinkel Jürgens die niet onder de toonbank hoeven worden gekocht, maar om redenen van hoger *maatschappelijk belang* rijkelijk voorradig zijn. Carmen Salzwedel heeft niets te doen wanneer in de koffie- en middagpauzes brei- en naaipatronen worden uitgewisseld voor allersnoezigste pastelkleurige babykleertjes. In plaats daarvan kan ze Josepha ervan overtuigen dat ze het zwangerschapsadviesbureau moet bezoeken en de normale gang van zaken weer moet oppikken. Maar Josepha verknoeit koppig elke kans om met het zwart-witte kind geld te verwerven. Na het werk, dat haar nu, omdat ze invalskracht is, nauwelijks meer interesseert, helpt ze Therese bij het completeren van het expeditiedagboek en het scheelt niet veel of ze heeft schoon genoeg van haar hele toestand. Fauno Suïcidor ziet zich genoodzaakt de Siamese ratjes nog een keer aan te moedigen voorzorgsmaatregelen te treffen voor een innerlijke inkeer van hun draagster. Josepha kan aan het eind van de maand, als ze met de door de brigade geadopteerde schoolklas naar de kermis in de districtshoofdstad is gegaan om het begin van de zomervakantie te vieren, nog maar net voorkomen dat de beestjes vanuit het reuzenrad in de diepte springen. Het ene ratje pakt ze nog net op tijd bij het puntje van zijn staart, en zo kan ze de ander gelukkig tegelijkertijd van de dood redden. Maar dat dit een teken is, ziet ze niet in en ze moppert, terwijl de verbaasde kinderen toekijken, op de mahoniehoutkleurige zelfmoordenaars, voordat ze ze weer in de zak van haar rok duwt en de rits dichttrekt die ze er speciaal voor dit doel in heeft gezet. De ratten besluiten vervolgens niet op een nieuw teken van Fauno Suïcidor te wachten en tegen de avond in de stilte van de rokzak te stikken, maar ze willen dat niet verraden door stil en onbeweeglijk te zijn en laten de stof door hun sierlijke sprongen opbollen, ze fluiten uitgelaten en jagen achter hun eigen staart aan, knabbelen zelfs een beetje aan het plastic van de ritssluiting. Josepha moet zich nu onderwerpen aan een intensief vragenuurtje, waarin de kinderen de kermis de kermis laten en geen belangstelling meer opbrengen voor de swing en de achtbaan, het spiegellabyrint en de rollende ton, het spookhuis en de gebraden haantjes. Ze gaan op de strook gras zitten die het kermisterrein van het terrein rond het stadhuis scheidt, en kijken toe hoe de wolken voor de nog altijd hoog staande zon op de vlucht slaan, terwijl Josepha bereidwillig inlichtingen geeft over de behoeften en de gewoonten van haar rossige rokgenoten. Een, twee kinderen vragen of er geen kindertjes op komst zijn en of ze ook zo'n paartje kunnen krijgen van tante. Josepha haalt nu in volle ernst de ratten uit hun schuilplaats en legt de kinderen uit waaraan je vrouwelijke en mannelijke geslachtskenmerken kunt herkennen. Teleurgesteld stellen de kinderen de vrouwelijkheid van beide diertjes vast, maar eigenlijk... Misschien zou je ze door een eenvoudige tweedeling kunnen vermenigvuldigen, zoals lint- en regenwurmen, en misschien was hun verbazingwekkende saamhorigheid wel het resultaat van zo'n niet geheel gelukt vermenigvuldigingsproces? Josepha ziet zich genoodzaakt nu ook nog een uiteenzetting te geven over de voortplantingspraktijk van zoogdieren, schildert een paar gevallen van Siamees bestaan onder mensen, en kan op die manier bereiken dat Adrian Strozniak zijn al in de aanslag gehouden zakmes, waarmee hij het aan de zijkant aan elkaar gegroeide tweespan ter hoogte van de navel had willen splitsen, opdat aan de onderlijfjes de ontbrekende rompjes, voorpootjes en kopjes, en aan de schattig kijkende bovenste helften de ontbrekende onderdelen zouden kunnen aangroeien, weer inklapt en in zijn broekzak stopt. Maar wat toch mogelijk zou moeten zijn, fluistert de magere Erika Wettwa, die haar lieve ouders 's zondags soms op hun bijslaap betrapt, omdat ze met z'n allen in slechts één kamer wonen, is de paring met een mannelijk dier, we zouden er een moeten vangen en dan die beesten van tante gewoon om de beurt een beurt laten geven. Dat zou toch moeten kunnen? Als wat ze daar allemaal zit te verzinnen klopt, dat moest je nog maar afwachten hoeveel kleintjes volgens Mendel eveneens aan elkaar zouden plakken. Dan heeft gewoon een van ons geluk, de ander niet. Zulke mooie rode ratten... (Souf Fleur, de tijdgeest, komt ongemerkt bij het montere groepje staan en moedigt Erika met voortdurende zachte klapjes op haar achterhoofd aan door te gaan met praten.) 's Avonds, na een halfuur in het bostreintje terug in W., komen de beestjes er helemaal niet aan toe te sterven, omdat Erika Josepha weet over te halen de diertjes voor één dag aan haar af te staan om ze aan haar ouders te laten zien. Fauno Suïcidor staat machteloos tegenover de ondernemende kinderen, die je tot laat op de avond op kleine, smerige binnenplaatsen ziet lopen, langs de open riolering die je hier en daar nog ziet in het provinciestadje. Enkelen hebben zelfs, vertellen ze elkaar een paar dagen later, rondgewaad in het *badwater* genoemde riviertje, dat onder de stad door loopt en met het oog

163

op de aanleg van wegen vóór de laatste oorlog voor een groot deel door onderaardse buizen is omgeleid. Ook Therese heeft bij haar thuiskomst van haar tweede bezoek aan het koffieuurtje van de Volkssolidariteit onder de trottoirs het gejoel van kinderen gehoord en eerst aan haar gehoor, later aan de huidige generatie ouders getwijfeld, die hun kinderen 's nachts de goot instuurt. (Haar metgezel, de tweeënnegentigjarige krasse rentenier Richard Rund, twijfelt noch aan het een noch aan het ander, want hij is doof sinds hij zijn arbeidzame leven vaarwel heeft gezegd.) Of het een van de drie uiteindelijk buitgemaakte dieren is gelukt de rattinnen te bezwangeren, kunnen de kinderen voorlopig niet weten, te meer daar de eventuele zwangerschap zich zal afspelen in Josepha's zakken – de brave Erika brengt de volgende avond de geleende diertjes terug. Alleen Fauno Suïcidor, die als een door knoflook en kruis verdreven vampier de Siamese beesten nu vol verlangen vanuit de verte moet gadeslaan, weet dat ze zwanger zijn: hier houdt zijn invloed op.

Het poesje lummelt hongerig rond Josepha's gezwollen benen als Therese op de laatste zondag in augustus haar achterkleindochter over de brief vertelt, die haar dochter Ottilie haar als levens- en liefdesteken heeft gestuurd en waarin ze de dringende behoefte heeft geuit zo spoedig mogelijk naar het Oosten te komen met man en kind. Op een kleurenfoto staat het gezin voor een robuuste wandkast met huisbar. Het televisietoestel ontbreekt in het daarvoor bestemde vak, in plaats daarvan liggen er stapels gestreken luiers, hemdjes, hesjes en trappelzakken, gehaakte sokjes en een rubberen onderlegger in. Ottilie heeft de elektrotechnicus ervan overtuigd dat het onmogelijk zal zijn om zowel met vrouw en zoon alsook met een televisietoestel van welk merk dan ook zonder gevaar te kunnen samenwonen... Josepha is verbaasd hoe haar overgrootmoeder de ontvangst van de brief zo lang heeft kunnen verzwijgen, en kan ook niet goed verklaren hoe het komt dat Therese de dagen daarna zo kalm heeft doorgebracht. Therese reikt Josepha de dikke brief over de tafel heen aan en nodigt haar uit hem te lezen.

N., juli 1976

Lve mammie,

Dat was een schrik toen ik hoorde dat je nog leeft na die lange vlucht uit Oost-Pruisen, nou en of! Zijn meteen in Saksen beland destijds Traute Jevrutzke en ik bij paardenslachter Albin Brause waar werkelijk goed was voor ons. Dat me nog zou vinden nooit meer gedacht. Destijds meteen opgegeven want met zoeken was jij altijd al beter dan ik, lve mami. Traute is met Brauses zoon getrouwd en bleef in Saksen ik ben naar de andere kant gestuurd toen groene grens er nog was. Toen verdwenen tussen Wuschken en Ruschken met kleine Rudolph wou ik het eerst niet geloven omdat je zo ineens weg was. Veel gehuild om jou en kleine Rudolph. Waar is dat jong nu? Zou hem zo graag weer 'ns in m. armen sluiten na die lange tijd. Is zeker allang volwassen.

Heb, lve mami, geen slecht leven gehad kun je je indenken. Hier alles altijd volop, boter en brood en worst. (Halfpond koffie meteen meegestuurd, om je een plezier te doen.) Vijftiger jaren was ik getrouwd met Bodo Wilczinski, portier van een inrichting. Was lve man, stierf helaas al in 64. Toen goed pensioen gehad. Soms de boel aan kant gemaakt, wasmiddel en schuurzand en zo. Kort geleden dus zwanger geworden, lve mama, kon het zelf niet geloven. Weet je nog hoe je met me naar Pillkallen bent gegaan en je ook niet anders kon, toen jij de visboer, die daar gerookte bot verkocht? Je weet toch nog hoe het is als je niet anders kan, lve mami. Heb nu weer een lve man gekregen en jouw kleinzoontje, de lve Avraham Bodofranz, z. foto. En heel veel pers zo vreselijk, kun je je indenken. Zal je heel gauw komen bezoeken. Is Rudolphje er dan ook, als ik kom? Moet toch zijn kleine broertje bewonderen, dat jochie. Heeft Rudolphje ook een lve vrouw? Verdient hij goed? Je schrijft dat zijn dochter uit zijn eerste huwelijk bij je woont. Goed meisje zeker? Kan toch niet anders, 't was ook een goed jochie.

Nooit weer wat van broer Fritz gehoord, lve mami. Je schreef ook niet waar hij is. Zeker ook omgekomen destijds. Moet op het laatst nog heel merkwaardig zijn geworden. Heb nog zijn lve vrouw leren kennen, Astrid Radegund geloof ik. Mocht het je niet zeggen dat er bruiloft was omdat er zo veel ruzie was wegens foto's, geloof ik. En vanwege de oorlog. Er was al iets op komst, Astrid Radegund in blijde verwachting. Is er met het kind waarschijnlijk niet meer uitgekomen toen de Rus kwam. Op het laatst ziekenverzorgster in de Chirurgische Kliniek. Altijd geweten, als er een, dan jij. Weet je nog hoe je die ouwe Erbs altijd voor de gek hebt gehouden? Is me weer te binnen geschoten, waren wel een beetje gek destijds. Kon die Erbs niet uitstaan. Jij ook niet. Heb het ook zijn pleziertjes bedorven doordat ik steeds groot was en dan weer klein ben geworden, weet je nog. Nu zullen we elkaar weer zien! Moet me schrijven lvre mami hoe dat gaat.

De kleine Avraham Bodofranz heel lief kind kun je je indenken. Drinkt altijd goed en slaapt net zijn vader. Lekker stevig zul je plezier in hebben. Gehoorzaamt ook goed als ik zeg nee nu niet. Net als Fritzje destijds, was ook al zo verstandig toen hij werd geboren.

Hou er nu mee op zodat je kunt antwoorden. Hartelijke groeten ook van mijn lve man (nog niet getrouwd, gaat wel snel gebeuren).

Heel hartelijk je dochter

De brief ging weer terug over de tafel van de radeloze Josepha naar de glimlachende Therese. Waarom zo veel papier voor zo'n korte brief? *Onpersoonlijk*, is het enige wat haar te binnen schiet, alsof hij niet uit een soort liefde is geschreven, als een teken van herkenning misschien? Therese glimlacht over de tafel heen als dokter Alwetend, over wie ze Josepha in haar jonge jaren heeft voorgelezen. *Voldaan*, dat glimlachje. Denk aan de omstandigheden, kind, zegt Therese goed onderlegd. We spraken vroeger ook al op die manier met elkaar, het tweede mondje de voorkeur geven en dan maar kletsen. O ja? Is het heus? Therese geeft Josepha van katoen dat haar oren ervan tuiten: als donderslagen na de bliksem, uit de opening tussen haar ogen, maar Josepha begrijpt er niets van. Leer je nog wel, zegt Therese berustend en begint nu de brief van haar dochter al wel voor de honderdste keer te vertalen in de netelige toestand. Melodie kan Josepha erin horen, van dur naar moll en weer terug verlopende klankreeksen, tussendoor uitstromende adem als teken van levenseinde, gesteun van overeenstemming en een vochtig kletsen, zoals wanneer een lichaam een ander lichaam loslaat, bij een geboorte bijvoorbeeld. En lang is hij, die brief, die waarschijnlijk letterlijk wordt weergegeven! Josepha luistert met gespitste oren. Geluidbiografie? Ingeslepen vrouwelijke codes als tegenhanger van een zich mannelijk voordoende afluistermentaliteit? Therese leest met nauwelijks geopende mond, schijnt het, voor, terwijl ergens tussen lichaamsgrens en blikradius de klanken ontstaan, die langzaam een reeks beelden oproepen voor Josepha's ogen, kleuren eerst, waarvan de contouren zich losmaken en door het vertrek glijden, onherkenbaar door hun gebrek aan tastbaarheid, maar die door hun kleur tussen afval en vlees in meer met het aardse zijn verbonden dan met het domein van de synesthesie... Niet hoogdravende uitleg, welkom en afscheid alternerend, niet spinragzacht zich camouflerend roofmoederschap. Ten slotte ook klankreeksen als gemaakt om na te lezen in het woordenboek der wonderlijkheden: loogzargen almoeyen krutineroven succase droelidden kobelinnen scromanten mostolten babrosten kerkutwethen kampspowielken cullmenwiedoetaten baltoepeunen oogsgirren birstonisken schuddebarsten girngallen-gedmin aspalten oerbansprind plompen pliebischken pergusen luxethen snakijnen poschloschen wordommen pingeping sixdroi sorkwieten. Geen woord van te verstaan, maar helder als een landschap getekend met alt en sopraan. De naklank van de stemmen vliegt als fijn steenstof door de kamer en vermengt zich met de in de avondlijke zonneschijn duidelijk zichtbare pluisjes in een soort oerverwekking, zodat er alras echte brokken van stof en klanken om de vrouwen heen suizen en hier en daar een wond veroorzaken en de erbij horende pijn. Maar Therese gaat maar door met vertalen, heerszuchtiger wordt haar toon en Josepha bevelend zich in te laten met die kennelijk uit de mode geraakte vorm van communicatie. Josepha fronst haar blik recht op haar grootmoeder af en wijst naar de open wond boven haar neuswortel. Bloedvaatjes in een krans rond het scheurtje in haar huid verspreiden zich rond haar vragende blik, maar Therese laat de brokken steen met haar fladderende lippen over stoel, kast en vloerkleed heen naar het raam vliegen, dat opengaat en lucht in de kamer laat stromen. Nu komt eindelijk tot bezinning wat zo-even nog brief heette en pijn was en geherbergd achter het voorhoofd waarmee Therese de huidige werkelijkheid trotseerde, door Ottilie aan het woord te laten komen op haar Schlupfburgse manier. Maar zo snel kun je dat niet leren, denkt Josepha, zo snel kan ik niet met jullie leren meepraten, dat moeten jullie eerst maar eens onder elkaar uitmaken, tot ik midden in de sapstroom der generaties sta en een voet in de spleet kan krijgen die mij sinds enige tijd deelt. Om te zorgen dat die niet dichtklapt, de deur naar de voorouders, nu ik mijzelf opwerp als voorouder door de groei van het zwart-witte kind, zo simpel is dat. Dat zouden jullie toch kunnen weten. En ze maakt zichzelf dicht met een beigekleurige pleister van het merk Gothaplast.

Later, Therese heeft de keuken opgeruimd en de afwas gedaan, het poesje eten gegeven, en ze zit nu over een paar stukken grijswitte was gebogen om die met een fijne naald te stoppen en te herstellen, komt Josepha op de grootmoeder in het Westen terug en vraagt schuchter, wanneer die dan wel, hoe je het ook zou vertalen, zal arriveren aan deze kant van de in het jaar 1949 kennelijk definitief vastgestelde grens. Raar ook dat de ouders van de precieze Angelika nog steeds niet langs zijn gekomen om verslag te doen van hun reis naar de Alster, die immers met zo veel succes verbonden is met het belang van de Schlupfburgs... Therese schijnt echter nog helemaal bevangen te zijn door het klankschilderen en fluistert geheimzinnig in Josepha's oor dat ze vanavond nog bezoek verwacht, dat bovendien zal blijven slapen. Richard Rund heeft aangekondigd een fles wijn te komen drinken, die hijzelf zal meebrengen om de dag te vieren. De dag? De nacht, moet Therese verlegen bekennen. En Ottilie Wilczinski dan? Is ze die helemaal vergeten? Wordt het niet tijd die zwart op wit uit te nodigen en de hereniging op gepaste wijze te vieren? Josepha ergert zich aan de onverschilligheid die Therese tentoonspreidt, terwijl er al zweetdruppeltjes op haar voorhoofd verschijnen in afwachting van rentenier Rund. Wat gebeurt er in 's hemelsnaam allemaal, dat kán toch zomaar niet? En die stomme koffieuurtjes bij die volkssolidaire club, het is belachelijk, Therese, hoe jij opeens alleen nog maar aan jezelf denkt! Therese denkt er intussen heel anders over: zo'n deftige man nog een keer te mogen kussen en binnen te laten komen, dat is toch een feestelijke aanleiding om haar eigen dochter na te volgen in haar geluk! Dan voel ik me toch veel meer bij haar betrokken, dan kan ik haar goed verwelkomen en haar een thuis laten zien dat niet alleen maar uit vrouwenlijven bestaat. Hoe kon ik dat toch vergeten? Nu die ouwe Erbs zo netjes begraven ligt in Oost-Duitsland, onder een vloed van woorden, mag ik toch zeker weer plezier leren beleven aan de volheid des bloeds en de gevolgen daarvan, is toch zo, Josepha? Zoals wij laatst 'ns nachts, Richard en ik, terwijl we de kinderen onder de stad kabaal hoorden maken, naar huis liepen, hoe hij me zogezegd naar huis bracht na de eerste toenadering, toen voelde ik heel duidelijk dat het wat kon worden met ons. Jij kent dat toch ook wel! Zo simpel is dat. En ze lacht tegen Josepha's kamizooltje, waarvan een zijnaad is losgetornd onder de druk van het zwart-witte kind en dat nu weer in orde wordt gemaakt voor de toekomstige slanke lijn. Inderdaad wordt er op dat moment aangebeld, en samenkomt wat samenpast: Richard Rund met in zijn kielzog de ouders van de precieze Angelika om het reisverslag te komen doen, zich voor de plotselinge overval verontschuldigend, maar ze waren nu eenmaal pas nu... en het was toch zo mooi geweest... en ze hadden het zeker ook al gehoord! Richard Rund is gezellig genoeg om niet teleurgesteld te zijn dat hij moet wachten met het binnengaan van zijn geliefde. Met een knal ontkurkt hij de eerste fles, het feit dat er nog twee andere in zijn zak zitten niet achterhoudend, en schenkt de glazen vol: rozenbottel, de oogst van afgelopen herfst, uit de tuin van zijn dochter, een zeer fruitige wijn uit een grote voorraad. Hij doet dat al jaren, de vele soorten fruit en dus ook rozenbottels laten gisten met gist en suiker, het proces in de gaten houden en ten slotte met het goede resultaat de voor hem veel te dure wijn die je in de winkels kunt kopen te slim af zijn. Bovendien kan hij de wijnen zo samenstellen als ze volgens hem bij verschillende gelegenheden passen: de zoete voor de liefde, de droge voor de intellectuele vrienden van het gezin van zijn dochter, daartussenin de wijnen die de tongen losmaken voor de wekelijkse kaartavondjes met zijn vroegere collega's. (In café Zur Sonne komen die elke vrijdagavond bijeen rond de stamtafel en dan knallen de kaarten op tafel, hoogstens onderbroken door warme worstjes en bruine borrels.) Richard Rund ontkurkt meteen een tweede fles in de wetenschap dat wijn enthousiasmerende bijwerkingen heeft en elk volgend glas onweerstaanbaar maakt. De vader van de precieze Angelika herinnert iedereen aan de film *Feuerzangenbowle*, die heel regelmatig op alle toegankelijke televisiekanalen wordt vertoond ter herinnering aan een klein uitgevallen toneelspeler en waarschijnlijk ook aan het uit de grenzeloze tijd stammende, quasigemeenschappelijke erfgoed. In die film was het de *bosbessenwijn*, die een hele groep jongeren, die zich als eindexamenklas voordeed, ook al was het maar schijn, van het rechte pad af bracht en straalbezopen maakte. Richard Rund is in de loop van zijn leven een ware liefhebber geworden van de alcoholische gisting en kent daarom ook de film die Angelika's vader nu ter sprake brengt. Voordat men aan het reisverslag toegekomen is, is het gezelschap al behoorlijk aangeschoten en speelt heel nauwgezet – alleen Josepha is, wat alcohol betreft, in verband met het zwart-witte kind terughoudend – een paar scènes van genoemde film in kleinere bezetting na. *Ga toch zitte!* doceert de Angelika-moeder met een zwaar accent, *jullie motten er raikening mee houwe dat het bai de universitaiten en hogeschoulen heel anders is, beste leerlingen, daar ken zelfs de bosbessewain een ongelaufelijke toestand ontketene as die van rosebottels is gegist en ingeschonke wordt!* (Therese verlaat met afgemeten pasjes de scène.) *Pleegzuster bloedwijn!* roept Ronde Richard, *Pllleegzuster bllloedwijn!* roept hij nog een keer, het gangbare wachtwoord voor oproer, en hij valt uit zijn rol: hij nodigt de gasten van de familie Schlupfburg uit zich totaal onaangepast te gedragen tegenover hun gastvrouwen, de stemming met uitbundig gelach nog wat op te vrolijken bijvoorbeeld. Therese, weer terug, bezint zich op haar verlangens van die dag en hoopt Richard Rund spoedig in haar bed te krijgen, zolang hij nog een beetje stabiel is. Dus brengt ze ter afwisseling *Hamburg* ter sprake, HAMMBURCH! roept ze, zoals even daarvoor Richard PLEEGZUSTER BLOEDWIJN riep en ze hoopt op revanche, maar dan komt gelukkig Josepha uit de keuken met het aftreksel van Rondo Melange alsmede een paar blauwgrande koffiekopjes en klontjes suiker en melk. Dat maakt de visite een beetje rustiger en biedt dan toch nog de gelegenheid om een paar kleurenfoto's, ansichtkaarten, reisfolders en een doos kersenbonbons uit de zakken van de Alster-reizigers te voorschijn te toveren. Zo mooi moet het dus zijn geweest, dat in het vooruitzicht van de bonbons het speeksel al begint te stromen en de ogen op het glanzende oppervlak van de foto's donderkopjes worden. De verhalen komen los. De eerste dag zijn we meteen naar Hagenbecks dierentuin geweest, och och, net een film, en die beesten! En toen was de bruiloft, een chic restaurant, allemaal donkere kelners, stelt u zich dat eens voor. 's Middags had hun zuster tong in rode wijn besteld en wie dat niet lustte, die kon *á la carte* eten, maar zoiets doe je toch niet! En asperges in witte saus, heel erg lekker, bij de koffie heel veel taart en Schwarzwälder kirschtorte, maar die van ons is echt beter, geloof me. De Schwarzwälder kirschtorte bedoel ik, niet de koffie. Zoals ze die Schwarzwälder kirschtorte hier bij Gasterstädt bakken, dat is echt top. Heb ik ze daar in het Westen ook gezegd, wat waar is, is waar. En fruit! Zulke appels. Zulke ananassen. Zulke grapefruits. (De begeleidende gebaren doen bij de aangeduide vruchten eerder aan pompoenen denken.) En onze kleren: helemaal zo gek nog niet, zei mijn zuster, helemaal zo gek nog niet. Hebben we allemaal te danken aan Josepha, nietwaar (en weer verwijst Josepha naar Carmen Salzwedel, aan wie dat allemaal in de eerste plaats te danken is), alleen ruikt alles daar zo anders, dat moet toch ook gezegd worden. Zo naar zeep en koffie en tabak, alles door elkaar, je weet nooit precies wat je ruikt, eigenlijk een ingewikkelde geur, maar heel chic. En toen we over jullie begonnen – ik mag jullie nu toch wel tutoyeren? – was iedereen heel erg enthousiast en behulpzaam. De zuster had meteen allerlei organisaties gebeld, om te zorgen dat alles in orde kwam, en toen hadden die Ottilie Wilczinski in Beieren dus opgespoord, dat is toch prachtig, nietwaar, wanneer mensen wat doen voor elkaar, dat was echt hartverwarmend. We hebben het allemaal gehoord, dat Ottilie helemaal niets heeft gezegd aan de andere kant van de lijn, en zo sprakeloos was! Tja, dat is ook wel erg opwindend. Dat hadden we eigenlijk al wel gedacht, dat dat een behoorlijke schok zou zijn voor die arme vrouw, zo lang zonder moeder, en dan op die manier. Ach, we waren ontroerd, geloof dat maar, en nu wilde ik vragen of ze nu gauw komt, die lieve dochter van u, mevrouw Therese? Angelika's moeder verslikt zich in de achternaam, die ze eigenlijk in plaats van de voornaam had willen zeggen en die ze van opwinding niet over haar lippen krijgt. Maar mevrouw Therese neemt voor haar antwoord net genoeg tijd om de gelegenheid te hebben Richard Rund onder de tafel met een fors gebaar in zijn kruis te pakken plus nog dertien seconden te wachten of er door zijn kleren heen resultaat te bespeuren is. Tevredengesteld voorspelt ze dan de komst van haar dochter in de tweede helft van september, daar had ze helemaal niet op hoeven aandringen, dat was sinds meer dan dertig jaar een uitgemaakte zaak, ze had al een restaurant gereserveerd voor het feest, bij Cumbacher Teich, daar kon je heel goed karper eten of steak met 'Letscho' of champignons naar keuze, en als Josepha niet op dit moment de spraakwaterval van haar overgrootmoeder had onderbroken, dan was Therese zeker nog lang niet aan het eigenlijke doel van haar lange toespraak toegekomen, dat eruit bestond de ouders van de precieze Angelika te bedanken voor hun bemiddeling. Josepha voegt er nog aan toe dat het lot zich kennelijk niet helemaal had geschikt in de in het jaar 1947 kennelijk definitief vastgestelde grens, maar kennelijk behoefte had aan mensen die het een handje konden helpen, en dat, lieve ouders van Angelika, het geluk had gehad u te vinden! De twee oudjes kijken verlegen naar hun schoot en danken ook voor de dank, maar eigenlijk was die helemaal niet nodig, zoals gezegd, het ging immers allemaal heel snel. En ze nemen een slokje koffie op het al bijna middernachtelijke uur. Slechts één ding moet Angelika's vader nu toch nog van het hart: hoe hij de *bevoegde instanties* door het simuleren van een ziekte voor de gek heeft gehouden. Hij had namelijk niet zo snel weer naar huis willen terugkeren van zijn eerste reis naar de prettige geuren van zijn schoonfamilie, en hij had op aanraden van zijn familieleden in gedachten een pijnlijke, ontstoken plek in zijn prostaat ontwikkeld. De huisarts had het euvel bevestigd en hem voorgeschreven niet te reizen. En omdat zijn tong door de rozenbottelwijn goed los is komen te zitten, laat hij zich ook nog ontglippen dat uit voorzorg ambulant en onder plaatselijke verdoving meteen het tweezijdig afknijpen van zijn zaadleiders heeft plaatsgevonden. Zo had hij nog een paar mooie dagen kunnen doorbrengen in Hamburg, terwijl hij zich geen zorgen hoefde te maken over de vereiste verantwoording van de langere duur van zijn verblijf... Zijn vrouw klopt hem bij die woorden op zijn knie en duwt hem in de richting van de deur, het is nu heus tijd om naar huis te gaan. Richard Rund heeft bij de uitvoerige beschrijving van zijn leeftijdgenoot zijn gezicht van pijn vertrokken, wat echter alleen Therese opvalt. Nadat er omstandig en met veel omhaal van woorden afscheid is genomen, verdwijnt het bezoek in het donker, wat in het provinciestadje W. in Thüringen geen gevaar oplevert.

Josepha's bestaat er nog uit om de kopjes en glazen af te wassen en voor het poesje een laatste schoteltje melk neer te zetten om de nacht mee door te komen. Therese en Richard zijn intussen druk in de weer in de badkamer, laten uit de luidruchtige geiser heet water in het bad lopen, waaraan Therese – Josepha kan het in de kamer ruiken – een scheut dennenessence toevoegt. Daarin poedelen ze zich aan het begin van de nieuwe dag, wassen de vorige dag van elkaar af met washandjes en sponzen en Zwart Fluweel, een wat duurdere zeepsoort, die speciaal voor dat doel bij de drogist op de markt is gekocht, en gedragen zich stilletjes en gelukkig, tot ze de deur van Thereses kamer achter zich sluiten. Beleefdheid mag de ontmoeting dan geheim willen houden, maar Josepha proeft in de lucht toch de suiker van de lust. Wat ze eigenlijk raar had willen vinden, maakt haar nu week. Östromania, de godin van de vrouwelijke mansdolheid, ruikt lont en waart op de voor haar gebruikelijke manier door de nacht: heel W. ruikt de volgende dag naar nymfen. De vijfentwintig jaar oude agrarische piloot Kunibert Banse, wiens taak het is vanuit de lucht landbouwgif over de akkers te sproeien, zal tijdens het middageten in de kantine zijn verbaasde collega's meedelen dat de stad bij zonsopgang op een overrijpe, opengebarsten pruim had geleken en een soort zweet had uitgewasemd in de merkwaardig verzadigde lucht. Dat hij de verleiding een duikvlucht te maken tot in het centrum van die vrucht had kunnen weerstaan, was alleen aan zijn vrouw te danken, die tegen het verbod in naast hem in de cockpit zat: op het cruciale moment had zij aan de stuurknuppel getrokken.

September

Een borende kiespijn maakt dat Josepha op een vroege ochtend in september weer gebruik begint te maken van de haar ter beschikking staande zwangerenzorg: ze bezoekt, voordat ze naar de fabriek gaat, de tandarts. M [I], linksboven, laat tandarts Saura zijn assistente noteren, en trekt vaardig Josepha's zieke kies. Tijdens een zwangerschap komt dat wel vaker voor, een kind – een kies, dat was gebruikelijk in het leven, of, beter gezegd, in de statistiek. Verder was haar gebit nog uitstekend in orde, hier en daar een vulling, maar alles zat er tot dusver nog in en was goed gepoetst, dat zag je maar zelden. (Josepha herinnert zich het kantinegesprek met Carmen Salzwedel vorig voorjaar, toen ze het over eetgewoonten hadden gehad en de kwalijke gevolgen daarvan.) Nu moest ze de wond eerst maar even laten genezen. De tandarts vraagt om het kaartje, waarop Josepha hem eerst radeloos aankijkt, maar dan begrijpt ze wat hij bedoelt: hij wil daarop haar bezoek aan de tandarts aantekenen, voor het zwangerschapsadviesbureau. Kwijtgeraakt, kwijtgeraakt... Dan zet hij wel een stempeltje op een papiertje, antwoordt de arts, geen probleem, spoedig was het immers zover. Hoe het wel zou gaan heten? O, Gunnar, begint Josepha, o, Allvar Gullstrand, uitvinder van de spleetlamp en van de stereoscopische oftalscoop, o, Gunnar Gunnarsson, o, Guo Moruo, schepper van Chinese dialectliteratuur, o, Gurragtsja (Shugderdemidyn), gij die over vijf jaar om de aarde zult cirkelen als Mongoolse astronaut, o, Guinness, Sir Alec, Guevara Serna, Ernesto, o, Guido van Arezzo, ontdekker van de klanklettergreep, Guericke, Otto von, of o, Guesde, Mathieu Basile genaamd Jules, o, Ivan du Gubkin, oliepionier uit de Sovjet-Unie, o, Gustavs, gij koningen van Zweden, Johannes Gensfleisch zum Gutenberg, Goeden Moeds, o, Gutzkow Karl, gij die Uriel Acosta en Wally die Zweiflerin hebt ontvoerd naar het vervlogen tijdperk, sta mij bij! Hoe moet het heten? Jonge vrouw, u leest beslist veel te veel, of bent u soms aan het theater verbonden? Zo zou je het kunnen noemen, antwoordt Josepha vinnig en verlaat gezwind met glamoureus vertoon de spreekkamer, haar ratjes gluren spottend uit haar zak en worden nu pas opgemerkt door de tandarts, terwijl de arme assistente een flauwte krijgt en op de grond valt. Ze had destijds een heel hoog cijfer voor het vak preventieve geneeskunde en neemt de daaruit voortvloeiende verplichtingen heel serieus. Het gegeven dat de gemiddelde levensverwachting van de mensen sinds de Middeleeuwen door een verstandige hygiëne meer dan verdubbeld is (hoewel voorlopig slechts een deel van de hele mensheid systematisch aan hygiëne doet of kan doen!) spookt 's ochtends en 's avonds rond in haar hoofd en haar handen, als ze namelijk instrumenten, vloer en meubels desinfecteert. Rattus norvegicus als dieren die de builenpest overbrengen – de grootste verschrikking die ze zich kan voorstellen, maar dat de rossige diertjes heel potsierlijk uit de zak van hun draagster gluren, hoeft ze nu niet meer te zien, omdat ze bewusteloos op het op sommige plekken doorgesleten linoleum ligt.

Josepha wandelt intussen door de stad en weet ook niet wie zojuist uit haar mond heeft gesproken. Zou het Gunnar Lennefsen zijn, die immers niet eens bestaat? Terwijl de afstand steeds korter wordt, neemt de fabriek voor haar ogen in omvang toe, en als ze door de fabriekspoort loopt, met opgeheven hoofd en bijna een beetje nieuwsgierig naar de dingen die men haar als invalster voor de voeten zal gooien, voelt ze zich gepakt als een vlieg door de bek van een kikker, door een kleverige tong gevangen en tamelijk klein. Ljusja glimlacht vanaf het portret in het hokje, zodat haar humeur een beetje beter wordt. De nog altijd als commissaris ingezette baas weet in feite niet wat hij met de jonge drukster Schlupfburg moet beginnen, in de fabriekskeuken zijn genoeg mensen, de jongelui uit de scholen in de regio komen vandaag niet voor hun verplichte werkdag naar de fabriek, zodat hij niets anders kan bedenken dan haar de opdracht te geven voor de Subbotnikdag op 11 september een zo lang mogelijke lijst met vrijwilligers op te stellen. Josepha heeft het al begrepen: Ljusja wil praten, vanaf de foto tot haar hart en haar geweten fluisteren, over wat er allemaal bij komt kijken wanneer je een Russische taartenbakster bent. Ze zet zichzelf dus als achttiende op de lange lijst, waar ze, als de anderen aan het weekend beginnen, weer stiekem vanaf kan, om tot maandag met Ljusja tijd te hebben voor gesprekken. Met dat vooruitzicht begint ze nu met veel plezier te werven voor de vrijwilligersdienst, en als de bel gaat voor de middagpauze, krijgt ze voor de volle lijst niet alleen lof van haar chef, maar ook van collega Salzwedel, omdat ze in opperbeste stemming telefonisch een afspraak maakt met het landelijk zwangerschapsadviesbureau. Zie je wel, zegt Carmen, alles lukt, als je het maar wilt.

Terwijl Josepha een sponsachtig stuk visfilet verorbert in de kantine en intussen, door de ervaring wijs geworden, probeert om niet naar de scherpgeslepen lepel van de mannen te kijken, zit Therese achter een portie koolraap met rundvlees en zou zich het liefst volproppen, reden waarom

Richard Rund naast haar de gepikeerde opmerking maakt dat haar buik zal barsten als ze zich niet beheerst. Op de tafel ligt naast de pan en de fles karnemelk het expeditiedagboek, dat Richard Rund steeds nieuwsgieriger maakt vanwege de betekenis die zijn nieuwe geliefde er kennelijk aan hecht: ze staat het hem niet toe er ook maar heel eventjes in te bladeren. De man heeft er toch al geen idee van wat er zich hier 's nachts afspeelt in dit huishouden. De nog aanhoudende zomer buiten legt een donkere zon op Thereses huid, waar Richard voorzichtig zijn hand naar uitsteekt. Lastig-vallen wil hij haar niet, zo heeft hij zichzelf voorgenomen, maar zoals zij de kunst verstaat van zijn en haar eigen lusten dikbuikige stoomboten te vouwen en daarop door de gemeenschappelijke nachten te varen, dat vindt hij werkelijk absoluut grandioos en verlokkend. Zij daagt hem dan ook meteen uit en schuift haar hand over de tafel naar de karnemelk, daarbij glijdt de mouw van haar acetaatzijden jurk, grijs en met roze en linde-groene bloemetjes bedrukt, heel langzaam (omdat ze bedachtzaam haar hand uitsteekt) over haar pols naar boven. Haar huid, vol kleine rimpeltjes en lekker ruikend, is bezaaid met koffiekleurige ouderdomsspikkeltjes. Terwijl, zoals bij het begin van een prikkeling, de haartjes rechtovereind gaan staan op het moment dat Richard Rund haar onderarm wil pakken, grijpt Therese met haar andere hand naar haar borst en keert hem haar verlangende en bonzende hart toe. Het poesje wrijft met zijn rug langs de tafelpoot en doet het niet bijzonder standvastige meubel wiebelen, wat Richard Rund meteen navolgt: naar voren en naar achteren duwt hij zijn onderlijf en hij ontdoet het meteen omstandig van zijn ondergoed. Maar Therese wil eerst de krant lezen, de vaat doen, het beest voeren, de ramen dichtdoen, haar geslacht wassen, naar de vogels luisteren, met haar vinger-toppen in Richards plooien graaien, kijken of er post is, karnemelk drin-ken, de keukenvloer aanvegen, aan Ottilie denken, de fuchsia's bij het heu-velgraf water geven, een offer brengen aan Ambivalentia, de godin van de dubbelzinnigheid, week worden, gaan schuimen. Anderhalf uur heeft ze daarvoor nodig voordat ze aan Richard toekomt, die dan geen zin meer heeft om te wachten en tussen de gang en Thereses kamer tot daden over-gaat, in de deuropening zie je hem staan met geheven en heen en weer zwaaiend lid, maar Therese verzoekt hem rekening te houden met haar bloeddruk en liever de sponde op te zoeken. Daar voelt ze zich veilig als bloed en lust in haar buikholte samenstromen op de vlucht voor koele ge-dachten, en ze kan de kleine begeerlijke bewusteloosheid te vlug af zijn zonder Richard in zijn aandrang te onderbreken. Josepha treft bij thuis-komst het sluimerende tweetal vredig in elkaar verstrengeld aan in There-ses kamer en schept daar plezier in.

De dag van de Subbotniks begint zoals gepland: de dikke Josepha arriveert precies op tijd om met haar onduidelijke werkzaamheden te beginnen en krijgt de opdracht coördinerend heen en weer te pendelen tussen de verpakkings- en de distributieafdeling. Dat doet ze graag, want zo komt ze immers twee keer per uur langs het hokje waar ze naar het ronde gezicht van Ljusja kan kijken. Ljusja vervangt het staatshoofd waardig, haar foto is zelfs groter dan de zijne, die ooit op die plek hing. Op haar hoofd draagt ze een als buitenproportioneel te kwalificeren witte hoed, die op een koksmuts lijkt, niet zo hoog, maar wél leuk bolstaand boven haar oren en ogen. Een mondkapje ontbreekt en misschien ook een strak in doeken gewikkelde zuigeling op haar arm, anders zou je haar voor een zuigelingenzuster uit het streekziekenhuis van Omsk in Siberië of Slavutysch in de Oekraïne kunnen houden. (Josepha is verstandig genoeg om te begrijpen dat haar eigen buik haar deze gedachte ingeeft.) Bij Therese heeft Josepha zich voor het weekend afgemeld, en ze heeft een voorraad brood, groente en worst meegebracht, bovendien verscheidene flessen water en een pakje Rondo Melange. In haar jaszak zitten een zoete reep Schlager, melktoffees en een zak rood-gele plakken kauwgom met vruchtensmaak. Daarmee kan ze tot maandag toe, ook al merkt ze rond het middaguur dat er geen melk is voor het zwart-witte kind en die dan in het winkeltje van het bedrijf gaat kopen. Als de werktijd erop zit, kruipt ze ongezien in de kast in het opzichtershokje en wacht tot haar collega's zijn vertrokken. Carmen Salzwedel heeft niet deelgenomen aan de Subbotnikactie, haar zou het anders zeker zijn opgevallen dat Josepha niet een eindje met haar op loopt op weg naar huis... Niets staat het gesprek met Ljusja meer in de weg, alleen Ljusja zelf: ze houdt haar mond, ze grijnst niet en knijpt haar ogen niet dicht, zwijgend kijkt ze zelfs nog uren later uit haar lijst, hoe Josepha ook haar best doet haar aan het praten te krijgen. Dus thee drinken en afwachten dan maar. Thee bevindt zich in de kast, de opzichtster dronk die graag en koos altijd dure soorten thee uit in dure winkels: Lapsang Souchong was de laatste soort die ze had aangeschaft voordat ze verdween. De *bevoegde instanties* moesten het grijze metalen doosje niet belangrijk hebben gevonden of het niet als persoonlijk eigendom van de opzichtster hebben beschouwd, anders hadden ze het ongetwijfeld meegenomen toen ze de spullen van de zogenaamde verraadster stilzwijgend kwamen inpakken. Eerst is de thee een beetje scherp voor Josepha's keel, maar dan gaat ze hem al snel lekkerder vinden dan ze had verwacht en drinkt er zulke grote hoeveelheden van dat het zwart-witte kind er een beetje moeite mee heeft de hele theeplas te verwerken. In zijn hol bonkt hij met zijn vuisten – om melk? – en de aanstaande moeder verdunt de rokerige thee met water. Ljusja schijnt intussen op een teken te wachten. Misschien is het tijd voor muziek? Josepha zet in het hokje de radio aan, even-

eens een exquisiet model van het merk Rema Andante. Zal ze het zwart-
witte kind niet Rema Andante noemen, ter herinnering aan de geliefde
opzichtster, die de radio heeft gekocht van een premie? *Rema Andante
Schlupfburg*, een flexibele klank, die volmondig door de vocalenreeks laveert en openstaat voor de verschillende mogelijkheden van de toekomst.
Wat vind je, Ljusja? Ljusja zegt nog steeds niets. Josepha snijdt een paprika
in stukken en maakt het zich gemakkelijk onder het bureau, het vertrek is
niet groot genoeg om ergens anders languit te gaan liggen. Ze stopt de
reepjes paprika één voor één in haar mond en ziet nog hoe een vliegende
hond door de deur van het hokje binnen komt zweven. Wankelend op de
grens tussen de menselijke agregaattoestanden kan ze het binnenvliegen
van de hond ontkennen noch voor de zuivere waarheid houden. In plaats
daarvan stuurt ze hem weg naar haar voor later geplande droom. Zo heeft
ze de tijd om haar polsslag te temperen en haar lichaamstemperatuur tot
een gematigde slaapwarmte te laten dalen. Als ze diep in slaap is, uit haar
mondhoeken stroomt al wat stroperig speeksel met stukjes rood-groene
paprika erin, vindt Ljusja het vanzelfsprekend dat nu de tijd is gekomen
om haar Russisch, dat in al zijn rauwheid doet denken aan de manier van
uitdrukken van de in 1861 zo raadselachtig ziek geworden koetspaarden in
Riga, en dat ze niet zomaar in Duits kan omzetten, omdat ze dat niet heeft
geleerd, op de vliegende hond over te dragen, die zit te wachten tot hij in
Josepha's droom wordt opgenomen. Het levensverhaal van de taartenbakster Ljusja Andrejevna Wandrovskaja, dat de ver van Rusland afstaande
beschouwer krankzinnig zal vinden en door Josepha wordt gedroomd als
een gruwelijke versie van vrouwelijke lijfelijkheid, doet zelfs de vliegende
hond huiveren, zodat hij na een poosje maar liever wil ophouden met zijn
job. Maar dat kan hem niet worden toegestaan: het dier, dat een baken is
voor alle mannelijke goden, waarvan er echter niet zoveel zijn, moet doen
wat hem op de Olympus is opgedragen, en het is nu eenmaal zijn taak om
iets tegenover de scheiding van de menselijke talen bij de bouw van de
toren van Babel te stellen. Dat hij zich schikt in zijn wrange lot door niemand te worden bewonderd om zijn daden, is de enige rechtvaardiging van
zijn bestaan, waaraan hij evenals alle levende wezens ongetwijfeld hangt.

ljusja andrejevna wandrovskaja
verslag uit de bezoekersspleet van de eeuw
in de vertaling van de vliegende hond

in die spleet leefde ik lang terwijl boven mij de verschillende volkeren met
elkaar naar bed gingen en een toekomst bij elkaar neukten. als kind al heb
ik tussen de matrassen van de eerste traditiebewuste ouders mijn voyeuris-

tisch uitzicht gehad toen bijvoorbeeld kameraad kollontai nog bereid was een zekere rol te spelen in het denken van mijn geslachtsgenoten. in elk geval ben ik ter wereld gekomen tussen de grote oorlogen in 1930 in ko- lomna en jong naar moskou meegenomen door mijn haastige ouders. voor mijn vader die niet meer zo vaardig was met zijn pik werd het een erezaak zijn zinnelijke vrouw die mijn moeder was buitenechtelijke bijslaap toe te staan tussen de grutjesmaaltijden door. vaak heb ik het zien aankomen vanuit mijn matrasspleet en was blij dat het land deed alsof het kinderen van vlees en bloed nodig had terwijl het eerder vlees en bloed zonder kin- derhuid eromheen nodig had hoe had ik dat kunnen weten. zo ben ik ou- der geworden als gelovige christenvijandin en halfzuster van een reeks kinderen van verschillend geslacht uit mijn moeders schoot alleen groeide ik niet door. ik was bang voor het mannelijke voortplantingsorgaan dat ik altijd uit een ongunstig perspectief te zien kreeg in zijn volle omvang. voor de eerste verandering van gestalte had ik de omvang van een pop bereikt ik werd zienderogen kleiner tot ze me konden verstoppen in de omslag van een broek of onder een hoofddoek. de gebruikelijke kindheid zag er nog heel fatsoenlijk uit als een zorgvuldig klaargemaakt pasteitje veel natron minder vet veel kool minder vlees en ei. niet onsmakelijk. in lusjniki heeft mijn vader spelende vader mij en zijn andere kinderen vaak rondgeleid zoals dat zo gaat alleen dat ik in zijn jaszak zat en een keer vanuit lusjniki met een jonge god die in moskou in ballingschap was en gematigde ideeën over seksualiteit koesterde naar het westen vloog. helaas lachte hij zich boven leipzig helemaal te barsten en liet mij per ongeluk vallen. voor het gerechtshof ik was elf en zag eruit als negentien dat komt nu eenmaal voor maar wel was ik niet groter dan een duim voor het gerechtshof hoe dan ook kon ik me verstoppen in het haar van een doorsneegezinshoofd tijdens de zondagse wandeling hij merkte niets van me pas toen ik tijdens zijn slaap zijn oor binnenging en door het trommelvlies kroop om in zijn her- senen rond te gaan spoken ik deed hem zeker pijn viel hem iets op. tegen de straling bij de dokter die hij om die reden moest opzoeken kon ik me verstoppen ging door zijn aderen terwijl ik die dik maakte en ook een nieuw soort stofwisseling aannam: ik ademde bloed. toen hij zich een keer in zijn vrouw hevig uitstortte tijdens het vrijdagse verkeer gleed ik door de daarvoor eigenlijk te klein uitgevallen penis naar zijn vrouwelijke weder- helft. ze schreeuwden allebei hij van pijn zij omdat ze in haar tot dusver onbekende sferen vertoefde. ik moest me vasthouden zo bleef het stromen uit de verwonding die ik hem had toegebracht. in haar ging het beter met me ik had een kleine holte voor mijzelf alleen en voldoende bloed waar ik eens in de maand zoveel van at dat er geen druppel naar buiten drong zoals dat de regel was. spoedig had ze me ontdekt en begon meteen van me te houden alsof ik haar kind was. ik had er nog geen idee van wat er gebeurde toen die eerste tekenen van lichamelijke groei merkbaar werden pas toen het echt nauw werd en ik bij het draaien en wentelen problemen kreeg ik had immers al een keer bij een jonge god gehoord ging me een licht op: ze wilde me ter wereld brengen als haar eigen kind. in de laatste weken bereidde ik me erop voor het lot te aanvaarden dat me was toegevallen en deed nog meer mijn best door vanuit mijzelf het omhulsel te verscheuren dat me omgaf en met mijn handen doelbewust te proberen de weg naar buiten open te doen. de arme vrouw was er nog niet op voorbereid ik deed haar zo verschrikkelijk pijn dat ze me begon te vervloeken en haar man beledigd de deur uitliep om een borrel te gaan drinken. ik greep me toen een vroedvrouw kwam kijken stevig vast aan haar vingers en liet me naar het licht trekken waar ze me meteen liet vallen van schrik. ik was een vrouw geworden van een halve meter lang met melkklieren zo groot als pruimen een wollige bos donker schaamhaar en blijvende tanden, maar vooral sprak ik mijn rauwe russisch ter begroeting. in plaats van me schoon te laten maken liep ik zelf naar het teiltje en begon het slijm van mijn huid te wassen. de oorlog tegen rusland was al twee jaar aan de gang dat had ik helaas niet geweten daarbinnen en moest er nu voor boeten doordat men mij invalide verklaarde en in een blindentehuis stopte. daar was ik de enige mooie vrouw en het verbaasde me waarom niemand dat wilde zien. later maakten ze me klaar voor deportatie trokken me een armelijke jurk aan en kamden als afscheid mijn haar. dat was toen te veel voor het russische deel van mijn ziel het lukte me toen de transportbus openging als eerste en ongemerkt de treden af te kruipen en me onder de bus te verstoppen tot iedereen weg was. in een holte van het chassis boven het linkervoorwiel ben ik teruggegaan naar leipzig en wilde nog een keer heimelijk bij mijn tweede moeder aankomen die mij ook binnenliet tenslotte beschouwde ze me niet geheel ten onrechte als de vrucht van haar lijf. zo verried ze me ook niet toen ik doelbewust op het echtelijke bed toe liep en me in de spleet tussen de matrassen verstopte zelfs verhongeren liet ze me niet alleen dat ik nu weer een mannelijk aanhangsel zijn ruwe werk moest zien verrichten vond ik niet leuk en reageerde op mijn manier op de doorsnee van de buis: ik maakte mijzelf kleiner. toen ik net bezig was de omvang van een pink aan te nemen gebeurde het dat de russen de stad bezetten en mijn tweede moeder mijn tweede vader ging begraven hij was vermoedelijk maar waarom zou ze dat toegeven aan het litteken gestorven dat zijn lid was geworden na mijn uittrede. ter verbetering van de levensomstandigheden en omdat hij een zachte jongen was liet mijn tweede moeder een rus met krullen met de naam wandrovski bij haar slapen bij wie ik mij inlijfde toen hij op z'n russisch wat ze niet verstond afscheid nam om naar huis terug te keren. in hem hield ik me drie of vier jaar op hij was zo zacht dat ik hem geen pijn wilde doen. mijn kinderlijk gebleven russisch kon ik verbeteren zijn huid was zo dun dat ik heel goed kon leren vooral als hij voor een examen recepten repeteerde hij wilde bakker worden en had een zwak meisje als vrouw genomen dat steeds abortus pleegde. toen het op een van de abortussen reageerde met doodsverlangen was ik zover: ik wilde haar vanbinnen met zin vullen en ging tijdens een onverwachts krachtige daad van mijn zachte gastheer in haar over. hoe ze zich verzette durf ik niet te beschrijven eerst had ik geleerd verried ik me niet en liet bij haar het maandelijkse bloed nog vijf keer voor een deel wegstromen de rest at ik op en groeide. toen haar toestand daardoor onomkeerbaar was geworden, voedde ik me verder geheel met haar afscheidingen. hoe graag ik ook het uiterlijk van een menselijke zuigeling wilde hebben het viel me moeilijk en ze begon zich ook nog op mij te verheugen. maar dat was niet alles wat ons redde: in onze woning in kaliningrad werd ik een keer door de ziel van een negenjarig sierlijk meisje bezocht, dat twee soorten talen sprak. een ervan herkende ik aan de klank zo had mijn jonge god gesproken de andere leek meer op russisch zodat ik de ene zin met de andere zin kon ontsluiten die ze liet horen. het schatje beweerde een zekere verwantschap met mij te hebben en vroeg of ik me niet over haar wilde ontfermen ze had zo'n jong gezicht zei ze waar ze vanaf wilde om een beetje tot rust te kunnen komen. ik zei niet nee want ik wilde zo graag een kind zijn en nuttig en trok de huid die ze me aanreikte over mijn hoofd en ze bedankte me hartelijk en verliet mijn gastvrouw osmotisch. nu was ik een kind van negen wat de situatie zou vereenvoudigen toen ik ter wereld kwam was ik niet ongeduldig en wachtte tot ze me uit mijn hol kwamen halen. de vreugde van het zwakke meisje had ervoor gezorgd dat mijn lichaam en mijn gezicht zich aan elkaar hadden aangepast en mijn verschijning op het tijdstip van de geboorte eerder op een piepklein schoolkind dan op een rijpe vrouw leek, mijn derde moeder schreef mijn tengere gestalte toe aan het schaarse eten en het ontbreken van rondingen aan het strakke wikkelen dat ze volgens de gebruiken van het land met mij deden. ik hoedde me er wel voor te praten of me voortijdig zelfstandig te wassen of ook maar mijn hoofd op te tillen. omdat ik nooit huilde en mijn zwakke moeder niet slim genoeg was daarover verbaasd te zijn vielen mijn mooie sterke tanden niet op terwijl ik aan haar zoog trok ik mijn lippen over mijn gebit om haar geen pijn te doen. wel was het zo dat ik mijn luiers niet volscheet omdat ik dat aan de ene kant te onplezierig vond en er aan de andere kant maar zelden luiers waren gelukkig schonk mijn onervaren moeder ook niet veel aandacht aan mij. Mijn plek in de spleet werd me gelukkig nooit betwist ik leefde tussen de matrassen en bekeek niet alleen mijn slapende derde ouders maar vooral hoe de verschillende volkeren boven mij met elkaar naar bed gingen en een toekomst bij elkaar meenden te neuken. maar mijn moeder legde zich helemaal toe op haar beroep: ze was banketbakster en versierde taarten voordat ze die in dozen deed en vanonder de toonbank in circulatie werden gebracht. na negen jaar die een beetje leken op de jaren in moskou wat de kindheden betrof had ik een beetje afstand genomen van mijn prille angst voor de mannelijke buis mijn derde vader had het neuken verleerd uit angst voor de dood van zijn vrouw de methodes van de abortussen verruwden men spoot zichzelf runderhormonen in prikte met naalden naar ons peuterde ons uit de smeuïge uterus waar ze ons na korte tijd weer begonnen te huisvesten in een grote boog dat het de spuigaten uitliep. toen de foto ontstond, josepha rudolphovna, was ik volgens de papieren twintig jaar oud maar je kunt je indenken waar ik op uit ben en er nog en nog twintig jaar aan wil toevoegen na de eerste geboorte die ik me kan herinneren. toen ik veertig was was ik op de juiste leeftijd om geen kind meer te krijgen en ook nog niet gebrekkig toen besloot ik over te gaan naar de realiteit van die foto waaruit ik nu tot je spreek en mijn driedimensionale bestaan op te geven. sinds ik een foto ben werd ik populair je kon me op de omslag van het in de hele unie verspreide tijdschrift sovjetskaja shenschtsjina bewonderen bij jullie sovjetvrouw genoemd en later in het hele socialistische economische gebied als symbool van de werklustige vrouwelijke jeugd ik kreeg een plaats in moedertehuizen districtsbesturen van vrouwenbonden en kleuterscholen zelfs waar men met mij als voorbeeld de kleintjes vertelde hoe er in het land van lenin wordt liefgehad en gebakken. wat mijn aanwezigheid nou precies te betekenen had in dit hokje was me niet duidelijk tot ik jou zag jij bent zwanger en hebt op me vóór wat ik ook op jou vóór heb. we hebben elkaar ontmoet in een door het lot onbewaakt moment want hoe hadden ze me anders toegestaan de waarheid te zeggen of tenminste wat ik als zodanig beschouw. zal ik je nog een beetje over de stad van mijn derde kindertijd vertellen kaliningrad? ik kwam daar als bezetterskind ter wereld wat ik niet wist omdat ik immers zelf een verscheidene keren bezet kind was. mijn derde kindertijd bracht in elk geval met zich mee dat ik weer begon te groeien het eten was niet slecht er waren haringen zure bommen en olie. de wild uitgezaaide bomen en struiken in het centrum van kaliningrad waren al zo'n vijftien meter hoog uit de ruïnes opgeschoten of rondom de kasteeltoren het ging om populieren essen en berken. uit de hoogte van die bomen concludeer ik dat het 1955 moet zijn dat me voor ogen staat. ik was dus drie jaar oud en zelf net een meter hoog toen ik net als vroeger door lushniki nu door luisenwahl wandelde aan de hand van mijn bakkende ouders. natuurlijk wist ik destijds nog niet dat het om luisenwahl ging voor mij was het gewoon een enorme kermis. de binnenstad hebben we meestal gemeden omdat er in de kelders allemaal gespuis woonde dat sovjetmensen op hun kop sloeg en bestal. in het noorden van de stad in juditten en in maraunenhof kon je herders met hun kuddes zien rondtrekken koeien graasden op de kerkhoven. er moeten zoals ik later vernam in die jaren nog vijf duitsers zijn geweest in de stad. een paar stukjes maraunenhof en de wijken aan de overkant van de al tientallen jaren geleden geslechte vestingswallen zijn in de oorlog blijven staan. wij woonden in een mooi huis waarvan mijn derde vader mij vertelde dat de duitse kapitalisten eruit verdreven waren het ging wie wilde dat al weten om de arbeiderswijk van de schichauwerf die ons onderdak bood. soms zijn we naar het plein voor het raadhuis gereden om kameraad stalin om raad te vragen op zijn zeventien meter hoge sokkel. vooral 's nachts zag hij er zo mooi uit in zijn soldatenjas zijn pet in zijn hand en verlicht door schijnwerpers zodat ik dacht dat hij de stichter van de stad was geweest. daar waar in vroeger tijden de oostbeurs was geweest was een bazaar waar mijn vader soms 's nachts stiekem gebakken taartjes verkocht. zo werd ik groot en at vis en deed alsof ik nog moest leren wat ze me opdroegen. we deelden onze woning met de families van een basjkirische officier en een kazachstaanse keukenhulp. de vrouwen hadden het vet van de wanhoop op hun heupen als een beschermende mantel en wisten dat helemaal niet alleen ik kon zien dat ze daaronder nog leefden. de grote basjkirische borsten hingen nogal eens in onze pannen als er ucha werd gekookt waar iedereen zo van hield ik was in plaats daarvan riviervis gaan vangen met mijn derde vader. soms scheen hij helemaal door het dolle heen te zijn en droeg mij op eens te gaan kijken of de aziatische kuttenspleet van de kazachstaanse werkelijk dwars liep en niet in de lengte dat weigerde ik. wat mij beviel waren de kazachstaanse vleespasteitjes die ze helaas maar zelden en bij gebrek aan lams- en rundvlees maakten door de donkerrode stukken eerst klein te snijden dan een paar keer door een machine genaamd vleesmolen te draaien met eieren uien en knoflook te mengen in deeg te verpakken en in kokend water te gooien. voordat je in zo'n pasteitje beet moest je je lippen er strak omheen doen opdat de kostelijke saus die erin zat niet uit je mondhoeken liep en het verdiende aanbeveling na de eerst hap de jus eruit te zuigen en dan het pasteitje weer in je mond te doen. voor de tweede hap liet je dan een beetje boter of smetana op het hete deeg lopen. zo mooi was ons leven soms. mijn angst voor het driedimensionale bestaan van mijzelf als ook voor het mannelijke bestaan leefde pas weer op toen mijn derde vader tegen alle gewoonten in zekerheid wilde hebben: in de kelder trok hij de breedheupige kazachstaanse haar ondergoed uit en zette haar op een oud duits aanrecht spreidde haar benen en keek verbaasd naar haar dwars verlopende spleet bijna nadenkelijk beet hij toen in haar doosje. mijn schuilplaats was heel toevallig: ik zat in het lege aanrecht zoals zo vaak omdat ik daar ongestoord met een zaklamp kon lezen wat in de overvolle woning nauwelijks mogelijk was en keek van ter hoogte van zijn knieschijven langs hem naar boven door de spleet in het deurtje hij liet zijn broek zakken zoals hij in aanwezigheid van mijn derde moeder al bijna twintig jaar niet meer had gedaan en bewoog zijn pik door zijn opgewonden pompende hand zodat hij groot en bedreigend leek. uit het spleetje in de top ervan kwamen een paar taaie druppels die de kazachstaanse tussen haar vingertoppen wreef voordat ze eraan rook. beneden in mijn schuilplaats rook het ook naar paddestoelen en naar iets bitters terwijl zij haar kuiten met een zwaai om zijn kont legde en hij met een sompend geluid bij haar naar binnen ging. ze schommelden een poosje voordat ze hem zuchtend en smakkend en jammerend vroeg zich te verwijderen ze trok de knuppel er op het laatste moment uit sprong van het aanrecht af en nam mijn vader in haar mond waar hij spoedig tot rust kwam. ik kreeg steeds minder plezier in lezen. hij leerde later in haar okselholte te ejaculeren wanneer ze hem tussen arm en bovenlichaam heen en weer liet schuiven of tussen haar borsten wat hem het meest beviel hij bedoelde het waarschijnlijk goed. mij deed de blik uit de kast zozeer aan de matrasspleet denken waarin ik zo lang thuis was geweest dat ik besloot nog voor het eind van mijn opleiding tot banketbakster en patissière me te laten platmaken en zo – zoals ik al zei, josepha rudolphovna. in het cultuurhuis voor zeelieden dat ooit een beurs was geweest vond op 8 mei de dag van onze lieve vrouwen een variété-opvoering plaats ik was zeventien geworden en toch al zevenendertig zoals je weet toen een fotograaf uit de hoofdstad kwam om rond te kijken onder de jonge meiden vanwege een foto voor de omslag van het tijdschrift waarvoor hij werkte zijn keus viel op mij en ik moest acht keer met hem dansen drie wodka's drinken en vier glazen port wat ik ook deed want ik wilde door hem gekiekt worden. na het feest bracht hij me naar huis via een omweg naar zijn hotel waar hij me uitnodigde maar ik moest aan het duitse aanrecht denken en zei dat hij tot morgen moest wachten. hij kwam in de pauze naar de fabriek de anderen waren al naar de stolowaja gegaan om worstjes te kopen. ik had rouge op mijn wangen gedaan zijn film was natuurlijk zwart-wit ik zat aan de lopende band in het bakkombinaat botercrèmetaartjes te maken toen hij me vroeg naast mijn stoel te gaan staan. hij fotografeerde me vanaf mijn navel opwaarts hoewel ik hem dringend had gevraagd mijn hele lichaam erop te zetten maar alleen mijn bovenlichaam kwam op de foto. mijn benen lopen waarschijnlijk nog steeds rond door het vroegere Oost-Pruisen wanneer niet de een of ander ze ten val heeft gebracht ik kon in elk geval nog net zien hoe ze zich onder de lopende band verstopten en achter mijn iets te dik uitgevallen kont aan gingen terwijl mijn bovenlichaam met een blije schreeuw in het apparaat verdween. en nu ben ik ook bij jou josepha rudolphovna en zie dat het helemaal niet zo slecht met je gaat je teint is fris en je buik heel dik en beweegt alsof je erg op het kind bent gesteld en dat zou ik graag willen weten. ik had tijdens mijn verschillende ophangingen in oost-duitse openbare ruimtes toch al de indruk dat het jullie gemakkelijker wordt gemaakt tevreden te zijn het vet van de wanhoop is minder vaak te zien op de heupen van de vrouwen. hoe aborteren jullie?

Op dit punt aangekomen neemt de vliegende hond de benen, misschien omdat er nog andere verplichtingen op hem wachten, of omdat Josepha toch al op het punt staat om uit haar droomfase te stappen, of omdat hij het effect van de aanwezigheid van mahoniekleurige siamese ratten in Josepha's rokzak toch had onderschat. Ljusja Andrejevna, moe geworden, houdt haar ogen op haar portret gesloten als Josepha weer tot zichzelf komt, om drie uur in de ochtend op zondag. De met haar vuisten weggewreven slaap kleurt haar anders zo kabeljauwwitte oogappels zalmrood, haar blik lijkt een beetje op die van een angorakonijntje, wat echter in de zich juist aankondigende schemering onopgemerkt blijft. Er gaan veel seconden voorbij waarin Josepha er machteloos achter probeert te komen waar ze is en zichzelf een oriëntatie in de tijd te verschaffen. Pas als haar ogen zich vanuit het vochtige licht van bloed en vet van de droom op de nacht onder het bureau beginnen in te stellen en de ingelijste foto als contour zichtbaar wordt, klinkt de laatste vraag – hoe aborteren jullie? – als door Ljusja uitgesproken in haar na, en dan weet ze opeens waar ze is. Het zwart-witte kind, Josepha begrijpt het meteen, zuigt op zijn duim uit pure wanhoop en wiebelt ritmisch met zijn hoofdje naar voren en naar achteren, beukt daardoor met elegische tussenpozen het schaambeen van zijn moeder van binnenuit beurs. Hoe het Ljusja is gelukt zich door middel van droombeelden voor haar verstaanbaar te maken, interesseert Josepha niet zo erg, zo onmiskenbaar duidelijk heeft de foto gesproken en wel rechtstreeks tot haar, zodat iets anders als geheel uitgesloten moet worden beschouwd: Ljusja Andrejevna Wandrovskaja, drie keer geboren en ten slotte toch nog opgegroeid in het Russische Kaliningrad, voorheen Königsberg, met het gezicht van de negenjarige springspin Lenchen Lüdeking en haar daardoor begeleidend naar de volwassenwording, heeft gevraagd hoe aan deze zijde van de in het jaar 1949 kennelijk definitief vastgestelde grens abortus wordt gepleegd. Het schijnt een belangrijke vraag te zijn en het lijkt alsof Ljusja op het punt staat iets te beslissen. Maar het is tegelijkertijd een schok voor het zwart-witte kind!, zoals ze nu tussen halfgesloten lippen door tegen het konterfeitsel van Ljusja fluistert. Hoe zou ze het lef hebben daarnaar te informeren zonder de dubieuze Rema Andante tot nog grotere opwinding te brengen? Aan abortus had Josepha nooit gedacht en ze constateert nu verbaasd dat ze helemaal niet weet waarom. Wat zou vanzelf-sprekender zijn geweest dan een kind dat zo-even van start is gegaan de afwezigheid van een vader te besparen alsmede een uiterlijk dat afwijkt van de standaard van de engerlingkleurige, zogenaamde burgerij? Wat had vanzelfsprekender geleken dan de misstap berouwvol toe te geven en zich onder handen te laten nemen door een gynaecoloog, de levensweg weer recht te laten maken door iets uit haar buik te laten krabben? Zo had ze dat helemaal niet gezien, destijds tussen februari en maart, nadat het was gebeurd: het zwart-witte kind. Had ze het gewild, erbij gehaald zelfs aan de mogelijke handjes, door het imaginaire van de negenentwintigste februari naar de als een ronddraaiende bol zich voordoende realiteit? Vermoedelijk niet, het had haar gewoon heel goed mogelijk geleken een kind te krijgen, en dat de vader haar was bevallen en een zekere klaviatuur in haar tot klinken had gebracht, vatte ze op als een teken dat het tijdstip niet slecht gekozen kon zijn. Ook Therese had geenszins afwijzend gereageerd op de zwangerschap van haar achterkleindochter, terwijl ze immers zelf ooit het tweede kind van de tedere August met een blauwe fiool te lijf was gegaan en met de onvermijdelijke vastbeslotenheid van haar lichaam. Een kind aan de hand alsof het een pand was? Maar wat kon je daarmee inlossen? Een aandeel in de summiere voorraad gevoelens van de mensheid, in de gegarandeerde minimale uitwisseling van warmte tussen de generaties? Ze denkt aan het niet geringe aantal vrouwen in W., die anders gekleurde kinderen hadden gebaard en later met hen de op steeds grotere afstand staande vaders waren nagereisd naar Afrika. Annegret Hinterzart. Simona Siebensohn. Martina Walter. Wat zou het voor hun moederschap hebben betekend dat hun kinderen tot iets in staat waren wat voor henzelf onder alle denkbare vreedzame omstandigheden tot op hoge leeftijd niet mogelijk zou zijn geweest, namelijk de in het jaar 1949 kennelijk definitief vastgestelde grens voor heel eventjes te openen en hem met de kind een aan de hand te passeren? Wanneer de pasgeborenen almacht belichaamden door dat te kunnen? Zeker was ook Martina Walter in het *a-socialenbestand* opgenomen geweest, omdat ze haar vier dochters nauwelijks had kunnen verzorgen met haar negentien jaar en de hoon van de buren op haar nek. Hatifa was ter wereld gekomen toen Martina in de zevende klas van de stedelijke school zat, twee jaar later kwamen Djamila en Clarence, weer slechts een jaar later Poularde. In de grote woning, waarin ooit haar ouders met hun gezin hadden gewoond, lagen wasgoed en brood naast elkaar te rotten. De kinderen gaven de maden namen die af en toe over de tafel liepen en dachten dat ze die in een halfvolle jampot tussen schimmels en verschaalde suikeroplossing konden laten rijpen. Haar ervaringen met de bleke wezens berustten op hun luiers, waar ze nog niet uitgegroeid waren, en die ervaringen waren niet zo best geweest. Josepha weet dat, omdat Therese soms evenzeer op haar eigen intuïtie afging als op de geuren die door de ramen heen doordrongen tot in haar neus. Samen met Josepha had ze de luiers van de kinderen gewassen, gortenpap voor hen gekookt of een kind bij hen laten logeren wanneer er geen doorkomen meer was geweest door de rotzooi en de stank. En wanneer de vader van de kinderen, een lichtbruine, atletische man van een bijna ongepast lijkende schoonheid, onverhoeds thuiskwam met andere mannen en een soort sterke drank die in de winkels van dit land volslagen onbekend was, gebeurde het ook wel dat ze alle vier de meisjes voor een nacht mee naar huis namen, in de keuken en de woonkamer luchtmatrassen voor hen opbliezen en dekens in witte dekbedovertrekken uit de uitzet van Josepha's ouders stopten. Alleen Martina hadden ze nooit kunnen overhalen bij hen te komen slapen: Martina was heel erg gelukkig wanneer haar echtgenoot zich weer eens aan haar bestaan herinnerde, een stukje van zijn huid op de hare kwam drukken en haar een wankel gevoel van eigenwaarde aanneukte. Na zulke nachten troffen ze haar 's ochtends slapend of huilend aan in haar woelige meisjesleven. De condooms, die Therese haar de vorige avond had toegestoken, slingerden dan, tot hoon van iedereen, over messen en vorken gespannen overal in de woning rond, en Therese vertaalde de woorden *geluk gehad* op zulke dagen met *menstruatie*. Maar Martina nam met elke nieuwe bevruchting aan dat ze hem alsook haar vertrek naar een warm land nader was gekomen, waar ze de geurtjes kon kopen die Nouari Cedouchkine soms voor haar meebracht van zijn thuisreis via Parijs. Ze maakte van het land van haar dromen alleen de voorstelling die hij haar schilderde. Josepha kon zich, toen Martina toestemming had gekregen het land te verlaten en ze op het punt stond te vertrekken, niet aan de indruk onttrekken dat de *bevoegde instanties* heel blij waren dat ze haar hadden kunnen laten aborteren naar een andere vorm van samenleving.

Martina Walter had vermoedelijk nooit een abortus ondergaan.

Josepha had – vanzelfsprekend? – geen abortus laten plegen.

De moeders van de Salzwedelse halfzusters hadden niet altijd abortus laten plegen.

Carmen zelf had twee keer een abortus gehad en er niet veel ophef over gemaakt.

De opzichtster was in de jaren zestig, zo had ze in haar waanzin tegen het sprekende portret verteld, naar het naburige Polen gereisd voor een abortus.

Martina Walter was naar Afrika geaborteerd.

Josepha was naar haar overgrootmoeder geaborteerd, weg van haar vader.

De moeders van de Salzwedelse halfzusters waren een beetje van het deugdzame pad geaborteerd, een beetje zijwaarts in de kleinstedelijke spot beland.

Carmen Salzwedel was van haar halve zusters geaborteerd, die ze nu haar hele leven lang meende te moeten zoeken en vinden.

De opzichtster was geaborteerd naar een onvindbaarheid, die Josepha deed walgen en haar fysiek pijn deed.

Als het licht wordt, verduistert Josepha Ljusja's foto met een hoofddoek die ze eerder om haar nek had geknoopt, en hoopt nog een beetje te kunnen nadenken voordat de Russische taartenbakster zich weer meldt en om antwoord vraagt. De lauwe zondag ligt als een vochtig laagje stilte over de machines, over de onbezette stoelen aan de lopende band, over de frisdrankautomaten in de rechterhoek naast de ingang en over de verpakte stapels kalenders op hun houten palets. De wind, die door de kennelijk kierende deur van de fabriekspoort binnen kan dringen, laat de vuilgele, dikke plastic vleugels voor de deuropening een beetje zoemen. Het geluid doet Josepha meteen aan Thereses sloffende gang naar de wc denken, zodat ze zich een paar ogenblikken lang met veel plezier voorstelt hoe haar overgrootmoeder nu met Richard Rund van een gezond ontbijt zit te genieten met toast en een ei en in melk en water gekookte havermoutpap. Van de sterke koffie zal ze wel niet af kunnen blijven, hoewel ze steeds vaker last heeft van maagklachten, nadat ze zich er, zoals gebruikelijk, rijkelijk van heeft bediend. Frambozenwijn zal ook wel op tafel staan om in de stemming te komen voor een nieuwe dag, met z'n tweeën tussen bos en bed en kruiswoordpuzzels, en Josepha bedenkt dat er over haar eigen en Thereses recht op lucht en ruimte na de geboorte van het zwart-witte kind opnieuw moet worden onderhandeld: de woning is klein. Alleen al het binnenkort te verwachten bezoek van Ottilie Wilczinski moet goed worden voorbereid met al die vrouwen over de vloer. In elk geval zou te zien zijn hoe ervaren Therese is in de omgang met zuigelingen en er conclusies uit kunnen trekken. Een paar dagen geleden had ook Therese gezegd dat ze steeds maar zat te prakkiseren waar het bed van het kind zou moeten staan. Ze duwde het alsof het niks was door kamers, kamertjes en wc, de tuin in langs het heuvelgraf door de winterhemel, en elke keer kwam het in haar gedachten toch weer naast haar eigen bed terecht. Josepha daarentegen denkt helemaal niet aan een kinderbed: ze wil het zwart-witte kind bij zich onder de dekens stoppen tot het groot genoeg is om haar borst los te laten. Hoe zou je het, zoals de zaken er nu voor staan, over abortus kunnen hebben? Langzaam slentert ze meter voor meter door de stille hal en houdt haar buik vast, die soms al hard wordt en gespannen. Uit de automaat haalt ze een kartonnen beker met een groenig, Waldmeister genaamd bruisend goedje en keert rond het tiende uur van de dag terug naar Ljusja. Het verlate ontbijt met brood en metworst gaat niet goed samen met het bruisende spul in haar maag, ze wordt er onpasselijk van. Bijna even erg als van een Russisch crèmegebakje. Destijds in Moskou, toen ze met haar spekzwoerdachtige lerares het eind van de schooltijd vierden, kon je zulke taartjes krijgen: vierkante vet-en-suikermengsels met roze marsepeinbloemetjes erop, een feest voor de toentertijd goedgelovige ogen. Op de tong vielen ze nog, met een enige moeite, uiteen, maar in het spijsverteringssysteem rebelleerde de flora en eiste thee en biscuitjes ter verzoening. Maar thee kon je ook alleen maar krijgen met veel suiker erin als je hem niet ergens zelf kon klaarmaken, wat in het hotel waar ze verbleven, een schamel onderkomen dat de naam Ostankino droeg en in de Botanitsjeskaja lag, met een dikke, hetzij wasgoed strijkende hetzij thee zettende toezichthoudster op elke etage, nauwelijks mogelijk was: thee zonder suiker was gewoon niet denkbaar, zelfs niet wanneer Josepha er in haar meest drieste Russisch om vroeg. In plaats daarvan stonden in de kleine vitrines stukken taart, gedroogde vis en suikergoed die je kon kopen en de soms erg vriendelijke *djeshurnajas* bleven hardnekkig in plaats van thee die delicatessen aanprijzen. Waarschijnlijk waren ze toen ontmoedigd wandelingen gaan maken om hun darmen tot rust te brengen, in de vlakbij gelegen Botanische Tuin van de Academie der Wetenschappen of op het aangrenzende terrein van het sovjetmuseum. Dat ze bij het afscheid door de paar huilende moeders van de Moskouse klas op uitnodiging waarvan ze daar verbleven vierkante kartonnen dozen in handen gedrukt kregen, waarvan de inhoud zonder meer af te leiden was van het opschrift TOPT, ziet Josepha achteraf als een vroeg teken.

Als Josepha de hoofddoek van Ljusja's gezicht afhaalt, zijn haar ogen nog steeds gesloten. De oogleden lijken gezwollen, van het huilen? Josepha aait zachtjes met haar vinger over de wenkbrauwen en wimpers van haar sovjetcollega, merkt hoe háár slaperigheid vat krijgt op haar eigen lichaam, en als ze, deze keer in de stoel waarop de verdwenen opzichtster zat als ze schreef, haar armen op het bureau legt, valt haar hoofd er meteen op. De vliegende hond passeert de plastic flappen bij de ingang, zweeft door de slaperige hal en komt het hokje binnen als een stamgast die weet waar hij wezen moet.

ljusja andrejevna wandrovskaja
verslag uit de bezoekersspleet van de eeuw
deel twee
in de vertaling van de vliegende hond

nu slaap je alweer josepha rudolphovna op je zo vrije zondag zoals ik graag
wilde want ik ben nog niet klaar met mijn verslag. denk niet dat ik niet heb
gezien hoe je intussen hebt zitten piekeren over de vraag naar abortus. ik
moet je die vraag stellen want op grond daarvan beslis ik of ik wil terugkomen naar de driedimensionale werkelijkheid. zo zonder benen en kont is
het moeilijk voor een vrouw je zult dat wel begrijpen daarom wilde ik weten hoe jullie de belangrijke dingen hebben geregeld hoeveel dus het vrouwelijke onderlijf hier waard is. wist ik maar wat mijn benen in oost-pruisen intussen uithalen... maar mijn vermoedens dienaangaande zal ik je
later laten horen. eerst moet ik maar eens uitleggen waarom boven leipzig
mijn jonge god begon te lachen en me losliet: ik wilde een kind, en omdat
ik op grond van de mij bekende manier van vermenigvuldiging daar behoorlijk tweeslachtig tegenoversta, dacht ik erover een rib uit zijn mooie
lichaam te snijden voor een menselijke adam ik liet dus mijn handen langs
zijn borstbeen en langs zijn wervelkolom glijden om een geschikt stuk uit
te zoeken voor mijn begeerte en vond het tussen de tweede en vierde rib
en ik haalde het er zacht was zijn vlees en pijn kende hij niet met mijn
dameszakmes uit. toen ik het begon af te kussen moest hij glimlachen
maar toen ik op zijn rug zittend tijdens de vlucht een gezicht in het bot
sneed en een figuur draaide hij zijn goddelijke hoofd om en begon zo hard
te lachen dat hij eerst ons mooie kind en kort daarna mijzelf boven leipzig
liet vallen ik hoorde zijn luide gelach in de vlucht ik wilde achter het kind
aan om het een naam en een moeder te geven voor later maar je weet wat
er is gebeurd ik kwam tot mijzelf in het haar van een duits gezinshoofd
mijn kind was verloren en geaborteerd naar een vreemd gebied. ik had het
als man geconcipieerd om hem de menselijke kinderheden te besparen die
mij niet gelukkig hadden gemaakt. omdat mijn adam een half goddelijk
erfdeel bezit neem ik aan dat hij een mooie man is gebleven en verstandig
genoeg om zijn afkomst niet te verloochenen. ergens in de buurt van leipzig moet hij naakt op de grond zijn neergekomen tijdens de door ons *groot*
en *vaderlands* genoemde oorlog wanneer niet een andere wil hem heeft
verdreven zal hij daar nog zijn waar hij neerkwam op de aarde alleen waar
we elkaar zijn kwijtgeraakt kunnen we elkaar weer ontmoeten dat had mijn
vader spelende moskouse vader altijd gezegd wanneer het weer tijd werd
voor lushniki en we met de hele troep op pad gingen. inderdaad waren wij
kinderen altijd teruggekeerd naar waar we elkaar de laatste keer hadden

gezien in het gedrang waarbij het meestal alleen maar mijn taak was mijn mond te houden in de revers van de jas van mijn kleine zusje. als ik maar wist dat hij leefde en op me wacht en mijn ontbrekende onderlijf hoeft niet als bewijs van mijn werkelijke moederschap opgespoord te worden en ik zou niet worden opgesloten in een duits invalidentehuis als ik het nog een keer zou kunnen proberen met de wereld en met mijn mankind daarin. ik heb geen verlangen naar mijn kont maar ik zal hem misschien nodig hebben met die twee stevige benen eronder of zou jij josepha rudolphovna mij naar mijn zoon willen brengen in de buurt van leipzig? je zou me in een koffer kunnen doen tussen de zachte kleren waarvan ik er al een heleboel heb gezien sinds ik hier ben ik denk dat ze naar buik ruiken omdat jij altijd een beetje vruchtwater uitzweet. zou je dat voor me willen doen? als ik dan ook een beetje naar vruchtwater ruik bij het uitpakken zal mijn zoon er niet meer aan kunnen twijfelen dat zijn moeder is teruggekomen na zo veel jaren. dat is wat ik graag wil.

maar terug naar het verslag. in oost-pruisen zal mijn onderlijf een poosje onopgemerkt van kelder naar kelder zijn gekropen in herinnering aan het duitse aanrecht. in dat meubelstuk zal het zich wel hebben verstopt in een aanval van ontroering die altijd in het onderlijf trekt wanneer er iets vertrouwds gebeurt. mijn derde vader zal de brede kazachstaanse nog vaak hebben bevochtigd mijn onderlijf zonder ogen en oren en neus zal alleen de eerste zachte daarna heviger wordende trillingen van het meubelstuk hebben waargenomen of een paar druppels die van de bovenste plaat in de kier druppelden langs de binnenkant naar beneden liepen langs het onbenutte messingkleurige slot. zeker hebben de benen het vocht dan voorzichtig van elkaar afgeveegd ik kan me goed voorstellen hoe mijn knieën elkaar aanraakten of mijn enkels. wanneer alles zo doorging en waarom zou dat niet zo zijn zijn mijn benen nog net zo heel als op de dag waarop we van elkaar werden gescheiden als het me lukt om staliningrad nog een keer te bezoeken zou ik ze weten te vinden en dan zou ik aan de hereniging de voorkeur geven boven de rolstoel dat zul je wel begrijpen.

dat gedoe met taarten komt omdat ik gewoon niets beters wist te doen dan mijn derde ouders nadoen en een ambachtelijk beroep kiezen. als ik aan het piekeren was geslagen aan een van de universiteiten op filosofische wijze over wat bijvoorbeeld de wereld innerlijk samenhoudt zou zich bij mij alleen maar het woord buis hebben aangediend of rib en dan had ik me misschien wel uitgesproken over mijn vorige leven. mijn arme derde moeder had moeten begrijpen dat ik haar lijfelijke eieren opzij heb geduwd en me als vreemdelinge in haar heb genesteld ook al was dat met het oprechte doel haar eigen depressie van zin te voorzien. en zelfs de kazachstaanse zou niet onvermeld zijn gebleven als ik aan het piekeren was geslagen dus werd ik taartenbakster en lette erop dat mijn derde moeder niet op het verkeerde moment naar huis ging omdat mijn vader zoals gebruikelijk in kazachstaanse vleespasteitjes beet met zuigende lippen. ze is me er dankbaar voor geweest en geloofde een voorbeeld te zijn geweest van ijver en fatsoen zo rechtschapen leek ik met mijn schuchtere manier de taarten met zachtroze aan een nationale glorie te helpen. ik geef toe dat ik kort voor mijn eigen horizontale deling de chocorumbaisertaart heb uitgevonden in een scheppende daad van de socialistische vernieuwingsbeweging mijn engagement voor het wezen van de russische taart dus dwong te veranderen wat calorieën betreft en uiterlijk. had jij josepha rudolphovna mijn WIOLETA geproefd dan zou je beter weten waar ik het over heb: een ovale bruinrandig afgebakken biscuitbodem bestrooide ik met ont-oliede cacaopoeder waaraan ik van tevoren een beetje vanille had toegevoegd deed een paar druppels rum (verdund) op de bodem en legde er uitgelekte partjes abrikozen op dat was een revolutie. van het sap van de vruchten maakte ik met behulp van aardappelmeel een stijve pudding die ik eroverheen goot en met geraspte chocolade bestrooide. op een dun laagje zure room volgde de bekroning met stijfgeklopte gesuikerde eiwitten nadat dat alles twaalf uur had staan drogen – dat was meteen ook het eind van de revolutie want het vet ontbrak. hadden ze al het plan gehad mij meteen tot meester-instructeur te benoemen voordat ik WIOLETA als eindexamenproef indiende, ik zou nu beleven dat ze de taart afkeurden en hem een decadent product van westerse makelij vonden dat lak had aan de goede tradities van de russische keuken en wie had meer recht op vet en suiker dan het werkende volk. (wat had er anders moeten gebeuren met het overtollige vet – moest het soms in de open bekken van de bourgeoisie in het andere kamp worden gesmeerd, terwijl het volk aan het vasten was met WIOLETA? zo luidden de vragen.) wat kun je dan nog beginnen als je iets anders wilt ik vergat nog te vertellen tot dusver dat mijn derde moeder zich wat dit betrof van mij distantieerde en een petitie ondertekende tegen de decadentie die men aan mijn persoon toeschreef en ik door op tijd te verdwijnen nog net kon voorkomen dat ik voor een commissie moest verschijnen van de komsomol mijn benen zal niemand hebben herkend het kwam tenslotte vaker voor dat beenloze oorlogsveteranen op kleine wagentjes door de stad rolden. ze zetten zich met hun armen af tegen de grond om vooruit te komen je keek over hen heen en ook mijn benen zullen ze voor een voormalige soldatenvrouw hebben gehouden: ik droeg katoenen kousen in de kleur van ingezouten augurken en een zwarte leeftijdsloze rok dus zal mijn onderlijf op en neer hebben gehobbeld in kaliningrad tot het het duitse aanrecht terugvond. maar mijn foto vond zijn beschreven weg vanaf de vrouwendag door de oostelijke manier van leven. en als ik nu opkijk uit mijn glimlachende ogen kan ik jou zien en je slaapt josepha rudolphovna en je droomt van mij en vermoedelijk kun je me verstaan je trilt met je oogleden je doet je mond open en je kind ligt zo met zijn ongeboren lichaam in je te draaien dat ik ervan moet glimlachen. deze manier van vermenigvuldiging is wellicht helemaal niet zo onaangenaam als ik had gedacht. tenslotte weet zo'n kind een heleboel van jou als het ter wereld komt namelijk hoe je bloed stroomt hoe je darmen knorren hoe je bij het denken spant en welke gevoelens het aangenaamst zijn. mijn zoon heb ik weliswaar ontworpen volgens mijn idee maar wat weet hij van mij behalve dat ik hem niet kon vasthouden. wat weet ik van hem behalve hoe hij eruitzag kort voor de val en uit wiens ribbenkast ik hem heb gesneden... word wakker. je moet me zeggen of je het op je kunt nemen mij naar de omgeving van leipzig te brengen zodat ik het kind weer vind mijn half goddelijke ribkind als ik maar zeker wist dat wij nog steeds bestaan zou ik blij zijn. word wakker.

Therese Schlupfburg bereidde in haar keuken, aan de tafel gezeten, een reeks gerechten voor voor de hernieuwde ontmoeting met haar tussen Wuschken en Ruschken kwijtgeraakte dochter. Het eten was altijd een van de belangrijkste zaken geweest in haar lange vrouwenleven (*wij Oost-Pruisen, wat dacht je wel?*), en vlucht noch naoorlogse schaarste had haar plezier aan voedselbereiding kunnen bederven. Tenslotte had ze ook het contact met haar familieleden en met de vriendinnen in haar leven door middel van karakteristieke maaltijden onderhouden, had onwil tentoongespreid met flauwe meelpap en liefde met grandioze eenpansmaaltijden bewezen, voor de hulpeloze Erna Pimpernell bloedworst gebakken en voor de ouders van Angelika Purzel en Raderkuchen gemaakt, ze had met magere melk en wortelsap een stevig kind gemaakt van Josepha en was slechts een paar keer, maar dan ook flink, echt tekortgeschoten. Bijvoorbeeld door Fritzje goed eten op te dringen en hem daardoor helemaal niet meer waar te nemen, of uit Willi Thalerthals gebrek aan belangstelling voor poffer en griesmeelpap domweg niet de juiste conclusies te trekken. Juist gisteren had ze over een pacifistisch primitief volk gelezen waarvan de vrouwen in staat zijn zog te produceren zonder gebaard te hebben, in het geval bijvoorbeeld dat de moeder van een zuigeling sterft of een verstoten lam dood dreigt te gaan. Misschien had ze Marguerite Eaulalia's vader wel kunnen redden met een beetje meer vertrouwen in haar eigen vermogens! Ze sloft naar de wc en laat in haar hoofd verschillende soorten vlees rondtollen, maakt een salade en laat bouillons inkoken tot sauzen, stooft rodekool en doet boter bij de erwtjes, herinnert zich wat Ottilie als kind het liefst at: in water gekookte gistballetjes met bosbessencompote. Ja, er staan nog een paar potten bosbessen van de vorige zomer in de kelder, toen ze nog goed ter been

was en een week lang in het bos elke dag twee emmers vol bessen verzamelde om thuis in te maken, dat zou wel in orde komen met die gistballetjes. Maar die moest ze pas maken als de ergste drukte voorbij zou zijn.
Bij de Saksische paardenslager Albin Brause zal Ottilie ook vlak na de oorlog wel goed te eten hebben gekregen. Kroketten stelt ze zich voor van
gekookte aardappelen besprenkeld met bruine boter, daarbij goulash van
het donkere vlees dat altijd een beetje een bittere nasmaak heeft bij het
doorslikken. De enige paardenslager in de wijde omgeving heeft in W. een
winkelje waar je twee dagen per week kunt kopen wat de slechts zelden
aangeleverde dieren opleveren: hersen-, met- en leverworst, fijn of grof,
salami, verder allerlei braadstukken en enorme bruinrode rollades, waarvan er een wel voldoende zal zijn voor het vierhoofdige gezin. Ook Therese
koopt een of twee keer per maand in die winkel gehakt, maar verzwijgt
tegenover haar achterkleindochter de herkomst van de daarvan gemaakte
gehaktballen, ze waren vroeger altijd heel graag naar de paardenraces op
de Boxberg gegaan, hadden ook weleens gewed en verloren. Josepha droeg
dan altijd hetzelfde roodfluwelen jurkje, dat in de loop der jaren in lengte
en breedte door een laag ingezet zwart rokdeel en zijdelings door witte
stroken werd aangepast. Alleen het door Therese met veel ijver gehaakte
kraagje bleef onveranderd en tooide de hals van zowel de zeven- als de
twaalfjarige Josepha. Toen de kraag ten slotte te strak werd, hadden ze ook
geen lol meer in de paardenraces. Bovendien was in het Boxbergcafé het
aanbod aan dranken veranderd. Het vroegere bruisend gele spul uit het vat
hadden ze niet meer, in plaats daarvan werd er een zogenaamde mandarij-
nenlimonade van het merk Mandora geschonken, een mengsel dat in de
plaatselijke brouwerij werd gemaakt. Het punt was niet alleen dat dat domweg niet smaakte, het liet ook het echte gokgevoel bij de races niet opkomen. Ook daarom legde Josepha op een dag de paarden ad acta. Maar dat
ze die beesten ooit zou eten, leek Therese ondenkbaar, zodat ze ook vandaag de dag de gehaktballen naar rund en varken benoemt wanneer Josepha ernaar vraagt, en de smaak met geweekt brood, zout, peper, eieren en
uien heel gewoon doet lijken. Dat ze die ballen dan in boter braadt, kan,
meent ze, elke verdenking, zou die al opkomen, met verwijzing naar de
heerlijke geur van de bruinende boter ontzenuwen. Therese trekt haar
enorme onderbroek, door Josepha respectloos *franjeballon* genoemd, weer
over haar achterste en gaat aan de tafel in de keuken zitten. Richard Rund
is vandaag bij zijn dochter uitgenodigd voor het middageten en kan haar
niet storen bij haar inspanningen het weerziensdiner van enige allure te
voorzien. Josepha is vroeg in de ochtend naar haar werk gegaan. Een beetje
verbaasd het Therese dat het meisje gistermiddag al onverwachts thuiskwam, terwijl ze toch van plan was geweest daar tot maandag, als het werk

weer begon, te blijven. Over een foto had ze haar verteld, die in het hokje van de opzichtster hing en die haar iets had verteld. Therese vindt dat niets bijzonders, ook zij praat vaak met foto's uit haar doos, alsof ze Fritzje het leven weer terug zou kunnen geven of iets anders goeds voor zichzelf zou kunnen doen. Bovendien neemt ze aan dat Josepha nu leert hoe de woordeloze taal van de vrouwen wordt gesproken, de tijd is er zeker rijp voor, een zwangerschap brengt, ze weet er alles van, het vrouwelijk lichaam in een door niets mannelijks na te bootsen toestand, maakt het lichaam vrij. En wanneer dat Russische meisje haar achterkleindochter iets te zeggen heeft, dan zal dat wel zo zijn, zo denkt Therese en ze neemt een slok van de van gisteren overgebleven frambozenwijn. Om haar hoofd koel te houden, de eerste lieflijke nevelen beïnvloeden haar hersenen al, brengt ze de fles met de kurk erop naar de voorraadkast en dan kan het niet anders of ze werpt een blik in Josepha's openstaande kamer. Een telefoonboek van het district Leipzig ligt op haar bed. Ze loopt erop af, door die paar stappen verdubbelt haar hartslag zijn frequentie, en pakt het dikke boek. Een geel potlood zit als bladwijzer tussen de pagina's. Als Therese de gemarkeerde pagina openslaat ziet haar oog: in de plaats Lutzschen bij Leipzig heeft Josepha om ene meneer Rippe, Adam, slager, Grimmaische Straße 42, een dikke streep getrokken.

Bij VEB Kalenders en Kantoorartikelen Max Papp moet men al weer de onverklaarbare verdwijning van een propagandistisch bedoelde foto proberen te verdoezelen. Toen 's ochtends de ploegleider, zoals gewoonlijk een beetje vroeger dan de collega's, het hokje binnenkwam, gaapte hem vanaf de vergeelde spaanplaat een witte plek aan, zodat hij er meteen moe van werd en pas kort voordat hij aan het bureau begon te knikkebollen begreep dat er iets ontbrak: de Russische taartenbakster was weggehaald, een inbraak tijdens het weekend waarschijnlijk, hij moest de politie waarschuwen. De jeugdleider van het bedrijf wist op het allerlaatste moment het telefoontje te verhinderen, doordat hij de ploegleider verraste toen hij bij zijn gebruikelijke rondgang door de hallen ook even in het hokje binnenliep. Ze overtuigden zich er gezamenlijk van dat er niets ontbrak, dat deur noch raam met geweld was opgengebroken, de papieren in het bureau onaangeroerd waren. Dus niks politie, dat moet aan de *bevoegde instantie* worden gemeld, fluisterde de jeugdleider en draaide uit zijn hoofd het geheime nummer, terwijl de ploegleider de middelste pagina van het dagblad *het volk* van afgelopen vrijdag voorlopig over de gapende plek plakte. Bij gebrek aan plakband haalde hij uit de verbandtrommel een pleister, en knipte de plakkerige zijstroken van het wondgaasje af. Josepha, als ze met een ongeïnteresseerd gezicht even komt binnenvallen om goedemorgen te wensen (ze moet grijnzen als ze zich voorstelt hoe ze na het openen van de deur eerst twintig centimeter buik het vertrek binnen duwt voordat haar gezicht zichtbaar wordt), verbaast zich over de slecht gecamoufleerde opwinding: wie, behalve zij, had ooit enige belangstelling opgebracht voor het konterfeitsel van de Russische taartenbakster? Dus wie zou het ontbreken van de foto eigenlijk opvallen? Hoogstens zou de provisorisch vastgeplakte krantenpagina aanleiding tot speculaties kunnen geven, Ljusja staat in elk geval bij haar thuis in de kast tussen haar aromatische kleren en wacht op de tocht naar Lutzschen. Nu ze weet waar haar zoon woont, is ze nauwelijks nog in haar lijst te houden. Josepha heeft haar gisteren meteen mee naar huis genomen, omdat Ljusja haar moet helpen bij de zoektocht naar het halfgoddelijke ribkind. Ze had haar in haar schoudertas van gekreukt leer gestopt tussen de niet geconsumeerde levensmiddelen en was toen over het zondagsstille fabrieksterrein van het ene toegangshek naar het andere geslopen. Via de uitgang van de bij het bedrijf horende stortplaats had ze ongemerkt weten te ontsnappen en was vervolgens, vol walging, over de berg vuilnis geklauterd. De mahoniekleurige ratten in hun schuilplaats moesten de nabijheid van hun familieleden hebben gevoeld, ze maakten zichzelf fluitend kenbaar. Toen Josepha door een volkstuintjescomplex naar het centrum liep, volgden de naaktstaartige vuilnishoopbewoners haar op gepaste afstand en in groten getale, en pas op haar uitdrukkelijke verzoek begonnen de rode ratten hun soortgenoten te verdrijven met een als waarschuwingssignaal gebruikelijk alarmfluitje. Het telefoonboek van het district Leipzig had Josepha op weg naar huis bij Carmen Salzwedel conform haar verwachting aangetroffen en geleend. Ze had haar vriendin moeten verzekeren het dinsdag weer mee naar de fabriek te nemen, want ze had juist nog een hele stapel katoenen luiers geruild voor een lijst van hotels in Leipzig waar gedurende de zo-even beëindigde herfstbeurs zakenlui uit het Westen hadden gelogeerd. De textielverkoopster hoopte het komende voorjaar met behulp van deze lijst, die Carmen door gefingeerde telefoontjes met de bewuste etablissementen opstelde, op aanzienlijke bijverdiensten, wanneer er weer beursbezoekers door de stad zouden struinen op zoek naar geslachtelijk vertier. Therese was, dacht Josepha, een beetje verbaasd geweest over haar vroege thuiskomst, maar tijdens het gezamenlijke avondeten was dat niet ter sprake gekomen. In plaats daarvan had Therese verkondigd dat het restaurant bij de Cumbacher Teig als locatie voor het weerziensfeest met Ottilie van de baan was, en dat ze in plaats daarvan de voorkeur gaf aan een feest tussen de eigen vier muren. Ze waren op tijd naar bed gegaan en Josepha had slechts tweeënhalf uur nodig gehad om Adam Rippe in Lutzschen te traceren en onder Ljusja's enthousiaste geknipoog als de gezochte persoon te identificeren. Terwijl ze nu de ploegleider vraagt naar waar haar werkkracht vandaag zal worden ingezet, is ze in feite al helemaal op reis naar die Saksische worstmaker. Zwaar werk willen ze Josepha niet meer laten doen, ze wordt ingedeeld bij de eindcontrole om daar bij te springen. Steekproefsgewijs moet ze in blauw folie ingebonden agenda's van het jaar 1977 controleren op druk en snede, slechts zelden zal ze een niet geheel correct exemplaar eruit halen en wellicht in haar zak laten verdwijnen voor de huiselijke voorraad aan kerstcadeautjes, zoals ze elk jaar doet; de maandag vordert in hetzelfde gemoedelijke tempo als aan gene zijde van de in het jaar 1949 kennelijk definitief vastgestelde grens: Ottilie Wilczinski treedt voor de ambtenaar van de burgerlijke stand. Gehuld in diepblauw fluweel, de kakelbont aangeklede Avraham Bodofranz op de arm van een van de Reveslueh-zoons achterlatend, gaat ze naast de elektrotechnicus in een fauteuil zitten en wacht. De toespraak van de ambtenaar gaat over het heilige huwelijk en Ottilie's rol daarin, over de plicht van de bruidegom om zijn vrouw te beschermen en over de trouw tot na de dood. Daar kan ze alleen maar om lachen. Haar zoon kraait op de achterste rij van de zaal zijn *delidel en geladdel*, tot vreugde van de voltallige schaar kinderen van Franz Reveslueh, die met zijn zwarte jasje op een wijnrode broek en een lichtblauw overhemd door Ottilie een echte kanjer wordt gevonden. Ze zeggen JA tegen elkaar en schuiven met enige moeite eenvoudige gouden ringen aan elkaars vingers. Hun kus valt heel diep uit, Ottilie's tong meent de huig in Revesluehs keel te voelen als ze zich geschrokken terugtrekt uit zijn mond. Voor het diner rijden ze, een verrassing van de bruidegom, naar de Dornstübl waar Hubertus Dornbichler op z'n Beiers voor hen heeft gekookt en zijn vrouw vriendelijk glimlachend het eten serveert. Vandaag heeft Franz Reveslueh niet de blik en het verdriet die ervoor nodig zijn haar tot Heimelijke Hoer te transformeren. Maar haar verschijning als Annamirl Dornbichler, in een trotse dirndl, is ook niet voor de poes en provoceert Ottilie tot een meer dan aangeschoten toast op het horecaechtpaar. Bijna krijgt de elektrotechnicus het gevoel betrapt te zijn, wanneer zijn nieuwe echtgenote met geheven glas toespelingen lijkt te maken op Annamirls pronte boezem, maar hij vergist zich. Ottilie beschikt, evenmin als alle andere vrouwen, over het instinct voor Rosanne Johannes identiteit... De zuigeling krijgt vandaag niet alleen de borst, maar door verschillende vermeende halfzusters ook een lepeltje room met suiker in zijn kraaiende mondje geduwd, waarop hij met nog tevredener geluidjes reageert. Iedereen heeft plezier in de jongen, sinds Franz Reveslueh een paar weken geleden openheid van zaken heeft gegeven en zijn nieuwe zoon, van wie hij geen flauw idee heeft dat die over de kracht van drie vaders beschikt, in zijn ontroerende blootje aan zijn kinderen uit zijn eerste huwelijk heeft voorgesteld. De aanblik van de ongeklede zuigeling had ook de Reveslueh-kinderen ertoe gebracht zich uit te kleden. Franz en Ottilie hadden dat niet kunnen weerstaan en waren hun voorbeeld gevolgd, zodat men in Reveslueh's stampvolle woonkamer eindelijk heel dicht tot elkaar was gekomen en een soort hitte had geproduceerd tussen de huiden, die meer betekenis had dan elk gesprek dat ze met elkaar hadden kunnen voeren. Ze waren druk bezig om een late saamhorigheid te kweken die – zoals Rosanne Johanne had voorspeld – ook Revesluehs vrijwillig uit het leven getreden eerste vrouw niet buitensloot. Een van zijn dochters probeerde daar uitdrukking aan te geven door, haar hoofd neergevleid in Reveslueh's okselgeur, te verklaren dat ze voor het eerst zijn aanwezigheid ervoer en zijn belangstelling voor haar bestaan, en toen ze haar ogen sloot in de geur van zijn zweet, had ze haar moeder zien staan voor haar innerlijk oog en die had geglimlacht en geknikt, zei ze.

Rosanne Johanne schenkt een witte wijn in, die een beetje naar noten smaakt en, wat de gasten niet weten, door een cisterciënzer monnik in de twaalfde eeuw in de buurt van Bingen was gebotteld. Broeder Ludwig had zich geen raad geweten met het celibaat, zodat de Heimelijke Hoer zich over hem had ontfermd door voor hem neer te knielen terwijl hij met zijn God sprak. Broeder Ludwigs wijn is erg geschikt voor bruiloften, weet Rosanne Johanne, omdat die de lichaamssappen aan het stromen brengt. Ook Ottilie drinkt meer dan voldoende van het drankje, haar gezicht krijgt een fris rood blosje, ze babbelt er lustig op los, en haar hart maakt onhandige sprongetjes in de richting van het Oosten, waar zij moeder en zoon en kleindochter hoopt te gaan bezoeken. Als het avond wordt, zal Therese vanuit de publieke telefooncel op de markt van W. telefoneren met het paar, dat alleen nog maar nieuwe papieren nodig heeft om naar het Oosten te kunnen vertrekken. Een paar dagen zal dat minstens nog duren, zelfs als ze naar München zouden gaan en de zaak zouden proberen kort te sluiten.

Ook de Gunnar Lennefsen-expeditie maant tot haast. In de augurkenpot zit een verse voorraad geroosterde dobbelsteentjes brood, de geraspte kaas stimuleert met een enigszins zurige geur Josepha's eetlust wanneer ze thuiskomt. De dag van de westerse bruiloft moet ook aan deze kant van de in het jaar 1949 kennelijk definitief vastgestelde grens worden gevierd: met een nieuwe etappe. Het feit dat Therese er nog niet is – ze komt juist vanuit het centrum van de stad de flauwe helling naar het woonhuis van de familie Schlupfburg op sloffen, en is als zojuist bevestigde schoonmoeder na het eerste gesprek met het paar heel blij – geeft Josepha de gelegenheid de middag de revue te laten passeren: er is geld gekomen voor het zwart-witte kind, honderdvijftig oostelijke marken als eerste termijn, na het met succes afleggen van het ontwikkelingsexamen bij de bronskleurige gynaecologe. Gebabbeld hebben ze met elkaar, na aanvankelijke wederzijdse onzekerheid, Josepha was ook wel een beetje verbaasd geweest over de gewoonte van de arts om tot de orde van de dag over te gaan nadat de weerbarstige patiënte gevoeglijk was gemaakt. Toch had ze nog een keer gevraagd wat die onzin te betekenen had dat er een rode A op haar kaart was gedrukt. Haastig had de zuster haar verzekerd dat het waarschijnlijk een vergissing was geweest, gewoon een stommiteit, wat nu eenmaal af en toe gebeurde met dat grote aantal zwangere vrouwen in W. Gewoon een keer in de verkeerde gleuf terechtgekomen en de verkeerde zwangere genoteerd. Maar er is helemaal niks in de verkeerde gleuf terechtgekomen! had Josepha, ontbloot op de onderzoekstoel gelegen, met onverholen spot gezegd en de bronzen kleur van de vrouwelijke arts in rood veranderd. Neemt u me niet kwalijk, mevrouw Schlupfburg, neemt u me niet kwalijk, we hebben het ook zo druk, dat mag u ons niet kwalijk nemen, gewoon niet kwalijk nemen, omdat het zo niet was bedoeld. Josepha had harerzijds haast gehad omdat ze voor Therese een cadeau wilde kopen dat ze al weken wil hebben, en was niet ingegaan op de mogelijkheid van een langer gesprek. Zin hadden de twee adviserende dames daar toch al niet in gehad, het was dus gemakkelijker geweest heel feitelijk over het kind te beginnen en te constateren dat het de juiste maten had en in de juiste positie lag, het hartje klopte krachtig en gezond, alleen Josepha's gewicht was een beetje zorgelijk: of ze wel genoeg at? En melk dronk? En toch zeker niet rookte??? Twee pond was ze gegroeid in het afgelopen halfjaar, dat was wel heel erg onder de gebruikelijke norm, maar gelukkig kon je dat aan de *vrucht* niet merken. Zullen we niet liever een dieet opstellen voor de moeder? De bronzen arts zocht in een la naar een stencil met calorieëntabellen en infantiel aandoende tekeningen van verschillende soorten groenten. Gatver, moest Josepha zich verweren, dat ontbrak er nog maar aan, terwijl mijn overgrootmoeder zo heerlijk Oost-Pruisisch kookt dat u uw vingers erbij zou aflikken, dokter! Op een bepaald moment was dat merkwaardige bezoek eindelijk voorbij en had Josepha geld gekregen, zodat ze er nu werk van kon maken een in het geheim gekoesterde wens van Therese in vervulling te laten gaan: al heel lang wilde die een kunststoffen bierpul met het stadswapen erop hebben, maar ze had zelf niet de moed in de winkel voor kunstnijverheid naar het ongelooflijk lelijke ding te vragen. En ook Josepha had er tot dusver moeite mee gehad. Maar de overwinning dat ze weer naar de dokter was gegaan, gaf haar moed genoeg om meteen ook tot de aanschaf van de lichtblauw met witte bierpul met het metalen klapdeksel over te gaan, en kijk, het was gemakkelijker dan ze had gedacht: de verkoopsters wisten kennelijk niets over wat *mooi* of *lelijk* was, ze grijnsden niet eens toen Josepha haar wens uitte, maar boden meteen drie varianten ter verkoop aan. Twee ervan vielen meteen af, omdat de woorden *russisch groen* en *varkensroze* zich vastbeten in het hoofd van de cliënte. Bij *lichtblauw* kwam een dergelijke smadelijke kwalificatie op het eerste gezicht niet op, zodat ze zeven mark vijftig op de glazen vitrinetafel neertelde. Op weg naar huis had Josepha zich vervolgens toch het hoofd gebroken over de vraag waarom Therese zo'n verlangen had naar zo'n pul, die de verkoopster *bempel* had genoemd (en die benaming vond Josepha stompzinnig genoeg en dus heel passend en juist). Bempel zoals domkop, doedel, droogkloot, dufkont, een mooi woord en geen moment huichelachtig. Maar wat moest Therese ermee? Die kleine aardige bevliegingen van haar kent Josepha pas sinds Richard Rund zijn assortiment aan vruchtenwijnen schenkt, bier was zeldzaam en werd altijd in eenvoudige mosterdglazen van geperst glas gedronken. Ongeveer anderhalve maand geleden in Usedom had Therese voor het eerst gezegd hoezeer ze ernaar verlangde uit zo'n pul een koel biertje te drinken, en ze had meteen beschaamd haar vingers op haar lippen gelegd en het zo-even uitgesproken visioen het liefst meteen weer willen inslikken. Op het strand hadden ze heen en weer gelopen op zoek naar mooie schelpen en een stukje barnsteen, maar dat was daar niet te vinden. Of het zoute water die dorst had veroorzaakt? Maar waarom had ze haar verlangen naar zo'n chemisch gekleurde pul sindsdien altijd zo dromerig, zich altijd meteen weer verontschuldigend, geuit? Het stadswapen vertoonde drie sparren met wortels, doorvlochten door een op een haring lijkende vis. W. ligt ver van de zee, het zou wel niet om een haring gaan. Een forel misschien? Was er niet een legende over een vorst, die met de fluwelen mouw van zijn gewaad een gat dichtstopte zodat de gemeenschap werd behoed voor een dreigende overstroming? Nu wil ze de bempel toch even uit het dikke, met rode harten bedrukte papier halen en hem nog eens goed te bekijken, maar dan hoort ze Thereses sloffende voetstappen op de trap die haar thuiskomst aankondigen. Het cadeau verdwijnt weer in Josepha's tas. Veel heeft Therese niet te vertellen over het telefoongesprek met haar dochter. Haar relaas komt neer op het voorgenomen weerzien over een week of twee, en dat staat in een merkwaardig contrast met haar verzadigde gezicht, met haar zichtbaar opgebolde wangen, die bij blije mensen past in hun geluk. Melkvet en moedersuiker, dat is het, denkt Josepha. Willi Thalerthals gezoogde strakke gelaat zag er precies zo uit. Maar Therese komt meteen tot de kern van de zaak: op naar de expeditie, in de woonkamer staat de cognac klaar. Uit de keuken worden brood en kaas aangedragen, maar voordat het eerste glaasje genotvol lebberend in hun keel kan stromen, haalt Josepha heel langzaam de bempel uit het cadeaupapier en zet hem met even trage bewegingen op tafel. Therese wordt bleek.

13 september 1976:
Negende etappe van de Gunnar Lennefsen-expeditie
(trefwoord in het expeditiedagboek: BIERPUL)

BIERPUL staat geschreven in het expeditiedagboek. De Thüringse bempel op de tafel maakt het hoorbaar uitspreken van het trefwoord overbodig: het imaginaire doek spant zichzelf in een mum van tijd in de verduisterde kamer en laat een weg zien met vier rijbanen, in het midden gescheiden door hoge bomen, onder een ongebruikelijk hoog staande zon. Links en rechts staan lage huizen met kleine winkeltjes in de onderste van de doorgaans twee verdiepingen. Ietwat bonte markiezen houden de zon weg van de etalages. Onder de daken witte houten balkons of erkertjes aan de straatkant, waar ouderwetse bleekgroene en lichtbruine automobielen geparkeerd staan, de buitenproportionele metalen grills als haaienbekken vooruitgestoken. Als Therese ook op de rijbaan een stilstaande auto ontdekt, wordt het duidelijk dat het om een foto gaat. Dan draait het beeld op het doek al om zijn as en laat de achterkant zien. Een briefkaart is het, in het lege hokje voor de postzegel heel goed zichtbaar drie letters: USA, in de linkerbovenhoek een tekst:

PICTURESQUE OCEAN AVENUE, CARMEL, CALIF.
Acclaimed by all visitors as one of the most
'charming' villages in the world, Carmel offers
a wide variety of unique and intriguing shops,
restaurants, art galleries and studios of artists
and craftsmen of all types. Just a short walk
from here to the shining white sands of famous
Carmel Beach.

Linker- en rechterkant van de kaart worden gescheiden door de verticale tekst
Distributed by Bell Magazine Agency, Monterey, Calif. –
terwijl daaronder, zogezegd horizontaal, wordt meegedeeld:

COLOR BY MIKE ROBERTS
BERKELEY, CALIF.: 94710

Josepha schrijft het allemaal op, omdat ze niet het vertrouwen heeft zich de vreemde taal te kunnen herinneren. Misschien moet ze Mike Roberts eens bellen? Dat dat vanuit de publieke telefooncel op het marktplein onmogelijk zal blijken te zijn, komt op dit moment niet bij haar op, zodat ze in plaats daarvan aan een houtkleurige auto moet denken, die een paar jaar geleden naast genoemde telefooncel geparkeerd stond. Ze had nog op school gezeten, in de vierde of vijfde klas. Op weg naar huis kwam ze over het marktplein, waar al vanuit de verte een hele kluit mensen te zien was, die allemaal niet groter leken dan de anderhalve meter die zijzelf van kruin tot voetzool mat. De kinderen stonden luidruchtig en in deskundige gesprekken verwikkeld om het voertuig heen, dat ze *slee* noemden. Af en toe stonden er op die plek auto's van het Rode Leger van het garnizoen dat in de districtshoofdstad was gelegerd, met jongemannen erin. Bij hen bedelden de kinderen om militaire insignes of adressen van Pioniers in de Sovjet-Unie, met wie ze een correspondentie wilden beginnen. Ook Josepha had in de loop der jaren een hele jampot vol verzameld met rode sterren, in het midden waarvan heel klein Vladimir Iljitsch glimlachte, op wapens lijkende geëmailleerde objecten met goudglanzende versieringen of gewoon embleempjes van verschillende heldensteden, die ze soms 's avonds leegstortte op haar dekbed. De twee mooiste objecten werden tot koning en koningin gekroond en naast elkaar aan de spits van een stoet dwars over het bed opgesteld. Op gepaste afstand volgden de koningskinderen, gespeeld door de sierlijkste medailles, prinsen en prinsessen dus, die net zomin als Josepha op de hoogte waren van de gewelddadige dood van de laatste Russische tsarenfamilie na de Grote Socialistische Oktoberrevolutie. En Vladimir Iljitsch zou wellicht geïrriteerd zijn geweest als hij had gezien hoe aan zijn glimlachende kinderportret namen werden toegedicht als prins Eugen of Tsarewitsj Ivanuschka, en hoe een hele hofhouding aan eretekens van het Rode Leger naar zijn bevelen moest luisteren. Maar toen de Amerikaanse houten Ford de minderjarigen in het Thüringse provinciestadje W. in alle staten bracht, was er geen spoor te bekennen van een chauffeur of van passagiers van het voertuig. Niemand kon dus gevraagd worden naar technische gegevens, niemand kon dus een metalen symbool van Amerikaanse heldensteden veroveren. Dat er iemand bestond die in zo'n geweldige auto reed, maakte die persoon in Josepha's ogen een uitbuiter: het eerste verhaal dat ze in de crèche van een onderwijzeres had gehoord, ging over een zwarte jongen in de Verenigde Staten, die op katoenvelden hard voor de blanken moest werken en slechts zelden naar school kon. Ging hij toch, dan werd hij door goedgeklede witte kinderen uitgelachen en geslagen, terwijl hij toch zo graag wilde leren lezen! 's Avonds huilde hij dan in zijn vuile hemdje en besloot dat hij – heette hij Joshua? – de wereld ooit zou verbeteren als hij groot was. Ook Josepha wilde de wereld verbeteren. Toen ze klein was tenminste. Daarom spuugde ze op de auto op het marktplein van W., als teken van haar vastberadenheid de imperialisten en vijanden van de mens niet in de kaart te spelen door hun lelijke auto's te aanbidden. Hoe de auto ten slotte het Thüringse marktplein weer had verlaten, weet Josepha niet meer. Maar hoe die eruitzag, kan ze zich heel goed herinneren en maakt onomstotelijk de verwantschap duidelijk met de automobielen met de haaiengezichten op de Californische briefkaart. *Ik zou een paard willen kunnen stelen.* Die zin, uiteenspattend uit Thereses mond hardop midden in de gebeurtenissen op het doek, dat Josepha even uit het oog heeft verloren, haalt haar terug: er is iets gaande in Carmel. Een man met één been steekt de drukke weg over, draagt een verkoopplateautje voor zijn buik. De auto's stoppen voor hem en het kind, dat in een geelzijden jurkje aan zijn kruk hangt en zich laat meedragen naar de overkant van de weg. Ze houdt haar ogen dicht, misschien om geen last te hebben van de zon of om de haaiengezichten niet te hoeven zien, die toch zo zichtbaar ontzag hebben voor de man en hun vaart minderen. Aan de overkant aangekomen zet de man zijn kruk tegen een muur van een huis en het meisje komt op haar eigen voeten te staan. Mairebärli, absoluut, staat op Californische grond en draait in het gele jurkje, dat opvallend veel op het jurkje lijkt uit de tijd in Eschwege, in het rond, terwijl Fritz Schlupfburg alias Amm Versup zich aanschort om vanaf zijn transportabele verkooptafeltje beschilderde bierpullen aan toeristen te verkopen. Je kunt het nu beter zien: zo'n twintig verschillende modellen, bruikbaar als uitwisselbare zetstukken in kleinburgerlijke huishoudens of om potloden, scharen, linealen of min of meer nuttige spulletjes in te bewaren, staan op zijn verkoopplateautje, vermoedelijk van pijnboomhout gemaakt, gefineerd in teak of mahonie, wellicht ook alleen maar in die kleuren gebeitst, met inlegwerk versierd die het zeemansleven illustreren of potentiële kopers eraan herinneren dat er nog steeds Duitse alpen bestaan. Zo bleek is Versup dat Therese terstond bang wordt dat de zon de huid van haar enige zoon ter plekke zal verzengen. Mairebärli deed haar werkelijke vader en grootvader alle eer aan, als hij daar een vermoeden van zou kunnen hebben: ze gaat in een martiale houding op het trottoir staan en dwingt, als een het verkeer regelende politieagent, met de kruk de voorbijgangers naar de bempelstand te lopen. Uit haar strakgespannen ronde mond komen schetterende Duitse volksliedjes: 'Als alle bronnen stromen' of 'Hoor, wat komt daar buiten aan'. Mairebärli heeft zich goed voorbereid op haar taak, een breed neuzelend Amerikaans doordesemt haar gezang en zorgt ervoor dat het grappig klinkt. Een spillebeen zouden ze het kind in W. noemen of een magere lat. Mairebärli vindt het wel leuk om 's middags straatzangeres te zijn. Therese kan dat zien aan de uitdrukking van haar naar binnen gerichte oogappels, die elkaar boven haar neuswortel willen ontmoeten. Mairebärli Gunillasara Versup kauwt gummi tussen haar tanden in de pauzes tussen haar gezangen en maakt van het snot afvegen met haar blote arm een ongelooflijk luidruchtige handeling. Voor de eerste en enige keer tijdens de hele expeditie heeft Therese de drang de loop der dingen op het imaginaire doek door een zo onbetekenend mogelijk lijkende ingreep een beetje te veranderen: ze gooit haar bempel met het stadswapen van een Thürings provinciestadje meer dan twee decennia achter haar in het centrum van het beeld, precies voor de lakschoenen van het kind. Mairebärli schrikt niet, Mairebärli tilt een teen op, haar linker grote teen, nadat ze haar schoen met een zwaai op het trottoir heeft laten vallen, midden in haar gezang en zonder de kruk van haar vader los te laten, en steekt nu haar grote teen door het hengsel van de bempel. Had het zachte gezang van het meisje zo-even nog doen vermoeden dat ook zij in haar beweging een beetje stram en stijf is, nu moet je erkennen: het ziet er Circe-achtig uit, de act waarmee het kind, op één been nu, de bempel naar haar mond voert met haar linkervoet, hem tussen twee coupletten van *op het mooiste weideland* door met haar lippen en tanden pakt en over het uiteinde van de kruk stulpt. Ze bekijkt het ding even, schudt superieur haar hoofd over het ontwerp, dat in vergelijking met de ontwerpen van Versup zo verschrikkelijk sullig is, en begint het lied van voren af aan te zingen. De bempelgraveur Amm Versup heeft niet gezien wat er zo-even is gebeurd, hij is bezig aan een Brits echtpaar de verschillende modellen van zijn vergeetachtigheden op een meelijwekkende toon toe te lichten. De vrouw wil ten slotte een mahoniekleurig stuk voor Aunt Betty in Southampton aanschaffen, haar echtgenoot raakt met haar in een heftig dispuut over de vraag of zijn vriend op het College Marc Reddlewhite in Broadstairs niet als eerste in aanmerking komt voor een cadeautje. Thereses zoon luistert geduldig en steekt hun, zolang spraak en tegenspraak voortduren, twee exemplaren over zijn plateautje heen toe. Dan komt Mairebärli aangehuppeld met het lichtblauwe exemplaar uit de kunstnijverheidswinkel in W., en meteen zijn de Britten het eens: die is prima geschikt voor Aunt Betty, daar betalen ze vijf dollar voor, wat een enorme winst betekent voor de Versups, zodat het stuk voor Mr. Reddlewhite met grote korting voor een bedrag van één dollar in het tasje van de vrouw verdwijnt. Amm Versup heeft niet eens goed kunnen zien wat Mairebärli zo-even nog op de stok had gezet. Niks, no chance, Therese, zo gaat dat nu eenmaal niet: tijd kun je verschuiven en inkrimpen en van een afstand beoordelen, maar tijd door een andere bedding laten stromen, dat gaat niet, al helemaal niet vanuit een vrouwelijke toekomst. Daarin schijnt de tijd onwrikbaar te zijn. Therese, die er wat haar betreft niet zo zeker van is wat ze met die transcendente bempelworp heeft willen veranderen, berust erin. Kan nu eenmaal niet, een late liefde voor haar zoon.

Mr. Reddlewhite – dit verzwijgt het imaginaire doek wijselijk niet – trekt bij het uitpakken van de bierpul zo'n van pijn vertrokken gezicht, dat er voor de twee uit Amerika teruggekeerde toeristen niets anders overblijft dan aan het smoesje te geloven dat hij meteen voor hen bedenkt. Reddlewhite wil de lichtblauwe pul bij de eerste de beste gelegenheid meegeven met de stedelijke vuilnisophaaldienst, maar de impuls het deksel van de vuilnisemmer op te tillen wordt afgeremd door het idee eerst eens te kijken hoe het er binnen in de bempel uitziet: een druppelflesje vindt hij daar, zoals wel gebruikt wordt om oordruppels of neusdruppels toe te dienen. Een melkachtig troebele substantie schemert door het bruine glas. Hij draait het dopje eraf en moet gaan zitten: hij is er helemaal kapot van. Therese heeft, zoals ze haar achterkleindochter nu wel moet opbiechten, haar eigen zweet opgevangen als ze opgewonden aan Richard Rund dacht, of aan haar teruggevonden dochter, of aan de kleine Avraham Bodofranz of aan het verwachte zwart-witte kind. De diverse afscheidingen van haar wasemende klieren heeft ze tussen haar borsten en onder haar oksels met doekjes opgevangen en met veel moeite en met behulp van een klein, oranje trechtertje in het bruine flesje gedaan. Opdat Fritz op zijn ouwe dag toch nog de geur van een liefhebbende moeder kan ruiken in het verre Amerika. Misschien zou hij zich haar zelfs nog kunnen herinneren, er waren wel momenten geweest waarop ze ontroerd over het haar van haar zoon aaide, toen hij nog een kind was. Ze vindt het gênant dat nu een zekere Marc Reddlewhite in het Engelse Broadstairs haar lichaamsgeur opsnuift en helemaal kapot is van de verrukking, die Therese haar Fritz zo graag had gegund. Reddlewhite ligt inderdaad te kronkelen op de vloer, trekt zijn kleren van zijn lijf, doet het raampje, waardoor zo-even nog frisse zeelucht de kamer binnendrong, dicht. Eén druppeltje van het onvermoede elixer – het zijn de jaren vijftig! Hard werd Marc Reddlewhite altijd alleen maar bij Molly Opolly, zijn lievelingshoer in Londen! – wrijft hij tussen zijn handpalmen, hij ruikt eraan en kan zich niet meer beheersen. Zonder zichzelf aan te raken loopt hij leeg over zijn sleetse tapijt, stuiptrekt nog een paar keer verwonderd en valt in slaap. Alleen over het gegeven dat zijn pik niet slap wordt na de ontsapping, maken de rood aangelopen vrouwen in W. zich zorgen: dat was toch de bedoeling van dat alles geweest, nu moet hij toch nog de hand aan zichzelf slaan, Mr. Reddlewhite, terwijl Fritz Schlupfburg in Carmel/Calif. – de snelle scènewisselingen op het doek zijn moeilijk te verdragen, ze worden er duizelig van – er nog steeds problemen mee heeft vermeende Astrid Radegunds verlangen naar een seksuele tegemoetkoming te vervullen. Ze zijn het er in elk geval wel over eens geworden dat ze geen leren riem nodig hebben. Dat Ann Versup er de voorkeur aan geeft op hem te zitten en op en neer te bewegen, waardoor hij haar kan zien en in staat is haar te helpen, komt hem goed uit. Nu schuift hij, opdat hij zich niet al te erg hoeft in te spannen, zijn vinger er van onderen in en voelt heel goed hoe ze zich daaromheen sluit en zuigende bewegingen maakt. Als ze eerst maar eens een paar keer op háár manier de rillingen heeft gekregen, is ook zijn lid zover hun beiden de beslissende klap toe te dienen en in gespannen afwachting de vinger te vervangen. Mairebärli speelt intussen buiten op het strand met aangespoelde dingen 'doden tot leven wekken', haar lievelingsspelletje, sinds ze de lange overtocht vanuit Europa achter de rug heeft. Scherven, flessendoppen, waterbestendige stukjes, schelpen en allerlei stenen, glad geworden stukken hout en kalkdelen van dode weekdieren plakt ze met kleverig halfvergaan groen spul tot spitse bergen aan elkaar, die meestal even hoog zijn als tot waar ze met haar armen kan reiken. Heeft ze drie of vier van dat soort hopen opgericht, dan zijn de eerste al zo droog geworden door de zon, dat ze ineen dreigen te storten. Die instabiele toestand buit Mairebärli dan uit en ze danst rond de meest fragiele bergen een uitgelaten woeste dans. Met blote voeten brengt ze, wat met het oog op haar geringe gewicht een wonder lijkt, de heuvels aan het wankelen, ze slaat er af en toe haar armen omheen en drukt ze tegen haar borst om ze te troosten, en inderdaad komen na een poosje uit de kleine openingen tussen het aan elkaar geplakte strandgoed kleine diertjes, kevers, vliegen, muggen, die tot een nieuw leven gewekt de lucht in vliegen en hun stinkende schijngraf verlaten. Dan juicht Mairebärli op hoge toon en is opgetogen over het succes van haar bezwerende dansen, en als de eerste hoop in elkaar stort, komt thuis ook Fritz Schlupfburg samen met zijn springspin tot het eind van de opwinding, die hij met een schuchtere, maar onmiskenbare uitstoot van sperma bezegelt. Ann Versup, die nu aan Konijnenmuisje doet denken, wurmt haar vingers bij zichzelf naar binnen en trekt een roodachtige slijmsliert uit haar opening, ze is altijd erg nieuwsgierig welke kleur haar man nu weer eens heeft geproduceerd. Ze is vooral erg dol op zijn blauw, dat hij echter maar zelden afscheidt en, zoals ze meent te hebben ontdekt, meestal alleen wanneer hij met Mairebärli in de hoofdstraat van Carmel een succesvolle verkoopdag heeft doorgebracht. Hij is erg gesteld op Mairebärli. Wanneer hij een bempel heeft gemaakt waarop mensen voorkomen die ook Ann Versup meent te kennen, komt het voor dat hij hoop-groen ejaculeert. Dat intussen Mairebärli op het strand bijdraagt aan haar geluk met een Sint-vitusdans rond een stinkende berg, weten de twee van hun wortels afgesneden mensen niet. Soms verbazen ze zich een beetje dat er geen kind wordt verwekt. Dan liggen ze bijna verdrietig in hun bedden. Wat ze niet kunnen weten: Genealogia komt uit hogere sferen aanzweven om te kijken hoe het er voorstaat met hen. Voor meer dan het vermeende huwelijk heeft ze niet kunnen zorgen, omdat Diploida, de godin van de afstammingsleer, eerst rust in de tent wilde hebben van de provisorisch in elkaar gezette familie. Zoals zo vaak komt haar de uit nood geboren gemeenschap van de drie verlorenen echter veelbelovender voor dan heel wat door bloedverwantschap samengehouden families, en ze besluit in de gaten te houden hoe de dingen zich verder ontwikkelen en in het gunstigste geval een hoopgroen spermadeeltje in een rond eitje te laten doordringen ter definitieve verzoning van de eraan deel hebbende zielen. Maar misschien, brengt Josepha ertegen in, zou het toch beter zijn als het een verdochtering werd? In een vrouw gaat het wat toleranter toe wanneer de familieverbanden nog opspelen en elkaar een keer op een ongelukkige manier hebben gekruist in de geschiedenis.

Therese moet aan Fritzje denken in zijn korte leren broekje, aan Fritzje in zijn matrozenpakje en geruite jasje, aan Fritzje in de bolderwagen in Luisenwahl, aan Fritzje met de leren schooltas, met griffels en lei, aan Fritzje met zijn eerste schoentjes. Ze weet het nog, is het niet vergeten en is blij: ja ja, verdochtering ook, zou niet gek zijn, stemt ze tussen neus en lippen door met Josepha in, maar ze denkt alleen aan haar eigen zoon, als Josepha een smakkend geluid verneemt, zoals wanneer een forse zuigeling de borst van de moeder loslaat. En dan komt het toch nog tot stand, het contact terug in de tijd: Amm Versup staat op en weet plotseling wie hij is, terwijl de springspin nog dromerig mijmert over de roze kleur. Amm Versup ziet zichzelf als de dertienjarige jongen in de loods aan de Altstädter Holzwiesenstraße in Königsberg, die kennis maakt met een paar nogal klein uitgevallen tweelingmeisjes en belooft met hen te trouwen, hij ziet zichzelf als fotograaf van het gewelddadige sterven in Kowno, hij ziet zichzelf als Astrid Radegunds bedroefde bruidegom en als onvermoede redder van een negenjarig meisje dat uit het raam is gevallen in de laatste dagen van de laatste oorlog in zijn vaderland – het wordt hem helder. En hoe helderder het hem wordt, des te dringender keren weggestopte emoties terug in zijn bestaan en brengen hem zo in verwarring, dat hij Mairebärli gaat zoeken in een niet te stuiten spurt. Als hij het kind bij de stinkende bergen vindt, drukt hij haar stevig tegen zich aan en besluit in dit huidige leven te blijven en een goede Amerikaanse staatsburger te worden, van het bempelmaken een hobby te maken en in plaats daarvan jachten te gaan bouwen, wat zijn steeds ruimer wordende geest helemaal niet moeilijk vindt. Wie hij moet danken voor de toenemende bevrijding uit zijn doffe jaar in jaar uit voortdurende verwarring, dat blijft hem ook duister in de weken daarna, als hij tussen de grote steden heen en weer reist – alleen zolang hij op reis is lukt het hem steeds nieuwe details uit zijn biografie op te diepen, die hij later allemaal opschrijft in een in leer gebonden boek dat zijn vrouw hem voor zijn imaginaire verjaardag twee jaar geleden cadeau heeft gedaan. Haar verwachting dat hij door het opschrijven wat meer over zichzelf zou loslaten dan via het gesproken woord en de afbeeldingen op de bierpullen, zal toch nog uitkomen, ook al weet Ann Versup daar niets van terwijl ze in Carmel geelzijden kinderjurkjes naait en bijna dagelijks 's ochtends afscheid neemt van haar man als hij zijn reisjes maakt naar San Jose of Fremont, Sunnyvale of Oakland, Berkeley of San Francisco. Meestal neemt de chauffeur van een bestelwagen of iemand die een uitstapje maakt met de auto hem wel mee, als hij vertelt dat hij een job of een dak boven zijn hoofd wil gaan zoeken buiten de idylle van Carmel, en van medelijden is hij met zijn ene been toch wel verzekerd. Als hij dan ook nog een beetje toneelspeelt en in vervoering naar de hemel kijkt alsof hij alleen daarvandaan een gesprek verwacht, heeft hij geen last van nieuwsgierige vragen naar het soort werk dat hij denkt te gaan doen bijvoorbeeld. Amm Versup voelt dat iets hem heeft losgelaten om tot zichzelf te komen: bij het opstaan 's ochtends proeft hij namelijk niet meer de lekkere melksmaak op zijn tong, die hem, zolang hij zich kan herinneren, aan de borsten van zijn moeder heeft gebonden, en dat de tiet hem is afgepakt, leek hem zeer veel waarschijnlijker dan de mogelijkheid dat hij vrijwillig zijn mond heeft opengedaan om die los te laten. Hij is dankbaar. Ondanks al zijn onrust verzoekt zijn vrouw hem met haar en Mairebärli naar L.A. te gaan – een route die te lang is om in één enkele dag af te leggen. Daarom heeft ze telefonisch al drie overnachtingen gereserveerd in een hotelletje: ze wil naar DE ENGELEN, zegt ze, de hemel boven DE ENGELEN doet haar denken, beweert ze, aan iets waarover ze niet kan praten (ter nagedachtenis aan haar lieve Tegenaria, wat ze verzwijgt). Dat is in elk geval wat ze tegen haar man verklaart, die verder geen navraag doet en hoopt dat het hem in L.A. net zo zal vergaan als in de noordelijke grote steden – een huivering loopt van zijn hoofd naar zijn beenstomp en zijn tenen. Het imaginaire doek laat de drie reizigers dagen later achter in een touringcar zien, Mairebärli slurpt een heet drankje op dat Ann Versup uit een blauwe thermoskan inschenkt. Het gezinshoofd bladert door de krant en eet tussendoor muffins, die Ann Versup na haar aankomst in Amerika heeft leren maken en waarvan ze verschillende variaties bakt: met bosbessen, met geraspte kaas of met gesuikerde pompoen erin. De tocht laat Ann Versup tijd voor een halfuurtje lichte slaap. Ze maakt daartoe een rol van haar zelfgebreide blauw-rode vest, legt die als kussen onder haar rechterschouder en laat haar hoofd erop rusten. Tegen het gehobbel van de bus trekt ze een mouw uit het vest en legt die tegen de ruit, voordat ze haar schouder en haar hoofd ertegenaan legt. Zo lukt het haar werkelijk om een beetje te rusten. Therese en Josepha, die op een afstand van meer dan twee decennia de scène bekijken, verwachten dat er tijdens het halve sluimeruurtje iets zal gebeuren, wat het imaginaire doek van plan is geweest aan hen te vertonen of hun voor te spiegelen, maar er gebeurt niets in de om zich heen grijpende moeheid. Josepha legt haar benen omhoog op de zitting van een stoel en ze voelt dat ze zich niet meer lang kan verzetten tegen de slaap, maar dan stopt de bus in een voorstadje van DE ENGELEN en ontlaadt zijn vracht in de hete ochtendsmog. Mairebärli trekt haar geelzijden jurkje recht en probeert de donkere rij vlekken te verbergen, die zich van haar borst tot aan de zoom van haar rok uitstrekt en van de thee moet komen die ze tijdens de busrit heeft gedronken. Ann Versup zet de uitpuilende koffer naast zich op de stoep en telt de bagagestukken: het fototoestel op de borst van haar echtgenoot, de rugzak op zijn rug, de rode proviandtas waar de thermosfles gezellig uitsteekt, Mairebärli's kartonnen koffertje met ansichtkaarten van beroemde steden in de hele wereld en verder dus ook de koffer die op haar overtocht vanuit Duitsland een enorme voorraad geelzijden kleren bevatte, waarmee ze in de eerste tijd de hulp van joodse hulporganisaties konden afslaan en een eigen bestaan konden financieren, tot ze zich in Carmel vestigden als naaister en bierpullenmaker en een bescheiden leven konden leiden op de eerder beschreven manier. Mairebärli werd van de door de staat opgelegde leerplicht ontslagen op grond van een geestelijk defect dat men bij haar meende vast te kunnen stellen en dat erin bestond dat ze in gezelschap van leeftijdgenoten in trance viel en daarom in geen enkele schoolbank in de hele wereld een onopvallend bestaan had kunnen leiden. Desalniettemin had Ann Versup haar zonder veel problemen lezen en schrijven en rekenen geleerd in de door haar, alhoewel niet allemaal even goed, beheerste talen Pools, Duits en Engels, zodat het kind eerder voor vroegrijp dan voor debiel werd gehouden, zolang ze maar niet in de buurt van leeftijdgenoten kwam. Ann Versup trok zich er niet veel van aan hoe er over haar kind werd gesproken en hoe ze werd buitengesloten van de normale kaders die in Carmel nu eenmaal niet veel ruimer waren bemeten dan in Königsberg in Oost-Pruisen. Ze was blij dat het kind de verplichte schooltijd werd bespaard, die ze ooit voor zichzelf met het ontwikkelen van het vermogen spinnen in hun hart te kijken een beetje draaglijk had gemaakt... Hoe het verder was gegaan met de dingen aan het Frische Haff, in de Kuhrische Nehrung, in Landsberg an der Warthe of in het Hessische Eschwege, daarover hoeft Ann Versup zich op deze afstand nu geen zorgen meer te maken en dat deed ze dan ook niet. Haar was meer aan DE ENGELEN gelegen, tot wie zij bad om een toestand van rust. Dat zo'n toestand slechts door het verlies van de eigen beweeglijkheid en het ongedaan maken van elk talent – om de spinnen in hun hart te kijken bijvoorbeeld – mogelijk zou zijn, daaraan wilde ze, in verband met de aanvallen van misselijkheid die ze kreeg zodra ze voor haar betekenisloze verhalen moest aanhoren, liever niet denken. Hier wilde ze DE ENGELEN om een klein kind vragen, dat goed op een Amerikaanse school zou passen met zijn witte huid en zijn heel normale gedrag, zijn accentvrije Amerikaans, dat het door met andere kinderen te spelen zou aanleren. Mairebärli zou er profijt van hebben het kind altijd goedgekleed naar de school in Monterey te mogen brengen en het weer af te halen, terwijl ze dan tijdens de schooluren een eenvoudig baantje zou kunnen hebben, dat vast wel te vinden zou zijn. En misschien zou Mairebärli ook wel af willen van de geelzijden jurkjes, die ze tot nu toe uitsluitend wilde dragen. DE ENGELEN moesten ervoor zorgen dat alles in orde kwam, een bakstenen open haard in de kamer, en een man die jachten bouwt, een kind met een lichte huid en een werkster met een donkere, die ook een donkerhuidig kind mocht hebben om met Mairebärli te spelen. Dan zou Ann Versup alles kunnen vergeten, denkt ze, wat haar geluk met dreigende tronie in de weg staat. Soms denkt ze aan Tegenaria, die immers ook niets anders wilde dan een goed klein kind, om zich in haar te spiegelen en te zonnen en een goede Duitse moeder te zijn. Jammer dat ze niet zo erg geschikt was voor dat soort plannen en altijd een beetje weerbarstig, hoezeer Tegenaria ook haar best had gedaan, tot ze er blind van was geworden. Maar waarom moet ze daar nu aan denken, terwijl haar man erop aandringt naar het hotel te gaan, waar hij zich wil wassen en een schoon overhemd wil aantrekken, Mairebärli heeft een schone jurk nodig zoals ze daar staat in haar bevlekte obligate exemplaar, en ook zijzelf – ze stelt zich voor hoe ze ineen zal krimpen wanneer hij haar Astrid zou noemen, minstens af en toe en per ongeluk – ziet er niet erg grootstedelijk uit in haar blauw-rode, zeewiergeur uitwasemende gebreide klofje. De bus walmt voort tot in de buurt van een klein motel, waar hij vast en zeker een poosje zal staan uitpuffen en afkoelen voordat hij aan de terugtocht begint, wanneer men – ook al was het maar ten behoeve van de latere passagiers die naar Carmel, Calif. willen – voor een schaduwrijk plekje zou zorgen, wat echter – Ann kijkt om zich heen – niet erg waarschijnlijk lijkt. Het zeer duidelijk hoorbare medelijdende geknor in haar buik, wanneer een vervoermiddel haar zo uitgesproken gemarteld lijkt, kent ze, sinds ze op de paard-en-wagen van haar doodgeslagen zusters door de ruïnes van Königsberg naar Pillau reed en de wielen in de naven knarsten van het zand van de achtergelaten boerderij. Later was ze ontroerd geweest door het deinende bootje van de Deense visser dat, zo leek het haar, snoof en pufte, dwars door het gebroken ijs heen, en heel hard moest vechten tegen de angst van zijn kapitein en stuurman in één en dezelfde persoon. Een oude, zieke walvis, midden in de Oostzee, had Ann Versup gedacht, en als het weer het toeliet had ze de planken van het bootje geschrobt, zich voorovergebogen vasthoudend aan de reling, of een beetje zijn rug gemasseerd met de olie die in de kombuis stond en gewoonlijk bij het koken werd gebruikt. Een paar druppels slechts had Ann Versup in de winter van het jaar 1945 op haar magere vingers gedruppeld en op de scheepsbodem uitgewreven wanneer ze wist dat niemand haar zag. Haar begrip voor al het bestaande, had ze begrepen, was haar niet door het leven ingegeven, maar door het zien van de verschillende manieren waarop mensen doodgingen, en dat begrip had zich in Ann Versups innerlijk tijdens haar negen jaar durende spinnenleven ontwikkeld. Zo'n vissersboot, de geconcretiseerde wil van zijn bouwer, het hout geworden voorstellingsvermogen van een Deens visserskind, de erfenis die een nimmer rijk geworden visser aan zijn jongen naliet, zo'n vissersboot leefde net als Ann Versup zelf vanuit een onbekende bestemming: ze begreep hem, zoals ze nu ook medelijden voelt met de bus, die lijdt onder de helse hitte buiten en binnen, in de motor en de passagiersruimte, en onder het onbegrip van de chauffeur. Het trillen van het blikken omhulsel vat ze op als ademhaling, zoals bij hyperventilerende zuigelingen, van wie ze er een paar na hun te vroege geboorte in de kliniek in Helsingborg, Zweden in september van het jaar 1945 had meegemaakt. De bus omsluit, zoals ze nu duidelijk ziet, een aura van zinderende lucht, waarin de omgeving vaag en mistig wordt. Amm Versup heeft haast, ze pakken de bagage, de proviandtas wordt om zijn nek gehangen en schommelt in het ritme van zijn drieledige stappen. Het is niet ver naar het hotel, dat even schamel blijkt te zijn als de prijs die je ervoor betaalt en niet zo schoon als Ann Versup ooit door Tenegaria ten voorbeeld is gesteld als Duitse gewoonte tijdens nogal langdurige aanvallen van poets- en boenmanie. Twee bedden staan links en rechts tegen de muren, een derde bed onder het kleine raam, dat uitziet op een bijna lichtloze schacht van huizen. In elk geval kan de kamer door die opening een beetje adem halen. Mairebärli's blik valt meteen op twee grijsgroene potten, waarin merkwaardig doorschijnende planten weelderig groeien. Een vlezige Vette Hen met de kleur van de spoelwormen die Mairebärli in Eschwege afscheidde en die ze op bevel van de kamparts met een pekzwart drankje moest bestrijden, concurreert met een kleurloos te noemen hennepstruik van de tropische familie der lelieachtigen, die een kop groter is dan het kind en die, zoals Ann Versup beweert, een hem in zijn jonge jaren door Tegenaria geleerd lesje doorgeeft, en naar de vorst van San Severo ook wel sanseveria wordt genoemd. De ontstentenis van licht heeft de planten kennelijk geenszins laten verkommeren, ze schijnen hun stofwisseling eerder van de fotosynthese naar een andere modus de hebben omgeschakeld. Amm Versup is bang voor de gewassen en wil ze in de nis achter de metalen wasbak stoppen, die eigenlijk bedoeld is om de koffers in weg te bergen. Als hij daarmee bezig is, scheert de als eerste verplaatste hennepplant met zijn getande, messcherpe bladranden bijna alle donkere haartjes van Versups onderarmen en laat ze in de potgrond van de plant glijden, waar ze langzamerhand verdwijnen. De plant doet dat heel voorzichtig en zorgt ervoor de leverancier van zijn voedsel geen verwondingen oploopt. Eerder nog veroorzaakt hij een prettig overeind staan van het vachtje, dat zich zonder meer aan hem uitlevert. Amm Versup verbaast zich dat hij niet wordt bevangen door schrik en ontzetting, en in plaats daarvan zijn enig overgebleven kuit tussen de bladeren duwt en die behoedzaam laat glad-scheren. De sanseveria bedankt voor het rijkelijke maal door hem even met zijn verrassend beweeglijke bladeren te omhelzen. Ann en Mairebärli daar-entegen ervaren schrik en ontzetting, die Amm verdrijft door hun te ver-zoeken nu ook de Vette Hen in de hoek te duwen, wat ze met tegenzin proberen. Bevend ziet Mairebärli hoe de bladrozetten vochtig op haar blote benen en armen en haar bleke kuiten gaan liggen, daar even talmen en zich er dan met een nog net waarneembaar smakkend geluid van losma-ken, waarbij ze afgeschilferde cellen, zweet en vuil meenemen en haar huid op die manier zichtbaar verjongen. Mairebärli zal 's avonds, als ze allemaal een beetje hebben geslapen en voor het eerst een kijkje zullen gaan nemen bij DE ENGELEN, de frisse teint van een driejarig meisje verto-nen, terwijl Ann, aan de zijde van Versup, op iemand zal lijken die zojuist tot bloei is gekomen en een ongekende begeerte in hem zal opwekken. Maar voorlopig zijn ze alle drie nog een beetje verbaasd over de atmosfeer in de donkere kamer en over de manier waarop de permanente bewoners zich gedragen. Om even een verfrissend dutje te kunnen doen schuift Amm Versup de tafel van het midden van de kamer naar onder het open raam en legt zijn deken eroverheen. Op het smalle raambed legt hij Mai-rebärli's hoofdkussen en gaat vervolgens ruggelings op het tafelblad liggen. Zijn pasgeschoren been bungelt over de tafelrand, zodat hij de propvolle koffer als voetsteuntje op zijn kant tegen de tafelpoten zet. Zijn hoofd duwt hij in de luchtschacht zoals Ann een taart met pecannoten in de oven duwt, zodat inderdaad een paar zonnestralen zijn gezicht bereiken. Nu nodigt hij vrouw en kind uit hetzelfde te doen. De dunne springspin past moeiteloos naast hem op de tafel, en Mairebärli gaat in de verbindende gleuf tussen hun lichamen liggen. Anns deken is breed genoeg voor alle drie, alle drie leggen hun hoofd tevreden in het licht. In een uitsnede van ongeveer vier bij vier meter kijken ze, tot hun oogleden hun blik bedekken, omhoog naar de hemel boven L.A., waarvan Thereses zoon op het punt staat een fan te worden: in zijn slaap laat het dichtgenaaide been zijn broek almaar meer spannen, Josepha ziet het het eerst aan de linkerkant van het doek. In de stof beweegt er iets, er breekt iets – wat? – baan en stoot door de naad heen als een kiem door de aardkorst. Josepha trekt aan Thereses mouw en wijst opgewonden naar waar ze moet kijken, dan slaakt Amm Versup, aanbeland in Fritz Schlupfburg, diep in slaap een zucht en wordt even later wakker. Door de opengebarsten stof komt een klein twee centimeter lang fris gewassen mannenbeen, bruinachtig behaard en versierd met drie of vier moedervlekken. Het imaginaire doek verdwijnt voor de rest van de dag in Fritz Schlupfburgs verwijde zwarte pupil.

Wat een september! kan Therese nu uitroepen. De ingekapselde pijn om haar zoon – die ze altijd had toegeschreven aan de verstening van haar gal – onder haar hart en haar longen, die regelmatig druk had uitgeoefend op de beslissingen die ze vanaf haar geboorte had moeten nemen, speelt op. Niet dat de pijn verdwijnt, maar de hevige spanning in haar lichaam is voelbaar geworden en kan een beetje meegeven onder haar herinneringen. Josepha wil met haar overgrootmoeder praten over het voelbaar worden van bepaalde pijnen, haar tijd met de jonge, bebrilde student in de psychologie ligt nog vers in haar geheugen, en het verzoenende weer aangroeien van het been van haar achteroom heeft haar vriendelijk gestemd. Maar Therese heeft geen zin in gebabbel, haar zinnen staan meer naar een slok cognac op het been van haar zoon, dat in de afgelopen twintig jaar hopelijk tot volle wasdom is gekomen – ze begint met het oog daarop een smekende toast uit te brengen – en wil er even flink op los vloeken, zoals ooit haar broer Max haar had aanbevolen: om door diverse omstandigheden veroorzaakte woede te luchten, ter tijdelijke ontspanning van de spieren, iets wat ze slechts zelden heeft gedaan en daarom bijna is vergeten. Des te groter is Josepha's ontzetting wanneer ze nu uit de mond van haar overgrootmoeder vulgaire drieletterwoorden hoort komen die vader, moeder en alle heiligen tot op het bot beledigen! Wanneer Therese Schlupfburg aanstalten maakt heel W. alsmede de in het jaar 1949 kennelijk definitief vastgestelde grens, de staatshandel in kunstnijverheid en de VEB Kalenders en Kantoorartikelen Max Papp tot onderwerp van haar hoon te maken, ze beveiligingsinstituten van het staatswezen en de Hoogste Baas in het land begint uit te nodigen tot onnatuurlijke handelingen en de *bevoegde instanties* in *enorme lulhannesen* verandert, die ze een flinke druiper toewenst!, wanneer ze er zelfs toe overgaat de Verenigde Staten van Amerika uit te dagen hun kutstaat zo snel mogelijk door de vijandige sovjetraketten te laten knevelen ter bevrediging van hun perverse triviale lusten – waar haalt ze dat in godsnaam allemaal vandaan? – en een punt te zetten achter Vietnam en die hele godverdomde smeerlapperij, wanneer Therese Schlupfburg in het Thüringse W. een hiep-hiep-hiep-hoera uitbrengt op de *vreedzame co-existentie* en op kameraad Pimpernell in het Stedelijk Bejaardenhuis, dan kan Josepha het niet meer houden: ze ontbloot zich en bindt Therese de moederlijke lijn op het hart om het tot rust te brengen. Als het nodig is moet er nog een glas cognac in de brandhaard van de razernij worden gekieperd, als het nodig is moet er een koude lap om haar borst en schouders worden gewikkeld en moet ze stevig worden vastgebonden aan de leunstoel, zoals op 1 maart Josepha's vragende lichaam door Thereses handen, als het nodig is moet dat nu betaald gezet worden met vastberadenheid en spierkracht. Maar Josepha heeft geen rekening gehouden met de Siamese ratten, die al een beetje nerveus zijn geworden door de zwangerschap en die haar op de grond gegooide jasschort doen opbollen. Josepha trekt dus de ritssluiting van de schortzak open en laat de diertjes er met tegenzin uit, omdat die, denkt ze, alleen maar storen in deze uitzonderlijke situatie. Maar de ratjes springen potsierlijk een meter omhoog naar de borst van de vloekende en tierende vrouw en kruipen door haar mouw onder haar blouse. Therese verstomt meteen en voelt de kronkelende staartjes wriemelen, ze moet plotseling giechelen door al dat gekietel en grijpt naar haar rug en borst. Dat gaat een poosje zo door, Josepha ziet onder de stof van de overgroot-moederlijke blouse de twee diertjes ronddartelen, van voren naar achteren, van beneden naar boven, in een spiraal om het lichaam en langs de rug weer naar beneden. De grenzen zijn goed gesloten door rokband en kraag, dat zal de diertjes op den duur wel gaan vervelen, zodat ze beginnen te zoeken naar de plek waardoor ze binnen zijn geraakt in deze warme ruim-te, en na een poosje weer door de mouwopening naar buiten komen, maar bij de naakte Josepha niet de vertrouwde toegang vinden en daarom door haar weer in de zak van de jasschort moeten worden gestopt. Wanneer ze even later met twee handen door haar haar strijkt, meent Josepha een haar merkwaardig bekende geur waar te nemen, ze houdt haar vingers en hand-palmen onder haar neus en herkent in de rattenlucht de alle zoogdieren verenigende geur van drachtigheid. Dat ze daar niet over nadenkt en meent in de rattengeur haar eigen lichaamsgeur te herkennen, weerhoudt haar er vooralsnog van de ratjes als volwassen vrouwen te behandelen.

Och och, hoort ze Therese opeens heel wijverig verzuchten, wat spijt me dat, 'k weet ook niet waar dat ineens allemaal vandaan kwam, wilde eigen-lijk alleen maar even mijn hart luchten, en toen kwam dat! Heeft mijn Max me laten zien, toen ik nog heel klein was, dat je je hart kunt luchten door te vloeken, maar dat had ik beter kunnen doen op een moment dat jij er niet bij was Seefje, wat stom van mij! Ze schudt haar hoofd als een gepi-keerde koningin-moeder over een misstap van haar lievelingskleinzoon, en doelt daarmee toch op zichzelf met haar kunstmatig onthaarde gebaren en het dialect dat in haar uitspraak doorklinkt. En vooral dat 'Seefje'! Nog nooit heeft iemand Josepha met zo'n belachelijke verhaspeling van haar voornaam aangesproken! Er borrelt zo'n roodgloeiend gegiechel uit Josepha op, dat het heet wordt in de woonkamer van de Schlupfburgs en ze al aan koorts beginnen te denken en aan de daarbij behorende ziektes. Therese denkt dat het gemoedsroodvonk is met rode uitslag op de positieve gevoelens en een uitgeslagen frambozentong, Josepha meent zelfs een variant op de gevaarlijke Kaukasische bruinkeelziekte bij zichzelf vast te kunnen stellen. De vrouwen krijgen een aanval van hypochondrie, en Therese vraagt om redenen van zelfdiscipline om het expeditiedagboek, waarmee haar achterkleindochter schuldbewust komt aandragen. Tot het gaat schemeren hebben ze nu genoeg tijd voor het opschrijven, interpreteren, vergelijken en concluderen en dat doen de twee vrouwen, wat een novum, nu gezamenlijk in een rustige sfeer. Wanneer de vogels beginnen te fluiten, maakt Josepha een rondje door de bedauwde tuin. Het blauwe trainingspak rond haar dikke buik moet nog van haar vader afkomstig zijn: zolang ze zich kan herinneren heeft niemand het gedragen, tot ze het een paar dagen geleden in een houten kist op de zolder ontdekte. Haar blote voeten duwt ze diep in het hoge gras, alsof ze niet alleen contact wil maken met de aarde, maar alsof ze erin wil doordringen, ervan proeven met de bal van haar voet en de topjes van haar tenen. Een paar tranen, die niet van verdriet zijn, laat ze bij wijze van proef in de dauw vallen. Ze wil weten of ze branden, of ze als een brandglas kunnen werken in het vroege licht, of ze de structuur van de planten nog beter waarneembaar maken volgens de wetten van de optiek. Dat ze dan niet de gelegenheid benut om zich om het effect te bekommeren, is vreemd – maar Josepha Schlupfburg kijkt naar de hemel van 14 september van het jaar 1970 en gaat mooi zitten voor de godinnen, alsof dat iets kan helpen in haar hoofd, alsof dat de monsters kan verdrijven die zich te goed willen doen aan niet vereffende rekeningen. De verdwenen opzichtster – Josepha kijkt omhoog en smeekt om licht – heeft ze ondanks al haar aanvankelijke pogingen door vermoeidheid aan haar ongewisse lot overgelaten. De poging haar te vinden in klinieken en herstellingsoorden zou Josepha hebben geëerd indien die poging met succes was bekroond en niet in plaats daarvan in het slop was geraakt door toekomstgeflik en verledengevlooi. Het heden heeft ze met een dikke huid en traag in de schaduw van haar geweten met rust gelaten, heeft ze *en passant* zelfs nog gevoerd met kleine tevredenheidjes? De *bevoegde instanties* moeten aan het bittere eind tevreden zijn geweest met haar: ze stelt zich een mannelijke geheim medewerker voor, die met een brede grijns een groene kartonnen map dichtklapt en er een opmerking op schrijft als 'object heeft vijandig-negatieve handelingen uiteindelijk gestaakt' of 'object distantieert zich zoals met haar is overeengekomen'. In het door de staat georganiseerde zwangerschapswezen heeft ze zich weer laten inpassen, alsof ze haar behoefte aan autarkie heeft opgegeven, alsof ze inwendig vol afstomping zit, vol vruchteloze impulsen, alsof ze met geheven arm midden in een beweging is verstard. Wil ze dat *werkelijk* voelen? Het ongeluk bij de Peenerivier – geen spoor van toeval zoals dat vervolgens werd afgehandeld, de pensionhouders in Usedom heeft ze zonder reden bang gemaakt en altijd in het ongewisse gelaten, ze verder laten stikken met een later opgestuurde duurzame worst. Is het misschien helemaal niet een kracht die tegen de haarfijne innerlijke spleet in groeit, maar een weke substantie, het verlangen de scherper waargenomen feiten nog een beetje meer te verdraaien, alsof het onbelangrijke accessoires zijn? Wil ze dát voelen? Josepha knielt neer in het hoge gras, gaat zelfs languit midden in de dauw liggen met buik en trainingspak en kijkt almaar omhoog naar de hemel met de godinnen, die alle kleurschakeringen van de schemering doormaakt tot die de bleke kleur aanneemt van een grenssteen. Ze voelt niet hoe het condenswater van buiten door de kunstvezel dringt en haar stuit, billen en schouderpartij maltraiteert. Ten slotte zal haar door de dauw geweekte huid Josepha op vermelde plekken gaan irriteren, eruitzien als wit-roze, sporenplantachtig, sponzig en even onappetijtelijk als weggegooide en al drie dagen in een waterplas drijvende worst. Maar voordat ze die huid te zien krijgt in de spiegel, doet ze net als de ochtend en kijkt een beetje schemerig, naar Amerika bijvoorbeeld en naar de komende weken, waarin meneer Rippe in Lutzschen en het echtpaar Reveslueh met de jonge Avraham Bodofranz haar aandacht zullen opeisen. Met haar handen graaft Josepha kuiltjes in de grasmat en werpt de aarde op tot heuveltjes. Verscheidene bergjes omringen haar al spoedig in een cirkel op armlengte. Goedbeschouwd doet het aan ochtendgymnastiek denken, zoals ze haar armen langzaam van heuvel naar heuvel beweegt in een golvende beweging. Het cirkelen ondersteunt ze met geneuriede melodieën uit het *Notenboek van Anna Magdalena Bach*, de pianolessen liggen al heel ver achter haar, en als ze haar ogen openslaat uit hun verzonkenheid, is ze bang voor de appels in hun pralle rijpheid: boven haar hoofd bungelen ze dreigend in de opstekende wind, in de beginnende herfst. Twee ervan, als ze zich nu zouden losmaken van hun steeltjes, zouden haar hart raken, een andere in een rechte lijn haar ogen en mond. Dat ze desondanks niet opstaat, niet eens haar handen beschermend voor haar gezicht slaat, heeft te maken met een gedachte die op dit moment bij haar opkomt: Josepha wil met behulp van vreemde krachten haar eigen ziel blootleggen, ze beschouwt wind en vruchten als geschikte middelen om haar daarbij te helpen. Nu voelt ze ook hoe nat ze al is. De vochtigheid is van de achterkant van haar lichaam opgestegen, klautert door de haarvaten van de kunstvezel langs haar flanken omhoog, omarmt haar bijna. Dat het koud is, dat blaas en nieren ontstoken kunnen raken in zo'n toestand, daaraan wil ze niet denken. In plaats daarvan gaat ze nu op haar rechterzijde liggen, haar hoofd op haar samengevouwen handen. Wat ze ziet is een grasveld vol verwaaid groen, met overal bloeiende tormentil, wilde klaver, hoornbloem en duizendblad, biggekruid en vossestaart. Vossestaart beschouwt ze sinds haar jeugd als buigzaam, de zachte halm lijkt bij het opgroeien op verschillende plaatsen om te knikken, waarbij de verdikkingen van de stengel op die plekken aan gewrichten doen denken. Alopecurus geniculatus, dat vergeet je niet zo snel als je het zelf hebt opgezocht in een botaniseerboek tijdens de excursies met de klas naar de Hörselberg. Noch langer geleden was Josepha met haar vader de berg op gefietst, zij voorop op het bruinrode kinderzadeltje en zonder een spoor van angst bij de woeste afdalingen. Omdat haar vader geen Thüringer was, kende hij wellicht de angstaanjagende verhalen niet waarmee haar onderwijzer de kinderen waarschuwde geen stap te wagen in de op sommige plekken achter kalkrotsuitsteeksels en halfhoog struikgewas verborgen grotten. Tijdens zijn schooltijd was het twee eigenwijze jongens uit zijn geboortestad G. niet gelukt om, ondanks het oude trucje met de garenklos, de uitgang terug te vinden. Tien jaar oud waren ze hoogstens geweest, in 1937, en hun ouders hadden nog jarenlang in de grot naar hen gezocht en naar hen laten zoeken. Dat zelfs hun skeletten niet werden gevonden, behoorde klaarblijkelijk tot de meest indrukwekkende herinneringen aan zijn kindertijd, want zelfs tijdens de vertoning van de film *De avonturen van Tom Sawyer* kon hij het niet laten die verschrikkelijke gebeurtenis fluisterend te vermelden, terwijl Tom en Becky Thatcher aan de rand van de wanhoop in de uitgestrekte grot ronddwaalden en de kinderen in de bioscoop hoopten dat ze nu toch spoedig de schamele resten van Indian-Joe zouden vinden, en ook de goudschat, waar ze zelf allemaal van droomden, opdat de niet meer te houden spanning ten einde zou zijn. *Niet eens hun botten!* verhief onderwijzer Mollenheuer dan zijn fluisterende stem, wat de dapperste jongens, die de film al een paar keer hadden gezien, bijvoorbeeld als hun ouders thuis hun zondagmiddagslaapje hielden, tot geïrriteerde antwoorden verlokte: *Hou toch je kop man, nou komt het!!!* of zelfs: *Wacht maar af, die botten vinden ze nog wel!* En inderdaad lag op hetzelfde moment Indian-Joes lijk op het doek, een paar seconden maar en niet scherp belicht, het was tenslotte een kinderfilm die werd vertoond, maar toch duidelijk genoeg om aan het publiek een wellustige zucht te ontlokken over het feit dat de rechtvaardigheid eindelijk had gezegevierd. Becky sloeg op zulke verschrikkelijke momenten vastbesloten haar handjes voor haar gezicht, terwijl een hoge kreet van afschuw op hetzelfde moment aan haar mondopening ontsnapte. De meisjes in de bioscoop knepen hun benen tegen elkaar, Josepha kon het nog steeds voelen. Deels omdat ze zo van de kieteling in hun kruis konden genieten, deels omdat ze angstig om zich heen keken of het hun geslachtskameraadjes hetzelfde voelden in de verboden lichaamszone. Josepha in het gras drukt haar dijen tegen elkaar in de ochtendschemering van 14 september 1976 en voelt niet veel bijzonders, slechts een vage versie van de jeugdige opwinding weet de herinnering te produceren.

Therese is nu uit een oppervlakkig slaapje ontwaakt en begint zich te verwonderen dat Josepha nog niet zoals gebruikelijk tussen wc en koffiekan aan het rondscharrelen is. Een blik in haar kamer overtuigt haar er snel van dat er iets niet klopt, en ze kijkt speurend uit het keukenraam. Josepha's zij-aanzicht, vooral de uitoeverende heuplijn, steekt kunststofblauw boven het alweer hoog staande gras uit en voert Therese ten slotte naar buiten het natte gras in, waar ze wordt opgenomen in de reeks beelden die zich verblindend afspeelt in Josepha's hoofd en haar zo bijna onmerkbaar afleiden: had zo-even haar ziel zich niet willen uitspreken? Had ze zo-even niet willen onderzoeken welk effect haar tranen hebben in het vroege ochtendlicht, chemisch en fysisch? Therese denkt dat Josepha ernstig onderkoeld is en haalt haar ruw uit haar vlucht met een vloed van verwijtende woorden over urinewegeninfecties, miskramen en jeugdige onbezonnenheden, zodat de vogels hun geflierefluit verbaasd staken. Een oude-wijvenzomer speelt zich daar voor de beweeglijke vogelogen zo letterlijk af als ze tot deze ochtend nooit voor mogelijk hadden gehouden. Pas wanneer Josepha heel langzaam opstaat uit de dauw, de stijfheid verdrijft door over haar heupen en rug te wrijven en het huis binnengaat, steunend op haar vandaag helemaal niet sloffende overgrootmoeder, richten ze zich weer tot elkaar en gaan door met hun spitsvondige gezangen. De meikattenvondeling verbaast zich even over de plotselinge stilte en het abrupte einde daarvan, maar klautert dan weer via de stam in de appelboom en maakt daar korte metten met een bijzonder naïeve spreeuw, terwijl op hetzelfde moment de huisdeur achter de twee vrouwen miauwend in het slot valt.

Eisenach is al door het reisgezelschap in de Intercity gepasseerd, als uit de gebreide pijpjes van Avraham Bodofranz' broekje groenig schuim te voorschijn komt dat de ingezetenen van de coupé aanleiding geeft in allerijl het matig schone treintoilet op te zoeken. Samenstelling en kleur van de borstmelkpoep, zo doceert toch pijnlijk getroffen Ottilie Reveslueh geb. Schlupfburg wed. Wilczinski tegen de lege banken in de coupé, doen nu eenmaal denken aan koeienvlaaien, dat is altijd zo geweest – ze kijkt even naar Reveslueh terwijl ze de zuigeling reinigt – en hoeft echt geen zorgen te baren. Maar zorg noch kleur en samenstelling van de kinderpoep hebben de vlucht van de passagiers veroorzaakt, doch de geur van de uit de broekspijpjes komende excrementen. Als Ottilie de volle luier dichter bij haar neus houdt, beseft ze dat. De kleffe smurrie riekt naar oostelijke uniformen, en dat geeft werkelijk redenen tot een bepaalde bezorgdheid. Het angstige naar zweet riekende mannelijke aroma wekt nu ook bij Ottilie de walging op, die voor de andere reizigers naar Oost-Duitsland niet meer te harden was geweest na de eindeloze doorzoekingen aan de grens en de daarmee verbonden lichamelijke nabijheid van de hun grensdienst uitoefenende functionarissen van de staatsmacht alhier. Als de trein in het Thüringse G. stopt, één halte voor de eindbestemming van de Revesluehs, moet Ottilie even wachten met het leeggooien van de luier in het treintoilet en ze kijkt uit het bovenste deel van het raam, dat een stuk naar beneden is geschoven. Als ze op het perron twee politieagenten ziet staan die in een gesprek zijn gewikkeld, bekijkt ze geïrriteerd de luier van haar zoon wat nauwkeuriger, een beetje verlegen houdt ze hem steeds opnieuw in het licht om zich ervan te vergewissen – maar het is niet anders, het kind poept in de kleur van het Oost-Duitse politie-uniform, een kleur groen van ontstellende kilte en zonder het zweempje bruin van het vertrouwde politieklofje in het Beierse N. Ottilie's bezorgdheid is nu op het allerergste voorbereid: men heeft de omgeving van het kind verpest! Ze schuift de grendel van de wc-deur. Maar voordat ze het gangpad betreedt, steekt ze haar neus naar buiten. Ter vergroting van haar schrik moet ze constateren dat er niet iets in de lucht zit waarvoor ze allergisch is. Ze snuffelt in de luchtlaag die vlak boven de vloer hangt, dan de laag daarboven en zelfs de nog hoger hangende lucht, door op een in de gang staande koffer van een vermoedelijk ergens in een coupé zittende medepassagier te klimmen – ze komt er niet achter wat ze haar zoon hebben toegediend. En als ongebonden lucht hier nu eens een andere substantie heeft? Doordat die de ademende mens bijvoorbeeld dwingt merkwaardige standpunten in te nemen, geur en kleur van zijn excrementen bijvoorbeeld aan te passen aan de praktijken van de uitvoerende macht? Maar waarom is het dan de zuigeling overkomen, waarom niet de anderen in de coupé, waarom is haar zoiets nooit ter ore gekomen, terwijl de kranten anders toch vol staan met kritiek op de civiele levenssfeer in het oostelijk deel van het land? Radeloos, Franz Reveslueh zit met de beentjes van zijn kind te spelen alsof hij in elke hand een soldeerbout heeft en bezig is met een dringende reparatie, keert Ottilie terug naar de coupé en beveelt haar man bars ogenblikkelijk alle babyspullen, het reisproviand en het babyspeelgoed in tassen en koffers te doen: het eindstation kondigt zich aan op het moment dat het landschap een verre blik over het lage voorgebergte toestaat, over de slordig over de vlakte verspreide dorpen en over de provinciestad, die nu al sinds tientallen jaren voor de oude Oost-Pruisische Therese Schlupfburg min of meer tot Heimat is geworden volgens de brieven die Ottilie Wilczinski in de afgelopen weken en maanden in het Beierse N. hebben bereikt. W. ligt in de ogen van de arriverende passagiers niet plat op de weidevelden gekieperd, hele delen ervan passen zich voor een groot deel aan aan de kalkbergketen die vóór het gebergte ligt. Ottilie en Franz Reveslueh zien voor de eerste keer wat voor Josepha, sinds ze zich kan herinneren, een heel gewoon beeld is geweest wanneer je via het lokale spoorlijntje vanuit de hoofdstad van het district aan komt rijden. Ze vinden het mooi. Ze hebben de vervallen huizen, de straten vol gaten en de ruïnes van de fabrieken nog niet onder ogen gekregen, de enorme depots met industrieel afval in de buurt van de grote bedrijven, toegankelijk voor iedere en altijd vol mensen. Ze hebben nog niet kunnen genieten van de zo stille, zacht glooiende straten met hun kleine villa's, hun uitgestrekte tuinen met fruitbomen en het onbeschrijflijke uitzicht. Hun oordeel-op-het-eerste-gezicht vat uit de verte samen wat in de onmiddellijke nabijheid nog nader moet worden onderzocht – en toch: om te beginnen is het mooi, want wat ze nu als het doel van hun reis door de treinraampjes zien, is tenslotte precies wat ze hadden willen zien.

Wanneer de trein op het verrassend kleine stationnetje stopt, wordt de familie Reveslueh door Therese en Josepha met enige verlegenheid begroet, ze komen elkaar allemaal een beetje vreemd voor, wat de twee geanimeerd met elkaar converserende mannen, die op zo'n vijftien meter afstand van het begroetingsritueel op het perron staan en voor wie niemand is uitgestapt – Josepha registreert het niet zonder spot – zeker erg graag zien: in hun rapport zal melding worden gemaakt van de gedistantieerde begroeting waarmee de staatsburgeressen Schlupfburg de merkwaardige West-familie ontvangen. Toch zal ook hun niet zijn ontgaan dat de aura van uitwasemingen rond de gearriveerde gasten niet onder te brengen valt bij de geurvarianten die ze tijdens hun ambtelijke opleiding hebben leren kennen als ginds in het Westen populaire geurcombinaties. Dat brengt ze in verwarring. Dat doet de spraakzaamheid van de twee mannen omslaan in bedremmeld zwijgen. Ook Josepha bevalt het niet zo erg wat – ze snuffelt discreet – uit het broekspijpje van de zuigeling naar haar toe waait en zich schijnt voort te zetten tot rond de geruite reistas. Zo ruikt het wanneer ze even buiten G. in de westwaarts rijdende treinen volgens de gewoonten van het land wordt gecontroleerd en wordt uitgehoord over waarvandaan en waarheen. De nabijheid van de grens moet als argument dienen voor dat soort acties, bij welke de conversatie altijd een beetje moeizaam verloopt. Oostwaarts echter, dus in de richting waarin de Reveluehs zijn gereisd, was een dergelijke controle nooit voorgekomen. Josepha is verbaasd en blijft verbaasd over de gestalte van haar vreemde grootmoeder: een stevig, langgerekt Schlupfburg-lichaam, dat bijna een hoofd uitsteekt boven de echtgenoot, wordt door kinderlijke voeten gedragen. Ver uitstekende en daarmee hoogst uitnodigende welvingen van borsten, heupen en achterste voorzien de blauw-witte jurk van een appetijtelijke vulling en dwingen zelfs Josepha om als toevallig de rug van haar hand in de bilnaad te duwen en de omvang van elke bil bewonderend te taxeren. De dijen doen in combinatie met het achterste denken aan een brouwerijpaard, wanneer de dartele beweeglijkheid er niet zou zijn, die Ottilie eerder in de buurt van een renpaard doet komen. De stijfstaande tepels zijn door de kleding heen zichtbaar en scheiden duidelijk waarneembaar straaltjes melk af voor het vredig slapende kind in zijn wagen. Josepha merkt plotseling dat haar maag leeg is en proeft op haar tong de schuimende shakes waarmee Carmen Salzwedel haar op zomeravonden verwent op het balkon van haar kleine woning. Alsof ze dronken zijn schommelen Ottilie's borsten met elke stap door het ruim hangende bovenpand van haar japon in contraire bewegingen, zodat ze in het midden ritmisch tegen elkaar botsen en daarbij een kletsend geluid ten gehore brengen. Josepha is verrukt en vraagt zich af welk effect de enorme omvang van de vrouw heeft gehad op het gemoed van de bij haar horende man: ze onderwerpt ook Franz Reveslueh, die juist zijn nieuwe echtgenote over haar volle grijze haar aait met bewonderende blikken, aan een nadere beschouwing. Reveslueh maakt een tanige indruk en lijkt klein naast Ottilie, taai en beweeglijk. Zijn verschijning wijst op vasthoudendheid. Die kan hij zeker goed gebruiken bij zijn strooptochten in zijn uitnodigende vrouw. Het gezicht van de elektrotechnicus maakt een heel open indruk, de jeugdige volte en doorbloeding van zijn lippen schrijft Josepha toe aan het frequente, genotvolle gebruik ervan bij het liefdesspel. Reveslueh hele achterste heeft, Josepha raakt ook hem, gecamoufleerd door het zogenaamde toeval, even aan, de breedte van een enkele bil van zijn echtgenote. Nu moet Josepha toch nog blozen, terwijl ze aan de liefdesspelvarianten denkt van een dergelijke constellatie. Niemand merkt gelukkig iets van haar associaties en gedachten, men is nu met elkaar in gesprek geraakt. Therese informeert naar het verloop van de reis, vooral bij het passeren van de grens (Ottilie begint een seconde of tien te loenzen), hoe het afscheid van Beieren was (Ottilie laat opnieuw geloens zien) en Avraham Bodofranz' onmiddellijke behoeften (Ottilie richt haar ogen recht op het liggende, stinkende kind). Water, zegt Josepha midden in de walm, als antwoord op de laatste door Therese gestelde vraag. Ach ja ach ja, water zou niet gek zijn, hè. Josepha heeft met haar uitroep eigenlijk alleen maar willen waarschuwen voor de slijmerige plassen die zich over de hele lengte van het tunneltje naar het andere perron tijdens de laatste regen hebben gevormd als gevolg van het ontbreken van een functionerend afwateringssysteem. Nu begrijpt ze dat ook de ouders Reveslueh de geur van hun zoon als voor verbetering vatbaar beschouwen. Of er misschien een op een wat te prille leeftijd te eten gegeven Beierse *weisswurst..*? Ottilie krijgt een zure blik en wijst naar haar bungelende borsten, onmiskenbaar, zodat Josepha haar dwaze voorstelling van Beierse eetgewoonten omstandig excuseert en zich verontschuldigt door op het systeem te wijzen waarin ze nu eenmaal gewoontegetrouw sinds haar geboorte heeft geleefd. Ook is, zegt ze, een werkelijk inzicht in het Westen haar natuurlijk onmogelijk gemaakt. Dat op de televisie reclame wordt gemaakt voor kindervoeding uit potjes en voor instantpap met diverse vruchtensmaken, heeft ze, zegt ze, tot dusver gezien als een oproep ouderwetse voedingsgewoonten over boord te gooien, die echter toch goed geconserveerd blijken te zijn in het onderbuikse bewustzijn van de samenleving, nietwaar? Dat was in het Westen toch zeker niet anders dan hier, toch, oma? Omdat ze tot op dit cruciale moment nog nooit als grootmoeder is aangesproken, kijkt de Beierse Ottilie Reveslueh ontsteld aan – maar die bezint zich sneller dan zij – en slaakt diep uit haar onbekraste keel een gil. Je zou zo'n gil zonder meer voor de noodkreet van een verkrachtingsslachtoffer kunnen houden, dat denkt intussen ook de dienstdoende agent van de spoorwegpolitie, en hij heeft zich al een beeld gevormd van een bijzonder zinvolle actie tijdens zijn routinedag bij de spoorwegen. Verstijfd van schrik staat naast hem de spoorwerker, die net op het perron is geklommen voor de lunchpauze. Ze besluiten met een vastberaden blik het slachtoffer te gaan helpen. Maar – waar moeten ze zoeken? De vochtige grot van het tunneltje maakt van de uit de keel opwellende kreet een kleffe echo, van waaruit de reizigers en hun ontvangstescorte giechelend aan het daglicht treden, zich op hun dijen slaan van het lachen, het spek op en neer golvend met de contracties van het middenrif. Reveslueh staat net over het kind heen te proestlachen, als de opgewonden gebarende mannen op zoek naar het slachtoffer van het geweld door de tunnel rennen, zichzelf van boven tot onder natspatten en rood van radeloosheid tot stilstand komen aan de andere kant, waar gewoonlijk de treinen uit het Westen aankomen. Heinde en ver is geen belaagd vrouwspersoon, geen kind in nood te bekennen. De spoorwerker merkt op dat ook mannen ertoe neigen hoog te gillen als ze in de problemen zitten, en dat er bovendien castraten bestaan – hij denkt aan zijn brave muziekdocent Elvis, die hen de schoonheid van de Italiaanse opera wilde laten beleven en daarbij steeds om de 'castraten' heen laveerde als om een gevaarlijk rif in de storm – en gecastreerden schreeuwen nu eenmaal niet mannelijk. *Maar waar moeten moordenaars hier dan een eunuch vandaan halen, hebben we die hier wel?* De agent van de spoorwegpolitie is nogal beduusd door het eventuele bestaan van een ontmande man binnen zijn rayon en behoorlijk afgeleid van waar het eigenlijk om gaat. Het vredige groepje van vijf dat vijftig meter verderop en aan de andere kant van het perron op het lokale treintje stapt om de laatste twee kilometer naar W. te overbruggen, ontsnapt compleet aan zijn aandacht, maar niet aan de aandacht van de twee mannen met hun bengelende polstasjes, die nu kennelijk veel haast hebben om ook in te stappen, nadat de conducteur, als ook Josepha is ingestapt, het vertreksein heeft gegeven: die twee hebben ze hier nog nooit gezien, en als reizigers zien ze er ook niet uit, met die idiote tasjes en zonder bagage van enige betekenis! Daar klopt iets niet, besluit de agent van de spoorwegpolitie en hij rent vlug naar zijn hokje om het politiebureau in W. te bellen en een mooie, officiële ontvangst voor die kerels te organiseren op het station aldaar. Ze zullen wel moeten opbiechten waar ze hun slachtoffer hebben achtergelaten, of hoe ze het door met nog ergere dingen te dreigen tot zwijgen en weglopen hebben gedwongen! Zijn werk heeft humanitaire betekenis, dat kun je wel zeggen! En vandaag zal Hilletrud hem niet op haar gebruikelijke spot kunnen onthalen tijdens het avondeten met de kinderen, vandaag zal hij een paar braadworsten meenemen naar huis, de gril in de tuin aansteken en zijn kinderen vertellen dat hun vader zo-even een stel misdadigers achter de tralies heeft weten te krijgen! Zijn kam zwelt op tot opwindende proporties, zodat het stationspersoneel een beetje ineenkrimpt als hij langs komt lopen, vervuld van heerlijke gedachten aan een premie, waarmee hij Hilletrud wil paaien en waarmee hij haar ertoe wil aanzetten hem bij wijze van uitzondering de bijslaap toe te staan, die ze hem al jarenlang weigert, omdat ze, zo zegt ze, zich erbij verveelt! Toch zou het gemeen zijn om niet ook Hutschi mee te laten profiteren, de stationsschoonmaakster, die, eveneens al jarenlang, een natuurlijk begrip voor hem heeft en, tussen de twee 's ochtends arriverende Intercity's door, zorg aan hem besteedt, heel vanzelfsprekend en zonder er iets voor terug te vragen, uit medelijden gewoon, sinds hij haar een keer tijdens een bedrijfsuitstapje zachtjes de seksuele terughoudendheid van zijn vrouw heeft opgebiecht. Ze was er meteen toe bereid geweest, er waren vast en zeker ook andere mannen wie ze een dergelijke dienst bewees. Dat was ook zo, en dat was de oorzaak van het grote respect waarmee het stationspersoneel haar doorgaans behandelde. Hutschi natuurlijk – hij zou zijn spit voor haar willen omdraaien: hij zou haar, die altijd rustig en tevreden oplette of hij aan zijn trekken kwam, een keer enorm willen verwennen, geheel volgens de weinige hem bekende regels van de liefdeskunst, met een fles schuimwijn op het programma. Had ze niet een naam waarmee hij haar dankbaar zou kunnen roepen? Dat kwam wel goed, en bovendien zou het met Hilletrud dan zeker langer duren dan vroeger, omdat hij zich meestal *ante portas* ontlaadde vanwege de sporadisch geboden gelegenheid, tot ze het hem helemaal verbood op grond van het argument dat ze een heleboel tissues en een kubieke meter water per maand kon besparen, om nog maar te zwijgen van wat het emotioneel allemaal kostte om een man als hij in haar nabijheid te dulden. Hij had zich erbij neer moeten leggen. Natuurlijk, het was te veel gevraagd van Hilletrud, maar met Hutschi's hulp had hij zichzelf heel behoorlijk kunnen stabiliseren. Zijn vrouw zou er nog wel van lusten, als hij eerst bij Hutschi voorzorgsmaatregelen had getroffen! Het prikkelt in zijn opgeheven hoofd alsof hij de fles schuimwijn precies in zijn hersenpan onder zijn opzwellende hanenkam heeft leeggegoten. Des te pijnlijker is het dat net voordat zijn diensttijd erop zit, met Hutschi heeft hij al een afspraak voor morgen, uit W. het bericht binnenkomt dat hij een enorme flater heeft geslagen met zijn overijverige dienstbetoon: in dit land is het niet erg waarschijnlijk dat iemand het slachtoffer wordt van een misdrijf waarbij geweld wordt gebruikt, en in dit geval al helemaal niet! Hij heeft twee collega's in de uitoefening van hun plicht vals beschuldigd en verhinderd dat ze belangrijke observaties konden doen, waartoe ze vanuit de hoofdstad van het district opdracht hadden gekregen! En ze zouden er eens goed over na moeten denken of hij in de toekomst nog wel inzetbaar was in zo'n verantwoordelijke betrekking, of dat hij niet beter op een minder vooraanstaande post zijn capaciteiten kon inzetten! Als een bijl hakt dit alles in op zijn hanenkam en zijn champagnocefalus, zodat al het geprikkel verdwijnt en zijn mooie voorstelling van een tevreden Hilletrud als sneeuw voor de zon verdwijnt. Zo snel gaan de dingen, eigenlijk wist hij dat wel...

Zijn verweer, dat niet alleen hij maar ook de spoorwerker Przibylski die verschrikkelijke gil heeft gehoord en dat er op het station getuigen moeten zijn geweest die bij een uitputtend verhoor het gebeuren zeker zouden kunnen bevestigen, gaat compleet onder in het woordgeweld dat het kantoortje vult. De zelfkritiek van spoorwerker Przibylski, die is komen aanrennen, dat die merkwaardige gil tenslotte ook afkomstig had kunnen zijn van een of andere idiote castraat, en dat ze dat beter hadden moeten onderzoeken, brengt de man in alle staten: *nu beginnen ze ook nog te raaskallen, een eununch, dat ontbrak er nog maar aan!* De van een onbekende onderafdeling afkomstige kameraad, die eropuit is gestuurd om de overijverige collega de levieten te lezen, vertrekt, niet zonder gedreigd te hebben met bepaalde consequenties voor de kennelijk tekortschietende brigadeleiding op het kleine station. Achter blijven een beschadigde agent van de spoorwegpolitie, een zich verlegen uit de voeten makende spoorwerker, de kaartjesverkoopster, Hutschi en de stationschef, die allemaal voor een dringende bespreking waren opgetrommeld en die zich nu zwijgend terugtrekken, naar huis of naar hun werkplek, afhankelijk van wat er op het dienstrooster staat. Maar Hutschi kent de staat waarin haar beschermeling verkeert en geeft hem een teken dat ze elkaar buiten het spoorboekje om in het bezem-hok kunnen ontmoeten, opdat hij eens even lekker kan uithuilen voordat hij naar huis gaat. Als even later de agent van de spoorwegpolitie in plaats van de zich zo verleidelijk voorgestelde braadworsten zijn eigen worstje in zijn vingers houdt en met droefenis constateert dat er helemaal niets uit te krijgen is in de muffige geur van het bezemhok, met voor hem Hutschi, die hem haar achterste aanbiedt om hem onder haar omhooggetrokken perlon werkschort te troosten, en zonder enig uitzicht op een verzoenlijke Hilletrud, besluit hij de waardigheid van de vrouw op een hoger plan te brengen in zijn denken en, zoals gepland, de schoonmaakster Hutschi genot te schenken alsmede een fles schuimwijn. Hij nodigt haar uit om de volgende ochtend, in plaats van haar werk te doen, met hem naar Eisenach te gaan, waar, heeft hij gehoord, een pension is waar je ook voor een uur onderdak kunt krijgen, en ze moet er maar een mooie dag van maken met hem en zich niet in dit muffe hok als een waardeloos geworden treinkaart-je laten behandelen. Hutschi trekt nu haar werkschort over haar billen, haar onderbroek weer omhoog en is blij met de liefde die ze nu in het hart van de agent gevonden meent te hebben na wat hij allemaal heeft gezegd, en als de sleutel knarsend omgedraaid wordt in het slot en ze met een tus-senpoos van een paar minuten allebei weggaan, hij naar Hilletrud en de kinderen, zij naar haar lege nest in het souterrain van een uitgewoond huurhuis, hebben ze alle twee het voorgevoel dat hun een heleboel ellende te wachten zal staan na die mooie vrije dag met elkaar.

Het blijft allemaal in beleefdheden steken, moet Josepha steeds weer ver-baasd constateren, als ze de dagen daarna haar nieuwverworven grootmoe-der bezig ziet met haar kleine oom Avraham Bodofranz. Vele keren per dag wordt hij aan de borst gelegd, en Josepha, in plaats van te vragen hoe dat gaat, dat zogen, in plaats van te kijken naar het piepkleine dingetje tussen de spekvette beentjes, verlaat steeds discreet haar eigen kamer, waar de familie Reveslueh is ondergebracht. Geen spoor van vrouwelijk Schlupf-burgs familieclangevoel, geen spoor van eendracht tussen de generaties, haar grootmoeder blijft ondanks alle pogingen toch even vreemd voor haar als de elektrotechnicus. Er is tussen hen nog geen opening ontstaan die op zoiets als een gemeenschappelijke ruimte lijkt, ze hebben nog geen waar-heden uitgesproken tegen elkaar, terwijl het zeg-eens-dag-wuif-eens-met-je-handje tegen het kind alle monden al op dezelfde manier teistert als bijna vijftig jaar geleden het 'tinkerdietinkie! Kakkerdiekakkie!' bij de Heben-streitse familiebijeenkomsten rond Benedicta Carlotta en Astrid Radegund. De dag van het grote feestdiner, van het restaurant aan de Cumbacher Teich verplaatst naar de Schlupfburgse woonkamertafel en een halve week lang in aan Oost-Pruisen herinnerende geuren en walmen voorbereid, levert ook al niet veel op: de ouders van Angelika zijn als oostelijke, de familie van de zuster aan de Alster als westelijke kroongetuigen van de late hereniging uitgenodigd en hebben op alles wat aan te merken. Te los de gehaktballen, te veel citroen in de romige saus, te zuur zelfs de koffie, door Ottilie meegebracht uit Beieren, en de taart, de Schwarzwälder Kirschtorte, tijdens het onweer, kennelijk, geschift, en zo maar door. Hadiknoumaar, denkt Therese, rundvleesmetrodekool, op z'n Thürings... Alsof Josepha precies hetzelfde heeft gedacht, vraagt ze op een milde manier over de tafel heen: of het niet toch al de D-marken zijn die ze hadden moeten wisselen, die als gedwongen afdracht moeten worden beschouwd voor het verblijf aan deze zijde van de in 1949 kennelijk definitief vastgestelde grens, of die nu de achtergrond vormen van al dat gevit op het eten? Of het het gekraak van de altijd nog nieuwe schoenen aan de voeten van Angelika's vader is, dat de gemoederen zo irriteert en verdeelt aan de grote tafel? Het kind heeft toch al dagenlang niet meer zo verschrikkelijk gestonken, zegt ze, maar een naar melk ruikende geur ontwikkeld, die niet alleen haar, Josepha, zachte ogen bezorgt, maar ook de gasten eigenlijk aanleiding zou kunnen geven om vertrouwelijker te worden. Een korte stilte bij het drinken van een glaasje Boonekamp is de enige reactie die zij op haar vraag krijgt, alleen Avraham Bodofranz hoor je bevestigend vanuit Josepha's kamer snateren, waar hij voor zijn middagdutje is neergelegd, en hij stuurt een aromatische golf naar de woonkamer. Richard Rund heeft tot dusver smakkend elk commentaar voor zich kunnen houden achter de coulissen van zijn doofheid. De hoeveelheid overgebleven spijzen, constateert hij grijnzend, staat in omgekeerde verhouding tot het gevit van de eters: van alles is nog net genoeg over om hem te verzekeren van een klein avond-maal, maar dan moet hij het wel slim aanleggen en zelf de tafel afruimen, om wat hij later nog wil eten veilig onder te brengen in een pan en die dan in een donker hoekje van de voorraadkast te verstoppen. Rund weet wat hij denkt: maar al te vaak al heeft de heimelijk snoepende Therese alles opge-geten wat hij op onbewaakte ogenblikken had willen verorberen. Hij staat dus van tafel op, Ottilie gaat de zuigeling halen en stopt eem fijngeprakte gehaktbal in zijn mond, de vader van Angelika kan het niet laten onder de tafel met zijn voeten te wippen en het leer te laten kraken. De vrouwen lopen achter elkaar aan met borden en schalen, bestek, wijnglazen en kwa-de gezichten naar de keuken, waar Richard bij de afwasbak staat en vuile glazen in het water dompelt. Maar Franz Reveslueh wil maar één ding: hij wil graag een filmpje zien op een echt, hoewel slechts oostelijk televisietoe-stel en in zwart-wit. Elke gelegenheid benut hij om de knop om te draaien en een keuze te maken uit de vier programma's die hier aangeboden worden, en hij zet het toestel aan als alleen Angelika's vader nog in de kamer is en met zijn schoenen kraakt. Hem zou een filmpje ook goed doen, denkt hij terwijl hij zoekt. De mannen komen in een scène terecht waarin een zwaargebouwde man in een restaurant een citroen wurgt en met een trotse blik een veel tengerder man het uitgeperste sap aanbiedt. Diens bewonderende vraag *are you a boxer?* ontkent hij lachend en hoofdschuddend met *no, I'm a rent-collector!* en veroorzaakt daarmee een proestend gelach aan de tafel in het film-restaurant. Een *cut* brengt voor de twee oude heren een geheel in grijs weergegeven jongedame in beeld, die met een spottend glimlachje een paar zinnen uit de zo-even gespeelde scène herhaalt en er vragen bij stelt, *ach, set is thus Englisj for joeh,* merkt de vader van Angelika op, die zijn dochter een paar jaar lang heeft begeleid bij de uitzendingen van de schooltelevisie en de gast uit het Westen nu trots de resultaten van zijn voortdurende mee-leren demonstreert, door, als je even afziet van het zware Thüringse accent, de vragen van de televisiedame correct te beantwoorden. Dat is nu niet precies wat Fritz Reveslueh zich heeft voorgesteld op de rustige middag: hij slaakt een diepe zucht, de vader van Angelika denkt dat die van bewondering is en zapt naar andere kanalen. De vrouwen maken intussen in de keuken de boel aan kant en gaan op de veranda zitten babbelen. Richard Rund wordt naar de mannenkamer gestuurd en legt zich erbij neer, ook al heeft hij meer goesting naar een uurtje in bed met Therese, die in totaal verzadigde toestand als een berg bestegen kan worden en bij het bereiken van de top boeren en scheten uit haar onbeweeglijkheid laat ontsnappen, waarbij ze zich als een vulkaan opent, waaruit de nog hete dampen van de gerechten opstijgen en Richard Rund, omdat hij immers niet meer kan horen, evenzeer opwinden als vroeger woorden en zuchten, ja, daar zou hij wel zin in hebben, en hij verdrijft de gedachte daaraan met een harde klap met de zijkant van zijn hand in zijn penisstreek: dat laat hij ze niet zien, zijn zin in bergbeklimmen.

In de mannenkamer heeft Reveslueh het kennelijk opgegeven en hij hoort met zijn mond open van verbazing gekoer en de scherpe en zachte sissers van een taal die Russisch wordt genoemd en die beschrijft hoe het er op een vliegveld in Siberië aan toe gaat: een jonge vrouw met een vlecht achter op haar hoofd wil naar Moskou vliegen en bestelt tickets. De man die bij haar hoort wacht intussen in de vertrekhal en koopt een zuurkoolpasteitje bij een glimlachende Aziatische vrouw van aanzienlijke omvang met een wit mutsje op haar zwarte haar. Het stralen in zijn ogen klotst bij ongeveer elke vijfde beweging van zijn kaken over de rand, alsof hij in een extatische toestand geraakt. Fritz Reveslueh denkt dat wat hij ziet gebeuren begeerte is, die op de Aziatische vrouw is gericht, maar die komt niet opnieuw in beeld, en als de vrouw met de vlecht terugkeert van de balie, wordt de vergissing duidelijk: ze kussen elkaar even op de wang, giechelen erbij, en de blik van de man wordt van euforie even wijd als zo-even nog van het eten van de zuurkool. Richard Rund zit te knikkebollen. Televisie is een vreemde zaak hier, denkt Reveslueh, maar toch is hij een beetje opgelucht dat, hoewel zijn vrouw in de buurt is, de beeldbuis intact blijft, wat hij de afgelopen dagen heimelijk heeft bewonderd, terwijl het lijkt alsof het Ottilie helemaal niet is opgevallen! Wanneer ze hier bleven, zou hij misschien zijn beroep nog een paar jaar kunnen uitoefenen! Over hier blijven hebben ze niets afgesproken, ze hebben het onderwerp vermeden en er toch allebei voortdurend aan moeten denken, hoewel ze noch zin hebben noch zich gedwongen voelen te verhuizen. Ze zijn naar het Oosten gereisd omdat een reis in westelijke richting voor Josepha verboden was, zoals in het sprookje de verboden trap naar de torenkamer, met dien verstande dat Josepha het tot dusver geen verlokking heeft gevonden naar de andere kant van de grens te gaan, en ze zichzelf wel eens afvraagt hoe het eigenlijk is gesteld met haar ondernemingszin en haar nieuwsgierigheid ze niet eens wil weten hoe de werkelijkheid eruitziet aan het eind van de torentrap. En een werkelijkheid moest daar toch zijn, hoe had het echtpaar Reveslueh die anders achter zich kunnen laten om hen op te komen zoeken in hun andere werkelijkheid? (Soms laat Josepha nu weer het wit van haar ogen zien, zoals lang geleden in de metro van Moskou, om in zichzelf een antwoord te vinden.) Zo heeft iedereen wel iets waarover hij moet nadenken op deze conflictueuze dag en ze doen dat met gebabbel en gebekvecht, met een dutje of met televisiekijken, met gekraak van leer en het verlangen naar bergbeklimmen, of, zoals Avraham Bodofranz, door lekkerder te gaan ruiken. Men komt niet nader tot elkaar in een wat geprikkelde stemming, men is niet boos en ook niet gesteld op elkaar, er vindt geen verzustering plaats. Josepha tast naar de hevige bewegingen van het zwart-witte kind, dat, zo lijkt het wel, door de buikwand heen een levendige discussie wil aangaan met de lekker ruikende zuigeling: na twee Bodofranzse kraaigeluidjes of geuruitstotingen voelt ze steeds een merkwaardig gerommel in haar bolle buik. Josepha zou erdoor aan het lachen worden gebracht, als ze zeker wist dat de twee kinderen niet allerlei dingen uitbroedden die op de stemming in het huishouden van de Schlupfburgs een slechte invloed zouden hebben. En inderdaad wordt de discussie, als de aanstaande moeder een poosje gaat liggen in haar eigen kamer, heftiger, hoewel nu zelfs een kamerdeur, een één meter brede gang én de keuken het zwart-witte kind scheiden van Avraham Bodofranz, die op de veranda de oude dames uitlacht, door hun gezichtsuitdrukkingen na te doen en hun ongelooflijk stomme geklets te becommentariëren met kleine hoopjes spuug voor in zijn mond. Het gerommel wordt sterker en ontwikkelt zich tot krachtige protesterende stompen, die Josepha ook te verduren krijgt wanneer ze te lang in gebukte houding staat of op haar hurken zit. Het zwart-witte kind komt in opstand tegen zijn benarde positie, maakt zijn vruchthol met handen en voeten groter, schopt tevens tegen blaas en maag. Weliswaar zou Josepha graag willen weten wat de kinderen in het schild van hun zachte schedeltjes voeren en wat voor ondeugden ze willen uithalen vanuit hun verschillende posities, maar de slaap is sterker. Uitgeput gaan haar oogleden nu dicht en sluiten haar nu helemaal af van de buitenwereld, en blijken, als ze weer wakker wordt, een projectiedoek te zijn geweest voor verschillende dromen. Zo plotseling kan ze overgaan tot de toestand van languit liggen, dat het zwartwitte kind eventjes schijnt te verstommen tijdens het gesprek met de broer van zijn grootvader, maar dan met verhevigde kracht op zijn Schlupfburgse moeder inhamert. Als Therese komt kijken wat haar achterkleindochter ervan weerhoudt deel te nemen aan het vrouwengesprek op de veranda, schudt ze glimlachend haar hoofd, het onstuimige innerlijke leven van de slaapster doet haar ergens aan denken – aan andere stemmen? aan kringlopen? – ze weet het niet en doet heel voorzichtig van buiten de deur op het slot. En zo kan het gebeuren dat Josepha in de eenendertigste week van haar zwangerschap vlammende woorden droomt, die ze 's avonds zal opschrijven om als furieuze rede tegen haar eigen gebruiken bruikbaar te zijn. Dat als eerste. Ten tweede tegen het willekeurige gebruik van de woorden FILTER en FOLTER in het menselijk leven binnen en buiten de fabriek. En als ze hetgeen ze kort daarna in het openbaar zal voorlezen niet had gedroomd, dan zou het schandaal zijn uitgebleven dat zich zal afspelen op maandag 27 september 1976, in de VEB Kalenders en Kantoorartikelen Max Papp in de Thüringse provinciestad W. Maar daarvan weet ze nog niets, omdat ze languit ligt te slapen en droomt en weet dat haar kind over de lichaamsgrenzen heen met generaties spreekt die vanuit andere tijdperken de handen uitstrekken, wis en waarachtig en lijfelijk, en die door late troost in het reine willen komen met vroege verliezen en heerszuchtig zijn en kindsheerlijk openstaan voor zure dingen, zolang die maar uit de mond van de eigen ouders of uit de Schlupfburgse potten en pannen komen. Zo heerlijk kan het kinderleven zijn in de volwassen blik dat je, zou je niet ook bitter en boos dromen, het nauwelijks zou kunnen uithouden binnen de criteria van de bruikbaarheid. Het tocht, Josepha, het dunne haarscheurtje maakt je koud, als je niet oplet en toeslaat, eindelijk, in het drieëndertigste jaar van je bestaan, erop slaat met de hamer die je, vastberaden, uit je eigen hoofd, uit je buik haalt. Het komische tussen de dingen: zijn er, wat je altijd dacht, nog vrije nissen waarin je ernstig kunt verblijven? Wanneer het iemand niet tot lachen te moede is, bijvoorbeeld, Josepha, de opzichtster in haar waarschijnlijke ongeluk, wat kan zo iemand doen?

Josepha droomt verwoed, neemt haar toevlucht tot vreemde gestalten, ziet zichzelf afwisselend als Bertha von Suttner, als die kreupele, bij de sociaal-democratische beweging behorende vrouw, wier verzamelde briefwisseling onderdeel uitmaakt van de expeditiebagage, als Ljusja Andrejevna Wandrovskaja zelfs tijdens de presentatie van de chocorumbaisertaart WIOLETA, of als Lutz-Lucia die voor de onderzoekscommissie moet aantreden. De gebaren omhullen de diepere betekenis van haar rede, waarvan ze niet veel meer af weet dan dat die eruit moet door het gat van haar mond. Wat ze een paar uur later doorleest – ze heeft het zonet opgeschreven tijdens de nieuwsuitzending – heeft de vorm van een raadsel, tot de oplossing waarvan niemand haar opdraagt of uitdaagt. Het oplossen van het raadsel is klaarblijkelijk niet haar zaak, eerst moet er een snood plannetje worden gesmeed. En wanneer dat plannetje eenmaal genoeg is gaan zweren, zal, dat voelt ze aankomen, er zeker iemand zijn die zijn handen uit de mouwen steekt en de etterbuil waarom het gaat openprikt.

Over FILTER EN FOLTER

Discussievoorstel van de jeugdvriendin Schlupfburg, Josepha, in het kader van het bedrijfsinterne scholingsprogramma voor jeugdigen ter voorbereiding op de verjaardag van de oprichting van de staat aan deze zijde van de in 1949 kennelijk definitief vastgestelde grens

Best vrienden en kameraden,
Ik deel mijn toespraak om persoonlijke redenen in in twee delen, die ik in volgorde van mijn met de hand geschreven leidraad om de beurt zal laten ronddwalen in ons aller gemoederen. De leden van onze ogen weergalmen, om het zo uit te drukken, van de hevige herfst om ons heen, jullie hoeven me alleen maar te begrijpen.
Laten we eens aannemen, beste vrienden, dat ik in gesprek ben gekomen. Met jullie, bijvoorbeeld, of met de bevoegde instanties, die zich ongetwijfeld ook in deze ruimte bevinden en de fatsoenlijke als ook de onfatsoenlijke passages van deze toespraak zullen optekenen en zullen doorspelen naar hogere sferen, beste vrienden, die al heel wat mensen, neem bijvoorbeeld onze zogenaamd de staat verraden hebbende opzichtster, hebben verzwolgen op de manier waarop het werkende volk in de Sovjet-Unie vet en suiker verzwelgt. In plaats van zich eens bezig te houden met de legendarische chocorumbaisertaart wioleta, uitgevonden ter gelegenheid van haar eindexamen op het bakkerijcombinaat in Kaliningrad door mijn Russische vriendin Ljusja Andrejevna Wandrovskaja – jullie hebben haar zeker wel zien hangen in het opzichtershokje, tot ze onderdook in een goedgevulde klerenkast – verzwelgt ook het veiligheidsorgaan van de oostelijke volke-

ren mensen, zonder dat we dat tot dusver mogen geloven. Maar dat moeten we wel doen, beste vrienden! Onze bewonderde opzichtster heb ik zien lijden aan een erotische krankzinnigheid, die hier zoals ook in andere landen hele drommen vrouwen heeft behekst en die ze heel klein maakt, die walgelijke vloerkruipsters en slijmerige slakken van hen maakt, ik heb het zelf gezien. Onze hoogste leider in de staat was het, vandaag spreek ik het uit, die haar vanaf zijn portret in het hokje heeft lastiggevallen met vieze praatjes en gebaren, die neukzucht bij haar heeft doen ontbranden, waaraan ze niet anders kon beantwoorden dan met haar eigen hand, haar eigen komkommers, met harde worst en wortels, terwijl die ouwe niet uit zijn lijst kwam om haar bij te staan, haar dwaze verlangen alleen maar aanvuurde met een kersenrode vochtige mond. Hij had bij zijn collega C., in het zuidoosten, meegemaakt hoe vrouwen zich in alle bochten wrongen en rillend en bevend naar hem smachtten en hem smeekten om pik en kind en dansen voor hem opvoerden. Door de nabijheid van die danseressen heeft de neus van onze hoogste staatsleider een geur opgesnoven tijdens het staatsbezoek, die hij niet meer kwijt kon raken: de geur woekerde in zijn lichaam en verving langzamerhand al zijn organen, zodat zijn blauwharige vrouw er ook niets meer tegen kon ondernemen en er in haar plaats krachtige vrouwen uit ons werkende volk het slachtoffer werden, in kleinen getale weliswaar en geenszins te vergelijken met de toeloop die collega C. in R. doorgaans geniet. Onze arme opzichtster werd, toen ze eenmaal helemaal gek van hem was, vervolgens gevangen om alles geheim te houden. Lang heb ik naar haar gezocht, ik vermoedde al dat ze op het een of andere kerkhof zou liggen, maar ik kwam er niet achter wat er met haar was gebeurd, hield me wel steeds bezig met haar merkwaardige verdwijning en hield mijn mond, want ik moest altijd een beetje lachen als het om iets ernstigs ging: het was zo komisch haar op de vloer te zien, helemaal verteerd door het verlangen naar een persoon, die hoogstens een eerbaar leven te bieden had aan een klein huismusje, maar niet een ervaren vrouw zou kunnen verrukken, indien het althans correct toe zou gaan in dit land. Jullie hoeven me alleen maar te begrijpen. De valse maan werd opgehangen aan waslijnen, die de huisvrouw weet te benutten, maar die de man aanwendt voor alledaags misbruik, zoals we nu moeten zien. En daar hangt-ie dan, de valse maan, en schijnt op ons neer, terwijl wij ons geloof uitoefenen en plezier hebben en er niet aan willen denken dat we onze opzichtster op zo'n merkwaardige zijn kwijtgeraakt – en wij kenden haar goed! Dat iemand zich laat verbranden voor zijn kerk en niet te redden is in een Saksische provinciestad! Dat mannen met belachelijke polstasjes achter ons aan lopen, of we dat nu willen of niet! Uiterlijk bij de braadworst in mei had het ons moeten opvallen dat we op schijnzwangere varkens lijken, zonder onderscheid des geslachts overigens, en uit de tekens hoogstens een betere voedselvoorziening lezen voor onze varkenstoekomst, die we verder in ons varkenskot zullen doorbrengen. Hebben we niets om aan te twijfelen, wij sukkels? Jullie hoeven me alleen maar

te begrijpen: ik voer iets in mijn schild, een zwart-wit – tegen jullie kan ik het
zeggen – kind, dat niet in liefde, maar wel in de hoogste wellust zijn weg aanving
naar het leven en nu niet berouwt dat het mij vult en andere dingen verdringt:
waar is onze opzichtster gebleven? Ik eis opheldering over het voorval afgelopen
voorjaar in het hokje van de bedrijfsleiding in Hal 8, ik eis met klem het boven
water komen van onze opzichtster uit de golven van het vermeende landverraad,
ik eis rechtsbijstand voor onze betrouwbare en ons al jaren met hapjes verwen-
nende opzichtster, dat zullen we toch zeker nog niet zijn vergeten!

Maar wat, zullen jullie vragen, heeft mijn toespraak te maken met de filter en
folter, die ik heb aangekondigd als thematische rode draad?

(Josepha moet even uitpuffen na het eerste deel van haar toespraak, die ze
in grote haast, haar hoofd vooruitgestoken, staande voor haar toehoorders
heeft uitgebazuind. Nu schijnt ze milder te worden, nu het publiek verwondering laat blijken, spottend het hoofd schudt of zachtjes fluisterend
informeert naar haar geestestoestand.)

filter en folter hebben mij inzicht gegeven in de afgronden van verschillende ge-
dachteloosheden waarmee te leven in dit land gebruikelijk is geworden in de afge-
lopen twee decennia, alleen al omdat die de afgronden doen vergeten, alsof die er
niet zijn. Wat wil ik hiermee zeggen?
Er bestaan talloze woorden die tussen verschillende klanken moeten kiezen.
Nemen we rat en rot, ragebol en ruigebol, inzicht en eizicht, maar ook falterfel-
terfilterfolterfulter uit de klasse van de unipolaire uitsprekelingen: altijd ligt het
accent op de eerste lettergreep, die daardoor op de voorgrond treedt, terwijl de
tweede lettergreep er een beetje bij hangt en het al opgeeft voordat die de gereedge-
houden onderlip bereikt. Hoe familiair de eerste lettergreep omgaat met de moge-
lijke vocalen, wil ik helemaal niet weten. Wordt die uitgesproken, is zijn lot al-
lang bepaald: het zijn ofwel navelbreukzotte woorden als felter en fulter, ofwel
papieren en fladderig-bezopen als falter, ofwel aan een hogere orde toegeschreven
woorden als filter en folter, die met afgemeten pasjes en steeds zij aan zij door het
spraakgebruik rondspoken, ook al is het ene woord heel goed zonder het andere
denkbaar, en het er dan ook heel wat beter van af zou brengen als we het zouden
uitspreken. In werkelijkheid, en ik bedoel hier de werkelijkheid die ik heb ervaren,
sinds eizicht en inzicht een en hetzelfde werden in mijn ogen, sinds ik dus drach-
tig en op zoek ben naar een soort toekomst, komen filter en folter nooit zonder
elkaar uit iemands mond in iemands oor terecht en dekken elkaar wanneer een
van beide op het punt staat ontdekt te worden achter het andere. Gewend aan
verstoppertje spelen hebben filter en folter er geen moeite mee gewoon te worden
en vormen aan te nemen die naar alledag en worstsoep ruiken, maar een uitge-
koekeloerd duo is een volslagen illusie. Laat ik duidelijk worden.

Mijn familie heeft in de afgelopen eeuw aan vluchtelingentrauma's geleden waarvan ik eigenlijk niets meer zou moeten weten. Honderden kilometers van Oost naar West vervoerd en uiteindelijk toch in het relatieve Oosten aangekomen, bleef mijn voormoeder Therese na de laatste der oorlogen hier hangen aan haar hang naar culinaire dingen. Thüringen is geen gekke plek voor een zintuigelijke kokkin. Hier kwam ik ter wereld en leerde de Blechkuchen waarderen, de Oost-Pruisische gehaktbal met kappertjes, de Thüringse knoedel. De vluchtelingentrauma's van de familie verdwenen achter de filter in de mond van mijn voormoeder. Slechts zelden kwamen ze, met uitsluiting van al het levendige en van alle kleuren, bij haar naar buiten en maakten me een beetje bang, omdat ik ze niet herkende. Maar in de filter zat de folter en maakte zichzelf zwaar, beet vaak stukken uit de tong van mijn overgrootmoeder, zodat ze kieskeurig werd, niet alleen in het uitspreken, maar ook in het uitdenken van de noodzakelijke woorden. Dat is het ene. Het andere stijgt boven het individu uit en doelt op een situatie waarin bevoegde instanties menen voor ons te moeten filteren wat wij te weten mogen komen. Ik verraad jullie een geheim: we accepteren dat zonder er in het openbare gesprek een woord aan vuil te maken. Zelden kom je mensen tegen die luchtwortels hebben en die altijd een beetje boven de dingen kunnen staan, wie het niets uitmaakt een keer de filter van de folter, de folter van de filter uit hun mond en oren te halen en de waarheid te zeggen. Zo'n mens was ook onze opzichtster geenszins, moet ik zeggen, maar het verlangen door het staatshoofd te worden beslapen, is nu ook weer niet zo erg ondenkbaar, zo onuitsprekelijk, dat je verdwenen moet worden gemaakt door de bevoegde instanties en van landverraad moet worden beschuldigd. Wat is er met haar woning gebeurd? Wie heeft zich daarover ontfermd in een aanmatigende snuffeloperatie? Wie heeft haar stem en adres geroofd zodat ze onbereikbaar achter de filter-folter in een stevig afgesloten inrichting verborgen blijft zoals ik geloof? Of nemen jullie aan, bijvoorbeeld, dat ze haar capillairs niet met slaap en doofheid hebben volgespoten, haar niet tot in haar haarwortels toe hebben volgestopt met een chemisch veranderd karakter? Hebben ze haar wellicht zelfs verkocht in ruil voor hardere valuta of voor een ingerekende spion? Dat zou goed bij het verhaal passen dat ik niet vertel omdat ik het ken, hoogstens omdat jullie mij moeten leren kennen aan mijn verheven stem. De filter gooi ik voor jullie voeten en de folter voor de voeten van de zwijgplicht, en ik spreek uit wat nog niet helemaal is verdwenen in de diepe afgronden van de braafheid. Want gehoorzaam gedragen we ons allemaal en we vertonen toch de littekens van de laaghartigheid, de vreesachtig gesloten mond, de schaapachtige blik passend bij het overhemd en de blouse, of bij tergende verveling. Wanneer men ons uitkleedt, of wij kleden onszelf uit, komt het er uit: wij weten hevig de liefde te bedrijven en zonder schaamte, en kinderen maken we tegenwoordig zoals anderen een vriendelijk gezicht trekken, terwijl het vanbinnen woedt. Dat telt voor ons klaarblijkelijk meer dan welk filter-gefolterde uitzicht ook. Kleine

kindertjes zijn hier de grootste avonturen die wij nog kunnen bedenken wanneer
zich restjes rooflust en reislust, nieuwsgierigheid en ongeduld roeren. Dat is nog
altijd voor een groot deel aan ons voorbehouden: een kind voort te brengen als een
vrij te bepalen grondtoon van geslachtelijk gebonden leven, dat dan weliswaar
volgens de voorgeschreven banen verloopt, maar waaraan je altijd nog kunt mer-
ken hoe die toon eigenlijk was bedoeld. Ik begin verheven te praten, ik krijg lang-
zaam in de gaten dat het tijd is er een punt achter te zetten en sommigen van
jullie hier hun eigen ervaringen te laten vertellen. Carmen Salzwedel weet beslist
genoeg over filter en folter, of neem Manfred Hinterzart, wiens zuster Annegret
zich in Burj 'Umar Idris, in de Algerijnse woestijn net zo schijnt te hebben inge-
graven als hij achter de filter-folter in zijn hoofd, beiden zouden alle moed bijeen
kunnen rapen en een boekje open moeten doen. Dat zou het begin zijn. Mijn
kleine oom Avraham Bodofranz heeft voorgedaan hoe het moet toen hij geen
blad voor zijn kont nam en scheet, zodat het naar Vopo's stonk en op een uni-
form leek, wat kleur betrof. Zo deed hij kond van wat er in jonge mensen aan
potentieel protest aanwezig is en wat wij, vermoedelijk, in het bodemloze gat
achter de filter-folter hebben gestopt. Terwijl mijn kleine oom nog helemaal geen
ervaring had met machtige ordehandhavers, toen hij zich, zijn instinct volgend,
uitliet op de beschreven manier. Mogelijk waren wij in onze prille jaren allemaal
wel zoals mijn Beierse mini-oom, maar hebben we met de jaren verleerd een
zelfstandig voelend organisme te zijn en geleerd om aangepast te reageren op
onaangename dingen. Ik eis –

Als ze bloed op de vloer ziet, grijpt Josepha naar haar borst, volgt het bloed-
spoor en ontdekt de bron ervan in haar rokzak: beide ratten zijn moeder
geworden, elk van een Siamees paartje, terwijl Josepha zo over FILTER en
FOLTER sprak dat Fauno Suïcidor, de god van de dierlijke zelfmoord, zich
er enorm over zou hebben verheugd. De gnuivende god zou nu weer
macht bezitten over de rode ratten, indien nodig. Maar dat is niet zo, en
dus gaat hij als verwarmende luchtstroom de kraamzak binnen. De geluiden van welbehagen die uit de lijfjes van de ratten opstijgen, ontgaan hem
niet, terwijl Josepha denkt dat ze geen kik geven: ultrasone geluiden, voor
Fauno Suïcidor het gebruikelijke signaal, kan ze niet waarnemen. Voordat
de anderen begrijpen waar het bloed vandaan komt, verontschuldigt Josepha zich door op haar wankele lichamelijke conditie te wijzen, die wellicht
op het eind van de zwangerschap duidt, wat een beetje te vroeg zou zijn,
reden waarom ze zichzelf moet ontzien en een extra bezoek aan haar ge-
bronsde vrouwelijke arts moet brengen. Ze schiet haar jasje aan, knoopt
dat over haar buik dicht, zo goed als dat mogelijk is, en maakt zich uit de
voeten, terwijl ze in de zaal verpletterd en zwijgend een poging doen om
het gebeuren onder geestelijke afwezigheid, provocatie of ziekte te rang-

schikken. Nog nooit is er ook maar een begin van oproer geweest in W., als je afziet van de bordeelstaking van de Algerijnse gastarbeiders, en nu zou uitgerekend hun schoolvriendin Josepha Schlupfburg zich in een laat stadium van haar zwangerschap schuldig maken aan vijandelijkheden tegen de staat? Of zouden te vroeg inzettende weeën – denk aan het bloed achter de katheder – bepaalde gevoelens bij haar hebben opgewekt? Een vrouwelijk lid van de brigade herinnert zich hoe ze tijdens haar eigen bevalling de aandrang voelde het behulpzame ziekenhuispersoneel de huid vol te schelden en op het toppunt van de pijn ook hun trouw aan de staat en de arbeidersklasse in twijfel trok; ze vraagt met een timide stem om begrip voor de jonge collega in nood. Een, twee gevallen van door zwangerschap veroorzaakte psychosen hadden zich in de loop der jaren wel voorgedaan in W., dat moesten ze niet vergeten. Je moest ook bedenken dat de vrouwen die daarmee te stellen hadden gekregen steeds vele maanden in geheimgehouden klinieken hadden moeten doorbrengen. Ze wist dat van haar nichtje Veronica, wier voorstelling dat haar kind haar op een dag door haar anus zou verlaten, vergaande, doorgaans onnavoelbare activiteiten in haar teweeg had gebracht. Als oplossing had men haar tot aan de dag van de bevalling veiligheidshalve achter de deuren van een inrichting opgesloten. Veronica kon alleen door permanent toezicht ervan worden weerhouden haar lijf op alle mogelijke manieren te openen om het kind er op een andere manier uit te krijgen. Het ontstelde verweer van haar toehoorders verhindert ten slotte dat het brigadelid nog meer in details treedt, maar brengt de aanwezige jeugdleider van het bedrijf er in elk geval niet toe de telefoon te pakken en uit zijn hoofd een nummer te draaien waarmee een afvaardiging van de *bevoegde instantie* wordt opgeroepen met het bericht: er is 'weer iets aan de hand hier' en of ze zo snel mogelijk zouden willen komen. Maar niemand komt op het idee achter de allang gevluchte spreekster aan te gaan, hetzij om haar te helpen, hetzij uit plezier in een half-ambtelijke constatering van staatsvijandige hetze. Wel wordt de groep van aan de partij gebonden jeugdvrienden bijeengeroepen op het rokerseiland, om 'de te volgen procedure' te bespreken. Dat het van 'te volgen procedure' moet komen, is iedereen duidelijk. Hoogstens Carmen Salzwedel heeft het onbehaaglijke gevoel in haar darmen dat ze haar vriendin in deze situatie eigenlijk zou moeten bijstaan, en Manfred Hinterzart heeft zelfs in zijn hoofd op een paar zinnen staan oefenen die zouden moeten herinneren aan zijn verzande zuster in de Noord-Afrikaanse woestijn en aan het grote zwijgen dat zijn familie betreffende deze kwestie opgelegd heeft gekregen, maar hij bindt zich vast aan de paal die hij in zijn hart meent te voelen, en verlaat de bijeenkomst ongemerkt onder de tafels door.

Josepha loopt intussen dwars door de stad naar huis. Haar rokzak is gelukkig opgehouden met druppelen, zodat ze met krampachtige kleine stapjes niet opvalt en een halfuur later bij Therese aankomt, die in de keuken boontjes staat te haren. De Revesluehs zijn naar de hoofdstad van het district om hun overvloedige, gedwongen wisselgeld uit te geven in de grote warenhuizen en hun zoon ten minste passieve beweging te verschaffen, door met hem door de uitgestrekte tuinen van het slotpark en de oranjerie te wandelen in een blauw voertuig op hoge wielen, dat nogal de aandacht trekt. Josepha heeft dus vrij spel om haar overgrootmoeder de pasgeboren ratten te laten zien met de hulpeloze vraag hoe dat heeft kunnen gebeuren, hoe het verder moet met die schepseltjes, of ze er soms uit waren geweest. Zelfs een vraag over hygiëne, tot dusver nooit gesteld door Josepha, ontsnapt haar en verrast zowel haarzelf als haar overgrootmoeder. Therese moet zich een beetje bezinnen voordat ze antwoordt. Het is nu eenmaal zo dat de ratten een onderdeel zijn geworden van het Schlupfburg-leven, en de weg naar buiten hadden ze nauwelijks zelfstandig kunnen vinden, te meer daar hun fysieke kenmerken het voor hen onmogelijk maken voedsel te zoeken en buiten de schortzak te overleven. Aan de andere kant, Therese durft het bijna niet ten einde te denken, zou de met acht dieren aangegroeide groep ratten over een paar weken elkaar gaan bezwangeren en een macht vormen die in roedels optreedt. Natuurlijk zou je ze dan niet meer op je lichaam kunnen dragen, als dierlijk sieraad waaraan geen geweld te pas is gekomen en als beschamend voorbeeld voor alle bontjasdragers, maar ze een plaatsje in huis moeten geven. Bijvoorbeeld in de kelder en de tuin, het schuurtje en de bijkeuken, waar ze echter niet onopgemerkt zouden blijven, maar de ergernis zouden opwekken van de buren en opnieuw slachtoffer zouden worden van bruut geweld, van de huiskatten namelijk. Dat wordt vast niks, mompelt Therese binnensmonds en werpt allerlei blikken op de merkwaardige roze nieuwelingen: beschuldigende blikken, blikken van moederlijkheid, van besluitvaardigheid en van het ontbreken van besluitvaardigheid. Radeloos stelt ze eerst een paar vragen ter opheldering van de zaak: of het haar achterkleindochter ooit was opgevallen dat de beestjes ervandoor waren gegaan uit haar kleren, of ze wellicht ongemerkt bezoek hadden kunnen ontvangen terwijl Josepha sliep, of ze wellicht niet goed had opgelet in de kelder bij het opslaan van de aardappelen en of haar kleren daarbij wellicht ooit vochtig waren geworden van een restantje mannelijke zaad vrijgekomen bij het liefdesspel van de muizen? In elk geval hadden ze al een hele tijd geen ratten gezien in huis, terwijl de muizen bijna ongehinderd de voorraadruimtes in- en uitgingen, om maar niet te spreken over de sporadische rooftochten van het te vondeling gelegde meikatje. Muizen? Josepha ontkent de hypothese, die haar niet bevalt, ten stelligste, maar Therese verwijst naar muilezels en muildieren, naar een krantenartikel over een in de dierentuin van de hoofdstad van het district geboren tijguar en naar haar lieveling uit haar jeugd, Schmodder, een wezen dat was voortgekomen uit een jarenlange tedere liaison tussen de forse zwarte erfhond en een van de Schlupfburgse koeien in Lenkelischken in Oost-Pruisen. Nee, deze beestjes zijn raszuivere ratten, en aangenomen dat de bevruchting op natuurlijke wijze is geschied, moest een mannelijk dier dicht in de buurt van Josepha zijn geweest – ze walgt er bijkans van. Of wellicht Erika Wettwa...? Dat moet het zijn. De draagtijd wijst erop dat de kinderen in een geheim complot voor de liefdevolle bespringing van de Siamese ratten hebben gezorgd. Nu schiet Josepha ook Adrian Strozniaks verwoede vermenigvuldigingspoging met behulp van een zakmes, destijds aan de rand van het kermisterrein in G., weer te binnen, ja zeker, de kinderen hadden een geweldige belangstelling aan de dag gelegd, eerder voor het bezit van zo'n Siamees paartje dan voor de diertjes op zich. Met een fijn glimlachje had Erika haar de ratten terugbezorgd en verzocht haar te waarschuwen wanneer *er iets niet in orde* zou zijn met ze. Josepha glimlacht en vertelt Therese waar ze nu aan denkt. Hoewel het eerst het simpelst lijkt om de kinderen met het resultaat van hun enorme inspanning te verblijden, na even nagedacht te hebben begint ze te twijfelen: hoe zouden de ouders van de kinderen zich opstellen tegenover die merkwaardige diertjes? En zouden de kinderen wel voldoende verantwoordelijkheid kunnen opbrengen voor hun dagelijkse behoefte aan voedsel en een schoon hok? Zijzelf had als kind twee marmotjes gehad en die afwisselend in een toestand van anorexia of een vervette lever gebracht, afhankelijk van welke vrijetijdsbesteding haar toevallig het beste uit kwam. Wanneer ze veel van huis was, om te trainen bij de zwem- of gymnastiekvereniging, dan ging het thuis slecht met de knaagdiertjes in hun hokjes. Maar als ze een poosje druk bezig was met fluitspelen of met het oplossen van wiskundesommen, wat regelmatig voorkwam, dan forceerde ze haar ijver door korte onderbrekingen waarin ze de marmotjes alles toediende wat ze maar kon vinden: havermout, harde broodkorsten, engerlingen, die ze in de tuin rijkelijk kon uitgraven, of stukjes appel en wortels, die Therese haar had gegeven met de uitdrukkelijke opdracht die zelf op te eten, omdat er in haar jeugd vaak een tekort was aan verse groenten. Zes jaar hadden de diertjes het afwisselende dieet kunnen volhouden, toen waren ze een paar dagen na elkaar tijdens een periode van karige kost gestorven. Hun snijtanden waren door gebrek aan hard voedsel zo lang geworden dat die over hun onderlip heen waren gegroeid waardoor de beestjes met de beste wil van de wereld hun bekjes niet meer konden sluiten om te kauwen of zelfs maar een klein brokje voedsel op te nemen. Hoewel Therese in disproportionele goedmoedigheid haar achterkleindochter had getroost met de mededeling dat marmotjes toch maar zelden ouder werden dan zes, zeven jaar, had Josepha toch nog lang onder schuldgevoelens geleden. Een schuld overigens, waarvan ze hedendaagse kinderen als Adrian Strozniak of Erika Wettwa niet wilde betichten. Het besluit de pasgeboren beestjes niet in leven te laten, vermag alleen Therese ten uitvoer te brengen, door in een heroïsche daad de beestjes op het hakblok in de tuin te onthoofden en ze tussen de aardbeien te begraven, die het volgende jaar weer zullen uitlopen. Josepha maakt intussen de rattenmoeders voorzichtig schoon met warm water en drukt het colostrum uit hun opgezwollen melkklieren, die ze vervolgens afbindt met een elastieken bandje om hun lijfjes. Ter verkoeling plakt ze met pleisters een zakje ijsblokjes op de buikjes van de diertjes, voordat ze ze in de zak van een schone jurk stopt, om ze het lichamelijke contact waaraan ze zijn gewend niet te onthouden. De rouw van de diertjes blijft dan ook binnen de perken, wat niet alleen Josepha, maar ook Fauno Suïcidor een beetje verbaast, die in dit geval geneigd is een zelfmoord van de Siamese ratten om redenen van postnatale depressie te verhinderen in het vooruitzicht van een veel zinvoller sterven op een later tijdstip. Zelfs had hij de diertjes inspraak willen toestaan, maar ze beginnen al aan het verband te trekken en hebben het zakje allang kapotgebeten en hun tanden in het knarsende ijs gezet. Ze zitten onbekommerd te kijken, heeft Josepha de indruk, als Therese met de bijl terugkomt en een paar tranen wegpinkt. Een bijl in huis, probeert Therese een grapje te maken, bespaart de jammerman. Poging tot een glimlachje. Opluchting. Later hete thee met rum op de overledenen. Josepha begint te vertellen wat er bij de VEB Kalenders en Kantoorartikelen Max Papp is voorgevallen die ochtend. Ze zullen je zwangerschapsverlof wel verlengen, als je dat wilt, heb je goed gedaan, meisje. Je moet alleen oppassen dat je nu niet in hun molens terechtkomt. Wat bedoel je daarmee, Therese? Josepha kijkt haar overgrootmoeder aan met een borende vraagblik. Nou, je moet ervoor oppassen dat je niet moet rapporteren en in de houding staan voor de instantie, dat komt niet goed uit dezer dagen, nu mijn lieve Ottilie weer is opgedoken in de familie. Dat kan problemen geven, begrijp je, wanneer je moet zeggen dat je in de war bent. Het zou het beste zijn dat je zegt dat je ook niet weet waarom je het allemaal hebt uitgekraamd, en dat dat wel vaker voorkomt bij vrouwen. Ik voel me soms ook heel raar, als ik aan Richard denk met mijn gedoe, bijna nog beter dan vroeger, weet je. Terwijl ik vaak de benen heb genomen als er een man achter me aan zat, opdat er geen gevolgen zouden komen, en ík was al zonder gevolgen gek wegens dat gedoe. Waarom zou het met jou anders zijn, meisje, zeg maar gerust dat je vaak heel vreemd bent in je hoofd, dat helpt meestal wel een beetje. Therese herinnert haar ook nog aan Erna Pimpernells fundamentele ervaring met de *bevoegde instanties,* en als het een beetje beter ging met Erna, zou je haar gerust een keer kunnen vragen hoe je het beste kunt omgaan met dat soort dingen. Erna heeft zich de pret ook niet laten drukken, zegt Therese, en toch heeft ze al heel wat keren met haar voet in de klem gezeten. Maar die voetklemmen zijn nu eenmaal zo toevallig rondgestrooid, dat je er heus niet in hoeft te trappen als je een beetje de weg weet. (Josepha voelt het rommelen in haar buik, het bevalt haar helemaal niet, zo verzoonlijk aai-end de haarscheur te vergeten door alledaagse ervaringen. Ze heeft wel zin in de opstand, een beetje de dictatuur en het geloof dwarszitten. Ze wil wat zojuist is opengegaan bij haar niet met melkvet en moedersuiker laten dichtgroeien, die breder wordende spleet in haar huid en haar geweten, die desondanks wat haar lief en haar leven is, niet met bittere gal verstoort. Daarom uiteindelijk die toespraak van vanochtend, die ze heeft gedroomd door toedoen van de schoppen en aanmoedigingen van haar zwart-witte kind, tegen het verzanden van de hersenschors, het dichtsmeren van ver-meteler dromen...)

Als er doordringend wordt aangebeld, denken de twee vrouwen eerst aan lange, magere, door rook verteerde mannen in trenchcoats met opgeslagen kraag, namen schieten ze te binnen als Cary en Burt, John en Peter, en zo stellen ze het opendoen van de deur uit tot er opnieuw nog dringender op de bel is gedrukt, om zichzelf eerst te wapenen met moed en uithoudings-vermogen.

Des te bevrijder valt hun lachen uit als Ottilie, Franz en de kleine Avra-ham Bodofranz binnengelaten willen worden. Bij de laatstgenoemde puilt ter afwisseling de prut weer eens uniformgroen uit zijn van fijne wol ge-breide broekje, de geur past precies bij de angsten van de vrouwen en ge-tuigt van een onplezierige ontmoeting die nog maar kort geleden heeft plaatsgevonden. De angstvallige vraag aan het van hun uitstapje terugge-keerde gezin of ze niet erg zijn opgevallen met het donkerblauwe voertuig en hun Beierse tongval? Of ze naar de weg hadden moeten vragen of wel-licht geen gepast geld hadden gehad voor het lokale treintje? Of ze soms een rekening niet hadden betaald of vergeten waren voor de kleren te beta-len die ze zo royaal hebben ingekocht voor de kleine jongen, dat ze de in grof pakpapier ingepakte dozen slechts met moeite de woning van de Schlupfburgs binnen weten te loodsen en blij zijn als alles een plaatsje heeft gevonden onder het kinderbed: al die angstvallige vragen komen slechts zachtjes uit hun mond en worden ontwijkend ontkend. De Reves-luehs hebben geen zin om antwoord te geven, ze stoten door naar de keu-ken om het kind boven de gootsteen grondig schoon te maken en ten slotte met een warm sopje nog een tweede keer alles te verwijderen wat zo slecht-gehumeurd en tot zweetaanvallen leidend stinkt. Naar de damp te oordelen

moeten ze net een aanvaring hebben gehad met de politie: een uit de herinnering opgediepte vergelijking met de geur die het kind bij aankomst
uitwasemde, doet het ergste vrezen, maar de ouders zijn merkwaardig
terughoudend, niet alleen omdat ze hun zoon aan het schoonmaken zijn.
Die neemt contact op met het zwart-witte kind, dat het heel goed schijnt te
begrijpen en langzaamaan door Josepha wordt benijd om zijn duidelijke
communicatievoorsprong. De hevige bewegingen rond haar longpunten
geven haar lijf een gemaltraiteerd aanzien, wanneer ze een veilig plaatsje
weet te vinden in de keuken en op de stoel tussen de keukentafel en de
gootsteen gaat zitten, waar niemand haar kan verzoeken even opzij te gaan
om er iemand langs te laten. Haar hand legt ze op haar buik en ze meent
de voetjes van het ongeboren kind vast kunnen pakken als ze diep in haar
meegevende huid tast en een ademtocht lang vasthoudt wat haar zo bestookt. Maar de voetjes onttrekken zich al snel aan haar greep en zetten
zich af, het lijfje in de zwangere vrouw maakt een koprol. Nu voelt Josepha
de schoppen van het kind in haar blaasstreek en het verbaast haar niet als
ze begint te druppelen. Bij hevige lachbuien overkomt dat haar ook regelmatig. Maar wat het gesprek van de ongeborene met de Reveslueh-jongen
betreft, dat blijft geheim, hoezeer Josepha ook haar best doet zichzelf vanbinnen af te luisteren en een paar woorden op te vangen. Geheim blijft ook
het onbesproken voorval dat tot de merkwaardige spijsvertering van het
kind moet hebben geleid, en als de vier volwassenen 's avonds rond de
huiskamertafel zitten en met een paar spelletjes canasta de tijd proberen
te doden die de dag nog heeft overgelaten, weten de spelers uit het Westen
niets van Josepha's toespraak van die ochtend en van de zo dicht op de
huid plaatsgevonden hebbende rattenbevalling, terwijl de spelers uit het
Oosten niets vernemen over bepaalde gebeurtenissen tijdens het uitstapje
naar de hoofdstad van het district. Hoogstens wat de dag aan inkopen heeft
opgeleverd hebben ze even verbaasd kunnen aanschouwen. Therese probeert daarom het spel hoog te spelen door dochter en schoonzoon uit te
nodigen mee op reis te gaan en een volgende etappe van de Gunnar Lennefsen-expeditie samen te bekijken. Ottilie en Franz hebben natuurlijk
geen idee van wat ze bedoelt. Hun negatieve reactie op het voorstel valt
relatief categorisch uit, tenslotte hebben ze ook vroeger nooit aan bewust-
zijnsverruimende trips of bijeenkomsten van sekten deelgenomen, zeggen
ze, en ze zouden niet weten waarom ze dat nu, op vreemd terrein, wél zouden doen. Ze stellen zich een oefening voor om hen in te voeren in de
mentale grondhouding die in dit land gebruikelijk is, vermoedt Josepha,
en ze kan een grijns niet onderdrukken, maar ook mengt zich in haar spottend gekrulde lippen al snel medeleven: wie weet wat die twee vandaag is
overkomen dat ze zo de rillingen hebben. Ze negeert Thereses uitnodiging,

die wellicht ook een poging is de familieleden werkelijk nader tot elkaar te brengen, door een fles van de de tongen losmakende fruitwijn uit Richard Runds voorzorgshalve aangelegde depot in de voorraadkamer te ontkurken en die te serveren in de hoge glazen op groene stelen, die volgens Thereses verhalen de jonge Marguerite Eaulalia Hebenstreit in haar korte huwelijk met Josepha's vader heeft ingebracht en die ze als huwelijksgeschenk van haar pleegvader had gekregen, de dierenarts in G., die bij de geboorte van de Hebenstreit-tweeling Benedicta Carlotta en Astrid Radegund in januari van het jaar 1925 voor een goede afloop had gezorgd. Slechts zelden komen die glazen op tafel. Als de eerste slok na wederzijdse toasten door de kelen stroomt, laat de kleine Avraham Bodofranz in zijn diepe slaap een luid gesteun horen, dat ook in het verdere verloop van de avond steeds hoorbaar is wanneer de glazen naar de mond worden gebracht. Natuurlijk valt dat alleen Therese en Josepha op, terwijl het echtpaar Reveslueh zich alleen maar in hun rust gestoord voelt door het kind en, als een van beiden even gaat kijken, verbaasd is dat het diep en vast slaapt. Genealogia, de godin van de familieclanvorming, heeft onder het bedje domicilie gekozen, midden tussen de oostelijke kinderkleren, en prikkelt het slapende kindje door uitwasemingen van hevige welwillendheid, die steeds bijzonder intensief zijn wanneer de glazen met de groene stelen elkaar aanraken bij het proosten en de drinkers elkaar elke keer een beetje dieper in de ogen kijken. De stevige jongen, Genealogia meent haar doel al te hebben bereikt, bevalt haar zo goed, dat ze achtereenvolgens diverse aanzetten tot familieclanvorming de revue laat passeren: de huwelijkssluiting van de knopenhandelaar Romancarlo Hebenstreit met Carola geb. Wilczinski, de vergeefsheid van het huwelijk door de dood van de tweeling alsook van de ongeboren kleinzoon van Therese in het brandende Dresden in het jaar 1945; het veiligstellen van de bemiddelingspoging van een Schlupfburg-Wilczinski-relatie door een derde, Willi Thalerthal namelijk, die zijn dochter Marguerite Eaulalia in de gehuwde Carola Hebenstreit een onderkomen liet zoeken, welke dochter ter wereld kwam zonder dat hij het wist en die jong stierf bij de geboorte van Josepha, in wie zij echter een eerste krachtig resultaat van het streven van Genealogia op aarde achterliet; het huwelijk van Bodo Wilczinski, de vijftigjarige portier van een inrichting in het Beierse N. en broer van Carola Hebenstreit, met de sinds het eind van de oorlog onaangeraakt gebleven Ottilie Schlupfburg in 1955, en het schijnbaar vergeefse einde van die relatie tijdens de laatste ejaculatie, waarbij Bodo zijn leven uitblies en, door zichzelf uit te schakelen, zijn zaad toch nog voorzag van het vermogen tot voortplanting, wat echter pas twaalf jaar later door de droge stoten van Franz Reveslueh in de op middelbare leeftijd gekomen Ottilie bevestigd zou worden. De kracht van de drie vaders, die Avraham Bodofranz meekreeg op zijn levensweg, zou, dat weet de godin zeker, de ontwikkeling der dingen onomkeerbaar maken. De oude Jevrutzke was de eerste geweest die Genealogia's teken had begrepen en het vruchtwater, waarin Senta Gloria Amelang op de keukentafel van het sociaal-democratische huishouden van haar ouders bij het station Holländerbaum in het Oost-Pruisische Königsberg de wereld tegemoet was gezwommen, had opgevangen met het doel er een vrucht mee te aborteren, en die het vruchtwater aan Therese Schlupfburg had toegediend in 1916, waardoor die, tijdens een tetanusinfectie gepaard met hoge koorts, een tweede in de maak zijnd kind van de tedere August kon uitzweten. De vooruitzichten van Ottilie een gezapig meisjesleven in familieclanvormende vruchtbaarheid te leiden, hadden daarmee versterkt moeten worden, terwijl de zo spoedig volgende tweede zwangerschap haar moeder tot een innerlijke afhankelijkheid van de tedere August zou hebben gebracht. Maar daaraan had ze niet meer kunnen ontsnappen door een keurig huwelijk te sluiten, en ze zou ver vóór haar tijd ten onder zijn gegaan aan psychische bloedingen. Dat had Diploida haar goddelijke zuster in elk geval voorspeld en dat ze haar had verzocht voorzorgsmaatregelen te treffen in het belang van Fritzje, wiens ene helft allang in Therese lag te wachten op zijn Erbsse pendant, waarvan Geneologia destijds veel meer resultaat verwachtte dan ze later werkelijk zou kunnen benutten voor haar ingreep in de loop der dingen: Erbs werd dement en stierf. Het eerste kind van Fritz Schlupfburg kwam niet verder dan een foetus, ook hij raakte voor lange tijd zijn herinneringsvermogen kwijt. Of hij in het verre Amerika nog een keer vader was geworden, zou voorlopig onbekend moeten blijven, en het als kind adopteren van Gunillasara had slechts ter vereffening van schuld en schulden kunnen dienen die het meisje belastten, sinds Genealogia op momenten van onachtzaamheid haat en geweld had laten binnendringen in haar werk. Maar de zuigeling om wie ze vandaag als een wolk heen hangt, acht ze beter geslaagd dan welke zuigeling ook, zodat ze op het punt staat zich op iets anders te richten, een nieuwe taak te zoeken en alleen nog even langskomt om afscheid te nemen en vaarwel te zeggen in de zekerheid uiteindelijk succes te hebben geboekt, ook al heeft ze daar een driekwart eeuw aan moeten werken.

De aandacht die de dierenarts uit G., in de jaren vijftig al overleden, voor de jonge Marguerite Eaulalia opbracht, heeft Genealogia waarschijnlijk voor een groot deel in de kaart gespeeld, al was dat niet opzettelijk en gewoon vanuit een gevoel van verantwoordelijkheid, dat hij tegenover Carola Hebenstreit, zijn enige menselijke patiënte, sinds die gedenkwaardige dag in januari van het jaar 1925 had gekoesterd. De godin is hem dus dank verschuldigd en laat elke greep naar de glazen met de groene stelen vergezeld gaan van een diepe zucht, die ze door de kleine Avraham Bodofranz heen naar het aardse stuurt. De drinkende familieleden overstemmen uiteindelijk de kinderlijke geluiden, met danig losgemaakte tongen dansen ze om alles heen wat ooit in dit verhaal een heet hangijzer genoemd had kunnen worden. Als het echtpaar Reveslueh naar bed gaat, loomheid maakt hun ledematen bijna te stram om de tocht naar de slaapkamer nog te kunnen maken, zodat ze het liefst meteen op de bank in de woonkamer in slaap vallen, geeft Josepha de bijna dommelende en dromende Therese een onmiskenbaar teken dat ze het gunstige tijdstip nu toch nog wil benutten voor een etappe van de Gunnar Lennefsen-expeditie, en meteen verwijdert de oude vrouw al het schuim uit haar blik en kijkt helder in de toekomst van deze nacht, ze haalt het expeditiedagboek erbij en fluistert op het tweede uur van de nieuwe dag haar spreuk.

28 september 1976:
Tiende etappe van de Gunnar Lennefsen-expeditie
(Trefwoord in het expeditiedagboek: VADERLOOSLOT)

Tegelijk met het lawaai van een kermis stijgt het imaginaire doek op uit het gat in het midden van de kamer, zodat de twee reizigsters elkaar verschrikt aankijken en vrezen dat het echtpaar Reveslueh er wakker van zal worden, maar een inspectietocht door het huis bewijst dat alleen hun eigen zintuigen openstaan voor het kabaal: op de gang is het stil en zwart, alsof de nacht daar is weggekropen. Op het doek in de kamer daarentegen huppelt de driejarige Josepha aan de arm van haar vader en mede in gezelschap van een stevige dame over de kermis, die ondanks de afstand in de tijd zonder veel moeite te herkennen is als de kermis in de hoofdstad van het district. In haar vrije hand draagt het huppelende kind een wel dertig centimeter lange braadworst, waaraan ze af en toe zuigt, zonder er een stukje van af te bijten. O, Josepha herinnert zich de allang verdwenen smaak nog goed, die haar vader 'gevogelte' noemde en die voorbehouden was aan deze dunne, lange worst, die je alleen op de kermis kon kopen en die daarom een kostbare ervaring betekende in de ontwikkeling van Josepha's smaak. Ook haar vader at meestal zo'n worst, stopte die echter al happend in hoog tempo in zijn mond en was er allang mee klaar als Josepha er nog met intense voorpret op zoog zoals ooit aan Thereses zuigflesjes magere melk met worteltjessap. De Josepha in de woonkamer wil graag het gezicht van haar vader op het imaginaire doek zien en wacht tot hij zich naar haar omdraait. Ook de kleine Josepha op het doek schijnt er moeite mee te hebben oogcontact te maken met haar vader: met kleine pasjes beschrijft ze halve cirkels om zijn lichaam, trekt aan de panden van zijn bruine manchester jasje of aan de messcherpe vouwen in zijn broek met omslag. Dorre kastanjebladeren op de grond en de hoofddoeken van de vrouwen verraden het jaargetijde: het is herfst, die met een helder schijnsel boven de zonnige dag troont. Het lukt de Josepha op het doek niet de blik van haar vader op zichzelf te richten, en ze wordt door Therese meegetroond naar een langzaam ronddraaiende carrousel met wippende paardjes en bontbeschilderde wagentjes. Ook Therese wil Rudolph Schlupfburg niet in de ogen kijken, hij draait zich niet om als het kind nog een keer naar hem zwaait en roept dat ze meteen weer terugkomt, ze wil alleen maar even op het paardje rijden en roept en wordt overstemd door de luide muziek. Ongezien blijft haar verbazing dat haar vader haar niet kan horen van zo dichtbij en niet nieuwsgierig is hoe ze er als kleine amazone uitziet. De Josepha in de woonkamer heeft een brok in haar keel, ze kent die kinderblik van een foto die een paar jaar boven Thereses hoofdeinde in de lijst hing en waarop ze is afgebeeld met haar popelinenjasje aan, dat nu op een paard op en neer beweegt op het ritme van de rondrit en er helemaal niet vrolijk uitziet, maar stil van de schouders van het kleine meisje hangt, die naar de neuzen van haar schoentjes kijkt en slechts heel even probeert of ze kan glimlachen. Therese wil het bewijzen en drukt op de ontspanner. Klik, zo blijft een vrolijk te noemen uitstapje naar de kermis voor latere jaren in Josepha's herinnering bewaard. Nu valt het haar op: het meisje glimlacht helemaal niet, ze knijpt haar ogen samen in het licht van de zon, haar kleine jasje is wijnrood en heeft goudglimmende knopen, wat de zwartwitfoto tot dusver niet prijsgaf. Een paar spatjes, waarvan Josepha dacht dat het vetvlekken van de braadworst waren, glanzen donker en geven nu toe dat ze tranen zijn uit de ogen van het kind daar hoog boven op het bonte paard. Zo heeft ze het nog nooit gezien en ze weet dat het toch klopt wat zich daar afspeelt op het imaginaire doek. Therese, met alles bepalende lachrimpels, tilt ten slotte het kind van het paard, veegt de al droge traansporen met een beetje spuug van haar gezicht en koopt een bolletje ijs, dat ze echter niet wil hebben en met een stuurs gezicht op de smerige grond gooit. Therese besteedt er geen aandacht aan en troost haar met kusjes op haar haar en haar voorhoofd. Sujasuja-kindje. Piep zei de muis. Josepha's verlegen lachje stokt en zet zich vast tussen oren en mond terwijl ze op haar vader wacht, die echter niet komt. Nu begint ze aan een ontdekkingsreis over de kermis. Een keer of tien stelt Therese voor naar huis te gaan, haar vader zal heus na een poosje wel weer opduiken. Maar nee! niet! het protest van het kind vertoont alle aspecten van gezeur en koppigheid die je veelvuldig kunt waarnemen tussen de kramen en carrousels, wanneer er om nog een ritje in het reuzenrad wordt gebedeld of om nog een ijsje of nog een handvol loten uit de loterij, die kans bieden op de enorme pluchen beer, opgehangen in de herfstwind aan het dak van de loterijkraam, schommelend, met een verbaasd teddyberengezicht. Bloedrood zijn de geschoten rozen van was, die Therese van de grond opraapt en aan de man wil geven die ze heeft laten vallen. Het grienende kind aan Thereses arm brengt de middelbare rozenverliezer er ten slotte toe de bloemen met een nederig gebaar in het vochtige knuistje van het kleine juffertje te stoppen en een kus te drukken op het mollige handrugje, de vier kuiltjes prijzend die zich op de plek bevinden waar de vingers beginnen. Maar bij de Josepha op het witte doek kan er geen lachje af, geen rondje vrijspraak voor volwassen mannen of opmonterende overgrootmoeders, ze staat te pruilen aan de rand van de kloof die tussen de liefde van het kind en het verdwijnen van de vader is ontstaan en die in de jaren daarna steeds wijder zal worden tot er een enorm ravijn is gevormd. Met rozen getooid trekt het tweetal verder door de aanzwellende wind, schemering manoeuvreert zich al tussen de geïllumineerde kermisattracties en begint gezichten te verzwelgen die Therese graag in de ogen had gekeken, als het kind niet zo tegenstribbelend aan haar hand trok. Een kraam met bisschopwijn tovert ten slotte haar vader te voorschijn, laat hem zich losmaken vanuit een groep geheimzinnig kijkende mannen, tussen wie een grote vrouw zich verstopt achter een harde blik en grove werkhanden waarvan de nagels de topjes van de vingers niet bereiken, maar, halverwege afgebeten, in bloedige en korstige wonden eindigen. Het kind heeft de relatie tussen de vrouw en haar vader allang in de gaten, terwijl Therese nog staat te kraaien van vreugde over het weerzien. Waar hij toch heeft uitgehangen de hele tijd? En of de bisschopwijn hier soms beter smaakt dan thuis bij de warme kachel? Of het echt nodig is om hier rond te lummelen met al die lui en zijn kind domweg in de steek te laten, terwijl het algauw november is en er dus nog genoeg tijd is voor bisschopwijn? Haar vreugdekreten gaan alras over in geraas en getier en ze kijkt haar kleinzoon met verbittering in haar blik aan. En de kleinzoon wil de vrouw helemaal niet aankijken, aan wier rok Josepha trekt en naar wie het kind smekend opkijkt. Daarom roept hij op norse toon het kind bij haar naam en sjokt weg, in de schaduw van Therese, en merkt intussen helemaal niet dat het kind niet achter hem aan komt. Radeloos kijkt nu de vrouw bij de bisschopwijnkraam in de ogen van het onbekende meisje en ontdooit een beetje, bijt even op haar nagelstompen en haalt iets uit haar tasje: brokkelige chocolade haalt ze te voorschijn, in perkamentpapier verpakt en een beetje vuil door allerlei rommel die nu eenmaal altijd in vrouwentasjes zit. Josepha aarzelt of ze de haar aangeboden lekkernij zal aannemen, maar dan stopt de vrouw het pakje al in de zak van haar rode jasje, bukt nog een keer en neemt het meisje op haar arm, blaast haar haar tegen de windrichting in uit haar ogen en van haar voorhoofd en rent achter haar vader aan, naar wie ze ten slotte *Rudi* roept, beschaamd en vragend, maar dan harder en bij het kleiner worden van de afstand met meer nadruk: *Rudi, Ruuudiii!, je kind, of wat?* (Of wat, denkt Josepha terug, of wat?) De man met de plotseling zo vreemde naam kijkt nu om en wéér om, pendelt tussen de martiaal voortmarcherende Therese en de vrouw met zijn dochtertje op haar arm, die hem eindelijk heeft ingehaald en het kind met een vriendelijke blik aan hem overhandigt. Zo vriendelijk dat hij, met Josepha op zijn arm, zijn tong tussen haar lippen duwt en haar strogele haar in de war brengt. Josepha kan het goed zien, ze schrikt een beetje van het spel dat de volwassen tongen met elkaar spelen, maar verbreekt met haar plotseling uitgestoken wijsvinger de speekseldraad die hun monden bij het uiteengaan nog verbindt. Haar vader moet lachen en ook de vrouw trekt tussen haar oren een brede mond, maar zegt niets. Als *Rudi* het kind op de grond heeft gezet, alweer achteloos, en het achter de bijna uit het zicht verdwenen Therese aan stuurt, gehoorzaamt de uitgeputte Josepha, ze kijkt nog een paar keer om en kan in het schijnsel van de lantaarns zien hoe haar vader de vingertoppen van de vrouw langs zijn lippen laat glijden. De voorstelling dat haar vader tot bloedens toe op de nagels van de vrouw bijt, laat haar zo snel niet meer los.

Thuis stookt Therese, hoewel het daar de tijd niet voor is, de badkamerkachel op met perenhout en kolengruis, de hete damp stijgt later op uit de volle badkuip, laat de ramen en de spiegel beslaan en zorgt ervoor dat Josepha in de mist het gezicht niet ziet waarmee Therese de vraag waar haar vader blijft probeert te beantwoorden. Hij zal de hoofdprijs wel hebben gewonnen, bromt ze in de hitte. De hoofdprijs.

Het imaginaire doek trilt in de zwoele warmte van het bad en legt een dun laagje vocht op de ruiten van de Schlupfburgse woonkamer. Tussen Josepha's borsten loopt een stroompje zweet in de richting van haar navel. Ze giechelt, wat een vreemde indruk maakt en Therese dreigend haar hand doet heffen. En nu gebeurt er iets wat voor Josepha zo'n enorme stijlbreuk betekent dat het haar bijna met weerzin vervult tegen Gunnar Lennefsen en zijn drastische methode: het doek maakt zich los en zwaait terug naar Rudi in een schamele kamer met een kast en een bed en een wastafel, waarop een met water gevulde porseleinen lampetkan en een schoongeschuurde schaal op het einde van een paring staan te wachten. De onderhuurster rijdt Josepha's vader naar het einddoel van zijn begeerte, zou je denken, maar voordat het zover is, onderbreken de twee geliefden steeds weer de vergetelheid van hun bewegingen en richten zich op de ander. Rudolph zuigt met grote tederheid op de vingers van zijn kermisgeliefde, overtuigd van de heilzame werking van menselijk speeksel en vol medelijden, de vrouw lebbert zijn tepels groot en bloeiend, zodat ze steeds donkerder van kleur worden en uitsteken boven het mannelijke, vlakke land. Ze lachen wanneer de vrouw een stuk chocolade in de duidelijk zichtbare kuil van het borstbeen van haar metgezel legt en in de hitte van het gevecht op het smeltpunt wacht. Inderdaad gaat na een paar minuten bijna zwijgend toekijken de bruine brok op weg naar de navel van de man, steeds een beetje kleiner wordend, tot hij ter hoogte van zijn taille een haakse hoek maakt en langs zijn flank naar beneden glijdt. Daar slobbert een zalmrode mond het schaarse restje op, een natte tong wist energiek het spoor uit en bezorgt Rudolph Schlupfburg nieuwe opwinding, die hem terugdringt naar zijn geliefde, hem haar kont doet optillen van zijn knieën om die vervolgens op zijn pik te laten zakken en op en neer te laten dansen, alles of niets, hij zal wel zien waar hij uitkomt, maar dan begint hij al te kermen. Zij maakt geen geluid en is geil, een puddingbroodje, hij durft haar nauwelijks te beroeren met handen en mond, ze gloeit, maar aanraken kan hij haar al bijna niet meer, zo slap valt hij neer op het laken. Ligt daar als gebroken, terwijl zij nu begint te lachen en hem af- en schoonlikt met haar grote tong. Dat bevalt hem niet zo erg, hij duwt geïrriteerd haar gezicht weg, maar ze lacht en peinst er niet over dat met haar te laten gebeuren. Dan opent hij, kwijlend, zijn bijna niet meer gehoorzamende mond en houdt een korte uiteenzetting die uit twee woorden bestaat: *refractaire fase...*, glimlacht dan schaapachtig, waarbij zijn oogappels onafhankelijk van elkaar beginnen rond te rollen en draait zich met zijn laatste krachten op zijn buik. *Ha ha, refractair*, joelt de grote madame, gaat weer boven op hem zitten, nu boven op zijn rug tronend, en nadert met haar lippen zijn voeten, waarvan ze de zolen ten slotte met grote overgave likt. Haar borsten raken daarbij zijn knieholten aan, zodat die beginnen te koeren, glijden omhoog tot aan de aanzet van zijn billen en blijven even boven de mannenkont hangen, voordat de vrouw zich naast hem op het bed laat vallen en het opgeeft, alleen nog haar vingers in zijn mond duwt, waarschijnlijk omdat ze zich bewust is geworden van de helende werking van zijn speeksel. En inderdaad, als ze haar vingers na een poosje in het licht van het bedlampje houdt, zijn de bloedige korsten verdwenen, de randjes van de nagels recht. Weliswaar zijn ze nog niet erg veel langer geworden, maar ze zijn klaar om aan te groeien. Josepha vindt het gênant wat ze ziet. Zo benoemt haar hoofd in elk geval het gevoel dat de aanblik van haar de bijslaap beoefenende vader bij haar oproept. Een beetje verbaast het haar toch, ze beschouwt zichzelf immers als verlicht en op de hoogte van alle lusten en bronstigheden, waarom zou uitgerekend haar vader een uitzondering moeten vormen op zulke begeerten, hoe had hij anders die twee dochters op de wereld kunnen zetten, haar halfzusters, aan wie Josepha zich slechts vaag herinnert als degenen naar wie Therese lang geleden verwees om het steeds vaker wegblijven van haar vader op de afgesproken weekends te verklaren, waarbij ze op spottende toon ook af en toe over de ongelooflijke geilheid had gesproken die een eigenschap was van die kerel, en waaraan geen vrouw, hoe kuis of bitter ook, weerstand kon bieden. Rudolph Schlupfburg was dus tussen gebraden worst en reuzenrad ontsnapt aan de familieclan, was door een grofgebouwde vrouw van twee meter lang met afgekloven nagels en een grote liefde voor kleverige chocolade een andere relatie binnengereden geworden. Tijd om zich te verbazen. Verbazing, waarom Therese noch de opgroeiende Josepha ooit serieus op zoek is gegaan naar het adres van Rudolph Schlupfburg, nadat hij zich aan touwen uit hun torenkamers, hoog boven zijn verlangens en lichamelijke liefde en zelfstandigheid, naar beneden had laten zakken. Josepha had toen helemaal op haar overgrootmoeder terug moeten vallen, en, zoals ze zei, liever klinkklare munt aanvaard dan te zitten wachten op de altijd uitblijvende alimentatie van haar vader. De tweemetervrouw was Josepha regelmatig tegengekomen toen ze een klein meisje was en haar vader van de fabriek waar hij werkte had willen afhalen en steeds net dat ene moment te laat kwam waarop *Rudi* een reep chocola uit de diepte van zijn jaszak haalde en aan zijn geliefde overhandigde. Angstaanjagend had ze haar nooit gevonden, gevaar noch afstandelijkheid straalde ze uit, zodat Josepha zich nu afvraagt waarom die vrouw geen lid is geworden van de Schlupfburgse familieclan en geen poging heeft ondernomen een beetje van haar onhandelbare stiefdochter te gaan houden. Zelf uit de familieclan stappen, dat overweegt ze niet als een mogelijkheid, als een kans zelfs of als een vanzelfsprekende vrije keuze, daar steekt Genealogia een stokje voor. Dat Rudolph op die dag midden op de kermis het vaderlooslot trok: uiteindelijk zou Josepha daarvoor een hoge prijs betalen en er geen weet van kunnen hebben dat het de oude moederloosschuld van Therese was die ze, al ervend, vereffende. Ook in Josepha's verlorenheid treedt Therese jarenlang op als reddende moederengel en heeft intussen haar mannelijke kinderen, haar kleinzoon en haar zoon, verdreven naar een afgelegen plek in haar hart. En ze beweert toch een expert te zijn inzake liefde en liefdesperikelen? Valt dat wel te rijmen? Josepha zou haar vader het liefst een rotschop verkopen als het waar is dat hij haar zomaar, zonder zich te verzetten, door Therese heeft laten aftroggelen, zich schikkend in haar argumentatie. Of wat was het dat hem definitief had verdreven van zijn eerste eigen kind naar zijn andere kinderen? De blik waarmee Josepha naar Therese kijkt, is bijna hoorbaar, zo slingert ze vanuit haar ooghoeken de vraag in haar richting, een sissende pijl, die Therese tussen haar ogen lijkt te verwonden, in elk geval slaat ze haar hand tegen haar voorhoofd, jammert en geeft zich bij wijze van uitzondering over aan haar eigen sprakeloosheid: ze is geraakt, echt, en probeert zich een houding te geven door strak naar het imaginaire doek te blijven kijken, waar ze zo-even nog ver vanaf leek te staan met haar verbazing. Zullen we zoete broodjes bakken met oma? fluistert zojuist Rudolph Schlupfburg in de flapoortjes van zijn dochter, en een luid JAAA! uit de kindermond maakt de vraag meteen zinloos. Josepha denkt dat het een leuk spelletje is wat haar vader voorstelt. Dat Therese hem zojuist heeft ingepeperd Josepha onder geen voorwaarde mee te nemen naar G., naar het warme nest van zijn nieuwe leven, dat ze hem van alles heeft verweten onder verwijzing naar de persoon van zijn oom Fritz, heeft ze niet gemerkt in haar bedje. Ook Fritz ging altijd vreemd, staat Therese te tieren in de keuken, met tante Spitz en met die vreemde vrouw, met wie hij ook nog eens schaamteloos is getrouwd, *stronteigenwijs* als hij was. En nu was het echt de druppel die de emmer deed overlopen zoals hij, Rudolph, zich aan zijn verantwoordelijkheden heeft onttrokken en door z'n knieën gaat nu er een vod langskomt! En met alle gaatjes voost waar hij lucht van krijgt tegenwoordig, nu mannen weliswaar nog altijd zo schaars zijn, maar dat hij dat niet als een vrijbrief mag opvatten! Erop los vozen, dat is niets vergeleken bij de heilige plicht die zij op zich heeft genomen door hem op te voeden. En die plicht vervult ze nu ten aanzien van haar achterkleinkind! Thereses huid verkleurt, ze gaat verschrikkelijk tekeer, terwijl *Rudi* aan het bed van zijn kind schuldigen zoekt voor deze ontsporing. Betoverend was ze geweest, zijn grootmoeder, als ze aan zijn bed het verhaal over Fasil en Nymrachord vertelde, tot ze in slaap viel en Rudolph haar handen en voorhoofd kuste tot ze weer wakker werd. Was het heerszucht geweest die haar aan hem bond? Of kwam die pas later, toen ze die merkwaardige dingen verleerde, waarop hij ooit zo gesteld was geweest? Ze had hem opgedragen zijn ogen dicht te doen en zich zijn mama voor te stellen. Wanneer zijn moeder dan verscheen, sprak ze tegen hem, en hij antwoordde met gesloten ogen op haar vertrouwen, dat ze uitsprak, hem op een dag te vinden en hem tegen zich aan te drukken, zoals hij graag had. Hij mocht de handen en de armen van zijn moeder aaien, alleen moest hij tijdens het gesprek zijn ogen stijf dichthouden. Wanneer het hem ten slotte was toegestaan ze weer open te doen, zat Therese in het betoverde licht en ondervroeg hem over wat zijn moeder allemaal had gezegd en of hij haar ook had kunnen ruiken in zijn tijdelijke blindheid. Hij had zich gelukkig gevoeld dat hij Therese uitvoerig over de ontmoeting met zijn moeder kon vertellen. Hij kon het niet laten scènes te schilderen die hij zelf verzon, gesprekken weer te geven die niet hadden plaatsgevonden. Bijvoorbeeld had hij haar nooit naar zijn vader durven vragen. Maar Therese spiegelde hij voor wat Ottilie hem had geantwoord op dergelijke vragen: een commissaris van politie had ze uitgezocht als zijn vader, een correcte, plichtsbewuste ambtenaar, die in de uitoefening van zijn beroep door een boef van de allerergste soort was doodgeschoten. Twee weken voor de bruiloft, en ze had hem kort daarvoor toegestaan haar één enkele keer zijn liefde te bewijzen. Het had hem nooit verbaasd dat zijn moeder achter zijn oogleden de volgende keer altijd over de episodes sprak die hij zelf voor Therese had verzonnen. Toen hij volwassen werd, had zijn overgave aan Marguerite Eaulalia's zwakke constitutie voor Therese geen gevaar betekend, deze had haar niet kunnen aantasten in haar dominantie, zodat ze zichzelf waarschijnlijk voorkwam als moederende vrouw over twee kwieke kuikens, die er nog enige tijd van werden weerhouden uit het raam te vallen en te gaan vliegen, wat ten slotte helemaal niet meer zou gebeuren ten gevolge van Marguerites vroege dood bij de geboorte van Josepha. Therese won, scheen het destijds, definitief de race: nadat ze de moeder en de vrouw al had verslagen, moest nu Josepha het belangrijkste punt worden van haar offensief, en een bastion vormen te midden van het nieuwe vaderland aan deze zijde van de in 1949 kennelijk definitief vastgestelde grens. Hoe moeilijk het Josepha ook valt, er is een land achter de landen die je je voorstelt, dat nog niet helemaal ontdekt is en moeilijk onttoverd kan worden vanuit een jong leven. Thereses levenslange zorg in dit licht niet ongeldig te verklaren, valt haar moeilijk als het imaginaire doek midden in de kamer in elkaar dreigt te storten en nog één keer het draaiorgelgeluid van een kermis laat horen. Josepha schiet er meteen op af en grijpt in de zwarte opening: ze vindt het vandaag nog lang niet genoeg met het vaderlooslot, het grootmoederdom en de heerszucht, ze wil het naadje van de kous weten en ook waarom haar vader zich zo liet afpoeieren in zijn volwassen leven, terwijl zij toch altijd had geloofd zijn grote lieveling te zijn, toen hij nog bij hen woonde en samen met haar aan de ontbijttafel had gezeten. Hoe anders reageert Therese: ook zij staat plotseling bij het gat maar probeert het doek terug te stoppen, waarvan Josepha nog net een punt te pakken heeft weten te krijgen waaraan ze hevig trekt, waarbij ze helemaal geen acht slaat op haar dikke buik en op het verzet van Therese. Eindelijk heeft ze het doek stevig beet, zodat het fladdert, opbolt en diagonaal door de kamer komt te hangen. Therese laat los, twee tranen, het worden er spoedig méér, komen uit haar ooghoeken te voorschijn, glijden langs haar wangen midden in de gerimpelde zone van haar lippen, ze likt het zilte vocht op, hijgt haar duidelijk zichtbare angst uit voor het verdere verloop der dingen en zwijgt, terwijl het doek over verraad begint te verhalen bij monde van een diklijvige bezoeker in de Schlupfburgse keuken. Hij zit tegenover Therese aan de zelfgetimmerde naoorlogse tafel, maar Josepha's blik door de op een kier staande deur verraadt dat het in de herfst van haar vierde levensjaar moet zijn, de kermistijd. Therese doet de deur open voor het kind, trekt het uit de donkere gang naar de dikke oom, het is avond en het pasgewassen rode jasje, het hoofddoekje dat Josepha daarbij draagt en de bruine kousen met de knopen voor de metalen gespen van het gehate jarretelletje bewegen zachtjes boven de allesbrander. Onder de kachel staan keurig gepoetst de afgetrapte bruine lage schoenen, die, naar Josepha vreest, nog wel een poosje zullen passen en voorlopig waarschijnlijk geen plaats zullen maken voor de begeerde lakschoenen. Therese neemt het kind op haar arm en verontschuldigt zich een ogenblik. Ze loopt de keuken uit, waarschijnlijk om het kind naar haar bedje te brengen en haar te kalmeren en haar uit te leggen dat de dikke oom een aardige gast is, zoals angstige mensen altijd doen. Waarschijnlijk zal ze Josepha de volgende ochtend vertellen dat de oom weer snel is vertrokken, naar huis, naar zijn lieve vrouw en zijn aardige kinderen, die net als de kleine Josepha naar bed moeten om te slapen als het buiten donker is geworden. Weer terug in de keuken zal ze echter surrogaatkoffie zetten in een met veel moeite geredde kan uit Königsberg en de man daaruit een kopje volschenken met een mengeling van dienstbaarheid en vechtlust. Dat dat laatste alleen maar schijn is en met het late tijdstip te maken heeft waarop de dikke man, waarschijnlijk in opdracht van de *bevoegde instantie*, op bezoek komt, wordt duidelijk als de man begint te praten en er woorden als *Rudi, klassenstandpunt, frequent wisselend geslachtsverkeer, werkkamp* en *meldplicht* uit zijn mond komen. Het verhaal dat hij de burgeres Schlupfburg *in het algemeen belang* vertelt, herinnert Therese aan wat ze anderhalf decennia geleden heeft geweigerd aan te horen, toen Fritz over *Kowno* begon en de steen in zijn lijf beschreef die daardoor was veroorzaakt om hem, in plaats van de slachtoffers, te straffen.

Birute Szameitat, spreekt de bezoeker, was zonder papieren tegen het eind van de oorlog opgedoken in Leipzig en had beweerd dat ze uit Bischkehnen afkomstig was. Dus was ze een landgenote, in zekere zin, van burgeres Schlupfburg, als je mevrouw Szameitat wilde geloven. Kort nadat ze onder ede haar identiteit en afkomst had bevestigd, was ze opgenomen in de antifascistische volksgemeenschap en had een baantje gekregen op het gemeentehuis van de geruïneerde stad. Behalve een altijd koortsige blik was niemand iets opgevallen, en zeker niet dat wat mevrouw Szameitat uiteindelijk in het werkkamp zou doen belanden: ze sprak niet alleen Duits, maar ook Russisch en Litouws. De kameraden van de Militaire Sovjetadministratie in Duitsland hadden heel goed geweten wat er met zo iemand loos was. Ze zou zich in handen van de vijand hebben laten vallen als burgeres van de Sovjet-Unie, haar ware afkomst hebben versluierd en zich als vluchtelinge laten registreren. Dat was al verraad genoeg, en dus had men mevrouw Szameitat, wier spionageactiviteiten voor geheime diensten in het Westen ongetwijfeld bewezen hadden kunnen worden, voor vijfentwintig jaar uitgesloten van de rechten van verantwoordelijke burgers en haar ter vergelding in verschillende gevangenissen te werk gesteld. Daarmee had ze geluk gehad, want andere mensen van haar soort waren meteen terechtgesteld volgens de Russische strafwet. Er waren wat haar verleden betrof kennelijk een paar dingen onduidelijk gebleven waarover ze geen opheldering had willen verschaffen. En bovendien waren de kameraden van de Militaire Sovjetadministratie immers ook maar mensen, met een hart voor menselijke zwakheden. Vervolgens had de president van de (hij zei 'onze') staat de goedheid gehad de vrouw in 1955 met vele anderen amnestie te verlenen en haar voor een proeftijd naar de meubelfabriek in G. te sturen. Leipzig was verboden terrein voor haar, en ze moest zich regelmatig melden, zodat ze wisten dat ze nog in de stad verbleef en werkte. Het was toch een goede zaak, zegt de zwaarlijvige bezoeker, dat zo iemand als hij de familie waarschuwt voor die mevrouw Szameitat en voor het eventueel door haar laten opvoeden van een klein kind. Hij stelt de steun van Therese in deze aangelegenheid op prijs, zegt hij, en verzoekt haar met haar handtekening te bekrachtigen dat hij haar heeft geïnformeerd, en zou het kind ooit in handen van mevrouw Szameitat geraken, dan zou de sociale dienst wel maatregelen weten te treffen, daar kon ze zeker van zijn. Therese voert de handeling uit die bekrachtigen wordt genoemd, met trillende hand en slappe knieën, Therese probeert mompelend onder het verwijt uit te komen dat ze bakzeil haalt, Therese berokkent op dit moment haar hart heel wat schade, maar doet alsof ze dat niet merkt. Als het bezoek vertrekt, weet ze nog net op tijd plaats te nemen op het driepotige krukje bij de wasbak en kotst de hele boel onder, zodat het kind Josepha wakker wordt en in de keuken op onderzoek uit gaat. Aan haar witte voetjes kun je zien dat Josepha staat te blauwbekken van schrik over Thereses toestand, ze krimpt ineen en doet twee stappen achteruit als Therese haar mond opendoet en een gulp surrogaatkoffie uitbraakt. Als de koffie uitgekotst is, gaat het gekokhals nog even door, tot er bloed naar buiten komt dat het eind van de aanval bezegelt. Therese neemt het kind op haar arm, wil het nu nooit weer afstaan, legt het in haar eigen bed, en als later Rudolph Schlupfburg thuiskomt van zijn liefje, kan hij Josepha niet meteen vinden, loopt op de tast door het donker, trekt aan Thereses arm en vraagt of ze soms koorts heeft, het kind, of hoest of wat voor ernstigs er anders aan de hand is dat ze niet in haar eigen bedje in de kamer van haar vader slaapt. Therese duwt hem kwaad van zich af en draait haar rug naar hem toe, dat bevalt hem niet, hij trekt de deken weg en eist het kind op. In de hoop het allemaal in der minne te kunnen schikken, loopt Therese weer naar de keuken, gaat met haar kleinzoon om de tafel zitten en gaat zich te buiten aan een van haar bijna dagelijks gehouden toespraken over het mannelijke driftleven in het algemeen en de neukzucht van de Schlupfburgs in het bijzonder. Rudolph staat op om zich zwijgend aan het getier te onttrekken en naar bed te gaan, maar dan slaat ze opeens geschrokken haar hand voor haar mond: nu heeft ze zich toch de bezoeker van die avond laten ontvallen en zijn informatie over de merkwaardige vrouw aan wie Rudolph sinds enige tijd hangt. Nu is Rudolph klaarwakker, neemt haar bij haar woord en bij haar lurven en schudt haar flink door elkaar, sommeert haar het verhaal volledig op te biechten en niets te verzwijgen, anders zou hij weleens niet meer kunnen instaan voor zichzelf. Haar gejammer kan hem er niet van weerhouden haar luchtpijp een beetje dicht te knijpen, zodat het haar zwart wordt voor de ogen en ze, uit angst om het kind, luidt haar rechtvaardiging, Rudolph recht voor zijn raap zegt wat hij wil horen: dat zijn grote vrouw in de gevangenis heeft gezeten, opgesloten wegens landverraad en hoererij, waarbij ze het laatste omwille van het eerste heeft uitgeoefend in Leipzig in Saksen, dat ze zich in G. regelmatig op het gemeentehuis moet melden om te bewijzen dat ze een vaste woon- en verblijfplaats heeft en noodgedwongen eerbaar leeft, dat een kind als Josepha nooit en te nimmer in haar handen mag komen en dat zij, Therese wel voor dat kind zal zorgen zolang het haar vergund is. Rudolph heft zijn hand op om haar in haar gezicht te slaan, maar versteent in zijn beweging en luistert naar het zachte getrippel op de gang. Als Josepha de deur van de keuken opendoet, is hij bezig het kraagje van Thereses nachtjapon recht te trekken en losse haren achter haar oren in de nog volle knot te duwen die ze op haar achterhoofd draagt. Maar het kind ziet haar niet, ze heeft in haar ellende het wit van haar oogappels helemaal naar boven gedraaid en staat met wijd opengesperde ogen in de deuropening, haar afwezige blik op het gat in het midden van de kamer gericht waarin het doek zachtjes fluisterend wegzakt.

Josepha verzoekt Therese naar bed te gaan, het expeditiedagboek voor deze ene keer achter te laten en haar de rust te gunnen die ze haar destijds niet had willen gunnen, toen Rudolph haar had opgetild en naar bed gebracht, weg bij Therese. Smekend was die haar kleinzoon achternagelopen, had om het kind en haar zielenrust gebedeld, helemaal door het dolle heen en zonder het verlossende familieclangedrag dat in andere gevallen kalmering of alleen maar de beproefde blik naar binnen mogelijk had gemaakt, maar Rudolph had gebiedend de deur achter zich op slot gedraaid en was gaan slapen. Josepha herinnert zich een geluid dat soms uit haar eigen mond in haar oren dringt, een bijna klaaglijk tandengeknars. Tussen de kauwvlakken ontstaat een borrelend geluid, haar wangen bollen op en verspreiden toch alleen maar warme wind in de jaren zeventig. Ze moet het van Rudi hebben geërfd, het is een mannelijk erfenis uit de familiegeschiedenis. Het is tenminste iets, denkt ze, en beter dan niets. Dat zou ze toch eigenlijk meteen een beetje moeten conserveren, een beetje stimuleren zelfs. In plaats van de belevenissen op te tekenen in het expeditiedagboek, oefent ze nu bolwangigheid met toenemende vaardigheid en oeverloos geduld. Birute Szameitat heeft bijna nooit zo lang nodig gehad om een man totaal leeg te laten stromen, als Josepha zich nu oefent in droge schuimklopperij. Haar lippen geopend en met vlakke tong, laat ze uit haar keel zuur naar boven komen en ze laat een boer, op de manier waarop een vis, als die dat kon, een boer zou laten. Haar tanden breken het geluid dramatisch, zodat zelfs de herfstige ranken van de wingerd tegen het huis beginnen te bewegen in de septemberkou. Josepha houdt audiëntie voor haar eigen geluid, waarnaar ze al zo lang op zoek is. Weifelend slaat ze het expeditiedagboek open, weer dicht, weer open, het is nu eenmaal niet gemakkelijk om een besluit te nemen, Josepha oefent in het donker boerend schuimklopperij. De toverprinses aan wie prins vader de voorkeur had gegeven boven haar, heette dus Birute Szameitat, wier afgekloven nagels een signaal hadden kunnen zijn, wanneer die niet voortdurend in haar enorme jaszakken verstopt hadden gezeten wanneer ze Rudolph Schlupfburg van zijn werk kwam halen. Josepha verruilt een paar letter van haar kinderhart voor enkele andere en ziet goedkoop vlees liggen op de weegschaal van de slager: runderhart had Therese met voorliefde in een pan gestoofd. Nu weet Josepha waarom ze dat hartgerecht met de bruine saus niet lekker had gevonden ondanks de geur en de afwezigheid van vet tussen de vleessliertjes. Het had haar te veel aan haar eigen hart doen denken en aan de mogelijkheid dat het in één stuk uit haar kinderlichaam zou kunnen worden verwijderd. En mogelijk was het op een andere manier wel degelijk in één stuk uit haar gehaald, toen haar vader op een zonnige ochtend van het jaar waarin ze voor het eerst naar school ging uit het linkerbovenvak van zijn klerenkast een stapel van een stuk of tien verschillende agenda's had gepakt en die voor Josepha op de tafel had gelegd voordat hij haar had uitgenodigd de agenda uit te kiezen die haar het beste beviel... Josepha stelt zich nu voor dat ze Birutes naam destijds al heeft horen uitspreken tussen het geritsel van de zilverpapieren chocoladewikkel en de fabriekssirene door. Hoe had ze die naam voor zichzelf kunnen ontleden? Birute, de groete. Stiefmoedervoete. Birutesproete. Biruteszameitattoenvadernooittijdhad. Tot stiefmoeder had ze het niet meer kunnen brengen na die avond in de herfst, Rudolph had Therese ten slotte geloofd dat hij gevaar kon lopen wanneer hij het risico nam zijn kind aan Birute toe te vertrouwen. Zijn kind, nu volwassen, heeft problemen met het dagboek van de expeditie, maar noteert onder het codewoord toch wat haar nog rest aan vader-hebben, aan dochter-zijn. Scheve zinnen verhalen van voelpennen en vulpennen, van droefenis en vermoeienis, en Josepha gooit het boek gehavend in een hoek als het woord omen voor haar de vorm aanneemt van het meervoud van vrouwelijke voorouders. Dat gaat te ver, dat krijgt iets spookachtigs, denkt Josepha nog, wanneer de slaap, een rondstruinend persoon, zich op haar stort, haar platdrukt, sloopt en verleidt, op de negenentwintigste, de dag waarop de precieze Angelika – maar wie interesseert dat? – haar verjaardag boven op de Burgberg zal vieren, maar ook de dag waarop het echtpaar Reveslueh hun vertrek in westelijke richting zal aankondigen met veel omhaal van woorden en uitvluchtjes. Het zwart-witte kind schijnt te weten dat Avraham Bodofranz hem zal gaan verlaten voor een leven in Beieren. Het schudt aan de ingewanden van de slapende vrouw, heeft lak aan het ritme van dag en nacht en gaat tekeer, zodat de kleine achteroom aan de spijlen van zijn kinderbedje begint te rukken, kraait, zijn Revesluehouders wakker maakt. Die hebben geen idee wat het oproer veroorzaakt, maar zien hoogstens de aura van het spoedige afscheid als de aanleiding voor de onrust en besluiten het kind met thee te kalmeren. Daarvoor moet Ottilie op de tast naar de keuken, venkelvruchtjes fijnstampen en er heet water op gieten, het spul laten trekken en laten afkoelen tot drinktemperatuur, terwijl Franz Reveslueh zijn late kind op zijn slaapslappe knieën neemt, hoppaardjehop speelt en het geschreeuw met grijnzende grimassen beantwoordt. Eigenlijk heeft hij zin om die kwibus een enorme lel voor zijn kop te geven, zoals hij vroeger deed met de hem vreemd gebleven kinderen uit zijn eerste huwelijk. Maar iets gebiedt respect, of het nu de trotse houding van het kind is, of de zelfs sabbelend nog ridderlijkheid uitstralende mimiek van het jongetje op zijn schoot. Ottilie, die wacht tot de aroma's van de venkel overgaan in de nachtelijke thee, verneemt uit de woonkamer plotseling gesnuif en gekreun, alsof er minstens twee mensen omgang met elkaar plegen. Ze laat een ogenblik de thee de thee en doet de deur, waarachter ze het geluid hoort, open. Bij de slapende Josepha ontsnappen uit al haar openingen geluiden die met liefhebben gepaard gaan, haar poriën schijnen verkrampt te hijgen, en uit haar gesloten mond verneemt Ottilie in het donker een boerende schuimklopperij, het borrelende geluid. Geschrokken loopt ze in gedachten de verschillende ziektegevallen af die ze aan het begin van de jaren vijftig bij haar visites aan het Stedelijk Krankzinnigengesticht in het Beierse N. heeft gezien, en houdt het voor epilepsie. Besluiteloos of ze niet op z'n minst Therese moet wekken of maar beter meteen een ambulance kan laten komen, doet ze een stap naar voren en ziet met verbazing het ontspannen gezicht van haar kleindochter. Een epileptische aanval kan dat toch eigenlijk niet zijn, ze hoeft geen wig tussen haar kaken te steken om Josepha's tong tegen haar scherpe tanden te beschermen, er is niets gespannens noch iets verkrampts te zien in het gezicht van de vermeende zieke. Nu denkt Ottilie dat Josepha een medium

is, heeft ze haar niet uitgenodigd deel te nemen aan een bewustzijnsverrui-
mende expeditie? Wanneer dit hier dus de nawerkingen zijn van dat uitstapje, dan mag ze blij zijn dat ze niet is meegegaan, daar is ze de Lieve
Heer dankbaar voor, dat die haar dat in al zijn goedertierenheid heeft bespaard! Maar toch voelt ze hoe een diepe herinnering begint op die plekken
in haar ziel die ze na het eind van de afgelopen oorlog meestal met gehaakte kleedjes en pakjes afkomstig van het welzijnswerk heeft bedekt, en ze
vreest nu dat haar oude bloed weer zal opbloeien om plaats te maken voor
een nieuw kind, zoals in maart, toen ze voor de eerste keer de kleine Avraham Bodofranz op zich af zag komen in de behandelkamer van de psychiatrische kliniek, en ze begint in een aanval van grote ontzetting te beven.
Inderdaad gaat boven haar neuswortel haar voorhoofd een beetje open, om
een klein stroompje bloed te laten ontsnappen dat zich over haar jukbeen-
deren verspreidt, waar Ottilie behoorlijk van schrikt. Of ze wellicht last zal
krijgen van misselijkheid? Of de terugkeer in de familieschoot haar voorhoofd zal doen splijten? Haar neusgaten staan wijd open, de nacht ruikt
plotseling naar soep van de thuisslacht, met stukken rode worst erin en
majoraan, zout en buikspek, gekookte lever en de uitgekookte hand van de
slager, die in de enorme pot naar de erin gegleden schuimspaan zoekt. Zo
rook het in de herfst in Lenkelischken, als op het landgoed van Globotta
het varken voor het personeel werd geslacht en zij samen met Therese en
Fritzje vanuit Königsberg op bezoek was. Therese moest zwoerd en lever
fijnmalen en er darmen mee volstoppen, terwijl de kinderen vele keren per
dag wegrenden met melkbussen waarin de worstsoep klotste en tegen de
beginnende vorst beschermde. Ze legden hun halfbevroren vingers tegen
het warme blik van de melkbussen wanneer de afstand naar de ontvanger
van de soep – en dat werden in de loop van de dag vanzelfsprekend alle
bewoners van het dorp – ver genoeg weg woonde voor een korte pauze.
Ottilie durfde af en toe zelfs een slok van de zoute soep rechtstreeks uit de
bus te slurpen, achteraf veegde ze met de mouw van haar jas de verraderlijke sporen van haar lippen af en verontschuldigde zich voor haar diefstal
met een lichte kniebuiging tegenover de Here Jezus en met nog een kniebuiging tegenover de kleine Fritz voor haar diefachtige drinkzucht. Fritzje
verraadde niets, zolang zijn zuster maar stukjes lever uit haar eigen wang-
zakken viste en in zijn vol verwachting geopende mond stopte. Als het stuk
orgaan tussen zijn sterke tong en de welving van zijn gehemelte verkrui-
melde, voelde hij zich zo prettig dat hij niets anders meer wilde dan zijn
zusje op haar tocht door het dorp vergezellen en zelfs een piepklein melk-
busje dragen waaruit hij echter niet durfde te drinken. Misschien was het
ook wel, denkt Ottilie nu vanaf de afstand van een gescheiden leven, dat
het mijn eigen smaak was die de jongen zo beviel. Zo erg beviel dat hij

helemaal verslaafd raakte aan de soep. Met Wilczinski is het met zijn lijfelijke geneugten ook zo gegaan, dat hij zo verslaafd aan me raakte en aan
hoe ik smaakte. Ottilie glijdt van de geluiden producerende slaapster richting het Schlupfburgse familieverleden. De pijnloze voorhoofdswond gaat
sissend en dampend dicht, zoals een vrouwenlichaam nu eenmaal dicht
kan gaan, en laat een teken achter zo groot als een erwt, een Fritz-vaderte-
ken?, dat verschillende kleuren vertoont. Ottilie kan dat zelf niet zien, maar
zowel het gevoelige Beierse kindje als ook diens alimentatie-vader slaat het
met verbijstering gade, als ze na een poosje met de geurende thee in een
zuigfles binnenkomt. Dat het kind ondanks zijn stomme verbazing nog wil
drinken, moet aan zijn onlesbare dorst worden toegeschreven of het is een
trucje om vastgehouden te worden, waarbij een mens zich immers zuigend
naar binnen keert en ontsnapt van de angst voor een vreemd teken op het
voorhoofd. Haar huid golft zo opgewonden over Ottilie's gevulde vlees, dat
een aanraking zelfs Franz Revesluehs uiterlijke omhulsel de haren te berge
doet rijzen en er opnieuw een huivering door zijn toch al manshoge ontzetting trekt. Door wie wordt zijn geliefde gewalkt? Wat maakt dat ze zo beeft,
wie heeft dat teken tussen haar ogen geplaatst? Waar moet dat heen, wanneer zelfs de stofwisseling van de kleine Avraham Bodofranz zo merkwaardig varieert in kleur en geur, dat je er hier in dit Oosten echt doodsbe-
nauwd van wordt? Dat komt vanzelfsprekend op in Revesluehs hoofd, hij
hoeft niet naar woorden te zoeken of met zijn tong te klakken, dat gebeurt
allemaal vanzelf en maakt hem helemaal kriebelig in zijn botten. Al snel
moet hij constateren dat het hem kennelijk van zijn stem heeft beroofd: hij
krijgt niet over zijn lippen wat hij wil vragen. Of het wellicht een attack is?
Dat je geen vragen meer kunt stellen naar knoopsgaten en diarree, naar
bevingen en tekenen? Avraham Bodofranz zakt weg in zijn kinderslaapje,
gelukkig maar, dan kan Reveslueh ook snel onder de dekens kruipen, opdat Ottilie niets zal merken van zijn stoorzendergezwijg en hem niet naar
het ziekenhuis alhier laat vervoeren, zoals hij zelf ook liever niets wil weten
van haar opgefokte toestand en van die plotselinge schotwond tussen haar
ogen. Hoe verlokkend vond hij nog maar kort geleden het vooruitzicht nog
een keer elektrotechnicus te kunnen worden in Oost-Duitsland met een
eigen werkplaats en een magazijn vol schitterende beeldbuizen die niet
imploderen tijdens de kennelijk onvoorspelbare glasbreukperioden van
zijn vrouw. Maar veel verlokkender stelt hij zich nu zijn welverdiende leven als rentenier in het Beierse N. voor, met een gezonde jongen die niet
meer verkeerd kakt en met een ook psychisch afgeronde Ottilie. Ja, het was
verstandig geweest dat ze 's ochtends in bed hadden afgesproken spoedig
weer te vertrekken, nadat Reveslueh zijn mannelijke kracht had bewezen
voorafgaande aan het ontbijt en uitzweette wat Ottilie graag rook: de geur

van de beslissing, dat ze helemaal niet meer hadden hoeven praten over hun vertrek uit W. Eén keer hadden ze elkaar heel even aangekeken na de hoogste verrukking, geglimlacht en geweten. De geur van de beslissing. Terwijl hij ligt te recapituleren, raakt hij toch zijn opwinding niet kwijt en ook Ottilie begint te trillen. Ze glijden in elkaar als wiggen, lusteloos, gejaagd en verward, maken geen grapjes, maar gaan er flink tegenaan in de strijd der geslachten, tot een stekende pijn Reveslueh een gil doet slaken. Zijn kersrode pik schijnt tot vier keer zijn normale omvang op te zwellen, zodat hij hem er bij Ottilie niet meer in krijgt en er hevig ontdaan naar wil kijken, maar dan komt zijn kwakje al naar buiten. Gezien de beschreven omstandigheden verdeelt het zich behoorlijk traag in het vertrek, druppelt nu langzaam van de bedpost, klautert langs de stoelpoot naar beneden. Alsof ze zich heeft vergist, kijkt Ottilie rond, haar haar piekt alle kanten op zoals ooit haar weerbarstige vlechten op haar eerste schooldag. Reveslueh wordt onder die blik helemaal Erbs, een geslagen hond met ingetrokken orgaan. Ze kijken elkaar aan en beginnen hun herfstige wonden te likken, ieder de zijne: Ottilie's tong – een paling – omcirkelt het teken op haar voorhoofd; Reveslueh voelt in zijn geslacht nog hevige pijnscheuten en likt het met gebogen ruggengraat. Af en toe zijn ze zich even van de ander bewust en voegen elkaar kleine liederlijkheden toe, *lekkere neukscheet, stoot dat je bent, geile vooskees, pijpekontje, fuckerdefuckie, lekker neukbeest.* De leemkleurwitte muren blozen onder die woordenvloed en zorgen ervoor dat het warm wordt in de woning van de Schlupfburgs. Avraham Bodofranz' kinderlijke gesnurk is overal te horen en verspreidt een broeierige onrust, alsof er achter de herfstnacht larven rijpen die kort voor de doorbraak ronddartelen in gaargekookt vlees. Het kan verwarrend zijn met het oog op de gebeurtenissen op het imaginaire doek en op haar ontdane herinnering: Therese ligt nog steeds met een rustig gezicht – Ambivalentia ziet daarin wellicht reeds haar dodenmasker – in haar kamer te slapen en droomt van het uitstapje met de plaatselijke afdeling van de Volkssolidariteit. Ze heeft het op aandringen van Richard Rund op zich genomen een van de dagtrips te organiseren waarvoor de bejaarden in de stad regelmatig worden uitgenodigd, en die tussen schnitzel met rodekool en eiersalade met koffie weinig opwindend zijn en geen rekening houden met de kracht die achter de rimpelige voorhoofden sluimert. Ze was bij de burgemeester geweest om toestemming te krijgen om de op leeftijd gekomen Ottilie Reveslueh, haar teruggevonden dochter uit het Westen, alsmede haar dochters echtgenoot uit het Beierse N., aan het uitstapje te laten deelnemen, een hoogst ongewoon verzoek. Het Rund-Schlupfburg-complot leidt tot loslippige bejaarden, tot schuine moppen en jonge klare, tot intermenselijke uitwisseling op natuurlijke wijze, tot jong zijn tijdens het oud worden, wat ze leuk vindt tijdens het drinken van fruitwijn. Daar kon de burgemeester natuurlijk niets van weten toen Therese met vastberaden tred bij hem binnenwandelde na een gesprek met de portier, wie ze met een paar woorden de zeer bijzondere aard van de behoefte van twee kameraden uit het Westen toevertrouwde, namelijk om activiteiten van ouderen in het Oosten te bestuderen. Hij deed mond en deur open in mateloze verbazing en liet haar binnen in het gammele huis op de markt. Een trap hadden ze eeuwen geleden na de voltooiing ervan moeten toevoegen, omdat men bij de bouw een toegang tot de bovenverdieping was vergeten te maken en men daarover even verbaasd was geweest als destijds de zonder licht zittende burgers van Schilda. En eveneens volgens de traditie van Schilda trad Therese waardig voor de hoogste man van de stad, keek hem recht in zijn huisdierengezicht en sprak met verve de tekst uit die ook de portier al sprakeloos had achtergelaten in zijn kalme aanmatiging. Westelijke renteniers op een oostelijk bustochtje, daarvoor moest hij eerst inlichtingen inwinnen, dat was wel een erg merkwaardig verzoek, deze burgers waren natuurlijk wel kameraden, maar er was niet zo lang geleden iets gebeurd bij het grensoverschrijdende railtransport, al wist hij niet precies wát het was geweest, en bovendien had daarbij ook een klein kind een rol gespeeld, wat een duidelijke aanwijzing was dat het de Revesluehs moesten zijn geweest, maar hoe dan ook, Therese kende de klassenvijand immers uit eigen ervaring en kon zich zeker wel indenken dat die niet met zich liet spotten. Ze moest voorlopig de deelname aan het reisje van de renteniers uit het Westen *puur theoretisch* inplannen, ook gewoon het benodigde aantal pannenkoeken en schnitzels van tevoren opgeven enzovoort, enzovoort, en hij zou dan wel contact met haar opnemen en misschien een verantwoordelijk iemand meesturen voor het geval dat. En de Musette-groep uit T. zou dan dansmuziek kunnen produceren om een goede indruk te maken, en of die renteniers ook graag een dansje maakten? Zo'n echte volkssolidariteit zou tenslotte ook op de dansvloer voelbaar moeten zijn, opdat de kameraden van *daarginds* zouden weten waar die voor diende! Therese had zich de ietwat moeizaam uitgebrachte toespraak van de burgemeester ongeveer zo voorgesteld en dacht dat het wel goed zou komen, hopsa pannenkoeken, hopsa schnitzels met rodekool, hopsa dansmuziek, hopsa voetjes van de vloer, wij zorgen er wel voor dat het Schwarzadal op z'n kop komt te staan! Op de revers van haar kreukvrije colbertje ontmoette een hagedis een gouden spin van blik met een enorm parellijf. De burgemeester, toen hij wat beter keek en meende te zien dat de diertjes grijnsden, verstomde, en moest toezien hoe ze in heel normale beesten veranderden die heel vlug langs Therese Schlupfburgs lijf afdaalden en in de grote kieren van de oliebruine planken vloer verdwenen. Fauno Suïcidor, de god van de dierlijke zelfmoord, had in dit geval zijn principe een keer omgedraaid en dode beestjes tot leven gewekt. W. is een stadje waar veel glazen sieraden worden gemaakt en bijouterieën, er zijn in W. heel veel dode beesten in allerlei glinsterende kleuren, die niets liever willen dan tot leven komen en een warm teken worden. Therese, met grijnzende gelatenheid, mocht niet merken dat haar sieraad verdween, pas thuis, toen ze aardappelen stond te koken, begon ze te weeklagen en te jammeren over het smartelijke verlies. Toen de expeditie haar eerste emotionele schaduwen over de namiddag wierp, had haar dat heel Schlupfburgs geïrriteerd en ze had besloten haar dochter te vragen haar iets van haar westerse glitter cadeau te doen. Ze dacht dat ze in de lange rij voor de ijssalon, die ze na de burgemeester had bezocht, niet goed genoeg op de beestjes had gepast. Vast en zeker had zo'n jeugdige nietsnut, zo'n snotneus van drieënhalf vanaf zijn moeders arm de beestjes van haar revers geplukt, voordat hij als dank daarvoor een ijsje toegestopt kreeg. In Thereses droom passeert nu de dag in zoverre de revue dat het uitstapje zich zwart-wit voor haar afspeelt. Nergens Reveslueh, geen westerse glitter op haar jasje, maar wel toezichthoudende lieden die de groep renteniers volgden, die wankelend door het Schwarzadal trekt alsof er een heel gesticht op pad is, zonder sterke drank en schuine moppen en zonder handtastelijk te worden, wat Richard Rund zo graag had gezien, tot zijn eigen genoegen en tot grote schrik van de betaste vrouwen. Alles blijft bij het oude, merkt Therese nu in haar slaap en ze kalmeert. Tevergeefs de tocht naar het stadhuis, tevergeefs de voorpret op een op z'n kop staand Schwarzadal. In haar slaap dansen haar voeten, en inderdaad ziet de chaotische Ottilie, als ze in haar ochtendjas totaal verbijsterd bescherming wil zoeken bij haar eigen moeder, een neuriënde, slapende, oude vrouw, wier anders zo stijve, gezwollen voeten in een vrolijk ritme op en neer bewegen over de matras, een beetje naar zweet ruikend en niet onbeheerst, maar netjes een imaginaire mannelijke danspas volgend. De geneuriede melodie doet Ottilie denken aan een serie Franse detectivefilms uit de zo rustig verlopende tijd van voor haar laatste zwangerschap. Maigret heette de rare commissaris met een zwak voor triviale dingen, en dat die nu ook nog opdaagt in haar toch al zo verwarde geest, kan Ottilie alleen maar verdragen door in de donzige armpjes van Avraham Bodofranz te vluchten en daar een huilbui te krijgen. Wat een dag vandaag, na de dag van gisteren, die ook al niet zonder verschrikkingen het toneel was geweest van levensgeschiedenissen. De ontmoeting de vorige dag, in de provinciestad, waarvan ze bijna zeker is dat die niet op toeval berustte, heeft ze al heel diep weggestopt onder melkvet en moedersuiker. Maar ze wil er nu niet alweer aan denken, ze wil de recente ellende door een huilbui een beetje van zich af huilen en tot rust komen. Dat ze in haar Beierse woonkamer een niet erg juiste voorstelling had gehad van het land ten oosten van de in het jaar 1949 kennelijk definitief vastgestelde grens, bevalt haar nu helemaal niet. Het is allemaal zó moeilijk te begrijpen wat er achter die oostelijke dingen verborgen zit, dat de gedachte haar waarneming te laten leiden door een stevig verankerd beeld, haar tenminste een begin van welbehagen verschaft. *Latenwedusbestekijkers*, fluistert ze nu, *protesterentegendeonvrijheidvanhettotalitairesysteem- inhetoostenvanonsvaderland*, fluistert het, neuzelt ze een beetje terwijl ze rustiger wordt en ze blaast de blonde donshaartjes van haar zoon tegen de richting in, zodat het kind ophoudt met zijn ontroerende knorgeluidjes en snel zijn hoofdje afwendt, weg van het blazende, klam zwetende hoofd van zijn moeder, weg naar een andere vermetele zuigelingendroom. Er komt rook uit Ottilie's tweede mondje tussen haar ogen, ze heeft het niet bewust vanbinnen kunnen openen, het moest met geweld worden geopend, wat ongebruikelijk is voor iemand van de Schlupfburg-clan. Sinds de laatste oorlog heeft ze ver van die clan verwijderd geleefd en zich niet tegen die verwijdering verzet, in de wetenschap van Thereses gebiedende kracht wat familieaangelegenheden betreft. Misschien hadden de gebeurtenissen van de laatste maanden niet alleen haar lijf, maar ook, zoals vroeger, haar ogen moeten openen voor wat er achter de fronten plaatsvindt? Nu schiet het haar te binnen. Hoe ze de afgelopen zomer die brief had geschreven aan haar moeder en zich had verwonderd wat voor vreemd gevoel ze had gehad bij het schrijven van de heel gewone zinnen *(Half pond koffie meteen meege- stuurd, om je een plezier te doen!)*, en merkwaardig genoeg precies op de plek die ze nu, nu ze in het kleine gebogen armpje van haar zoon huilt, voelt trekken. Ze tast naar haar voorhoofd en vindt met haar vingers het erwtgro- te Iets tussen haar ogen, een zacht, beweeglijk litteken, alsof zich daar een stukje verse lever van het thuisgeslachte varken heeft genesteld bij het hei- melijk drinken toen ze een kind was, en alsof het niet meer weg was ge- gaan, om iedereen te laten zien dat ze een dief was. Ze schaamt zich en voelt een spleet in de beweeglijke voorhoofderwt. Als ze erop drukt, komt er nog steeds damp uit. Wat er uitkomt ruikt naar worstsoep, ook al sluit de spleet zich na elke uitstoot. En steeds als hij sist ziet ze heel even een merkwaardig voorval uit haar vroegere leven. Bladen met figuurtjes om uit te knippen ziet ze, vol magische scènes. Scènes, die haar als kind en als vrouw tonen, toen ze nog thuis bij de familie woonde en een Schlupfburgs wonderkindje moest zijn geweest. Alleen schieten de scènes zo vlug voor- bij, dat ze ze niet kan onthouden. Dat het haar tweede mondje is dat van zich laat horen, daar wil ze niets van weten. Ook niet waar Rudolphje is, die aan deze kant van de in het jaar 1949 kennelijk definitief vastgestelde grens moet wonen en die ze toch zo graag had weergezien. Dat stond ten- minste in de brief aan haar moeder, maar de tekst erachter moest een andere zijn geweest. Waarom anders had ze het besluit kunnen nemen dit land zo snel mogelijk weer te verlaten, zonder zich ook maar de geringste inspanning te hebben getroost haar verloren zoon te vinden? Had ze zich net als vroeger heel volgzaam achter Thereses rokken verscholen? Therese had sinds de aankomst van de Revesluehs Josepha's vader uit zichzelf niet één enkele keer ter sprake gebracht, en Ottilie had niet eens durven vragen waar hij was, het jochie. De slaap die haar nu overmant, bezorgt haar hevige pijnen.

Het is nog steeds niet licht tussen de oudbakken kleinburgerhuisjes in W., maar Franz Reveslueh is duidelijk te herkennen in het matte schijnsel van de straatlantaarns. Een beetje gebogen, maar met grote stappen loopt hij op de bosrand af, via Erdfall en Zeughausgasse, langs de Zevenbeuk, in de bast waarvan, wanneer hij er oog voor zou hebben, hij een hart zou kunnen zien, met een pijl doorklieft, met de initialen van zijn aangetrouwde kleindochter. Maar hij koerst rechtstreeks aan op het nevelige bos, waar hij de laatste dagen met vrouw en kind bessen en eetbare paddestoelen heeft gezocht. Op deze vroeggeboren ochtend zal hij aan de rand van Schröders vijvers zitten en appeltjes eten van de verwilderde boom. Dat weet hij al als hij op het laatste kruispunt voor de steile weg naar de Burgberg linksaf slaat, naar de allang verlaten boerderij van Schröder. Door hoge, alleenstaande sparren omringd, laten de kleine vijvers hun ochtendwater in de duisternis rimpelen. Verwaarloosde fruitbomen schermen het vervallen prieeltje af waarin Reveslueh een aangebroken fles pepermuntlikeur aantreft. Reeën grazen op de dichtbijgelegen open plek in het bos, vos en haas zeggen listig goedemorgen tegen elkaar, als in afwachting van een spannend spel. Reveslueh denkt erover na wat Schröder er wel toe aangezet kan hebben dit paradijsje, eigenlijk al midden in het sparrenbos gelegen en toch door een bijna omvallend hek en een wild woekerende haag als een tuin afgescheiden, af te staan dan wel op te geven. Hij stelt zich meneer Schröder voor als een besluiteloze man van achter in de vijftig met zachte wangen, een door overgeërfde vetzucht getekend lichaam en hoofdhaar in de kleur van kadetjes. Aan de oever van een van de vijvers ziet hij hem moedeloos naar het water zitten staren. Als hij in de buurt van de plek komt waar hij zich zojuist Schröder van dichtbij heeft voorgesteld, lijkt het hem daar warmer. Alsof de meneer uit Revesluehs voorstelling een lichaamswarm aura heeft ontwikkeld midden in de Oost-Duitse werkelijkheid. Warmte is nu niet bepaald wat Reveslueh zoekt. Hij tobt met zijn pijnlijk gezwollen lid met de roze-rode, brandende eikel. Van de grond pakt hij wat afgewaaid blad, twee handpalmgrote esdoornbladeren, en dompelt die in het koude water, voordat hij daarmee voorzichtig een verband aanlegt. Om ervoor te zorgen dat dat niet zijn speciaal voor de reis aangeschafte lichtgrijze wollen pantalon natmaakt, haalt hij het hele pakketje van stal en zwaait het een beetje heen en weer in de koele lucht. Dat gaat allemaal best goed, hij is intussen gaan zitten op een waarschijnlijk door spelende kinderen gebouwde, kniehoge bank. Twee boomstammetjes in de grond geramd en een halfvergane plank uit de wand van het prieel eroverheen getimmerd, dat is een welkome zitplaats voor een door zwellingspijn geplaagde Beierse televisiereparateur. Hij voelt zich zozeer op zijn gemak dat hij ook nog zijn blondbehaarde ballen uit zijn broek haalt en ze samen in zijn koele hand laat rusten. Langzamerhand vermindert de spanning, die ten gevolge van de lage temperatuur het scrotum heeft doen opzwellen en zo groot als een vuist heeft gemaakt. Reveslueh zit nu diep in gedachten verzonken een beetje met zijn onbeschermde eieren te spelen, terwijl hij de afgelopen vierentwintig uur nog eens herkauwt. Een ogenblik stijgt er verstikkende walging in hem op wanneer hij aan de gisteren door zijn zoon volgescheten luiers denkt. In een van de warenhuizen in G. waren ze, toen ze het kind op een niet bepaald schoon te noemen wc uit zijn eigen vuil hadden moeten tillen, en de stank die aan zijn eigen zoon was ontsnapt tot in de wijde omtrek van het warenhuis personeel en klanten op diverse manieren had ontmaskerd. Terwijl sommigen angstig en klaar om op de vlucht te slaan om zich heen hadden gekeken, af en toe als toevallig een kunstleren tasje bekijkend, om het als toevallig weer neer te leggen, en hun lichamen door de spanning het warenhuis zo snel mogelijk en tegelijkertijd onopvallend hadden willen verlaten, een beetje heen en weer begonnen te slingeren, toen vertoonde zich op de gezichten van anderen triomf en leedvermaak, en ze keken tussen de schappen ingespannen naar iets uit wat Reveslueh zelf niet kon zien. Enkel een tot aanzienlijke hoogte oprijzende verkoopster had met enige gelatenheid op de stankoverval gereageerd en haar geïrriteerde vrouwelijke klanten geadviseerd met betrekking tot de onmogelijkheid smaak en aanbod op de een of andere manier op elkaar af te stemmen. Die verkoopster zou een poosje later Ottilie een beetje helpen bij het uitkiezen van een rok voor Therese, die ze voor het onder dwang gewisselde geld wilde kopen. Reveslueh had intussen met de schoongemaakte, maar nog steeds behoorlijk kwalijk riekende Avraham Bodofranz naar speelgoed gezocht en inderdaad een paar mooie dingen in het mandje van metaaldraad gelegd. Toen hij vastbesloten tot aankoop er ook een zogenaamde kinderkalender van de firma VEB Kalenders en Kantoorartikelen Max Papp in legde en de verkoopster juist de kassa wilde openen, riepen vanaf de trap twee kinderen in haar richting om hun vader en moeder en kwamen na een doordringend fluitje van de verkoopster op haar af rennen. Ottilie had nog een keer ongelovig rondgekeken naar een passend paar ouders, maar het bleef bij wat het was: de vrouw achter de kassa werd door een van de kinderen vader, door het andere moeder genoemd. Ottilie was door die pijnlijke verrassing niet in staat geweest de vrouw nog eens wat aandachtiger op te nemen, maar Reveslueh had het kleine scheerwondje in haar gezicht al ontdekt en de beweging opgemerkt waarmee ze iets in zichzelf scheen terug te dringen toen ze op een van de ladders klom. Lutz-Lucia kon niet weten dat deze klanten niet in de laatste plaats door gebruikmaking van zijn/haar diensten de weg naar het Oosten hadden gevonden. Had hij/zij niet de ouders van de precieze Angelika met enigszins aanvaardbare kleren en schoenen voor de tocht naar de Alster uitgerust, was het wellicht nooit tot deze reis gekomen, zo *stante pede*, dan had de oude heer in trots verzet de visa laten schieten. Evenmin hadden ook de Revesluehs een vermoeden van de relatie tussen de vader-moeder achter de toonbank en hun verblijf aan deze zijde van de in 1949 kennelijk definitief vastgestelde grens. Alleen Avraham Bodofranz glimlachte listig door het Oost-Duitse warenhuis. Lutz-Lucia dus, met al zijn levenservaring, had, als hij niet zo in de weer zou zijn geweest om na elke uitglijder op de ladder zijn mannelijke geslacht met kracht terug te duwen in zijn vrouwelijke holte, heel goed kunnen merken dat er op dit moment een toeval van hogere orde door het warenhuis stonk, dat hier een wollig melkmuiltje bereid was hem een teken te geven. Maar hij was afgestomt geraakt wat betreft de geuren van de beslaglegging, waardoor zijn leven een beetje draaglijk was geworden, en hij had dus geen enkele behoefte aan een samenzwering. Reveslueh, wiens herinnering slechts de oppervlakte van de gebeurtenis weergeeft, ziet nu aan de oever van Schröders vijvers nog één keer zijn wankelende Ottilie tussen de figuranten van de klassenstrijd in het warenhuis van G., hoe ze ongelovig naar de gezichten vol leedvermaak van de in de geuraura van het kind vertoevende klanten kijkt en, ook hij voelt het nu toch ook opnieuw, bang wordt voor het ondoordringbare. Zijn heen en weer slingerende ballen beginnen te gloeien in de herfstige nevel, zodat hij net zo bang wordt als gisteren, toen ze op de terugreis naar W. de vermeende tranceaanvallen van Avraham Bodofranz hadden moeten meemaken in het Thüringse lokale treintje. Het kind had zijn rammelende blik naar boven gericht en met gelukkig alleen voor zijn ouders verstaanbare Beierse vloeken de hemel uitgedaagd. Tussendoor had het kind gelachen, en de geluiden in zijn broekje hadden zijn ouders voorbereid op de kort daarop zich een uitweg zoekende geurgolven na aankomst in het Schlupfburgse woonhuis. Het was Denuntiata, de godin van de karakterloosheid, tegen wie Avraham Bodofranz zijn Beierse vloeken had gericht. Boven de trein had ze gezweefd, de hemel splijtend met krachtige zwemslagen van haar armen en benen. Uitgedaagd had hij haar al in het warenhuis in G., toen hij de cliëntèle in twee duidelijke kampen had verdeeld met zijn stank. Denuntiata zag zichzelf al triomferen. Het grote aantal gezichten vol leedvermaak had haar seksueel opgewonden, en vlug was ze op Lutz-Lucia afgekomen, de enige wiens/wier geestestoestand niet door de geur van het oostelijke uniform tot impotentie werd gedeformeerd, om zich in haar verrukking boven op hem te storten. Maar Lutz-Lucia had zich,zodra hij de goddelijke aanval had bemerkt bij het bestijgen van de ladder, had zich zwijgend teruggetrokken en even doodgemoedereerd de helaas worstkleurige rok voor Therese Schlupfburg in bruin pakpapier verpakt.

Om de veertig jaar ging Denuntiata er in de Midden-Europese regio op uit om zwanger te raken. De tijd was rijp, ze was loops, zoals Fauno Suïcidor met walging placht te zeggen, wanneer zij zich op de mensen stortte. De schare kinderen, die ze meestal meteen na de geboorte alleen achterliet op de aarde, was door de eeuwen heen onafzienbaar geworden, want ook deze kinderen plantten zich voort en gaven de onaangename eigenschappen van hun voorouder in zich steeds herhalende cycli en moderne variaties door aan latere generaties. Wanneer een cyclus was voltooid en Denuntiata weer vlam vatte, baande ze zich een weg naar haar nazaten. Het zien van het grote aantal bracht haar altijd in staat van opwinding, vanwaar het nog maar een klein stapje was naar de extase, en die had Lutz-Lucia haar deze keer geweigerd met zijn/haar vermogen zich in zichzelf terug te trekken. Denuntiata uitdagen, door haar nakomelingen in het warenhuis van G. met behulp van zijn ongelooflijk smerige odeur duidelijk zichtbaar te maken, was het doel van de provocatie van de kleine Avraham Bodofranz geweest. Diens problematische toestand van vroege rijpheid moet in dit verband niet onvermeld blijven. Dat hij daarmee ook het welbevinden van zijn Beierse ouders in gevaar bracht, zelfs op het spel zette, moet verklaard en verontschuldigd worden door een zekere kinderlijkheid waarover hij desondanks beschikte.

Deze ene keer zou Denuntiata dus kinderloos blijven, als het haar niet zou lukken om in de paar uur van haar vruchtbaarheid die haar nog restten, opnieuw opgewonden te raken. Kansloos vliegt ze nu, op de vroege ochtend van 29 september, rondjes boven de met zijn ballen spelende Reveslueh, bekijkt zijn nog steeds goed functionerende uitrusting, probeert ook een keer of twee met opgeschort gewaad hem te benaderen, maar ze heeft niet genoeg kracht om Reveslueh's stijf te krijgen van lust. Dus geeft ze het ten slotte op en verwijdert zich. Een leeggehaald vogelnest valt uit de boom op Reveslueh's hoofd en rolt een eindje op de fles pepermuntlikeur af, die hij niet in de prieelruïne had willen laten liggen. Misschien kan hij die nog goed gebruiken, denkt hij nu, kan dat gifgroene goedje zijn pijn verdrijven of hem helemaal doezelig maken in zijn hoofd, zodat hij rust kan vinden in zijn handelingen en met Ottilie de reis terug naar het Beierse N. kan gaan voorbereiden. Wie weet wat het kind nog meer uithaalt wanneer ze de grens in tegenovergestelde richting passeren. Wie weet komt er nog wel iets veel ergers uit de darmen van dat joch.

Drie fikse slokken helpen hem om door het zevende uur heen te komen. Zijn twee donzige eieren legt hij in het trekvogelnest, dat hij vervolgens goed gevuld in het kruis van zijn onderbroek opbergt. Hij moet nu wel een beetje wijdbeens lopen op weg naar huis. Heel fijntjes gebreid is het nest van grashalmen en twijgjes, veren, haar en mos, en het kietelt bij het lopen aan de binnenkant van zijn bovenbenen, maar het leidt hem wel af van de ergere kwaal. Hij laat visvijvers, tuin en Zevenbeuk, Erdfall en Zeughausgasse algauw achter zich. Met onzekere stappen nadert hij het nachtelijk schouwtoneel en hij moet plotseling lachen, zo bezopen komt alles hem voor wat hij sinds maart van dit jaar aan merkwaardigheden heeft meegemaakt. Een vreemd gevoel had hij gekregen nadat hij de aardbeienjam van Ottilie had geproefd. Cubaanse rum. Weliswaar ligt Cuba uitgesproken westelijk van Reveslueh, maar het doet zich toch aan hem voor als iets uitgesproken oosters, dus: het Oosten lijkt hem in zijn soort enorm, ook al beangstigt het hem niet constant. De narigheden en boze dromen komen eerder in de vorm van aanvallen. In de overgang tussen waken en slapen zijn de boze dromen kennelijk bijzonder bedreigend en versnellen polsslag en hormoontoevoer. Meer nog dan de werkelijke wonderen vervormt de dagelijkse nachtmerrie zijn inzicht. Nu schiet hem te binnen: toen Ottilie uit de keuken kwam met thee voor het kind, droeg ze een sissend teken tussen haar ogen. Dat had hem ongerust gemaakt en paste bij de angstdroom die hij half slapend droomde, zodat hij niets beters wist te doen dan in haar houvast te zoeken, wat echter jammerlijk mislukte. Dromerig tast Reveslueh nog een keer naar de warme eieren in het nest, waarbij het zwellende paard per ongeluk de stal uit galoppeerd. Nog maanden later zal in W. het gerucht de ronde doen dat eind september *een gangster de Burgberg had bestormd en zich schaamteloos had ontbloot zodat ze de politie hadden moeten waarschuwen.* Een kleine, kromgegroeide man, de bruinige Eugen met de flaporen en de schuifelende tred, beweert Reveslueh op de bewuste ochtend – hijzelf was er die dag vroeg op uitgetrokken om hout te sprokkelen – te hebben gezien. Maar als de naar het volk genoemde politie het gerucht eindelijk serieus neemt, zal Reveslueh allang aan vervolging zijn ontsnapt door zijn vlucht naar Beieren.

Als Josepha de woning verlaat om naar haar werk te rijden op haar blauwe herenfiets uit 1926 van het merk Diamant, komt ze de matineuze en door een godin in verzoeking gebrachte man tegen bij het hekje van de voortuin. Er valt haar niets aan hem op met uitzondering van zijn wijdbeense manier van lopen, die ze en passant en discreet in haar onoplettende acht-uurhoofd toeschrijft aan de prostaatklachten van ouder wordende mannen. Maar Reveslueh valt Josepha lastig vanwege de fiets. Dat kan ze niet maken, met een dikke buik op een herenfiets klimmen, dat is op onbehoorlijke wijze in strijd met de regels van het fatsoen en een gevaar voor het ongeboren kind. Hij wist waar hij het over had, hij was tenslotte vader van een hele reeks godzijdank gezonde kinderen geworden tijdens zijn leven, en geen van die kinderen had hij blootgesteld gezien aan het gevaar om bij een val of bij het afstappen door zo'n stang, zoals die zich tussen Josepha's benen bevindt, te worden verwond. Maar Josepha slaat de bezwaren van haar stiefgrootvader in de frisse herfstige wind en gaat ervandoor, zodat er een zuigend vacuüm achterblijft op de plek waar ze zo-even nog langzaam van start ging. Reveslueh grijpt als om zich te troosten naar zijn bungelende eieren, dan naar zijn voorhoofd en betreedt hoofdschuddend het huis. Therese in de keuken kust als ochtendgroet de haaraanzet van haar schoonzoon en schrikt natuurlijk een beetje van de geur waarvan ze de herkomst meent te kennen, maar waarvan de aanwezigheid op zijn voorhoofd haar op pijnlijke gedachten brengt. Ze bloost. Reveslueh merkt dat niet en gaat aan de gedekte tafel zitten, de broodjes vallen al snel tussen zijn tanden uiteen, de koffie dampt in de kan, de pruimenjam staat te lonken. Allen Ottilie zal nog twee uur nodig hebben voordat ze uit bed komt, door Avraham Bodofranz verzoenlijk bezongen met melodieus gelal. Haar voorhoofdsteken gaat af en toe open, pijnloos, om sissend damp te laten ontsnappen, en veroorzaakt bij het ontbijtende gezelschap radeloze schrik. Therese komt op het idee een lotion uit haar voorraad gangbare barbituraten en hartversterkende middeltjes op de lekke plek van haar hervonden dochter te doen, die dat echter niet toelaat en in plaats daarvan angstig om de tien minuten haar neuswortel bevingert. Avraham Bodofranz schijnt intussen geamuseerd met het verschijnsel te kunnen omgaan, hij proest van het lachen wanneer zijn moeder zo raar opengaat en sist, doet het geluid na en laat voor het eerst duidelijk de kracht van zijn drie vaders blijken: hij probeert het magische teken met zijn vingers aan te raken. Franz Reveslueh wil dat liever verhinderen, en Therese denkt eindelijk aan het Schlupfburgse tweede mondje, dat mogelijk met geweld is opengebroken, maar dan lukt het Avraham Bodofranz Ottilie's voorhoofdsteken krachtig te pletten met zijn mollige handje. Dat het mondje terstond wordt opgenomen in de grote poriën van de van schrik klamme huid, leidt opnieuw tot angstige en ongelovige blikken op de baby. Maar dan, als om vastberaden de kans te benutten, maakt Franz Reveslueh gebruik van het woord: nu was de tijd intussen meer dan rijp, zei hij, ze moesten ervoor zorgen weer tot rust te komen, al was het maar in het belang van de kleine Avraham Bodofranz, en vertrekken, zo snel als de spoorwegen in Oost en West dat mogelijk maakten. Voor Ottilie was het allemaal te veel, zei hij. Weliswaar was het heel leuk weer een moeder in de buurt te hebben en een kleinkind in blijde verwachting (Rudolph wordt ook door zijn laat in zijn leven opgedoken stiefvader niet vermeld), maar ze zouden elkaar niet uit het oog verliezen, in elk geval niet in abstracte zin, en die zin gebood nu eenmaal, de biezen te pakken. Wie weet wat er nog van zou komen als ze langer bleven. Revesluehs hart struikelt even over de gemiste kans om een nieuw begin te maken als televisiereparateur. Maar in plaats daarvan stimuleert het hem de ontstelde vrouwen zijn broeknest te tonen met het nu eindelijk vleugellamme mannenstiertje erin. De vrouwen slaken een gil. Avraham Bodofranz kijkt geïnteresseerd naar het voortplantingsorgaan van zijn alimentatievader. Maar voordat Ottilie hem naar de woonkamer kan brengen, vraagt Therese wat dat nu weer te betekenen heeft, hetgeen Reveslueh niet begrijpt. Zo-even had de eikel nog roodgloeiend pijn gedaan, nu ligt die blauwachtig bevroren in het nest. Is het nog steeds niet genoeg? had hij willen vragen met een verwijtend verwijs naar de hevige pijn, maar Therese slaat haar hand tegen haar voorhoofd en gelooft er eventjes niet meer aan dat het in dit vertrek allemaal nog wel in orde zal komen. Ze is het tenminste met haar schoonzoon eens dat het geen kwaad kan het hier voor gezien te houden, met het oog op de gebeurtenissen. Alleen al het feit dat Avraham Bodofranz' hooggeprezen spijsvertering zo gevoelig op de omstandigheden hier reageert, is reden genoeg, geeft ze toe. Bovendien heeft zijzelf, zegt ze, allang de juiste leeftijd bereikt om hen te kunnen komen opzoeken in N., dat was ze toch al van plan, en dan konden ze zien of het haar onder de daar heersende omstandigheden net zo zou vergaan. Maar Ottilie voelt het teruggedrongen mondje nu pas goed en begint het te gebruiken: ze slingert haar moeder een verwijt naar het hoofd betreffende Rudolph, en van oude Globotta'se voornaamheid. Therese verstomt. Reveslueh, die de scène alleen aan de oppervlakte kan waarnemen, ziet twee elkaar hardnekkig toe zwijgende vrouwen, maar Avraham Bodofranz bekrachtigt de in het Schlupfburgs uitgesproken woordenstroom van zijn moeder door bij elke zin met de zijkant van zijn hand krachtig op de Sprelecart-tafelrand te slaan of een scheet te laten. Wat Therese antwoordt, komt er bedeesd en nogal verlegen uit. Het kind merkt dat en zet zijn grootmoeder nog meer onder druk om haar dochter eindelijk de ruimte te geven naar Rudolph te verlangen, het kind van zijn Letse emotionele vader. Therese moet aan de nachtelijke expeditie denken: de dingen lopen dwars door elkaar, dat kan alleen Ambivalentia bedacht hebben als nieuwe beproeving. Eerst de verdreven zoon, dan de verraden kleinzoon. Zou het mannelijke kind zelfs *Wiedergutmachung* eisen voor zijn verstoten geslachtsgenoten in de clangeschiedenis? Zou het daarom zo merkwaardig ferm op zijn late verschijning hebben gestaan? Ze allemaal bijeenbrengen om er eindelijk een streep onder te zetten, hoe dan ook?

Ze fronst haar voorhoofd, ze glijdt van haar stoel op de grond en beeft, zoals 's nachts Josepha, alleen zijn het niet de klanken van het leven die ze met haar stuiptrekkende lichaam laat horen. Eerder zweet ze wanhoop uit haar bejaarde-vrouwenrimpels. Zelfs Reveslueh kan daar niet tegen en doet enkele pogingen zijn schoonmoeder te hulp te komen. Hij weet niet wat hij meer kan doen dan het machteloze hoofd op een of twee opgevouwen stoelkussens leggen, de bovenste knopen van haar nachthemd, dat Therese nog steeds aanheeft, open te doen en in de voorraadkamer op zoek te gaan naar een fles azijn, spiritus of wasbenzine. Wat hij maar in het kamertje kan vinden, neemt hij mee en hij mixt het in een kopje tot een merkwaardige lotion, wrijft een paar druppels onder haar neus, zoals Ottilie zo-even nog allerlei verwijten, en wacht op redding in de nood. Weer moet Avraham Bodofranz ingrijpen, omdat er geen reactie komt. Zijn hulpeloze ouders neemt hij de scepter uit handen en hij verspreidt de walgelijkste stank die Therese zich kan herinneren: Adolf Erbs' weer te voorschijn gekomen maaginhoud op de dag van haar huwelijk moet als wekmiddel dienen, en inderdaad ontwaakt ze en houdt haar neus dicht en rent naar de gootsteen en spuugt alles wat ze aan bittere gal en afschuw in zich heeft uit. Ze is er weer bij, en de zich ontwikkelende rossige kleur in haar gezicht wordt als een teken van genezing beschouwd. Alleen Ambivalentia weet dat de dood reeds met zijn bloedtoorts achter Therese aan loopt, alleen nog een beetje te vroeg.

Er is niet veel meer voor nodig om de dag van het vertrek aan te kondigen. Ze zullen zich gaan afmelden bij de bevoegde instanties en kaartjes kopen. Op weg naar het station willen de Revesluehs Therese naar de polikliniek vergezellen en later weer afhalen. Een wandeling, denken ze, zal haar na al die ellende met haar bloeddruk niet schaden. Ottilie schenkt haar moeder een kopje koffie van het merk Rondo Melange in (het *kwartpondkoffiemeteenmeegestuurdomjeeenpleziertedoen* is allang op) en brokkelt er stukjes van de hardgebakken broodjes in. Een dergelijke broodsoep hadden ze in Königsberg vaak genuttigd, als zaterdagmaaltijd met surrogaatkoffie, ook voor de kinderen, en als Therese hem gretig opdrinkt, glimlacht Ottilie eindelijk en neemt er zelf ook een grote kop van. Een uur later zie je een parade van renteniers met het kleine kind door W. wandelen, op weg naar het station, van het ene naar het andere eind van de stad zogezegd: ook Richard Rund is op komen dagen en laat het zich niet ontgaan de Revesluehs assistentie te verlenen op het station, terwijl zijn geliefde de dienstdoende arts over haar flauwvallen van die ochtend vertelt. Weliswaar weet ze er meer van dan meneer de dokter kan begrijpen in zijn witte jas, maar dat geeft ze niet toe en ze laat zich in plaats daarvan afschepen met geurampullen tegen nieuwe aanvallen, een bloeddrukverhogend preparaat en de goede raad 's ochtends heel langzaam op te staan, in korte etappes naar de keukentafel te lopen en daarom in de woning verschillende krukjes en stoelen neer te zetten om daarop uit te kunnen rusten, en in het algemeen rekening te houden met haar leeftijd (in plaats van, zoals Therese begint te vermoeden, met de duistere kieren van een ten einde lopend leven...).

Dat Josepha precies op tijd voor het werk in de fabriekshal is verschenen, nemen haar collega's al naar hun gemoedsgesteldheid verschillend waar: Manfred Hinterzart voelt de zeurende pijn van schuld, die zich uitgerekend op zijn aangevreten kiezen concentreert. Carmen Salzwedel snelt op Josepha toe en pakt haar bij haar schouders beet om haar te verzekeren van haar hulpvaardigheid, ook al weet ze niet zo goed hoe die eruit zou moeten zien. Het vrouwelijke brigadelid, dat na Josepha's toespraak van de vorige dag, met het doel haar voorzichtig bij te staan, het voorbeeld van haar nichtje Veronica zonder er veel aandacht voor te krijgen naar voren heeft gebracht, overhandigt haar een grote stapel baby-ondergoed en laat tegelijkertijd voorzichtig enige verbazing blijken over het feit dat Josepha zich niet ziek heeft gemeld in haar toestand. (Ook zij schijnt eerder het verschijnen van doorrookte mannen te hebben verwacht in de hallen van de VEB Kalenders en Kantoorartikelen Max Papp dan de filter-folterspreekster in hoogsteigen persoon...) De jeugdleider van het bedrijf verzuimt niet – wie hem de aankomst van Josepha heeft meegedeeld zullen we onvermeld laten – een bezoek te brengen aan Hal 8 en te informeren naar de gezondheid van de zwangere vrouw, haar toespraak van de vorige dag opmerkelijk te noemen en haar een prettige werkdag te wensen, wat hij anders alleen pleegt te doen naar aanleiding van officiële feestdagen van de staat, en dan alleen gericht tegen hele collectieven jeugdige werkers. Het nerveuze gefladder van zijn voetwijde pantalon doet Josepha aan een gedicht denken van een avant-gardedichter uit de Sovjet-Unie, zoals ze toch al sinds de nachtelijke toespraak van Ljusja Andrejevna vaak moet denken aan hoe er in het land van Lenin wordt liefgehad en gebakken. *Klokbroekig op het boemelplein beieren...* Maar poëzie wordt niet oud in Josepha's hoofd. Meteen al wanneer ze het fabrieksleidinghokje opzoekt om te informeren naar welk werk men haar heeft toegedacht, haalt het verraderlijke proza haar in: ze moet voor de bevoegde instanties rapport uitbrengen over het laatste door het bedrijf uitgevoerde scholingsproject van de jeugd. Alsof haar van de ene dag op de andere de rol van verslag-schrijvende toehoorster is toegevallen. Alsof haar eigen toespraak onder de toehoorders niet had gezorgd voor buikloop en aanmoediging. Dat is haar het klam worden van haar vingers en haar voeten waard, dat pept haar op. Als Josepha zich erover verbaast en de opdracht wil weigeren, wordt ze gekapitteld door de bedrijfsleiding en plotseling alleen gelaten, tot opeens – eindelijk kan Josepha haar afwachtende gespannenheid laten varen – inderdaad, doorrookt, drie mannen binnenkomen. Het daaropvolgende gesprek zal in zijn soort jaren later in duizenden dossiers te lezen staan als voorbeeld van schaappotige volgzaamheidsscholing: of ze wel wist welke gevolgen... Of haar eigen kind niet... Of ze als verraadster niet... Om ergere dingen te voorkomen gaf men haar nog een kans... Ze was toch zeker verstandiger dan... En ze wist toch wel wie de echte... Vijand... Maar vanzelfsprekend geheim... Zo leuk was het in de psychiatrische kliniek nu ook weer... niet... of toch, als je tot inzicht moest komen? Haar kleding de laatste tijd... Het baarde zorgen... En of de opvoeding van een kind niet... Je moest waakzaam zijn en opletten... Ook was haar overgrootmoeder al oud... En dat bezoek uit het Westen, dat liet diep... En de nachtelijke orgieën, in strijd met de zeden, ze wisten zo het een en ander... Josepha's schrik over wat de heren dan wel onder orgieen verstaan – de uitstapjes van de expeditie wellicht? – wordt versterkt door een vraag die haar even de adem beneemt: haar vader had immers ook zo'n hang naar obscene dingen gehad en zich daarmee op glad ijs begeven, zeiden de heren – of ze niet wist dat ook hij had toegegeven aan de klassenvijand, zoals zij nu ook op het punt stond te doen? De laatste etappe van de expeditie doemt voor Josepha op: Birute Szameitats inspanningen de liefde van haar vader te veroveren, Thereses wankelmoedigheid en timide houding aan de ene kant, Thereses heerszucht en mannenverachting aan de andere, haar eigen verdriet dat ze het vaderlooslot had getrokken... Maar de klassenvijand kon bij dat alles toch niemand anders zijn geweest dan de vetlijvige bezoeker in de keuken van haar overgrootmoeder, op die avond na het bezoek aan de kermis, toen Josepha nog een klein meisje was geweest met een donkerrood popelinenjasje en een keurig hoofddoekje. Aan die speklap van de *bevoegde instantie* had haar vader mogelijk toegegeven toen hij haar bij Therese achterliet omwille van zijn belustheid op Birute, denkt Josepha nu en zet haar gehoor op non-actief. Die drie rookmannen kunnen nog zo fluisteren over Josepha's toekomst en die van haar kind – ze herinnert zich opnieuw de steeds ouder wordende verhalen. Hoe ze de braadworst opat. Hoe ze Birutes nagels zag genezen door haar vaders speeksel. Hoe Rudolph Schlupfburgs mannelijke lust kwam opzetten, bereden door Birute. Hoe ze zelf, klein meisje, met blauwe voetjes van de kou in de deuropening stond, met geschrokken gezicht. Hoe bruin surrogaat-koffieschuim uit Thereses walgende mond spoot. Hoe de vetpuist Birute Szameitats leven als een aangelegenheid voorstelde die in strijd was met de openbare orde en daarmee Josepha's vader verdrong uit de Schlupfburg-clan. De manier waarop de machtsbeluste Therese het verhaal over haar vaders verdwijning had weergegeven, klonk toch heel anders dan zoals ze het in Josepha's jeugd tegen haar had verteld: er klonk mannenhaat en berekening in, hoe Therese haar achterkleindochter, min of meer met be-hulp van de *bevoegde instantie*, onder haar hoede had gebracht. En nu pro-beerden ze haar vader als buit bij het kat-en-muisspelletje te betrekken! Maar nu heeft ze er werkelijk genoeg van, ze stampt met haar voet, zodat het zwart-witte kind van schrik met zijn armpjes begint te zwaaien. Geluk-kig boezemt de aanblik van de puilende, bewegende moederbuik de heren zoiets als respect in, ze doen verschrikt een stap achteruit, een van hen houdt zijn handen omhoog alsof hij bang is beschadigd te worden. Jose-pha's ondubbelzinnige vraag wat er in dit gesprek verder nog over haar vader aan de orde zal worden gesteld, wat de heren dus menen te moeten meedelen over meneer Schlupfburg, wordt nu nogal dubieus beantwoord, wordt mogelijkerwijs helemaal niet beantwoord met de volgende zin: me-neer Schlupfburg is een getrouwe werknemer bij de dienst stadsreiniging in een van de twee grote steden in Thüringen, en wel vrijwillig. Josepha laat nu zien hoe getrouw zij zelf is. Ze graait al haar moed en haar dikke buik bijeen, gaat staan en verlaat trots en met enigszins rechte rug het kamertje van de bedrijfsleiding. De heren zijn verbluft dat ze achtergelaten worden met hun wapperende papieren, en hun verbijstering doet hun hoofd zo tollen, dat ze er helemaal niet aan denken een geheim telefoon-nummer (uit hun tollende hoofd) te draaien. Ze kunnen er zelfs niet over beraadslagen wat ze nu moeten doen. Zo compleet voor gek gezet te wor-den, dat is ze nog maar zelden overkomen aan deze kant van de in het jaar 1949 kennelijk definitief vastgestelde grens – ze zijn stomverbaasd. Jose-pha loopt intussen rechtstreeks naar het hokje van de opzichtster om zich te laten indelen voor een heel normale werkdag. De bleke plek op de muur, waar vroeger het portret van het staatshoofd hing en later het konterfeitsel van Ljusja Andrejevna, is bedekt met een planningsbord. Elke collega heeft een gekleurd metalen plaatje gekregen dat met het oog op een betere orga-nisatie van het productieproces elke ochtend opnieuw moet worden opge-prikt op een grijs taakgebied. Al op enige afstand kan Josepha zien dat haar eigen (een eidotterkleurig!) plaatje naast de gewone werkprocedure is ge-prikt. Ze speelt geen rol meer bij de normale acht uur durende werkinde-ling. Noch aan de inpaktafels noch in de drukkerij, noch in de keuken, noch in het portiershuisje wordt ze verwacht met haar acht-maandeninzet, wat niet verhindert dat ze erop staat een zinvolle taak toebedeeld te krijgen. Die vindt ze ten slotte in het schoonmaken van het rookeiland van het bedrijf en ze is blij dat ze in de open lucht een beetje kan nadenken over haar verdreven vader. Denuntiata, de godin van de karakterloosheid, verwacht een slecht jaar wanneer ze boven Josepha's hoofd uitzichtloze rondjes vliegt.

Oktober

Met pelkuurstemmen komt de herfst, trekt laagje voor laagje de huid van Therese en Josepha af, laat ze daaronder afkoelen. Koude nevel hangt 's ochtends over de gemoederen van de herinneringsreizigsters. De Revesluehs zijn ervandoor gegaan met de laatste stuiptrekkingen van de oudewijvenzomer. Hun vertrek voltrok zich stilletjes en speelde zich af kort voor de (alles beslissende?) verjaardag van de oprichting van de staat. Bij bakker Gasterştädt had Therese donker brood gekocht, Josepha had voor de obligate salami gezorgd, en met goede boter onder de dikke plakken worst hadden ze Ottilie, Franz en de aromatische zuigeling uitgezwaaid op hun reis terug naar hun westerse leven. Nu schijnt alles bij het oude te zijn. Alleen begint Josepha hardnekkiger naar haar vader te vragen. Niet aan Therese, die met dat soort vragen al genoeg onheil heeft aangericht in zichzelf (bloedsomloop, spijsvertering, hoofdpijn, zweetvoeten!), maar aan haar kinderlijk gebleven belevenissenhart. Uit het nachtkastje haalt ze elke avond de oorkonde van haar geboorte, bladert in de officiële voogdijraadpapieren uit haar kindsheid, waarin Therese als de voogdij uitoefenende instantie staat vermeld, ze snuffelt in een klein bijouteriekistje dat van Marguerite Eaulalia is geweest en behalve een valse parelketting, een vuistdik stuk Königsbergse barnsteen (van Astrid Radegund misschien?), een visbenen haarklem en een zilveren kettinkje met geciseleerde hangertjes in hartvorm, twee trouwringen bevat met ingegraveerde namen. De grootste van de ringen is binnenin voorzien van een Rudolph-krul. Aan de duim van Josepha geschoven, is hij nog steeds de diameter van een potlood te groot. Meestal pakt Josepha dan de ring van haar moeder om de mannenring vast te klemmen, en laat de gouden ringen tegen elkaar rinkelen. In dat geluid meent ze het verlegen lachje van Marguerite Eaulalia te herkennen, evenals de ietwat diepere stem van haar vader. Dat maakt haar zelfs blij, als ze het toegeeft. Rinkeljosepha zit dus 's avonds voor het nachtkastje op de grond en laat haar ouders om elkaar heen dansen aan haar duim. Het zwart-witte kind houdt dan verbaasd op met bewegen en luistert genietend naar deze voorouderlijke lijn. De rode streep op Josepha's buitenkant kleurt geleidelijk aan bruin, zoals het streepje tussen de schaamheuvel en de navel, alsof hij aan het genezen is. Dat vindt Josepha bedrieglijk. Diep liggen de kuiltjes van haar sleutelbeenderen voor haar in de spiegel. Ze laat de ringen erin glijden, in elk kuiltje één, en kijkt hoe ze op het ritme van de halsslagader beginnen te schommelen. Haar huid, neemt ze aan, is van het lange gespannen staan door de zwangerschap dun geworden en laat de bewegingen van wat er binnen in haar gebeurt duidelijker zien. Niet alleen het gestommel van haar kind in zijn beschermende holte, ook de peristaltiek van haar darmen, haar slokdarm, het openen en sluiten van haar hartkleppen, de trillingen van haar stembanden en het samenspel van haar spieren komen door de huid heen aan het licht, zodat Josepha, zou ze arts willen worden, de colleges anatomie heel erg zou kunnen bekorten. Maar Josepha wil geen arts worden, ze moet er niet aan denken. Daarom denkt ze er ook niet over na wat haar inwendige lijf haar uiterlijke verschijning aandoet. Alleen wanneer ze er lichaamsvreemde voorwerpen aan toevoegt, zoals zojuist de trouwringen van haar ouders, of er jeugdig bedoelde cosmetica opbrengt van volkseigen makelij, valt haar het interne gebeuren op. Dan ziet ze de blauwachtige ooglidschaduwen in haar gezicht, dan ziet ze, als ze een oog dichtdoet, het pulseren binnen in de bulbus en ze is een beetje verbaasd. Maar nog voordat ze haar oog weer opendoet om het andere in gesloten toestand te bekijken, is ze die aanblik alweer vergeten. Daarom kan ze ook niet weten wat haar collega's af en toe op een afstand houdt in Hal 8 van de VEB Kalenders en Kantoorartikelen Max Papp: ze lijkt zo binnenstebuiten gekeerd dat sommigen bang zijn voor de aanblik van het blauw-dooraderde Josepha-voorhoofd. Het bloed zelf wordt zichtbaar, hoe het, opgejaagd door een snelle hartslag, door haar bloedvaten golft, aftakt in de adertjes en ten slotte in het laagland van haar vlees verdwijnt, terwijl een nieuwe hartslag het hele proces opnieuw laat beginnen. Josepha's rondje elke ochtend door de kalenderfabriek is dus niet alleen bezwaard door het gewicht van haar naar de aarde trekkende lijf, het wordt ook door haar extreme dunhuidigheid iets bijzonders: de hartslag van de zwangere vrouw is hoorbaar. Dat is in W. nog nooit voorgekomen, en dus durft niemand Josepha nog onbevangen te benaderen. Het geluid van de bloedgolf wordt langzamerhand angstaanjagend. Haar collega's, die het toch al gewend zijn om om zich heen te kijken voordat ze aan een gesprek beginnen teneinde zeker te zijn van een zekere intimiteit, die soms zelfs hun eigen handtas een eind wegzetten, in een goed doorzichtige heg van het rokerseiland bijvoorbeeld, voordat het contact met het vermeende oproer begint, weten niet goed waarop de merkwaardige verschijning van de jonge drukster gebaseerd is, en ze lopen steeds vaker met een grote bocht om haar heen, bukken plotseling om de veters van hun werkschoenen vast te maken, die in de herfst van het jaar 1976 klaarblijkelijk van bijzonder slechte kwaliteit zijn, of lezen geboeid het *Centraal-orgaan*, om hun collega niet te hoeven zien of horen. Vreemd dat Josepha dat niet schijnt op te vallen. Ze maakt zoals ze gewend is haar rondes in de haar nog resterende dagen tot het begin van haar zwangerschapsverlof, brengt af en toe een pauze door met Carmen Salzwedel in de wc-ruimte of maakt met Manfred Hinterzart een afspraak in de kantine om samen het ontbijt te nuttigen. Omdat kennelijk niemand het waagt haar af te wijzen wanneer zij zelf op de gebruikelijke manier een vriendschappelijk gesprek wil aanknopen – ze heeft, doet het gerucht de ronde, immers een gezelschap doorrookte mannen radeloos gemaakt – en omdat ze met haar neerwaarts hangende lichaam zelden opzijkijkt, eerder een beetje de neiging heeft haar handen te vouwen onder het zwart-witte kind om het bij het lopen een beetje te ondersteunen, heeft ze geen erg in de veranderingen in het gedrag van haar mannelijke en vrouwelijke collega's. Pas wanneer Carmen Salzwedel op een ochtend haar Stern-radio te hard aanzet om de verontrustende hartslag te overstemmen, registreert Josepha een ogenblik lang de onzekerheid waarin de mensen om haar heen verkeren, maar dan heeft ze de hal al bereikt: het geluid van haar stromende bloed wordt door het zoeven van de plastic deurflappen, het gejank van de heftruc en de schunnige grappen van de chauffeurs overstemd. Carmen zet haar radio uit en durft haar vriendin nu enigszins vrijmoedig in de ogen te kijken. Weliswaar doet ze haar best haar eigen blik een beetje ter zijde van Josepha's ogen te richten, maar dat is tijdens haar drukke werkzaamheden niet moeilijk. Van rollen pakpapier moet ze op de ochtend van de zesde oktober meterslange vellen trekken, op elk vel papier een stapel kalenders leggen en het papier eromheen vouwen. Eerst moet ze met een papiermes op de juiste plek de benodigde hoeveelheid afsnijden. Ten slotte moet er een blauw-wit gedraaid plastic koord, waarvan altijd een paar rollen klaarstaan in het hokje van de opzichter, om het pak worden gedaan en goed worden vastgeknoopt. Op houten palets, die twee keer per uur door een heftruc worden afgehaald, stapelen de nu al bijna verzendklare kalenders zich op en doen vergeten dat daarin vervlogen en komende tijd gevangen zit zoals in het land gebruikelijk is.

De Revesluehs hadden Therese voor het begin van hun gedenkwaardige reis naar het oosten van ons vaderland gevraagd met welk geschenk ze Josepha het meest een plezier konden doen. Als antwoord had Therese een foto van de kalendermuur in de keuken naar het Beierse N. verstuurd en uitvoerig geïnformeerd over Josepha's affiniteit. Dus was Ottilie Reveslueh in de daarvoor in aanmerking komende winkels van de stad op zoek gegaan naar de kalender met de mooiste platen, en had ten slotte een schitterend exemplaar uitgekozen met madonna-afbeeldingen uit verschillende stijlperioden. Weliswaar had ze die niet in een papierwarenwinkel of boekhandel gevonden, maar in een tweedehands winkel van een geëmigreerde Pool. Onder normale omstandigheden zou ze niet op het idee zijn gekomen zo'n winkel binnen te gaan, omdat ze ervan overtuigd was dat daar alleen maar rotzooi werd verkocht, maar ze was onwel geworden toen ze Avraham Bodofranz na een lange wandeling op een bank in het park had gezoogd. Heel beslist en op hoge toon had het kind aangedrongen op het aangereikt krijgen van zijn moeders borst, had zijn doel ook al snel bereikt, maar was zo hevig aan het zuigen geslagen, dat hij waarschijnlijk ook een aanzienlijke portie van verschillende lichaamssappen van de kleinburgeres Ottilie Reveslueh had opgezogen nadat de hem toekomende hoeveelheid melk was opgeraakt. Voorbijgangers hadden de oude moeder – ze was door toedoen van de Beierse pers een beroemdheid geworden – naar het dichtstbijzijnde huis gebracht en zo was ze rechtstreeks in het rariteitenkabinet van de Poose emigrant beland. Opgetogen over de plotseling zo talrijke klanten was Jerzy Oleszewicz meteen een glas water gaan halen in de woning boven de in een kelder gevestigde winkel, van zijn veelkoppige gezin, en had met dat hele gezin de leeggezogen Ottilie van nieuwe sappen voorzien. Gezamenlijk hadden ze de beide beroemde cliënten allerlei afbeeldingen van heiligen aangesmeerd, een paar fluwelen kussens verkocht en spiegeltjes in de hand gedrukt in met stras versierde lijstjes. Jerzy Oleszewicz vond Ottilie Reveslueh aardig met alle kracht van zijn gelovige hart en trok daarmee een scheidslijn tussen zichzelf en zijn Beierse gastheren die hetzelfde geloof beleden: hij beschouwde het moederschap als de hoogste rang waartoe God een vrouw kon verheffen, en de omstandigheden waaronder dat moederschap tot stand kwam, beschouwde hij allemaal als even waardig. Bijna was hij ertoe gekomen zijn prominente klant geëmigreerd Pools sperma aan te bieden, dat hij maar al te graag had toegediend aan een gebenedijde Duitse vrouw. Toen namelijk de laatste van de Lazerussen de winkel had verlaten en Avraham Bodofranz in zijn wagen in slaap was gevallen, was Ottilie weer in een donkere bewusteloosheid geraakt en wellicht had hij haar in die toestand kunnen nemen – Jerzy had haar blouse en bh in elk geval al geopend – maar de schelle stem van zijn echtgenote Agnes, die via de trap tot in de kelder doordrong, zorgde ervoor dat de onderneming werd afgeblazen: Ottilie keerde terug. De moeite die Jerzy Oleszewicz nu had moeten doen om zijn vrouw nog eventjes op afstand te houden (klandizie, Angnieszka, klandizie!), was verwaarloosbaar in vergelijking met zijn bovenmenselijke inspanning zijn opgerichte lid en de daaroverheen scherp geprononceerde tuit in zijn broek verborgen te houden. Zijn geloof in de gebenedijde ontvangenis had zich kennelijk gevoegd naar zijn onwil om als eventuele alimentatie-vader te worden ontmaskerd. Acher een kalender met madonna-afbeeldingen uit verschillende stijlperioden was het hem toen gelukt zijn rechterhand aan zichzelf te slaan en de verdeler na een paar geroutineerde slagen de baas te worden, waarbij drie, vier nauwelijks hoorbare zuchten zachtjes door de winkel werden verspreid. Ottilie had die geluiden in haar sluimerige toestand voor huldebetuigingen gehouden, die de Pool bij het bekijken van de prachtig gekleurde madonna-afbeeldingen liet ontsnappen, en ze had meteen de kalender ter sprake gebracht, die hij ten slotte voor een aanzienlijk bedrag aan haar verkocht, waarbij hij meteen ook een afspraak met haar maakte voor een inleidende les in de geschiedenis van de aanbidding. Wat hij er ook mee had beoogd, Ottilie was daar niet meer achter gekomen: Agnieszka had de sporen van de uitstorting voor de wasketel ontdekt. Ze vatte dat als een signaal op dat ze meer van haar man moest vergen, opdat hij zich niet al te vaak nutteloos hoefde te ontladen, en ze had hem tijdens de daaropvolgende weken dermate hitsig gemaakt dat hij geen druppel meer ongemerkt het huis uit had kunnen smokkelen – ze tapte alles bij hem af en zocht hem met dat doel een paar keer per dag op in zijn winkel, etaleerde zichzelf op oriëntaalse taboeretten, Indische porseleinen olifanten, valse Russische iconen of een Kaukasisch speelbord, ze spreidde haar benen voor hem op zijn bureau, wanneer hij de schamele bedragen van zijn verkopen in de maandelijkse boeken wilde optekenen, of tilde als per ongeluk haar rok op, terwijl ze met onvermoeibare ijver de vloer van de winkel leek te dweilen, opdat hij aan zijn gerief kon komen en Ottilie vergat zoals Agnieszka het woord onderbroek vergat en het daarmee aangeduide voorwerp. Agnieszka's geur lokte na enige tijd steeds meer klanten naar Jerzy Oleszewicz' winkel, zodat het paar een uitvoerige middagpauze op de winkeldeur moest schrijven om tijd te maken voor de bevrediging van hun wederzijdse begeerte. De zaken liepen zo goed dat Jerzy Oleszewicz hele wagenladingen met overbodig geworden melkkrukjes voor weinig geld kon opkopen en als Poolse antiquiteiten weer kon verkopen. Die coup leverde hem en zijn vrouw de eerste vakantie van hun leven op, die hen naar het verre Californië zou brengen, terwijl Ottilie zich in het bezit waande van de mooiste van alle cadeautjes die ze voor haar kleindochter kon meebrengen, en het niet zo belangrijk vond dat het jaar 1969, dat onder een gouden kruis op de omslag stond, allang voorbij was. In elk geval had Josepha meteen na het uitpakken van het prachtige geschenk gezien dat de tijd inderdaad volgens de gebruiken van het land wordt gedresseerd en zo'n kalender zich heel duidelijk onderscheidde van de exemplaren die ze in de loop der jaren van Therese ten geschenke had gekregen. Daar hoeft ze nu echter niet meer aan te denken, ze heeft verder niets te doen dan het aantal door Carmen Salzwedel verzendklaar gemaakte stapels in een schoolschrift te noteren en elk pakket van een nummer te voorzien. Dat doet ze in een

276

doorlopende reeks cijfers, beginnend met 596.722, precies daar waar haar voorgangster op deze werkplek was opgehouden. Dat denkt Josepha tenminste, want het schrift dat ze haar in het hokje hadden overhandigd, was ongerept geweest als het schrift van een schoolkind op de dag voordat het naar school gaat. Wat ze niet kan weten: het aantal 596.722 is door het gilde van de doorrookte mannen, de *bevoegde instantie* dus, opgegeven. De jonge drukster Josepha Schlupfburg moet de laatste dagen voor het begin van haar zwangerschapsverlof doorbrengen met het noteren van getallen, waarbij men kennelijk hoopt dat ze onder de indruk zal komen van de enorme aantallen en afgeleid zal worden van de merkwaardigheden van haar psychische toestand. Inderdaad vraagt Josepha zich af sinds wanneer er eigenlijk op die manier wordt boek gehouden van de verzending van de kalenders en hoe lastig het op deze manier is de verplichte jaarlijkse productietoename af te lezen. Ze denkt er zelfs over of ze niet een reorganisatieadvies kan destilleren uit deze ervaring: of ze in de toekomst niet beter per kwartaal het aantal verzonden kalenders...? Ze moet lachen als Carmen Salzwedel bezorgd over de paktafel springt, wat ze op erg gracieuze manier kan, wat Josepha's plezier daarover alleen maar aanmoedigt. Carmen Salzwedel is door de jeugdleider van het bedrijf verzocht een oogje te houden op haar vriendin. Dat werd beargumenteerd met het belang dat de staat stelt in de gezondheid van de komende generatie en met vermelding van het feit dat men haar, Carmen Salzwedels, deelname aan het raamprogramma over seksualiteit, tijdens de Leipziger Herfstbeurs, wel degelijk heeft geregistreerd. Carmen Salzwedels ontsteltenis daarover bleef binnen de perken, ze wist immers op grond van jarenlange ervaring hoe elke hand de ander weet te wassen. Ze was er toch bijna zeker van geweest dat de meeste van haar ruil- en inruilzaakjes op de een of andere manier door de staat werden getolereerd, hoe hadden ze anders zo ongestoord kunnen plaatsvinden en voor een groot deel tegemoet kunnen komen aan het bevel tot behoeftebevrediging, dat uitgesproken doctrinair uit de diverse maatschappelijke kelen schalde in gesproken vorm, als lied en als partijprogramma! Daarom is Carmen Salzwedel bijna blij dat men attent is geworden op haar ijver, hoewel ze zich een beetje schaamt dat ze daarmee ook haar uitgebreide halfzusterlijke familiebetrekkingen tot onderwerp van beoordeling door de staat heeft gemaakt. Veel vrouwen in W. groeten elkaar vriendelijk, sommigen bij het boodschappen doen, op vergaderingen van het bedrijf en op eindexamenfeestjes van hun kinderen, anderen in kraamklinieken, bij de deur van kleuterscholen en in papierwarenwinkels, waar grote puntige papieren snoepzakken en schrijfwaren kunnen worden gekocht voor kinderen die voor het eerst naar school gaan. Carmen Salzwedels vader is dus nog steeds actief. Het districtsbestuur was nu vast en zeker attent gemaakt op het probleem dat hierdoor ontstond en dat, zoals ook Carmen moest toegeven, dringend moest worden opgelost. Ze vindt het een pijnlijke kwestie. Wat ze niet weet: de opleiding van de zinnelijke Algerijnse staatsburgers in W. was al op aanwijzing van hogerhand geregeld, teneinde iets tegenover de dreigende inteeltparingen in W. te stellen. Met enig succes, zoals in de loop der jaren bleek. Sinds lang probeerde men vruchteloos de rondzwervende, zwangerschappen veroorzakende man te arresteren. Zijn manier om vrouwen aan kinderen te helpen moet zo ongebruikelijk geruisloos, zo verrassend en tegelijkertijd zo meelevend zijn, dat hij zich nog steeds verborgen kan houden. Geen van de moeders heeft hem ooit verplicht alimentatie voor haar kind te betalen, aan geen enkele vrouw verstrekte hij meer dan één keer zijn goedje, en allemaal praten ze over hem, als ze dat al doen, met niets anders dan met tedere verrukking. (Carmen Salzwedels verwachting hem ooit aan zijn haar te zullen herkennen, is tot dusver niet bewaarheid. Intussen meent ze dat hij slechts overdrager is van het bij hemzelf zich recessief gedragende gen.) Met het grote aantal zwangere jonge meisjes rond de Thüringse provinciestad W. heeft Carmen een probleem. Gelukkig weet ze dat het kind van haar vriendin Josepha geen zuster of broer van haar zal zijn, wat haar in dit ene geval min of meer geruststelt. Maar helemaal wil ze de hoop haar vader op een dag toch nog te ontdekken – ze weet zeker dat ze hem al talloze keren is tegengekomen op haar zoektochten – niet opgeven. Maar daaraan denkt ze op dit moment niet als ze gracieus over de paktafel springt en het kind van haar vriendin ondersteunt. Helemaal gedeukt van het lachen golft Josepha's buik op en neer, wiebelt horizontaal ritmisch naar beide kanten, zodat het wel lijkt alsof de tijd van baren is aangebroken. Carmen Salzwedels handen en armen ondernemen een nieuwsgierige tocht over het lichaam van haar vriendin en blijven een beetje te lang onder haar navel liggen, waar een warmte uitstroomt die Carmen het signaal geeft: je koestert verlangen. Je wilt een knulletje voor jou alleen, die je innerlijk bijstaat... Carmen heeft, sinds haar vriendin langzaam bezig is het moederschap te ontwikkelen als een kip die in de rui is, in de gaten dat hetgeen het verlangen naar een kind wordt genoemd en van staatswege schijnt te worden goedgekeurd, ook haar zal overkomen. En nu is het dus geboden alle kanten op te gluren of iemand wel ziet hoe ze het teken van haar vruchtbare periode in de omarming met haar vriendin voor haar buik hangt. Ze herinnert zich hoe ze maanden geleden samen in wc-hokjes zaten en Josepha keurig gepelde partjes bloedsinaasappels uit haar zich binnenstebuiten kerende maag braakte. Dit jaar wordt alles op de een of andere manier voorafgegaan door kokhalzen – Carmen moet kotsen. Ze spuugt geelachtig slijm met donkerbruine slierten over de paktafel. Puddingresten. Ze heeft geen idee waar het vandaan komt, noch waarheen haar dat leidt. Ze is het almaar goed zijn spuugzat, ze wordt er hondsberoerd van: haar vriendin is het onderwerp van haar rapportage, ze stelt zich uitvoerig Josepha's buik voor in de in groen karton gebonden dossiers. Het zou haar niet verbazen dat in de dossiers het geslacht van het te verwachten kind allang vaststond, evenals de omvang van zijn hoofd en de lengte van zijn voorgeboortelijke voeten. Wat gebeurt er allemaal? Allemaal dingen die haar steeds minder bevallen, zoals ze nu merkt. Zoals ze nu jammert. Alleen begrijpt Josepha niets van het gestamel van haar vriendin, die ze nu eerst maar eens moet proberen te kalmeren. Dat niemand komt helpen, ligt aan twee dingen: de normale werkpauze begint, en vóór het begin daarvan zijn de inpaksters en inpakkers allang bijeengekomen op het rokerseiland voor hun gebruikelijke JUWEL 72, en ook al zou er iemand zijn, dan zou die nog niet willen helpen in verband met de filter-foltertoespraak, die hun niet in de kouwe kleren is gaan zitten. Dat denkt Carmen tenminste in haar halfbewuste toestand en ze vermant zich: ze forceert een glimlachje en bekent dat ze inlichtingen heeft verschaft aan de *bevoegde instanties*. Josepha laat haar los. Op een bepaald moment, aan het eind van de pauze, zitten de twee vrouwen, omspoelt door zure rotzooi, dicht tegen elkaar aan en wiegen arm in arm heen en weer.

Twee dagen is het pas geleden dat Carmen alles opbiechtte. Opbiechtte op zo'n manier dat Josepha na een paar ogenblikken van sprakeloosheid een aanval van vrolijkheid kreeg. Van lachlust. Van heen-en-weer-wiegdrang. Van danslust. Echt. Had Carmen gedacht dat ze het haar vriendin in Keulen had laten horen donderen, Josepha was eerder verheugd dat er nu opening van zaken was gegeven en zichtbaar ontroerd dankte ze Carmen daarvoor. Eer je aanstoot kon nemen aan hun beider verwarring, waarin ze ingespannen bezig waren het braaksel met behulp van heet sop en een grove lap op te ruimen, had ten slotte Manfred Hinterzart zich als een echte gentleman letterlijk over hen ontfermd en het vuile werk opgeknapt voor de twee arm in arm heen en weer wiegende dames. Hij was iets eerder teruggekeerd van de rookpauze, omdat hij Josepha nog iets had willen vertellen: een brief van zijn zuster uit de Algerijnse woestijn had hem via een ondoorzichtig traject bereikt en had hem er geheel van overtuigd dat Annegret leed op een manier die met het hem ter beschikking staande vocabulaire nauwelijks kon worden omschreven. Wel had hij het nog maar even uitgesteld zijn gemoed te luchten, toen hij Josepha en Carmen daar zag zitten in het groenige slijm, waarvan hij niet wist uit wiens strot dat te voorschijn was gekomen. Zonder een woord te zeggen was hij gaan halen wat er ter verwijdering van het ongelukje van node was, en hij had met een medelijdend, maar vastberaden gezicht de handen uit de mouwen gestoken. Het was toen een fluitje van een cent geweest om de twee vrouwen mee te nemen naar het opzichtershokje, waar op dat moment gelukkig niemand aanwezig was, en daar hadden Josepha en Carmen heel snel het ritme van de noodzakelijkheid weer opgepakt onder Manfred Hinterzarts kalmerende woorden en wangengestreel. Aan het verzoek ze ook nog naar de wc's te begeleiden, had hij bijna teder gehoor gegeven, en toen er uit de kleedcabines tandenborstels moesten worden gehaald en scherpe tandpasta van het merk Rot Weiss, had hij ook dat met plezier gedaan. Met frisgepoetste tanden waren Josepha en Carmen ten slotte weer naar buiten gekomen, waar hij op hen stond te wachten, en beiden hadden hem met een kus bedankt, die hem diep in zijn mondholte had geraakt en had opgewonden, zodat hij hun nu moest verzoeken zijn broek open te doen opdat de koude oktoberstorm – een militaire manoeuvre van die naam had zojuist plaatsgehad in het land – zijn geslacht zou kunnen ontnuchteren, maar met hun vrouwelijke inzicht wilden de vrouwen precies dát niet doen. Enerzijds waren ze nieuwsgierig geworden naar de manier waarop Manfred Hinterzart met zijn lid omging, anderzijds roken ze het gevaar dat zo'n handeling met zich meebracht. In plaats daarvan had Josepha zijn hoofd tussen haar handen genomen en het even in de bijtende latrinegeur van de wc gehouden, om ervoor te zorgen dat hij weer tot zichzelf kwam. Dat was gelukt. Met z'n drieën waren ze vervolgens teruggekeerd naar Hal 8. Manfred Hinterzarts droevige hunkering was echter sindsdien overeind gebleven, ook zijn dagelijkse, eigenhandige geruk kon daar niets aan veranderen. Vandaag, op de Dag van het Zeevaartwezen, een gure, doodgewone woensdag, heeft hij daarom zijn wijde marineblauwe broek aangetrokken en zijn matrozenblouson, waar hij anders evenzeer de pest aan heeft als een galpatiënt aan roergebakken kool. Zijn moeder had die blouson van perlon genaaid voor de 'jeugdwijding' genoemde feestelijkheid op zijn veertiende, en het kledingstuk was met hem en zijn vreugden en smarten meegegroeid, waardoor hij nooit de moed had gehad het weg te gooien: zijn moeder was door het verdwijnen van haar dochter Annegret in de Algerijnse woestijn depressief geraakt, en hij had het haar niet had kunnen aandoen een door haar met liefde genaaide blouson zomaar uit zijn kast te verwijderen. Dat het ding ooit van pas zou komen om hem als petrochemische uitrusting te beschermen, had hij in de jaren daarna nooit kunnen bevroeden. En nu, op zijn blauwe broek, onder de glanzende kunststof blouson, vertonen zich vouwen, ontstaan bollingen, waartussen zijn stuiptrekkende mansdeel niet erg opvalt. Maar wat moet hij beginnen met zichzelf, vandaag, op de Dag van het Zeevaartwezen? Zijn geile verlangen richt zich op zowel Carmen als Josepha, hij staat werkelijk voor gek zoals hij ritmisch uitslaat in beide richtingen! Josepha's gevulde lijf trekt hem net zo aan als Carmens intussen een nerveuze indruk makende alleenstaandenstatus. Terwijl hij bezig is na te denken over een wellicht noodzakelijke keuze, rijdt hij om vijf uur al weg op zijn fiets, om zowel Josepha als Carmen in de schaduw van het portiershuisje bij de fabriekspoort op te vangen en dan zijn geslacht domweg te laten spreken als een mannelijk hart. Zo simpel komt hem dat voor, dat hij van voorpret al een keer, en vermoedelijk heeft ook de wrijving met het leren fietszadel het zijne ertoe bijgedragen, een lozing heeft gehad en daarmee, wat voelt hij zich opgelucht nu hij zijn marineblauwe broek heeft natgemaakt. Maar die droogt snel: als hij zijn fiets op slot zet bij de ingang van de fabriek, is er alleen nog wat nattigheid voelbaar in het kruis van zijn onderbroek, daar waar die toch al is versterkt voor het opvangen van druppels. Hij verschanst zich achter een opengevouwen uitgave van het *Centraal-orgaan*. Wat hij van plan was, mislukt. Hij mist eerst al Josepha, die ook iets eerder met haar werk is gestopt, mist haar zogezegd door het lezen van de krant, omdat hij, tegen zijn verwachting in, wordt geboeid door de rubriek Wat er verder nog is gebeurd: een Azerbeidzjaanse kolchozboer had het in zijn hoofd gezet met een van zijn ouderwetse dorsmachines te trouwen. Hij had zich in verband daarmee tot de voorzitter van zijn kolchoz gewend en hem verzocht de bewuste machine de naam Alla Pugatschova te geven. Dan, was zijn overtuiging, kon men hem niet meer verbieden met zijn geliefde in het huwelijk te treden. Inderdaad had de voorzitter een bordje met het opschrift Alla Pugatschova op de machine laten aanbrengen, waarna een dorpsbruiloft volgens oud gebruik was gevierd. De ouders van de bruid, een landbouwmachine-ingenieur uit Omsk met de naam Edward Wolfovitsch en de Litouwse tekenares Romualda Brazauskiene, hadden voor hun dochter een trouwjurk van witte katoenen kant genaaid en een boeket Grusinische rozen aan haar versnellingsknuppel gebonden. Voor de huwelijksnacht had men het paar in de grote tent van het circus van de districtshoofdstad met elkaar alleen gelaten. Het liefdesgesteun van de bruid was de hele nacht in een omtrek van meer dan tien kilometer te horen geweest en had heel wat vrachtwagenchauffeurs ertoe gezet het ook eens een keer te proberen met een 'Wolga' of 'Sapo' genaamde machine. De volgende ochtend waren er veel klachten binnengekomen van naar hun diverse werkplekken op weg zijnde burgers van de stad. Steeds opnieuw had de militie melding gekregen van mannen die in de uitlaten van hun patrouillewagens vastzaten, waarbij het grootste aantal van de zo ongelukkig beklemd zittende mannen functionarissen uit het middenkader waren. Manfred Hinterzart gelooft geen barst van wat hij leest. Niet dat hij eraan twijfelt dat er zulke dingen kunnen voorkomen onder de zon. Eerder is hij geschrokken door het feit dat er op zo'n openlijke manier over wordt geschreven in het gortdroge officiële partijorgaan. Even vergeet hij daardoor zijn eigen geilheid, te meer daar de voorstelling de Trabant van zijn vader met het beschreven doel te benaderen, hem niet erg aanstaat. Walgend vouwt hij de krant op en hij is juist bezig hem in de zak van zijn winddichte blouson te stoppen, als Carmen Salzwedel met een ongebruikelijke Spaanse tred zijn verlangen doet weerkeren. Manfred raapt zichzelf en al zijn moed bijeen en loopt op haar af, legt, haar aan de afgelopen dagen herinnerend, zijn rechterhand in haar nek, zijn linker onder haar kin en maakt haar mond open door met zijn duim haar onderkaak naar beneden te trekken en zijn koortsige tong tussen haar gesaneerde rijen tanden te steken. Zo kan hij langs haar kiezen glijden, haar huig kietelen, gekoer aan haar ontlokken, en Carmen Salzwedel hoeft er werkelijk geen moment over na te denken wat ze Mangred Hinterzart in ruil voor toekomstige kussen te bieden heeft: ze wil alleen nog maar hem. Als hij al kussend begint te zweten en fijne druppeltjes in zijn en haar haar beginnen te condenseren, wordt Carmens haar stijf, en ze spreken beiden ogenblikkelijk een hevige virusinfectie af, waarachter ze zich in Carmens woning voor de rest van de dag willen verschuilen.

Josepha mist haar vriendin intussen meteen, wanneer ze het hokje van de opzichter bereikt. Verwacht ze eerst nog dat Carmen nog wel zal komen, misschien heeft een halfzusterlijk gesprek haar onderweg opgehouden, met het verstrijken van het volgende halfuur wordt ze toch onrustig en loopt als toevallig steeds weer langs de plastic-bevleugelde entree van de hal: ze zal toch nog wel komen opdagen? Carmen Salzwedel is haar sinds haar bekentenis erg dierbaar geworden. Sindsdien heeft Josepha overigens weer meer last van de voor het land typische scherpe wind, ze vraagt zich af hoe lang het zwart-witte kind het scheurtje nog dicht zal houden in zijn ballon. Af en toe waait de wind hevig bij haar naar binnen, zodat ze bang is en haar organen met gespannen spieren steviger in zichzelf verankert. Maar in die toestand verkrampt haar uterus, en het zwart-witte kind krijgt af en toe te weinig lucht. Josepha heeft nog het een en ander te doen vóór de bevalling: Ljusja wacht in de klerenkast geduldig op het afgesproken bezoek aan haar zoon in de omgeving van Leipzig, en ook de laatste etappe van de expeditie maakte niet de indruk dat het doel al spoedig zal zijn bereikt. Het komt haar dus heel goed uit dat ze vandaag voor de laatste keer voor de komst van het kind hoeft te werken in de VEB Kalenders en Kantoorartikelen Max Papp, en deze laatste dag wil ze met Carmen Salzwedel doorbrengen en met een afscheidsontbijt voor de brigade. Weckpotten met escargots vullen al dagen de roodgeruite weekendtas in haar kast, sinds vandaag ook runderbraadworsten en vers gebak, verder een heleboel flessen verdunde rode wijn van het merk Vuurdans, waarvan de collega's tijdens de gebruikelijke verjaardagspauzes, maar vooral op Vrouwendag-, Eindejaars- of Brigadefeesten zo onbeperkt genieten. Voor zichzelf heeft ze een flesje appel-schuimwijn meegebracht, gekocht bij de plaatselijke appelwijnmaker. Met mate wil ze daarvan drinken om deze en de komende dagen te vieren en misschien ook een slokje aan Carmen Salzwedel te geven. Over het feit dat die ontbreekt maakt ze zich vooral ook zorgen omdat ze op Carmens huisvrouwelijke kwaliteiten als steun bij het voorbereiden van het afscheidsontbijt heeft gerekend. Warme runderworst opwarmen zal, als het erop aankomt, niet zo'n probleem voor haar zijn, maar de escargots *á la opzichtster* klaarmaken – daarbij zou ze Carmen Salzwedels helpende hand zeker kunnen gebruiken, bedenkt ze, en ze probeert zich voor te stellen met welke kook- of bakmethode en met toevoeging van welke kruiden ze de potsierlijke beestjes smakelijk kan bereiden. Het idee de verdwenen opzichtster te herdenken met een overdadige maaltijd, klaargemaakt op de manier die sinds de intrede van de opzichtster in de toestand van bijzondere geestelijke zachtaardigheid zo vaak het gehemelte van haar superieuren en ondergeschikten heeft gestreeld, koestert Josepha in aanhankelijkheid, alsook de hernieuwde behoefte haar bazin op te sporen en deze keer ook heel duidelijk de grens te overtreden van wat als legaal wordt beschouwd. Terwijl Josepha dus water gaat halen om de worsten in een helaas slechts middelgrote pan eerst maar eens in de hitte te laten glijden, schieten haar heel wat dingen te binnen: hoe ze, in de zin van Angelika's vader, verlegenheid heeft veroorzaakt met een simpele uitnodiging voor een gesprek, hoe de moeder van Angelika vergat te glimlachen door de verdenking dat door de mond van Josepha een *bevoegde instantie* tot haar sprak en haar in moeilijkheden zou brengen. Hoe ze met het onderkoelde poesje naar de dokter ging en daar alleen maar toekeek hoe de man zijn kop in het zand stak. Het tekeergaan van het staatshoofd vanaf het sprekende portret had in elk geval gezorgd voor een zeer navoelbare aanleiding voor allerlei soorten gekte, en heus niet alleen de lusten van de opzichtster hadden opgespeeld toen hij vanaf zijn portret neuklustig om mensen schreeuwde... Desondanks heeft ze geen idee hoe ze, en dan met meer succes, opnieuw aan een zoektocht naar haar opzichtster moet beginnen. Ze komt met een emmer water terug in het hokje, doet welgeteld tien worsten in de snel overvol wordende pan en trekt aan de rubberen ringen van de weckpotten. In het voorjaar heeft ze de slakken rond het heuvelgraf in de tuin verzameld, tientallen kropen er dagelijks door het dauwnatte gras. Als kind had Josepha de beestjes bij het spelen namen gegeven, had van fruitkratten iets gebouwd wat ze 'terraria' noemde, die, als je eraan terugdacht, echter niet veel meer waren geweest dan een groot aantal kortstondige gevangenissen, waarin de diertjes gedwongen waren over elkaar heen te kruipen. Het was de dierlijke gevangenen altijd na verbazingwekkend korte tijd gelukt die lage barrières te overwinnen, en in vrijheid hadden ze kennelijk niets beters weten te doen dan zich rijkelijk voort te planten. De kleine holten in de rulle grond bevatten geelwitte, glanzende eieren, die Josepha aan mistelbessen deden denken en die haar respect inboezemden voor hun intactheid. Nooit had ze uit kinderlijke nieuwsgierigheid een nest uitgehaald. Dat ze er dit jaar op gekomen was de slakken in te maken, zoals ze samen met Therese in voorafgaande jaren met fruit en paddestoelen, eenden- en lamsvlees had gedaan, moest met de uit plotselinge geestelijke zachtheid voortspruitende slakkengeschenken van de opzichtster te maken hebben. Ze had er geen afschuw bij gevoeld toen ze, nadat een film op de televisie over een Franse slakkenkwekerij haar had laten zien hoe ze te werk moest gaan, twee zakken zout in de emmer met de levende beestjes erin uitstortte en die vervolgens, toen ze in hun doodsnood half uit hun huisjes kropen, met kokend water doodmaakte. Met enige krachtsinspanning kon je ze er met een vork uittrekken. Het inmaken was verder een koud kunstje, en ook wat het klaarmaken betreft had de televisiefilm raad geweten: het vlees met zout en peper kruiden, in heet vet snel braden en in de nu lege hulzen stoppen, voordat je met een klodder kruidenboter de ingang werd dichtstopte en het gerecht op een bord met witbrood en met een glas rode wijn erbij opgediste. Maar de opzichtster had de slakken in een slijmerige zwartbruine saus geserveerd, waarvan een indringende knoflookgeur opsteeg. Josepha herinnert zich dat ze eerst meende dat het mosselen waren die bij haar eerste happen door haar keel gleden. Twee of drie van haar vrouwelijke collega's hadden na het eten ervan galkoliek gekregen en braakten het vet urenlang uit... Maar Josepha had het zo goed gesmaakt dat ze vervolgens dus zelf slakkenvlees was gaan conserveren. Vandaag vindt ze het wel heel erg vervelend dat ze haar opzichtster niet om het recept kan vragen van het donkere slijm. Thereses gietijzeren koekenpan staat intussen op de tweede, nog vrije plaat van het fornuisje in het opzichtershokje. Vastberaden laat Josepha een half pond boter smelten, doet er bij gebrek aan verse tenen een heel zakje knoflookpoeder bij en wacht of het een beetje zwart wordt. Net voordat de braadboter begint te verbranden, laat ze er de afgedropen slakkenlijven in glijden, en wanneer Josepha er na een poosje in water opgelost bindmiddel aan toevoegt, ontstaat inderdaad een saus. Maar de kleur daarvan laat te wensen over, heeft bij lange na niet de verzadigde kleur van het opzichtstersgerecht, en het is ook niet met zekerheid te zeggen of de saus tot toetasten uitnodigt. Gelukkig is zekerheid niet wat Josepha nog ontbeert, en dus laat ze wat een hommage moet worden doorprutelen. Intussen kan ze, het is al lang geleden ingepland dat ze met verlof zal gaan, de tafel dekken in Hal 8. Rond de paktafel, waaraan Carmen nog maar kort geleden de kalenders inpakte en noteerde, hebben de mannen al voordat het werk begon overal vandaan gehaalde stoelen neergezet. Drie lakens, waaronder ongetwijfeld ook het laken dat ze op de ochtend van 1 maart in koud water in de week had gezet, zorgen ervoor dat de borden en kommen en glazen wat minder op het vaatwerk lijken dat op vrijgezellenavonden kapot wordt gegooid. De flessen rode wijn worden in trio's gegroepeerd en met steeds een armlengte afstand op tafel gezet. Therese heeft Purzel en Raderkuchen gebakken, die heel mooi uitkomen naast het al gesneden brood. Als ze een tekort aan groen opmerkt, loopt Josepha naar de kantine en weet inderdaad peterselie en bieslook los te krijgen alsmede een zak met langwerpige, lichtgroene paprika's. Een geschenk uit medelijden? De jeugdleider van het bedrijf komt zelfs aanzetten met een zak appels uit zijn volkstuintje. Mosterd en mierikswortel wachten op warme worsten, en als de sirene jankend de pauze aankondigt, zit Josepha werkelijk aan het hoofd van een feestelijk gedekte tafel, waar middenop, lichtbruin, het slakkengerecht staat te dampen. Plechtig en beschroomd naderen mannen en vrouwen het afscheid, hebben late boeketten van herfstasters achter hun rug of dozen geassorteerde bonbons. Maar het hoofdgeschenk is een schitterend babygarnituur in bleekgroene tint, een dik, gebreid jasje, een gehaakt mutsje, met pompoms versierde sokjes en wantjes, een das en het onmisbare kinderwagendekentje, neutraal en pastel, zoals besloten. Josepha neemt het met ontroerd gezicht aan, ze heeft zich tot dusver nauwelijks bekommerd om kleertjes voor het zwart-witte kind, afgezien van de luierruil en een paar truitjes en jasjes. Wel heeft Ottilie haar de uitzet van Avraham Bodofranz beloofd, ze had de kleinste spulletjes ook al meegebracht en erbij vermeld hoeveel die hadden gekost in het Beierse N. Of ze echt ontroerd is, kan Josepha niet vaststellen achter haar drukbezette voorhoofd. Het valt haar in plaats daarvan op dat het gesprek niet zo erg wil vlotten, dat weliswaar de flessen met de gebruikelijke snelheid worden ontkurkt, maar dat er slechts met mate wordt gedronken, wat ongebruikelijk is in de VEB Kalenders en Kantoorartikelen Max Papp, even ongebruikelijk misschien als het ontbreken van Carmen Salzwedel en Manfred Hinterzart, die anders, ieder voor zich, juist gewend zijn uiterste stiptheid aan de dag te leggen. Maar zoals altijd wordt er behoorlijk geschrokt. (Josepha stelt zich in de strotten van de eters de worsten in hun geheel voor, twee of drie achter elkaar...) Alleen de slakken blijven merkwaardig onaangeroerd midden op tafel staan. Als ze ophouden met dampen, waagt Josepha het tot consumptie ervan uit te nodigen, maar ze brengt de schotel eerst naar de keuken en warmt de slakken per portie weer op. Omdat niemand met haar meeloopt, doet ze er nog een beetje spek bij, dat Therese voor *je weet maar nooit* die ochtend heeft meegegeven. Zo snel zal het brigadeontbijt niet voorbij zijn, zo snel is de onvervalste arbeidersklasse niet verzadigd. Josepha verdeelt de lichtbruine slakkenpap over de borden. Wie ergens aan wordt herinnerd, zwijgt, anderen wimpelen verlegen af en moeten de klodder slakken op hun bord toch accepteren, die Josepha met een diepe Poolse pollepel ronddeelt. Na een poosje, en eindelijk wordt de versneden rode wijn op de oude vertrouwde manier gedronken, eten ze allemaal hun bord leeg. Er valt een stilte. Uit de slakken in hun mond begint plotseling de opzichtster in aller oren te zingen, osseotympanaal zogezegd, en ook in Josepha's hoofd klinkt nu het verdwenen 'Als een ster in een zomernacht', huiveringwekkend en hartverscheurend mooi, zodat je niet meer weet hoe je het hebt. Bedrijfsinterne machteloosheid neemt bezit van Hal 8, een *gefundenes Fressen* in het oor van de *bevoegde instanties*, wanneer ze werkelijk zo'n... Met het toenemen van de wijnconsumptie verdwijnt het fenomeen ook weer, slaat de leegte toe, Josepha zegt niet wat ze zou moeten zeggen: vaarwel. Josepha zegt *Hic Rhodos, hic salta*, zonder te weten tegen wie ze dat uitspreekt. *Hic Rhodos. Hic salta*, opnieuw en opnieuw. De eerste collega valt in, algauw een tweede. Na enige aarzeling scandeert het hele gezelschap *Hic Rhodos. Hic salta*, scattet het tot aan de groove van de ontsporing. Steeds meer populaire liedjes komen achter de woorden te staan, ineengroengroengroengroenknollenknollenland: *hicrhodoshicsaltahicrho*, depadenopdelanenin: *hicrhodoshicsaltahic*, Jajum, jajum, jajum moet er zijn: *Hic Rhodoshic salta* enzovoorts. Gezang uit schorgedronken kelen. De opzichtster heeft de vastzittende tongen losgemaakt. Niet eens haar aanwezigheid was ervoor nodig, maar een Schlupfburgs onbewust trucje uit het geheugen van de familieclan: het juiste eten maakt van een gevoelswoestenij een speeltuin. Niks nieuws onder de zon. Arm in arm heen en weer schommelend geven ze elkaar ten slotte hevige schouderstoten en voelen zich sterk, een volk met muziek. Ja, ik ben de bergen ingetrokken: *Hicrhodos hicsalta hicrhodos hic sal ta*. En dat in de pauze. Tijdens werktijd. Midden in het productieproces van overal in het land bekende zakagenda's. Was het maar een opstand, denkt Josepha juist, maar dan heeft Inclinatia, de godin van de evenwichtsstoornis, haar werk al gedaan onder de hevigste pimpelaars en laat ze onder de tafel glijden, links of rechts van hun stoel zakken, maar met luide stem. Heldhaftig wordt de pauze verlengd tot in de haar vijandige werktijd en maakt een gebeurtenis hoorbaar die niet de moeite waard is gefotografeerd te worden in zijn uitsluitend akoestische pracht: de scattende Hal 8, verzameld rond een gecamoufleerde paktafel. Inclinatia gaat snel versterking halen in de goddelijke hemel, maar alleen Fauno Suïcidor voelt zich aangesproken door een dergelijke gebeurtenis. De mensen ontberen, besluit hij, een teken. Een geheugensteuntje, dat het verdwijnen van de opzichtster wellicht niet kan verklaren, maar er wel een nieuw licht op kan werpen en haar verdwijnen kan verankeren ter overdenking. Op een bepaald moment, is zijn wens, moet de opzichtster toch terug kunnen keren uit haar iedereen op de mouw gespelde afwezigheid. Wat kan hij anders doen dan in de van dieren gevrijwaarde realiteit van de fabriek struinende honden binnen laten? Wat kan hij anders doen dan voor de zacht als roofdieren rondsluipende dieren de deuren van de fabriek openen en ze voor aller ogen en oren stilletjes laten copuleren, voordat ze, gelukkig met het feit dat ze als goddelijk teken sterven, hun adem uitblazen in Hal 8? Op het ritmische gezang, *hicrhodoshicsalta*, gaan de mannelijke dieren slechts kort bij de vrouwelijke binnen en leggen daarin het loodje, creperen stilletjes en geven zich over aan de dood, die de opzichtster heiligt. Dat is geen misse scène. Josepha, als enige van het hele gezelschap nuchter, zou wel willen janken, maar de collega's begrijpen het nog niet, doch vuren de steeds nieuwe binnenkomende reuen aan tot verdere paringen op de paktafels, achter machines, op heftruck en paletten. Zelfs in het opzichtershokje maakt een kortbenige keeshond werk van een herdersteef, bijt zich vast in haar rug en probeert haar zonder geblaf uit alle macht te berijden. Merkwaardig genoeg neemt Fauno Suïcidor deze keer genoegen met de dood van alleen de mannelijke dieren, de vrouwelijke beginnen na een tijdje tevreden te brommen, gaan opgerold tussen de nog steeds warme reuen liggen en vallen in een diepe slaap. Een paar vrouwen zijn door de gebeurtenissen een beetje rood geworden in hun gezicht, anderen waren alleen al door de wijn rood aangelopen en verbleken nu bij het zien van de schaamteloze beesten. De mannen hebben er nu moeite mee zichzelf in bedwang te houden en niet allerlei tegemoetkomingen te vragen van de vrouwen. *Hicrhodoshicsalta* scanderen ze nog steeds, ze bewegen hun onderlijven naar voren en naar achteren als een oervolk bij een ritueel, en kunnen blij zijn dat hun broek stevig om hun kont zit. Het loopt al tegen elven als een bode met een onbelangrijke mededeling van de bedrijfsleiding aan komt lopen en bij het zien van de hele toestand de schok van zijn leven krijgt en flauwvalt. Josepha pakt intussen doodgemoedereerd haar cadeautjes in, maakt de schalen en pannen schoon, wast de borden en het bestek af in het opzichtershokje, en legt geen enkele belangstelling aan de dag voor het verdere verloop van de bijeenkomst: slapende teven moet je niet wakker maken. Hic Rhodos, hic salta. Doodsbang betrapt te worden, lukt het de vrouwen de hondenlijken over de kleedcabines te verdelen, de flessen te laten verdwijnen tussen het bedrijfsafval en de indruk te maken hard aan het werk te zijn, terwijl de mannen vlug de stoelen op hun plaats zetten. Als de bode bijkomt uit zijn bewusteloosheid, lijkt inderdaad alles weer normaal, alleen slapende honden ziet hij om zich heen, die, als hij verward vraagt wat dat te betekenen heeft, als huisdieren door de gerust-stellende antwoorden heen snurken. Ze hadden ze nu eenmaal mee naar het werk moeten nemen, op sommige dagen in de herfst zijn honden soms erg aanhankelijk, ze zijn immers in de rui dan, of hij dat niet wist. Dan nam je je hond dus mee naar je werk, anders zat die thuis toch maar de hele tijd te blaffen, terwijl hij hier in het constante lawaai van de machines lekker kon slapen, toch? Of hij dat met zijn eigen dier dan niet deed, moet de bode zich schijnheilig laten vragen, en hij geeft zich met zijn antwoord dat hij helaas geen hond heeft bloot als een onwetende. Met het oog op de, met uitzondering van de honden, geheel normale situatie twijfelt de man aan zichzelf en loopt door naar het opzichtershokje, waar Josepha nu met een laatste kopje koffie eenzaam aan de tafel zit. Met haar ogen op de witte plek gericht, waar ooit Ljusja thuishoorde na de opkomst en afgang van het staatshoofd, laat ze het wit van haar ogen te voorschijn komen en ziet ach-ter het voorhoofd van de bode de opdracht van de staat, onder zijn witte, zorgvuldig gestreken overhemd zijn veeltietigheid. Lager wil ze niet kijken, wat ze ziet is voor haar voldoende: het lokaas in zijn hoofd, een in het voor-uitzicht gestelde carrière, dat is waarop hij zich als bode richt. Chef wil hij worden en de twijfel die hem zojuist heeft overvallen bevalt hem maar niks. Hij ruikt gevaar. Als hij echt gek is, zal hij dat verborgen houden, een hond aanschaffen, hem mee naar zijn werk moeten nemen. Ligt er, schiet hem te binnen, niet ook onder het bureau van zijn baas een ziekelijke pin-cher? Josepha merkt dat hij in zijn onrustig kloppende hart uitkijkt naar een hondje. *Korte pootjes, reebruine ogen?* durft ze te vragen, *kortharig en goedgekapt? Ik weet misschien...* en ze loopt van zijn weifelende zwijgen weg naar de hal. De herdersteef, die er de voorkeur aan had gegeven in het hok-je de ten dode opgeschreven reuen ter wille te zijn, slaapt onder Carmen Salzwedels werkschort naast de paktafel en wordt wakker wanneer Josepha eraan komt, alsof ze aan haar voetstappen haar bedoeling kan horen, gaat trots staan en gehoorzaamt haar bevelen. Weliswaar lijkt de bode eerst ver-rast, het dier is niet precies wat hij zich had voorgesteld, maar het lukt Josepha hem te overtuigen van de toekomstige rijke keus aan verschillende rassen uit het op komst zijnde nest van de teef, en terwijl hij nog naar een mogelijkheid zoekt om de forse hond aan zich te binden, geeft Josepha het beest de rest van de slakken te eten en warme worst in rode wijn, opdat het haar goed moge gaan, zo moederziel verwant voelt ze zich met het dier. De ratjes, de dood als teken zelf ternauwernood ontsnapt op de kermis in G., zitten vanuit haar rokzak in het hondenoor te fluiten, wie weet is het wel een mop, want de teef houdt haar poot voor haar bek, alsof ze een lach moet verbijten. Wanneer Josepha ten slotte haar spullen heeft ingepakt en weg wil gaan om aan haar moederschapsperiode te beginnen, gaat de hond mooi zitten voor de bode, likt zijn handen, is blij, krabt met haar poten onder zijn overhemd, Josepha begrijpt het wel, de rijen tepels, die vanaf zijn okselholten tot aan zijn taille lopen, een merkwaardig fenomeen. De bode vindt het prettig, prettiger dan hij het onder de handen van vrouwen ooit heeft gevonden, hij schaamt zich hevig voor deze gril van zijn natuur en heeft echt al een paar keer geprobeerd ervan af te komen met behulp van een handige chirurg, maar de tepels waren altijd een paar weken na de operatie weer door de fijne littekens heen gekomen... Hij schaamt zich erover dat hij zich prettig voelt, maar begint toch te neuriën, een donkere, volle melodie, waarin Josepha's ruisende bloedbaan invalt, en in het hokje zou, als iemand erlangs zou lopen, een paar ogenblikken lang een merkwaardig duet te horen zijn.

De laatste werkdag van de jonge drukster Josepha Schlupfburg bij de veb Kalenders en Kantoorartikelen Max Papp in de Thüringse provinciestad W. komt snel tot een eind met handjesschudden en enkele voorzichtige pogingen van de collega's de distantie door een omarming en een kus te overbruggen, wat slechts ten dele lukt. Radeloos wuift men haar na vanuit de entree van Hal 8, vanuit ramen en cabines, vanuit het hokje van de portier ten slotte.

13 oktober 1976
Elfde etappe van de Gunnar Lennefsen-expeditie
(trefwoord in het expeditiedagboek: nu wuot)

Een wagentje achter zich aan trekkend dat de portier haar met een medelijdend gezicht heeft geleend – ze had kennelijk verkeerd ingeschat wat er allemaal uit haar inmiddels lege kast zou komen – voelt Josepha zich op deze dag rond het dertiende uur bijna gelukkig. Wat er op dit moment aan haar geluk ontbreekt, namelijk gerustheid over Carmen Salzwedels welbevinden, wil ze nog inhalen voordat 's avonds – ze heeft er een voorgevoel van – Gunnar Lennefsen wacht. Carmen doet niet meteen open als Josepha aanbelt, het duurt even. Vermoedelijk had ze helemaal niet opengedaan, wanneer niet het tussen de twee vrouwen afgesproken ritme van de bel duidelijk te horen was geweest, anders had ze immers niet kunnen weten dat Josepha op de stoep stond. Maar nu heeft ze, overtuigd van het begrip dat haar vriendin ervoor zal opbrengen, helemaal geen haast, ze maakt zich los uit Manfred Hinterzarts slaap, dekt hem voorzichtig toe met een wollen deken en doet de deur van de enige kamer in haar huis achter zich dicht voordat ze Josepha binnenlaat. Ze wil zich in haar armen storten, maar blijft vlak boven haar boezem tegen haar schouder hangen en fluistert de schoonheden en eigenaardigheden van het Hinterzart-lichaam

289

tegen het kuiltje bij Josepha's sleutelbeen. Af en toe tilt ze even haar hoofd op, aan haar lippen ontsnapt dan een vochtige geur, waaraan Josepha de toestand van haar vriendin zonder aarzelen herkent. Glimlachend duwt ze Carmen achterwaarts haar woning in, midden in de naar vanillepudding en vermout smakende keukenlucht, en zet haar neer op een uiterst simpel krukje van socialistische makelij. (Wie tot taak heeft op vier aluminium buizen een met neongeel langharig pluchen overtrokken ronde schijf van kunststof vast te schroeven teneinde volgens de regels van het alomvattende socialistische productieplan het zitten mogelijk te maken, denkt Josepha, zo iemand kan het niet anders vergaan dan haarzelf bij het produceren van zakagenda's...) Ze gaat op de keukenvloer zitten: zo kan ze Carmens vlekkig-rode gezicht zien met de sporen van minnekozende beten op haar kin, de bloeduitstortingen na onstuimige kussen, de opgedroogde sporen van tranen, haar zinnelijk-vochtige lippen, haar bij het fluisteren gevoelig naar voren, naar achteren en in het rond bewegende wijnrode tongpuntje, haar naar alle kanten stijf uitstaande, want volkomen doorzwete haar. Zo heeft ze haar nog nooit gezien, de nu werkelijk zilt ruikende Carmen, die plotseling luid lachend haar eigen woordenvloed onderbreekt, haar hand voor haar mond slaat om hem tot zwijgen te brengen. Stilte valt voor de duur van een veelbetekenend ogenblik, maar dan trekt Carmen haar vriendin mee naar de kamer, raapt de wollen deken van de grond en legt zo de veroorzaker van haar vreugde bloot: Manfred Hinterzart, diep in een soort slaap verzonken die Josepha ongekend voorkomt. Carmen begint opnieuw Manfreds lichaam te beschrijven, maar onderbouwt nu haar opgewonden gepraat met wijzende en priemende gebaren. De beschrijving van zijn gewelfde rug onderstreept ze door teder met haar vingers langs Manfred Hinterzarts ruggengraat te glijden, ze grijpt vervolgens met haar beide handen zijn billen beet, trekt zelfs zijn bewusteloze arm naar achteren om in de diepte zijn slappe, rimpelige lid te laten zien. Mannenschoonheid ontroert Josepha, ze loopt langzaam naar de deur, terwijl Carmen nog steeds fluisterend het lijf van haar geliefde bespreekt, en verlaat deze plek tevredener dan ze zich had voorgesteld. De weg naar Therese legt ze nu ondanks het wagentje en haar eigen gewicht lichtvoetig af, rap noemt wie het ziet het, de manier waarop ze door de stad loopt. Dat sommige dingen zich zo eenvoudig...

Thuis, nadat ze haar schoenen heeft uitgetrokken en weggezet, haar jas aan de kapstok heeft gehangen, valt Josepha als eerste een zacht geluid op. Ze is juist bezig een stukje biscuit in haar zak te stoppen voor de ratjes, als ze geritsel hoort als van heel stijve zijde, dat uit Thereses kamer komt en haar al een paar weken verbaast, want altijd als ze de deur na een respectvol klopje opendoet, zat Therese daar juist een naad in een broek dicht te stikken met de machine, een knoop aan een jasje of een afgescheurd lusje aan een handdoek te naaien. Zo ook nu: Josepha doet na Thereses 'binnen' de deur open en ziet haar overgrootmoeder over een stopwerkje gebogen, hoewel het wel een beetje vreemd is dat Therese de sok in het licht van de naaimachine herstelt, terwijl het licht van de slaapkamerlamp een veel beter licht verspreidt in de kamer, maar ze vergeet dat meteen weer, even-als het merkwaardige geritsel en haar vraag naar de oorsprong daarvan. Wel nodigt ze Therese uit voor een warme worst: ze heeft er een paar ach-tergehouden van het afscheidseten en warmt ze nu op, zet ook verse, scher-pe mierikswortelsaus op de keukentafel en een schaaltje aardappelsalade, die van het avondeten van gisteren is overgebleven... Niet veel over voor... laat Therese zich ontsnappen, maar sjokt dan toch naar de keuken en gaat zitten, haar hoofd heel ergens anders, waarom ook bij worsten? denkt Jo-sepha nog en strijkt met haar hand een paar losse haren van het gerimpel-de voorhoofd, om te eten. Het duurt nog heel even tot de gasvlam het water tot aan het kookpunt heeft verwarmd, heel even dus blijven de monden nog leeg, is er nog tijd om te praten over de laatste dag in Hal 8, de laatste werkdag voor een lange onderbreking, het laatste eten met de collega's, de laatste weg naar huis. Nee nee, het wagentje moet ze nog terugbrengen naar de portier, dat heeft ze hem beloofd, zegt ze, de man lijdt sinds zijn jeugd aan ontkalking van zijn heupgewricht en is daarom tot portier gesla-gen, jaren geleden, geslagen tot op de dag van vandaag, die man kan echt niets meer dan elke dag zijn spulletjes in het wagentje te doen op weg naar de portiersloge, dragen kan hij niets. Maar dat had nog wel tijd tot morgen-ochtend, omdat zijn zwager hem vandaag kwam afhalen met de auto, dat had hij zo kunnen regelen met zijn diensttelefoon, godzijdank. Als Jose-pha, de warme worst intussen in haar mond, alhoewel eigenlijk haar maag nog vol zit met slakken en brood, onderwijl iets laat doorschemeren van Carmen Salzwedels geluk, een beetje zelfs de gebogen armen van de jonge Manfred Hinterzart begint te beschrijven, wordt Therese nieuwsgierig, stelt vragen en probeert allerlei details te ontfutselen aan de nu geheimzin-nig doende Josepha. Ze moet zichzelf ontzien, krijgt ze te horen, de dag ruikt nu eenmaal naar verdomd goed weer voor de expeditie, ze kan haar energie maar beter niet aan de liefdesavontuurtjes van anderen verspillen, ook al is het avontuurtje van Carmen Salzwedel inderdaad heel hartstochte-lijk. Het *Centraal-orgaan* trekt Josepha onder de warme worst vandaan en begint er, kauwend, in te lezen. Therese vraagt langs haar neus weg *wat er verder nog is gebeurd*, en Josepha leest voor: een kolchozboer uit Azer-beidzjaan zou wegens grote bewondering voor de schlagerzangeres Alla Pugatschova haar schriftelijk hebben uitgenodigd om op de bruiloft van zijn uit Omsk afkomstige kolchozvoorzitter, de landbouwmachine-ingenieur Edward Wolfovitsch Rathgeber, met de Litouwse tekenares Romualda Brazauskiene voor een waardig muzikale omlijsting te zorgen. Op de dag van de bruiloft was een ouderwetse dorsmachine, waarop een groot bord met haar naam erop prijkte, tot dicht bij de in de openlucht tafelende bruiloftsgasten gereden. Van het met Grusinische rozen feestelijk versierde voertuig was tot stomme verbazing van de gasten de uit volle borst zingende Alla in hoogsteigen persoon gestapt die de in witte katoenen kant gehulde bruid een tent cadeau had gedaan. Als bijzondere verrassing waren het bruidspaar en de gasten daarna naar het circus in de districtshoofdstad vervoerd, waar Alla Pugatschova een speciaal voor het bruidspaar georganiseerde lange nacht vol attracties had gepresenteerd. Het in een omtrek van tien kilometer hoorbare circuslawaai had overal kettingbotsingen veroorzaakt. De volgende dag had de lokale militie het ongewoon druk gehad met het noteren van het zeer hoge aantal klachten van boze burgers wegens nachtelijke rustverstoringen en het in gevaar brengen van het verkeer. Ten slotte was er een speciale actie van het plaatselijke partijcomité voor nodig geweest om de kwestie propagandistisch in goede banen te leiden en het klaarblijkelijke misverstand op te helderen. (Poly Grafia, de godin van de vermenigvuldiging, zit op een donkere wolk te glimlachen.) Nou ja, als dat alles was, dan kon ze nu wel haar middagdutje gaan doen, is Thereses reactie op dit verhaal en ze staat hoofdschuddend op van tafel. Josepha maakt geroosterd brood klaar en raspt kaas.

Als het tegen de avond donker begint te worden, maken ze het op de gebruikelijke manier gezellig in de woonkamer. Josepha heeft nog wat extra kussens op de chaise longue gelegd en haar buik zijwaarts daarop gebed om het uitzicht op het doek niet te belemmeren. Het valt haar zwaar langer dan tien minuten in dezelfde houding te blijven liggen: het zwartwitte kind staat haar niet toe even te rusten en uit te puffen, maar bestraft alles wat hem niet bevalt met hartkloppingen en ademnood. Therese bladert door het dagboek op zoek naar een codewoord voor de etappe – maar niets komt in aanmerking, zodat Josepha er ten slotte toe overgaat met haar door de gebeurtenissen van die dag dubbel zo scherpe blik in het dagboek op zoek te gaan naar het trefwoord. Maar ook zij vindt niets, blijft zelfs af en toe aan een klaarblijkelijk verkeerd woord hangen: ze zegt *Hagel* en *Hersenbloeding, Groente in aspic* en *Buikspek,* maar er gebeurt niets, het doek weigert hardnekkig dienst te doen. *Nu wuot,* spreekt dan haar al langzaam in ergernis overgaande verbazing, *nu wuot,* het radeloosheidswoord van haar spekzwoerdachtige lerares Brix, wanneer die tijdens de les – Russisch – op zoek was naar een kwijtgeraakt potlood, een verdwenen melkfles of een de vergetelheid verloren gegane idiomatische uitdrukking. Het was populair geworden, dat *nu wuot,* onder de burgers in W. die sinds het eind van de laatste oorlog hun leerplicht hadden vervuld. Ook *dawai* en *durak* kwam gemakkelijk over hun lippen, maar *nu wuot* was de absolute topper als uitdrukking van verregaande radeloosheid, waarin men maar al te vaak verviel in klaslokalen en textielwinkels, openbare toiletten en telefooncellen. En ook privé werd het nog steeds dikwijls gebruikt, het Russisch. *Gdje kljutsj?* vraagt bijvoorbeeld Josepha, wanneer ze de sleutel niet kan vinden, *nu wuot*, als ze verder niets weet te zeggen, en daar staat het al, het imaginaire doek: *nu wuot* heeft geholpen. Merkwaardig genoeg kun je in de Schlupfburgse woonkamer niet goed zien wat precies de locatie is: een weiland glijdt voorbij, er duikt een bos op er is een houten huis te zien, van boomstammen opgetrokken, de luiken beschilderd, op het dak een kraaiende haan. De zon is zo-even opgegaan, de ramen zitten nog potdicht, een hond blaft. Dat komt Josepha allemaal heel bekend voor, dat heeft ze al zo vaak gezien, een Russische film speelt zich daar af, een sprookje? Inderdaad worden de luiken van binnenuit opengegooid met een knarsende zwaai, de ramen, dat kun je zien, gaan naar binnen open, en op de vensterbank legt een mollige oude vrouw boezem en armen, zet zich in postuur, trekt nog een keer aan de strak over haar haar gebonden hoofddoek en opent haar mond. *Bent u het?* zegt ze, en *Bent u het niet? Nu wuot*, ze steekt haar baboesjkahoofd een stuk verder uit het raam, houdt haar hand ten teken van absolute geheimhouding voor haar mond en begint te praten, in Slavisch-Saksisch gekleurd Duits.

Er was eens, lieve Oost-Duitse *dotsjki, nu wuot*, een Birute Szameitat niet alleen in jullie gedachten. Nee, ook in lichamelijke nabijheid van jullie heeft ze geleefd, min of meer als een stuifduin. Dat hadden jullie kunnen weten, nietwaar? Birute is uit Bischkehnen afkomstig, zoals ze nooit heeft verzwegen, is dus zelfs een landgenote van jou, Therese Schlupfburg. En is zo in de ellende komen te zitten door het mannelijke, dat je schoon genoeg zou krijgen van de wereld, mijn Oost-Duitse *dotsjki*, en dat wil ik vertellen, *nu wuot*.

In de late jaren twintig kwam ze ter wereld als het vierde kind van haar moeder. Die was helemaal vanuit Litouwen verliefd geworden op de Duitser Szameitat, maar Birute, wat niemand behalve haar eigen ouders wist in Bischkehnen, was de biologische dochter van de Poolse dagloner Szomplok. Bij hem had mevrouw Szameitat troost gezocht voor de gang van zaken in haar huwelijk, dat je niet echt ongelukkig kon noemen. Misschien had de Duitser Szameitat zich zijn liefde voor Birutes moeder gewoon niet meer kunnen herinneren, nadat hij op een lentemorgen de Boven-Slesische wees Hilde Czerdonski was tegengekomen. *Nu wuot*, het was nog koud, en Hilde Czerdonski huilde om haar gestorven moeder en om haar feit dat het, op haar veertiende, haar lot was bij een achtertante vaderzijds te moeten wonen totdat ze eventueel zou trouwen. Trouwen wilde ze eigenlijk niet vanwege al die slechte ervaringen die ze tijdens het leven van haar ouders had opgedaan, en dus was ze op een, zoals al gezegd, koude ochtend aan de oever van de dorpsvijver gaan zitten om in alle rust te kunnen huilen. Szameitat trof haar zo aan, onder een idyllische lindeboom, zoals dat zo gaat, *dotsjki, nu wuot*, en verloor meteen zijn kleinburgerhoofd. Zijn hart ging uit naar Hilde, hij hing heel onschuldig aan haar, hij begeerde haar weliswaar, maar beheerste zich tot later tijden, ze scheen hem te fijngebouwd voor zijn volgroeide mannelijke apparaat. Zover was er niets bijzonders aan de hand, maar hij vond bij Birutes moeder nu alleen nog maar warmte en een dak boven zijn hoofd, terwijl zijn liefde naar elders uitging. Ze merkte dat hij vreemd deed, ze vroeg niet veel en probeerde nog een maand of twee hem terug te winnen, wat haar ook lukte, scheen het. Maar ze kwam altijd te laat bij de snelle voltrekking van de huwelijksdaad, ze had er geen lol meer in. En toen de Pool Szomplok, een blonde, tengere man, af en toe een paar dagen voor hen kwam werken, vroeg ze hem simpelweg haar een plezier te doen. Szomplok liet zich dat geen twee keer zeggen, hij was iemand die vrouwen het hoofd op hol kon brengen, vooral rijpe vrouwen, en greep Birutes moeder zo onstuimig onder haar rok dat ze gilde. Daarom, *nu wuot*, ontmoetten ze elkaar voortaan in het struikgewas en werden een paar. Toen Birute begon te groeien in mevrouw Szameitat, werd die een beetje bang, maar Szomplok kon de angst bij haar wegnemen door haar te laten zien hoe ze haar eigen man nog net op tijd een keer kon opgeilen, opdat hij zich als vermeende vader van ook dit kind in haar zou vereeuwigen, *dotsjki*. Weten jullie hoe dat gaat? Nou, dat heeft er ook niet echt mee te maken, maar als jullie ernaar vragen, zal ik het vertellen. Dus, Birute ging door voor Szameitats vierde kind, en het toeval en de natuur, wat niet altijd hetzelfde is, zorgden ervoor dat Szomplok bij de bevalling assisteerde. Volgens de berekening van Szameitat kwam de bevalling te vroeg, volgens Szomplok en zijzelf op tijd, alleen hielden ze dat geheim en gingen de akkers op om te zaaien. Toen de bevalling inzette, deed die Birutes moeder precies op het moment in de vore belanden toen wijd en zijd alleen Szomplok nog te zien was, de anderen hadden zich voor het tweede ontbijt teruggetrokken in de bosjes, omdat het regende. Gelukkig wist Birutes moeder genoeg van kinderen baren, *nu wuot*, zodat ze de lieve Szomplok met korte, nauwkeurige aanwijzingen hielp het meisje met zachte hand uit haar te trekken – ze had altijd al een beetje een nauw bekken gehad –. Ook de streng tussen kind en moeder scheidde hij door een beet van zijn opwindend mooie tanden. Dat hij het daarbij afgebeten stuk met smaak opat als een eerste begroeting van zijn kleine dochtertje, stemde

Birutes moeder mild jegens haar eigen man. Rond het middaguur bracht ze het zelf naar hem toe, de moederkoek in perkamentpapier ingepakt en onder het hoofd van het kind gelegd om haar warm te houden. Szameitat huilde een beetje van ontroering, maar er zaten ook verdrietige tranen tussen omdat de kleine Hilde nog steeds niet rijp genoeg scheen voor zijn grote verlangen. Birute had haar biologische vader meteen in de ogen gekeken en was beïnvloed door zijn blik: liefhebbend en radeloos tegelijk, zodat de blik van Szameitat haar later nauwelijks meer kon raken. Toen Birute tandjes kreeg, begon ze op haar vingertopjes te knabbelen, zodat haar moeder de dokter raadpleegde of het meisje wellicht geen pijn kon voelen. Kon ze wel, zoals door een speldenprik werd vastgesteld. Birute en haar oudere zusters hadden het goed thuis, hun moeder hield van hen allemaal evenveel, *nu wuot*, maar Szomplok had een nog groter plaatsje in haar hart. Ze ging er met hem vandoor. Weliswaar deed ze alsof ze dood was, doordat ze haar hoofddoek, jasje en hengselmand op de Grosse Selse liet drijven, maar in werkelijkheid zocht ze met Szomplok op andere oevers het halve, desondanks grotere geluk. Een dorpsbewoner, een joodse bovendien, moet ooit heel veel later in de hoofdstad van Nieuw-Zeeland een vrouw van middelbare leeftijd hebben gezien en haar met *mevrouw Szameitat uit Bischkehnen, neem ik aan?* hebben aangesproken, maar ze had hem verward aangekeken en in het Engels haar identiteit ontkend. In Bischkehnen begroef men mevrouw Szameitat in het familiegraf en derhalve in ere, en terstond werd ook Hilde Czerdonski rijp en opende zich voor Szameitat meteen aan het begin van het rouwjaar met het geluid van een zacht openbarstende pruim. Weliswaar was hun voornemen niet te trouwen al vlug vergeten, *nu wuot*, maar nu kon meneer Szameitat dat niet meteen doen, omdat hij immers nog moest rouwen en bovendien de vier kleine meisjes moest verzorgen, de halfweesjes nu, van wie hij hield. Dat was nog even een moeilijke tijd voor Birute, ze had met Szomploks blik de toestand van de kleine Hilde meteen doorzien, inclusief het openbarsten, zodat ze duizelig werd van medelijden. Haar vaders hart stroomde over, de kleine Hilde liep te stralen als ze hem zag, maar ze waren slechts zelden samen. Bijvoorbeeld toen de vier meisjes tijdens de zomervakantie bij hun grootouders in Litouwen gingen logeren en de kleine Hilde de opdracht kreeg intussen voor meneer Szameitat de klusjes te doen die anders de meisjes hadden opgeknapt. Bracht ze hem een brief van de post, dan maakte hij die weliswaar nog snel open in haar bijzijn en met behulp van zijn rechterwijsvinger, maar daarna, alsof die handeling een teken was geweest, stopte hij even haastig als hij hem in de envelop had gestoken zijn vinger in de kleine Hilde, die zo zoet rook naar fruit, ook in de winter. Haar aandringen het nu eindelijk 'helemaal' te doen, samen één te worden, van haar te genieten, kon hij nog een poosje, heel verantwoord zogezegd, weerstaan, maar na drie of vier van zulke ontmoetingen was hij toch begonnen, terwijl zijn vinger door haar warmte gleed, zichzelf hitsig te ontladen. Aan het eind van het rouwjaar had hij het erop gewaagd Hilde ook weleens zonder broek te benaderen, om zijn ondergoed niet vuil te maken, maar langer had de rouwperiode ook niet moeten duren, want de hartstocht van de kleine Hilde was door het toekijken niet meer te beteugelen geweest. Haar pruimige geuren kregen in haar grote opwinding een zweempje van schapenmest mee, dat meneer Szameitat van al zijn zinnen beroofde en terughoudendheid niet langer toeliet. Een dag en een jaar na de vermeende dood van zijn vrouw wandelde weduwnaar Szameitat met de nog steeds kleine, maar nu, *nu wuot*, zeventienjarige Hilde door het dorp om in ondertrouw te gaan. Van toen af aan was er geen houden meer aan. Van de kinderen thuis wist alleen Birute wat zich allemaal afspeelde wanneer Hilde 's avonds met een paar plakken gebraden vlees of een fles wijn de groeten van haar achtertante kwam doen en voor heel eventjes maar en onder toezicht van de huishoudster in huize Szameitat, binnenkwam: de paar minuten die de huishoudster nodig had om van de bovenverdieping naar de keuken op de begane grond te lopen om glazen en brood te halen, dat ze 's middags al had belegd met boter en worst, om ook nog een kurkentrekker te pakken of een vork voor het meegebrachte vlees, waren voldoende om de kleine Hilde te bevrijden van haar tot barstens toe opgekropte verlangens, en om meneer Szameitat een natte broek te bezorgen. Om de broek uit en ook weer aan te doen, waren ze toch net iets te kort alleen. Zoals gezegd wist alleen Birute hoe ze het deden: de kleine Hilde beheerste de verlossende handgreep, had die, door nood en begeerte gedwongen, met kinderlijke overmoed ontwikkeld en paste die noodzakelijkerwijs tot aan de bruiloft toe. Later was er een oorlog gekomen, die de kleine Hilde er meer dan eens toe dwong haar man een snelle en hem zichtbaar verlichting verschaffende beurt te geven, als hij thuiskwam van het front en eigenlijk van uitputting al sliep terwijl zijn aanhangsel nog steeds rechtovereind stond en verhinderde dat hij zich helemaal kon toedekken met het dekbed, *nu wuot*...

Voor het geval het ooit nodig zou zijn, onthield Birute de verlossende handgreep, probeerde die zelfs als kind al uit: toen de rondtrekkende scharensliep Karl Rapler een keer in het dorp was en bedroefd en lusteloos naar haar keek toen ze eventjes haar rokje optilde om te kijken hoe hij daarop zou reageren, wilde Birute het zekere voor het onzekere nemen en besprong hem, zodat hij omviel, dertien was ze, en ze greep heel even zijn bijna verwaarloosbare ding beet en slaagde erin het ding existent te maken en ervoor te zorgen dat Karl Rappler net als vroeger in het Altstädter plantsoen in Königsberg het vertrouwen kreeg een man te zijn. Hij bedankte haar er verbaasd voor. Maar dat was een uitzondering geweest, een grapje dat het meisje Birute met de rondtrekkende Rappler had willen uithalen, en dat, zou er ooit over worden gesproken, waarschijnlijk niemand had geloofd, noch in Königsberg, noch in het verre Bischkehnen. Twee jaar later ging Birute naar Litouwen, waar haar grootouders haar ter ontlasting van meneer Szameitat als dienstmeisje konden gebruiken en waar ze de handgreep een poosje kon vergeten door al dat zilverpoetsen en melken. Birute Szameitat was nu volgens de burgerlijke stand een Duits meisje in Litouwse dienst, wat absoluut ongebruikelijk was. Dat er in werkelijkheid geen druppeltje Duits bloed door haar aderen vloeide, is nu wel duidelijk, mijn Oost-Duitse dotsjki, ook al gebruikte ze met overgave de taal van meneer Szameitat. Mettertijd kwam haar toen ook het Litouws vlot over de lippen, en toen ze de Balten verliet, *heim ins Reich* moest op grond van een of ander verdrag dat de staatshoofden hadden gesloten, weigerde ze dat, te meer daar haar naam in officiële oren niet Duits genoeg klonk voor terugkeer naar het Duitse Rijk. Geaccepteerd werd het niet, ze moest in elk geval weer terug naar haar vader in Oost-Pruisen, maar ze hield intussen – en zonder de verlossende handgreep nog een keer gebruikt te hebben! – van de Wilna'se Rus Wolodja Viktorovitsch Stjurkin. Meneer Szameitat had Birute weliswaar weer graag teruggehad bij haar drie oudere zusjes, maar toen hij dat zei, *nu wuot*, stond alles al op z'n kop en was hij op de vlucht naar Duitsland met zijn dochters en de kleine Hilde aan zijn zijde. Met veel moeite en wodka lukte het de Rus Stjurkin om Birute voor zijn eigen nichtje uit het verre Kirgizië te laten doorgaan, hij kon haar zelfs laten registreren onder de naam Genofefa Prochorovna Sjtsjakustjina, en dat was een geluk, want anders had ze net als haar grootouders moeders zijds, goedgesitueerde apotheekhouders, inderdaad naar Kirgizië moeten gaan nadat Litouwen zich voor de tweede keer had aangesloten bij de Grote Unie. Genofefa Prochorovna, de met Pools-Litouwse papieren Kirgizische, zogenaamd van Russische komaf, moedertaal Duits, leerde in de liefde de taal van haar Russische man en van zijn begeerte goed beheersen. Weliswaar was Stjurkin eigenlijk gelukkig getrouwd, maar zijn geest had verschillende vlezen nodig, zoals hij het noemde. Wassilissa Baldurovna Stjurkina bijvoorbeeld was nog Duitser dan Birute, met Zwaabse voorouders, en ze had eerst helemaal niet begrepen waarom de beeldschone Wolodja haar wilde hebben. Later had hij er bij haar op aangedrongen hem in plat Zwaabs om liefde te smeken, hem met de vreemde taal op te geilen, terwijl Birute daar niet op inging, maar zich helemaal overgaf aan het Russisch. (Wolodja was, zei ze, een beroepsrevolutionair en als zodanig even horig aan de Internationale als aan de veelwijverij, die hij vrijheid noemde.) Toen Litouwen voor de tweede keer tijdens de oorlog toeviel aan de Grote Unie na een daverende pauze, wilde Birute echter niet meer het meisje Sjtsja-kustjina zijn, te meer omdat haar grootouders uit het verre Kirgizië intus-sen via ondoorgrondelijke connecties contact hadden opgenomen vanuit hun kennelijk Russische nood, *nu wuot*...

Twee kinderen kreeg Birute in haar huwelijk met Stjurkin. Wassilissa Baldurovna, zelf kinderloos en, scheen het, veroordeeld tot onvruchtbaar-heid, had ze willen hebben en voedde ze op in de revolutionaire geest van haar vader, die intussen met het roemrijke sovjetleger onderweg was naar Berlijn. De kinderen, twee jongetjes met nog kromme beentjes, zomer-sproeten en broodmager, hingen weliswaar aan Birutes borst, maar ze heetten Fjodor en Wasja Stjurkin en sliepen in het bed van de soldaten-vrouw Stjurkina, zo goed een zo kwaad als dat ging met al die honger en kou. Toen Stjurkina zich vlak voor Berlijn verwondde aan een Duits projec-tiel, letsel opliep aan zijn tong en bereid was te sterven, bracht iemand het bericht mee uit West-Polen en vond ook het juiste adres. Stjurkina bleef er gelaten onder, ze beschikte immers over de kinderen, Birute en een goed geweten. Maar Birute ging bijna dood van angst en liep helemaal naar See-lov, waar ze vernam dat Wolodja was gestorven. Onderweg smeet ze overi-gens de naam Genofefa naast de lijken in de sloot: Stjurkins zonen, wist ze, zouden, nu ze weer Birute Szameitat was, nooit legaal van haar kunnen worden, daar zou Stjurkina wel een stokje voor steken. Was moest ze doen? Een poging om tegen haar eigen verwachting in toch nog een keer naar Wilna, nu Vilnius, te gaan, gaf ze spoedig totaal uitgeput op, en omdat ze goedbeschouwd toch nog wel iets op had met Duitsland, accepteerde ze graag het aanbod van een jonge Russische soldaat haar in ruil voor zijn gerief een gezouten vis te geven, en ze bleef. De tijd van de verlossende handgreep brak aan. De erfenis van de kleine Hilde bracht Birute naar Leipzig en Saksen. De jonge soldaat, die aan haar hing en van wie ze niet hield, hoewel ze hem goed begreep, verschafte haar door middel van drie tarwebroden, twee pond stokvis en een paar ons gezouten spek een kamer bij een, *nu wuot*, oudere dame, die weigerde onderdak te verschaffen aan mensen die door de bombardementen hun huis hadden verloren, en in plaats daarvan met de jonge Birute dik tevreden was omdat die helemaal geen spullen bezat. Birute begon voor mevrouw Klommatzsch de Proskau eerst het huishouden en later de boekhouding te doen. Ingeborg Viola Klommatzsch de Proskau beschikte namelijk over allerlei firma's, waarvan het beheer en de administratie haar niet meer zo vlot van de hand gingen. Birute Szameitat had er niet veel tijd voor nodig om een overzicht over het bezit van mevrouw Klommatzsch de Proskau te krijgen. Dat lag in haar verwarde geest, niet ver van haar min of meer verkalkte hart. Toen Kom-matzsch de Proskau stierf, het jaar 1947 was net begonnen, kon Birute op de schrijfmachine gedicteerde brieven schrijven, beheerste ze stenografie en boekhoudkunde bijna even goed als de correcte spelling van het Duits, zodat ze mevrouw Ingeviol, zoals ze altijd genoemd wilde worden, heel dankbaar ging begraven, en nu ook dakloos geworden mensen in het grote huis kon laten wonen. Maar nog steeds bezocht de soldaat haar, en nog steeds was hetgeen hij van haar verlangde alleen maar haar verlossende handgreep. Niets bracht zijn bloed zó aan het koken als de voorstelling van een bliksemsnelle stijging, niets ontspande hem meer dan de bijna gelijktijdige val... Toch deed hij Birute pijn als hij haar bezocht: hij sprak Stjurkins taal, de taal van haar zonen, die ook de taal van de Zwaabse Stjurkina was, en ze knaagde tot bloedens toe op haar vingertoppen, tot ze zelfs begonnen te rotten als er gebrek was aan water. Ten slotte begon ze Fjodor en Wasja vanuit haar herinnering te tekenen door haar bloedige vingers over de jaarbalansen van mevrouw Klommatzsch de Proskau te laten glijden, waarbij ze zwarte inkt uitsmeerde en haar zonen op die manier portretteerde in de kleuren van Rusland. *Nu wuot*, die bladen had ze altijd bij zich, meestal met pleisters op haar buik geplakt, opdat ze ze niet zou verliezen. Ze vond ook werk op het stadhuis in Leipzig, nadat, na een verklaring onder ede, haar geboorte en afkomst officieel waren erkend, en het had heel rustig kunnen worden in haar leven, wanneer ze niet per ongeluk de Russische bezetters tegen haar in het harnas had gejaagd. Dat kwam omdat ze een enkele keer in haar heimelijk loopbaan als grote vredestichtster zelf buiten zinnen raakte en dan in de klauwen van de tijd, zoals ze het zelf noemde, geraakte. Een officier van het Rode Leger belde bij haar aan, nadat hij een laag in rang zijnde soldaat had gevraagd hoe je in Leipzig zonder geweld seksueel een beetje aan je trekken kon komen. En zonder gevaar voor infecties vanzelfsprekend. Toen had de jongen hem een foto van Birute laten zien, zo hevig geschminkt dat ze met haar koortsige blik op een slang leek, de onderkant van het portret zo afgesneden, dat je een kwart van haar tepels zag, die deden vermoeden wat voor bos hout ze voor de deur had. Hij was er te voet heen gegaan, had haar hand gepakt en zonder iets te zeggen in zijn broek geduwd, aldus beschreef hij het later voor de rechtbank, en in plaats van te onderhandelen of hem preuts af te wijzen, had ze ogenblikkelijk zijn verlossing bewerkstelligd met één enkele handgreep. Dat had hem erg verbaasd, *nu wuot*, zoiets had hij van een Duitse vrouw niet verwacht, zodat hij haar had willen laten zien dat hij ook wel wat anders kon en zij in plaats van loon of eer tenminste een beetje lichamelijke warmte zou hebben midden in de ijskoude winter. En inderdaad had hij haar zo kunnen opwinden, dat dezelfde wilde kreten en vloeken uit haar mond waren gekomen als hij bij zijn vrouw en kameraad in het winterse Jakoetsk gewend was, en dat had hem ten slotte wantrouwig gemaakt.

Hij was nauwelijks een Duitser tegengekomen in Leipzig die Russisch sprak, en deed die daartoe toch een poging, dan kwam het er geradbraakt uit, terwijl Birute Szameitat het geilste liefdes-Russisch beheerste. Fantastisch weliswaar, maar toch iets wat je moest wantrouwen in de nieuwe orde – hij liet haar opsluiten in de kelder van het bureau van de plaatselijke commandant. In de verhoren die volgden kon ze de mannen weliswaar overtuigen van haar volmaakte beheersing van de verlossende handgreep, maar niet van het feit dat ze een Duitse was, zodat ze als een verraadster werd ontmaskerd en tot vijfentwintig jaar dwangarbeid in het verre Siberië werd veroordeeld. (Dat was naar verhouding een milde straf en wellicht te danken aan het geweten van de officier die haar met oprechte bedoelingen had bezocht en die ze met alle egards en geheel naar zijn wens had behandeld, maar de andere verloste mannen hadden haar executie geëist, om niet langer gebukt te hoeven gaan onder de smaad dat ze in hun militaire nieuwsgierigheid door een enkele door haar uitgevoerde handgreep waren gevloerd.) Hoe het kwam dat ze vanuit de cellen in een Berlijnse gevangenis toen toch niet naar Siberië was gestuurd, maar tot het midden van de jaren vijftig in de stad Bautzen in de gevangenis verbleef, de overdracht van de gevangenis aan de Duitsers meemaakte en ten slotte amnestie kreeg van jullie, beste Oost-Duitse *dotsjki*, staatshoofd, heeft niemand me helaas kunnen vertellen. Ik vermoed dat daar niet veel meer achter zat dan de mannelijke belangstelling voor de verlossende handgreep. Hoeveel mannen ze daarmee vrede had doen beleven, de korte vrede tussen twee noden in, en of ze daarmee niet alleen haar bewakers, maar ook haar medegevangenen heeft geholpen, weet ik evenmin. *Nu wuot*, maar wat ik wel heel zeker weet: meteen na de arrestatie hadden de bewakers de inktbloedschilderijen van haar zonen van haar afgepakt en daarmee haar moed. Toen ze uit de gevangenis in het Oost-Duitse leven terechtkwam, waren haar vingers kapotter dan ooit, haar longen door rook verteerd en haar zinnen verduisterd door haar verslaving aan pure chocolade. Als woonplaats wees met haar G. toe, waar ze in een meubelfabriek naar adem snakte tussen spaanders en houtwol. Tussendoor moest ze regelmatig melden dat ze er nog was. Toen ze een ietwat melancholieke man met de naam Schlupfburg ontmoette, die woordeloos in staat was haar verdriet te begrijpen en die altijd chocolade in zijn zak had voor zijn dochtertje, begon ze weer hoop te koesteren, en inderdaad bracht de zoetigheid weer een beetje licht in haar gevoelsleven. Rudolph Schlupfburg begon ze zelfs lief te hebben. Lange tijd kon ze hem niet tegemoet komen, omdat ze zichzelf had verboden in vrijheid de handgreep toe te passen, maar Rudolph kon haar zo week kneden, dat ze weer begon te zuchten en te steunen en op Schlupfburg begon te rijden zoals vroeger op Stjurkin en zoals de kleine Hilde zo graag met haar vader had gedaan: samen óp naar het doel. *Nu wuot*, Schlupfburgs speeksel kon zelfs haar vingertoppen genezen, maar ze kon het nog steeds niet laten erop te knabbelen. Wat er vroeger was gebeurd, bleef onbesproken. Genofefa Prochorovna lag onder lijken in Poolse aarde begraven, Fjodor en Wasja Stjurkin leefden in de schaduw van de herinnering, en Schlupfburgs dochter werd weggehouden van het paar door haar eigen overgrootmoeder (*Zijn ze het? Zijn ze het niet?*), en de *bevoegde instanties*, maar door niet over al dat oud zeer praten, vonden ze een uitweg, weg uit G., weg uit W., zo ver weg als haar in de loop der tijd maar werd geoorloofd, tot in de hoofdstad van de grotere administratieve eenheid, waar Schlupfburg na een korte, ellendige internering, die hem moest intimideren, werk vond bij de stedelijke reinigingsdienst. Eerst veegde hij de straten van de stad met een bezem, later zat hij op een van de grijze wagens die het vuilnis ophaalden, bracht het zelfs op de in het land gebruikelijke manier tot tuinman bij de stedelijke plantsoenendienst en verdient daar nog steeds een boterham, terwijl Birute, na toestemming verkregen te hebben de meubelfabriek te verlaten, werk vond in een boekwinkel en regelmatig, als ze aan de beurt was, op de dag van onze lieve vrouwen een premie kreeg. Wat er vroeger was gebeurd, bleef onbesproken, maar, ik zei het al, door niet over oud zeer te praten, vonden ze een uitweg: ze kregen twee dochters, nadat ze als echtpaar Schlupfburg een kamer bij een gepensioneerde man met de naam Skowollik hadden kunnen huren, noemden de meisjes op Birutes wens Feodora en Wassia en ondersteunden elkaar zo goed als mogelijk. Zelfs een zoon namen ze in hun gezin op nadat de staat zich een paar jaar lang koest had gehouden. De kleine, mongoloïde Seppel kon geen ouders vinden en zat al jaren in de kliniek in de stad, waar Birute ooit in verband met een niet te stelpen baarmoederlijke bloeding was opgenomen. Birute werd omwille van haar man verliefd op de droevige kobolt, en toen de papieren hem als Joseph Schlupfburg identificeerden, hun gemeenschappelijke pleegkind, huilde Rudolph uit tegen de schouder van de jongen. Nooit, mijn Oost-Duitse *dotsjki*, hebben twee mensen meer houvast aan elkaar gehad als die twee. Maar slechts zelden was geluk ook zo bedreigd geweest als het hunne, gaat het gerucht. Zijn er intussen tien jaar voorbij of waren het er vijftien? *Nu wuot*, ik weet het niet. En omdat ze niet zijn gestorven, is alles nog waar waarvan mijn sprookje verhaalt... Zegt ze en sluit de klapperende luiken. De zon boven het van boomstammen gebouwde huis zakt naar het westen, het imaginaire doek laat nachtelijk zwart zien en verdwijnt zo in de donkerte van de oktobernacht van het jaar 1976.

Deze keer is Therese er echt helemaal ondersteboven van: stil ligt ze naast haar stoel, uit haar veilig gewaande evenwicht gebracht en in een diepe bewusteloosheid gegleden. Dat ze bewusteloos is, heeft Josepha niet met-een in de gaten, want Therese moet al een poosje geleden geruisloos op de grond zijn gezakt. Josepha's concentratie op de Duits-Russische sprookjes-verzameling heeft haar afgeleid – nu denkt ze eerst dat haar overgrootmoe-der is ingedut zoals zijzelf vroeger, zodra er sprookjes werden verteld. Pas wanneer ze Therese wakker probeert te maken, voorzichtig maar beslist, begrijpt ze dat uit deze toestand ontwaken niet zo eenvoudig zal zijn. Dus loopt ze, de eerste de beste ingeving volgend, naar de voorraadkast om azijn te halen. Als azijn niet helpt, worden achtereenvolgens Thereses ge-liefde Pepsin-wijn, een paar kruimeltjes in water opgeloste *Rohrblitz*, een rotte aardappel, de geopende rattenzak en een opengesneden stuk stink-kaas uit de Harz uitgeprobeerd, maar Therese blijft nog steeds buiten wes-ten op de grond liggen, ook al murmelt ze en beweegt ze haar gebit heen en weer in haar mond. Radeloze Josepha bezint zich op de eerstehulpcur-sus van de Burger Beveiliging: op de zij leggen in een stabiele positie en, maar pas nadat een verwonding van de ruggengraat uitgesloten kan wor-den, de mond openen, eventueel met een opgerolde handdoek het hoofd fixeren en hulp halen. Maar meteen al bij de poging om een verwonding van de ruggengraat uit te sluiten, loopt het programma vast. Languit ligt de oude vrouw, de wervels schuiven als gelei over elkaar heen als je ze be-weegt, het hoofd draait niet mee met het lichaam en laat Josepha schrik-ken, het lijkt wel alsof het omgekeerd op de romp zit, haar ogen zouden de richels in de planken vloer zien wanneer ze die open zou doen. Angst en koude rillingen nemen bezit van haar ledematen, Josepha drinkt er een glas cognac tegen. *Nu wuot.* Wat mankeert haar. Tegen de ruiten bonkt reeds de vrees, die naar binnen wil, lijkt het wel: in een stormachtige wind ruist het gordijn voor de kierende ramen als het gewaad van een non, bege-leid door klappen van de wilde-wijnranken tegen de muur en het glas. De waanzin waarin ze terechtgekomen schijnt, komt tot een eind wanneer ze angstig het hoofd van haar overgrootmoeder recht wil leggen en daarbij haar oksel vlak boven Thereses neus houdt. Rudolph? schreeuwt ze, ben je daar eindelijk, na al die jaren? Het okselzweet heeft ze dus van haar vader, realiseert Josepha zich, opgelucht over het weer tot bewustzijn komen van Therese en geamuseerd over de simpele oplossing. Maar de baboesjka-vraag: *Zijn ze het? Zijn ze het niet?* wordt nu luider gesteld en dwingt There-se Josepha nog meer te vertellen over haar vaderloosheid: ze had Rudolph verboden Josepha te zien, in haar buurt te komen, ze had zelfs gedreigd aangifte te doen van *onwettige omgang*, als hij het kind met mevrouw Sza-meitat in contact zou brengen, met die hoer, die spionne. Zelfs het geld had ze teruggestuurd, tot hij ermee ophield het te sturen, en ze had twee keer de dikke man meegedeeld dat alles onder controle was, en bij dat alles had ze zich afgevraagd wat er nog zou overblijven van haar borst wanneer ze Josepha met geweld bij haar zouden weghalen. Ze had daar een bloedende wond gezien, haar hart had haar van binnenuit opgevreten en de pijn al niet kunnen verdragen, en toen was het helemaal niet in haar opgekomen dat ook Josepha en Rudolph verwondingen zouden oplopen wanneer ze deed wat ze dacht te moeten doen. Ze jammert om vergeving en spreekt, merkt Josepha, tegen Rudolph, ze is nog niet helemaal terug uit haar bewusteloosheid. Josepha geeft haar het dagboek en nodigt haar uit om alles op te schrijven, opdat ze het niet zal vergeten, maar dan heeft Therese haar vergissing al ingezien en bijt van schrik een blauwe puist op haar lip. Josepha brengt haar naar bed. Te zeggen valt: niets.

Te zeggen valt: niets. Zelfs voor de op leeftijd komende kleinburgeres Ottilie Reveslueh wed. Wilczinski aan gene zijde van de in 1949 kennelijk definitief vastgestelde grens levert de laatste etappe van de Gunnar Lennefsen-expeditie niet veel meer dan een onrustige slaap op, een beeldende droom. Josepha pakt in haar kamer een reistas in, onderin handdoek, zeep en tandenborstel, een jurk, de glimlachende, zwijgzame Ljusja erop, weer een jurk, vijf onderbroekjes, haar zwangerschapsidentiteitsbewijs, geld. Fijngehakte rauwe kool, met zout en kummel gemengd, in een pot met schroefdeksel. Het wordt tijd om Adam Rippe te gaan zoeken in Lutzschen bij Leipzig. Ze weet dat ze in G. niet lang op haar aansluiting hoeft te wachten, en toch zou ze tijd hebben, ze zou een kopje koffie kunnen drinken op het station, de krant lezen. *Wat er verder nog is gebeurd*, wat verder nog. Of ze zenuwachtig is, wil Josepha niet weten. Haar spieren warm, haar botten vol koude lucht. In de trein de volgende ochtend probeert ze – zonder te groeten had ze de deur achter zich dichtgetrokken, maar wel een briefje achtergelaten voor Therese met dank en een zeker begrip 'voor alles' – in stilte met haar overgrootmoeder te praten. Te zeggen valt er desondanks: niets. De stem waarmee ze de conducteur om een kaartje vraagt – opgeklopt eiwit, dat in de adem bij het spreken blaasjes maakt in haar keel. Dolend water kruipt vuil omhoog tegen de ruit. De trein bereikt de stad waar haar vader met Birute en de drie kinderen aan het ontbijt zit, de trein rijdt de stad in, stopt op het station, rijdt de stad weer uit, Josepha weet zeker dat ze niet had willen uitstappen. Ljusja zal dat wel kennen, met haar wisselende ouders, haar God en haar zoon heeft ze zoiets als een voorsprong in het verbreken van betrekkingen. Uit de tas stijgt op, een Arabische demon, vanillenevel in chocorumbaisergeur. Ljusja Andrejevna geeft een teken dat ze weet wat er aan de hand is, zelfs door de kleren heen dringt dus tot haar door wat Josepha aan angst uitwasemt. De conducteur komt voor de tweede keer, wat onbehouwenheid betreft superieur aan Josepha's angst, en doet de coupédeur achter zich dicht om een paar vragen te stellen: reist u helemaal alleen? Om deze tijd? Wanneer bent u uitgeteld? Doet u weleens aan gymnastiek? Zou iemand een bezem stevig kunnen neerzetten onder de druk van uw billen? Zijn uw borsten zacht of stevig? Kent u Leipzig? Ik heb nog ondergoed van mijn overleden vrouw, dat zou u wel passen. Gelukkig heb ik het altijd bij me, voor het geval ik iemand tegenkom met hetzelfde postuur als mijn vrouw zaliger. Draagt u hemdjes? Kunstzijde? Mag ik even kijken? En hij graait met zijn handen naar waar hij kant vermoedt en dunne schouderbandjes. Wat natuur is, zet betaald: Josepha geeft hem met haar linkerhand een ferme oorvijg, zodat zijn oor opzwelt, donker wordt en de rode striemen van Josepha's vingers op zijn wang zichtbaar worden. Met haar knieën, hoewel haar buik haar in de weg zit en ze niet meer zo hard kan trappen als vroeger, leeft Josepha zich uit op de mannelijkste van alle plekken. Ze is zeker van de overwinning. Weliswaar brengt de conducteur haar werkelijk na een halfuur, een paar verontschuldigingen mompelend, een zak met gedragen ondergoed, waarvan Josepha zich meteen na aankomst op het station walgend zal ontdoen, maar hij trekt zich ten slotte terug achter zijn conducteurstas en zijn kaartjestang. Toch heeft het uit de hand gelopen vragenuurtje ook de halflijvige Ljusja in de reistas het besluit doen nemen de strijd om haar godenzoon met alle haar ter beschikking staande middelen aan te gaan en zich niet te laten afschrikken door mannelijk geouwehoer. Dat is een wijs besluit.

Josepha wil roken. Dat wildvreemde verlangen laat haar duimen draaien in haar schoot en ten slotte een rolletje maken van een van de twee bladzijden van haar zwangerschapsidentiteitsbewijs. Het is zo vaak gebruikt, dat het ambtelijke papier geen moeilijkheden oplevert. In het voorgerolde kartonnetje doet Josepha de tweede pagina van haar identiteitsbewijs, kleingesneden met haar nagelschaartje, gemengd met een paar sliertjes van de gezouten kummelkool. Onder in de glazen pot zit een beetje nattigheid, dus neemt ze de sliertjes die bovenin zitten. Het vocht heeft ze nodig om een natte, klevende rand te maken en de sigaret dicht te plakken. Om hem hanteerbaar te maken heeft ze het mondstuk als een soort papirossa samengeknepen – met het zwangerenkarton gaat dat heel goed. In de kummelkoolrook sluit Josepha genietend haar ogen – een beeld voor de godinnen, als die er iets om zouden geven; een geval van geurfolter, als er medepassagiers zouden zijn. Maar zo kan Josepha ongestoord genieten wat ze al vele jaren, denkt ze meteen, mist: het inhaleren. Het zwart-witte kind neemt haar gril gelaten op, het is slaperig geworden door het eentonige geratel van de trein, zuigt op zijn duim zoals zijn moeder aan haar mondstuk. Maar wat het koolmengsel veroorzaakt: geruis in de hersenen, een longenscheet, maakt het kind toch aan het schrikken. Josepha gaat staan in een toestand die in het andere deel van het land ook door een substantie met de naam lysergzuurdiathylamide kan worden opgeroepen, als je dat wilt. Maar hier is kennelijk kummelkool het middel dat daarvoor geschikt is. *On trip*, lost Josepha op in de kleuren van haar vingerverfdoos van de kleuterschool, doet bevleugeld de ritssluiting van haar reistas open en kruipt onder Ljusja Andrejevna's witte schort. O, hoe het daar geurt naar ingezouten augurken, losgeslagen vlees en rumbaiser, naar mannenpis, natuurlijk: vanille en port! Josepha kan er geen genoeg van krijgen en duikt, nu alleen nog maar lucht in de lucht, in de verstikkende geur van de oksel, zodat Ljusja haar arm optilt. Duikt onder de roze, stijve bustehouder, in de zwoele warmte onder de borsten, in de plooien in het buikspek. Duikt in de navel, die, zoals Josepha ziet, inderdaad is gehalveerd. Ljusja bevalt dat bijna driedimensionale gedoe erg goed, van voelzucht en lichaamsverlangen kan ze zich nauwelijks nog beheersen in haar lijst. Nu kruipt Josepha achter haar oor, duwt het lelletje een beetje naar voren en streelt, een geruis in de roes, met de Russische nek ook de Russische ziel *Nu wuot*. Die zoon kan nog wel even wachten... De kummelkoolgeur is echter niet te stuiten en trekt door het gangpad naar de andere passagiers, verbaast ze eerst door zijn ongebruikelijke aroma, benevelt ze dan lichtelijk, wat de mensen, die plezier hebben in de bevleugeling van hun bestaan, de gedeeltelijke ontlichaming, de kleurenpracht buiten en binnen, echter niet merken. Het zwaargewichtige volk beleeft een dubbele reis, dankzij Josepha, en herkent zichzelf in flora en fauna, voelt lucht in de botten. Kan dat zo gemakkelijk? Het niet-reizende volk intussen kan op het traject tussen Grosskorbetha en Leipzig op de rails een treintje dartele danssprongetjes zien maken, want ook de machinist is beïnvloed door de rooksliertjes uit de Schlupfburgse roespapirossa. Maar alles blijft binnen redelijke perken, dus bereikt de trein bijna op tijd zijn doel, Josepha en Ljusja bevinden zich algauw in een slechtgehumeurd landschap. Een krakkemikkige autobus brengt hen Leipzig weer uit en rijdt met ze door dorpen, waarvan de huizen als vluchtelingen staan en vallen. Verwaarloosd. Afbrokkelend pleisterwerk, grijs als de lucht, of geelbruine pannen, groengeverfde kozijnen en luiken, de ruiten beslagen met roet en weinig tegemoetkomende groezeligheid. Josepha heeft dat in Thüringen nooit zo meegemaakt, waar sporadisch een dorp nog wat rijkdom uitstraalt, ook al is het de miezerige rijkdom van de wagenwielromantiek, van de kunststofkitsch. De moedeloosheid van dit steenkoolkleurige verval doet Josepha ineenkrimpen. Wanneer de bus hen eindelijk in Lutzschen afzet aan de kant van een onverharde weg, snakt ze naar lucht, door het zwart-witte kind gedwongen diep adem te halen, en kijkt om zich heen, zoekt een mens. De gore rotzooi levert op het eerste gezicht niet op wat ze zoekt: een slagerij.

Het dorp kan niet uit veel straten bestaan, want als Josepha haar hoofd van links naar rechts beweegt, heeft ze met één blik alles gezien. Zonder zich te laten ophouden voert de modderige weg er dwars doorheen. Josepha zet Ljusja in de tas op het melkbussenrek achter haar. Op de lege bussen staan rode nummers en letters, met ongeoefende hand op het metaal geschilderd. Josepha tilt een van de deksels op, kijkt in de melkbus, ziet haar eigen gezicht in een waterig mengsel, want het spoelwater vormt een spiegelend laagje op de bodem. Deksel er weer op. De bepakte Josepha slaat de eerstvolgende tussen twee huizen verborgen straat in, vermoedt dat Grimma in die richting ligt en meent daarom het gezochte adres zo het gemakkelijkst te kunnen vinden: Grimmaische Straße 42. Als ze juist op het punt staat aan te bellen bij een willekeurige deur, komen twee opgetutte oude dames aanfietsen, hun voeten in beige pumps, rond hun keurige kapsels fladderen losjes zijden shawls. Goud en zilver rinkelen als Josepha ze tegenhoudt en Adam Rippe noemt als het doel van haar onbeholpen zoektocht. Inderdaad horen de dames bij het dorp: ze weten wie ze bedoelt en sturen Josepha met een beslist gebaar een aantal goed beschreven straathoeken om. De Grimmaische Straße blijkt ten slotte niet veel meer dan een lachwekkende holle weg te zijn, een luchtloos niets tussen twee rijen huizen, zodat Josepha zich afvraagt hoe er zoiets middeleeuws en kleinsteeds achter een dorpsstraat is terechtgekomen. Ook de volgorde van de huisnummers wekt verwondering. Er staat aan beide kanten van de smalle gleuf slechts een huis of tien, waarvan bij het laatste huis een emaillen bordje boven de deur zit met duidelijk het cijfer 64 erop. Nummer 42 is ook al snel gevonden. Josepha drukt op de bel naast de bijna niet meer leesbare naam *Adam Rippe*. Dat niemand opendoet, heeft ze verwacht, vandaag is een normale werkdag. Maar ze hoort geschuifel achter de deur, er ritselt en rammelt iets, zodat Josepha nog eens op de bel drukt en meteen daarna merkt hoe achter de deur iets ophoudt te bewegen. Nu vraagt ze door het hout heen of er iemand thuis is, zegt dat ze een verrassing bij zich heeft, een heel mooie bovendien. De deur gaat niet open, maar er ritselt en rammelt weer iets, iets komt dichterbij en laat luidruchtig zijn ergernis over de vervelende storing door zijn geopende mondgat horen. Zelfs het hoofdschudden meent Josepha vanachter de deur te kunnen waarnemen en ze trekt zich geschrokken een beetje terug, maar dan wordt de deur op een kier geopend door een blikloos vrouwelijk wezen. De jaren hebben haar kennelijk laten indrogen, zodat ze aan een allang vergane seconde doet denken in een piepklein ochtendjasje, in kersenlikeurige pluchen baboesjes, een knotje op het achterhoofd met de omvang van een tennisbal. In de pupillen moet ooit het eiwit zijn gestold, denkt Josepha, als ze ondanks al haar ontzetting de vrouw in de ogen kijkt. Josepha, voordat ze vertelt wie ze is, heeft even tijd nodig tot ze begrijpt dat de vrouw blind is. Ze zegt dat ze een verrassing bij zich heeft voor meneer Rippe, die hier toch hopelijk woont, zoals het bordje vermeldt. Dat ze niet in haar eentje de hele reis vanaf W. naar hier toe heeft afgelegd, zoals meneer Rippe nog wel zal kunnen constateren, maar in de eerste plaats: wie bent u dan wel? De vrouwelijke tandjes van de blikloze vrouw, haar eigen tanden nog, lijkt het, maken zich los van elkaar, haar stem lijkt op het rinkelen van porseleinen kopjes. Dat meneer Rippe haar bloedeigen zoon is, een kranige gediplomeerde slager, die in de worstfabriek in Döbeln door de week dienstdeed als afdelingschef, maar die helaas jaren geleden al zijn trek in worst heeft verloren en ernstige astma heeft gekregen door de damp van gekookte salami en preskop, door het bloedbad in het slachthuis. Daarom had men hem een baantje op kantoor gegeven, dat hij nog net aankon met zijn gezondheid. Maar hij zou spoedig Döbeln laten schieten en naar Lutzschen komen, omdat zijn oude moeder hem hier meer en meer nodig had. In het dorp verderop, dat een beetje groter was dan Lutzschen, vertelt ze, kon hij bij een tuiniersbedrijf een baantje krijgen, dat was beter voor hem en voor haarzelf, hoewel hij natuurlijk een goede slager... Het was een geluk dat hij vandaag thuiskwam met zijn auto vanuit Döbeln *hernunger*. (Dit woord, in het dialect van de streek, is voor Josepha niet voldoende om er zeker van te zijn dat de vrouw werkelijk een oude rimpelzak uit Lutzschen is en inderdaad de moeder van de in dat geval per abuis voor Ljusja's zoon gehouden Adam Rippe.) Maar het zou wel laat kunnen worden, rinkelen de kopjes, omdat hij altijd worst meebracht van de fabriek en die voor een zacht prijsje aan verschillende dorpsbewoners verkocht. Een goede man, dat was hij altijd al geweest. Mijn Adam. En ze nodigt Josepha nu zonder meer uit in de zondagse kamer, die helemaal niet schijnt te passen bij moeders pluche en tule. Hoge kasten van donker hout, zelf getimmerd, weet Josepha, die al heel lang in allerlei winkels tevergeefs naar dat soort meubels heeft gezocht. En tot de nok gevuld met bestek, slagersmessen en geciseleerde vorkjes, theelepeltjes en bloednappen, zodat de vraag wat de kleine verdroogde vrouw daar wel mee moet beginnen meteen in haar opkomt. Aan een grote ronde tafel midden in de kamer zitten ze nu tegenover elkaar, een kannetje dampt op een gietijzeren kacheltje, en pluchen baboesje schijnt het niet meer zo erg te vinden dat ze bij het theedrinken wordt gestoord. Langzamerhand begint Josepha te aarzelen of ze dat wijfje wel moet vertellen waarom ze hier is. Dat ze de moeder van Adam Rippe in haar tas heeft zitten, is een even ongeloofwaardige als kwetsende mededeling tegenover een vrouw die zichzelf het moederschap over deze man toekent. Als het ouwe mens een furie zou zijn, een kijvend viswijf, dan zou ze er geen probleem mee hebben haar recht in haar gezicht te zeggen dat zij bewijsbaar niet de echte moeder is, of soms toch? Maar ze kan zichzelf nu ook niet meer voordoen als een medewerkster van de Volkssolidariteit, of als collega van Adam en ook niet als een heimelijke geliefde, die gekomen is om haar spoedige bevalling aan te kondigen. Josepha kiest daarom voor de een beetje besluiteloos klinkende mededeling dat meneer Rippe heeft meegedaan aan een loterij en iets heeft gewonnen, wat ze hem echter alleen persoonlijk kan overhandigen. Goh, slaat de zogenaamde moeder haar hand tegen haar hart, iets gewonnen! Wat fijn! Dat zou hem zeker plezier doen, ze had die ochtend al zo'n goed gevoel gehad, echt. En uit Thüringen kwam Josepha? Wat daar dan wel voor een loterij werd georganiseerd? Josepha krijgt het even erg warm en begint te hoesten alsof ze hevig aan bronchitis lijdt, zodat de oude vrouw haar vraag weer vergeet en kamillethee gaat halen en Josepha naar een kamer brengt waar ze wat kan uitrusten tot de zoon thuiskomt. En of ze al lang last heeft van dat gehoest? In de late fase van een zwangerschap was dat niet zo best. Ze had zelf weliswaar geen kinderen ter wereld kunnen brengen, maar wel als wijkzuster een paar vrouwen in moeilijke tijden bijgestaan, ze wist er alles van. Ze trekt bijna liefdevol een gehaakte deken over Josepha heen, opdat die een gezondheidsslaapje kan doen. Ljusja in de tas gedraagt zich merkwaardig stil ondanks de toch bijzondere omstandigheden van haar aanwezigheid hier. Ook als ze even later op de tafel staat in haar lijst, houdt ze haar lippen en haar ogen stijf dicht en geeft geen enkel teken. Het is al donker als buiten een knetterende motor de auto van de zoon als een voertuig van het merk *Trabant* ontmaskert. Adam Rippe komt met drie worsten onder zijn arm binnen en loopt naar de woonkamer. Josepha, indien ze zou kunnen zien hoe hij de blikloze vrouw in zijn armen neemt en innig kust, zou huiveren. Maar Josepha slaapt onder de wollen deken, onder Ljusja's gesloten ogen. De oude vrouw legt haar vinger op de lippen van haar zoon om hem te beduiden dat hij stil moet zijn en wijst naar boven, de trap op, in de richting van de gast. Dan doet ze de deur van de kamer dicht en vertelt over de loterij, over de grote prijs. Adams spottende twijfel kan ze niet zien, maar ze voelt zijn zwijgen en begrijpt dat er iets niet helemaal klopt. Achter Adams voorhoofd dringt een vraag: is ze nu helemaal gek geworden, zijn allerliefste-moeder? Hij pakt de handen van de vrouw, trekt ze om zich heen als een ring, drukt haar nu – wat is ze toch klein! – dicht tegen zich aan en brengt haar naar bed. Hij zit nog een poosje op de rand van het bed en kijkt hoe ze in slaap valt, stopt met zijn vingers een paar losse haren in het knotje van het zijdelings op het kussen gevlijde hoofd, strijkt met vochtige vingertoppen door de kuiltjes tussen haar sleutelbeenderen, gaat met zijn tong in haar kleine oor. Ze slaapt. Dat er bezoek is, heeft hij natuurlijk gezien aan de schoenen in de gang, die hij niet kent qua grootte en uiterlijk. De tocht naar de logeerkamer maakt hem een beetje zenuwachtig, omdat de persoon die pretendeert dat hij iets heeft gewonnen in een loterij, waarschijnlijk een leugentje om bestwil heeft verteld. Nog nooit heeft hij een lot gekocht, om geld gespeeld, ergens op ingezet, gegokt en gewonnen, lotto gespeeld en gewed. Hoop wil hij toch wel koesteren, hij klopt dus op de deur en wacht tot hij Josepha *ja* hoort zeggen voordat hij de kamer binnengaat. Het ontroert hem kennelijk een zwangere vrouw aan te treffen. Josepha heeft dat meteen gezien aan zijn vochtige blik. Bevangen kijkt ze naar de rechtopstaande Ljusja, maar die zwijgt nog steeds en laat niets blijken. Als na een tijdje gezwegen te hebben en wat verlegen hartkloppingen de vraag wordt gesteld wat er aan de hand is, waar het om gaat, begint Josepha aan haar eigen redelijkheid te twijfelen. Ze krijgt het niet over haar hart de vrouw beneden in de kamer aan te vechten als de moeder van de nu tegenover haar staande man. Wanneer Ljusja nu maar iets van zich liet horen! Adam Rippe meent zijnerzijds te moeten verklaren dat zijn allerliefste-moeder beneden mogelijk compleet gek was geworden door alle beproevingen, na al die jaren mocht je haar dat niet kwalijk nemen. Ooit een bloeiende, alhoewel een beetje kleine vrouw, had ze hem, toen het oorlog was, aan het eind waarvan hij merkwaardig genoeg geen herinnering had, in een akkervoor gevonden en helemaal niets gevraagd. Hij had zich toen al helemaal niets kunnen herinneren. Niet hoe het kwam dat hij naakt op een akker lag met naast zich een vrouw van veertig op kersenlikeurkleurige pluchen baboesjes, bekleed met een ochtendjas. Niet eens het feit dat zij een vrouw was, had hij destijds geweten. Maar zo ging dat nu eenmaal in het leven, en hij had snel genoeg van alles van haar geleerd. Ze had hem in een mooie warme stal gestopt, bij drie varkens met mensenhuid, en toen had hij al snel in de gaten gehad hoe het leven in elkaar zat. Omdat hij in het begin niets had kunnen zeggen behalve Adam en Rippe, was hij niet op het idee gekomen haar te roepen of haar op een andere manier op zichzelf attent te maken vanuit zijn kot. Hij wist immers ook niet waarom hij haar dat nu vertelde, maar nadat de dominee in het dorp zichzelf een paar weken geleden in de fik had gestoken, was het toch wel voelbaar geweest dat de oude dingen weer te voorschijn gehaald moesten worden en opnieuw moesten worden verteld met ouder geworden stemmen. En dat nu zij, Josepha, hier was, terwijl hij nog nooit had meegedaan aan een loterij, dat maakte hem een beetje kopschuw. Af en toe was er hier weleens iemand gek geworden, ook in Döbeln en onder zijn kennissen in Leipzig. En nu zijn allerliefste-moeder. En hij wist niet eens precies of niet hijzelf, en of het eigenlijk wel klopte wat hij uit zijn herinnering opdiepte. Hij had er al zolang niet meer over gepraat... In het kot had hij te eten gekregen gehad en een warm liefdevol onthaal. Later, na het eind van de oorlog, was hij aan de vrouw, een weduwe, toegewezen als de zoon van een in de oorlog omgekomen volksduitse vriendin, en hij was, na bij de burgerlijke stand te zijn geregistreerd, opgenomen in haar huishouden, waarna ze hem op haar vijftigste had geadopteerd om veilig te stellen dat hij het huisje van haar in de oorlog gevallen echtgenoot tegen de wil van familieleden in kon erven. Maar tegen die tijd had hij al goed leren praten en neuken van haar, zoals dat zo ging. En slachten had hij ook geleerd van haar, eerst haar varkens en later konijntjes en koeien, ossen en schapen. Ze was een fantastische slachtster geweest en had een trefzekere doodsteek beheerst in haar strakke, sappige huid. Toen had ze hem al over Oidipoes verteld en de grenzen die ze nu, na de adoptie, moest trekken, of ze wilde of niet, vooral voor de buitenwereld. Dat was goed gegaan. In het begin tegen de verwachtingen van het dorp in, maar toen zijn allerliefste-moeder steeds blinder en droger was geworden, had hij nauwelijks nog hoeven vrezen dat iemand lust vermoedde achter hun gemeenschappelijke deur. Alleen het feit dat hij het later niet meer voor elkaar had gekregen om als slachter te werken, had hun relatie danig op de proef gesteld. Kunnen slachten had zij als het voortdurende bewijs van zijn mannelijkheid opgevat en ze had maar niet willen aanvaarden dat hij eigenlijk als een immer zacht knaapje ter wereld was gekomen. Hij had er geen verklaring voor gehad waarom hij niet ouder werd. In elk geval had hij al op verschillende manieren geprobeerd zijn haar grijs te laten worden, door het hetzij te laten verven, hetzij zich een enorme schrik te verbeelden. Maar niets had hem een duurzame ouderdom kunnen bezorgen. En nu boog hij al door als iemand tegen hem ademde, om maar gekromd te lijken. Nu verdraaide hij al jaren zijn stem, probeerde te veel te eten, om zijn musculeuze figuur onder het vet der vergetelheid te verbergen. Het was heus niet eenvoudig. Vooral dat zijn allerliefste-moeder nu, hoewel hij haar nog steeds begeerde, steeds vaker de grootmoeder begon uit te hangen en hem allerlei zoetigheden meegaf als hij 's maandags weer naar zijn vleescombinaat vertrok, negerzoenen en crèmetaartjes. En die liefde voor taart opeens! Een paar jaar geleden nog had hij op vrijdag altijd salami en bieslookleverworst mee moeten brengen. Intussen had ze een enorme hoeveelheid vet, eieren en melk nodig om zondags voor hem een taart zo hoog als een kat te maken met in likeur ingelegde kersen boven op de toefjes slagroom. Al een paar keer had hij gemeend te constateren dat ze compleet krankzinnig was geworden. Toen ze bijvoorbeeld een keer had gezegd dat de Dag des Oordeels niet ver meer was, dat de zondvloed zou komen, omdat ze haar eigen zoon door haar liefde in het verderf had gestort en hem van een andere moeder had afgetroggeld, en dat dat tot een bittere wraak zou leiden. Hij had steeds aan de zigeuners moeten denken en hoe het ze was vergaan. Zo dag in, dag uit bezig met de worstadministratie, was er een nevel neergedaald over zijn gevoel en hij had er niet meer aan willen denken wat zijn allerliefste-moeder allemaal uitvoerde op haar hoge leeftijd. Hoewel, dat moest hij toegeven, er inderdaad zoiets als een lijfelijke moeder moest zijn geweest in zijn leven. (Josepha kijkt naar de op de tafel rechtopstaande Ljusja. Ze heeft, denkt ze nog, een beetje thee gemorst uit haar glas, maar dan ziet ze al hoe een traan uit Ljusja's stille ooghoek langs haar wang naar beneden glijdt.) Hij was slechts een bescheiden Saksische worstboekhouder, zegt hij, wat deed het er dan toe dat hij zijn afkomst niet goed kende, als het eind van de weg toch al zichtbaar werd: hij had er genoeg van. En helemaal geen zin om hier de jonge atleet uit te hangen, alleen maar omdat hij geen vet aanzette. Alleen maar omdat hij ooit een keer op een Saksische akker was neergestort, na wie weet wat. Misschien was hij wel een heimelijke Rus, die in het achterland van de toenmalige vijand als spion was gedropt, misschien heette hij wel Ivanusjka in de herinnering van zijn lijfelijke moeder. Ook dat hij een arme krankzinnige was, die uit de een of andere inrichting was weggelopen, hield hij voor mogelijk. Of een moordenaar, een gewelddadige lustmoordenaar, die zo'n klap had opgelopen bij zijn vlucht uit de gevangenis dat hij zijn geheugen was kwijtgeraakt... Adam Rippe kijkt langs Josepha uit het raam, naar het kerktorentje, en vervalt in een diep gepeins. Zijn strogele haar valt in krulletjes over zijn lieflijke oren, die Josepha, wanneer Ljusja niet in de kamer was, zouden verlokken erin te bijten. Josepha zoekt een verklaring voor het feit waarom de man al zijn kennis en vermoedens, zijn angsten en liefdesherinneringen zo vrijelijk opbiecht aan een wildvreemde vrouw. Het zal de aanwezigheid van Ljusja Andrejevna zijn, denkt ze, die hem zo open maakt. Ze pakt het portret, veegt de spatjes daarop met haar mouw af, de ratjes worden, als ze dat doet, in haar zak een beetje onrustig. Voordat ze iets over het portret kan zeggen, over waarom het portret en zij in werkelijkheid hier zijn, geeft meneer Rippe haar van katoen. Of dat de hoofdprijs is? vraagt hij spottend, terwijl hij er vluchtig naar kijkt, gedistantieerd, dit was zeker weer zo'n poging om hem over te halen tot de partij van de arbeidersklasse toe te treden? Niet dat hij iets tegen de arbeidersklasse had, hij was tenslotte zelf slechts door een astmatisch toeval boekhouder geworden, maar hij had haar immers zijn twijfels over zijn afkomst en levenswijze beschreven, waarmee toch wel verklaard was dat hij bij geen enkele voorhoede hoorde, beslist niet! Erg veel wijzer kan Josepha er niet uit worden, ze vraagt zich af of de zonderlinge levenswijze van Adam Rippe en zijn allerliefste-moeder wellicht echt aan aardse krankzinnigheid moeten worden toegeschreven, en niet aan een halfgoddelijke afkomst. Dat de bovenaardse wezens vaak gebruikmaken van simpele dingen – in dit geval runderworst en gehakt – om voet aan de grond te krijgen, komt haar niet nieuw voor... Waarom schiet Ljusja haar niet te hulp in deze situatie? Met een piepklein tekentje? Het valt haar steeds zwaarder meneer Rippe, in zijn zelfvergeten mededeelzaamheid, van de aanwezigheid van zijn bloedeigen moeder te overtuigen, die hij op handen draagt op dit moment in het licht van de schemerlamp bij het raam. Hij kijkt nu toch wat langer naar het portret, draait de lijst om, zoekt zeker de naam van de afgebeelde vrouw of iets wat naar de loterij-organisatie verwijst. Ljuljusjaja, stottert Josepha, Andrejevna Wandrovskaja, taartenbakster uit Kaliningrad. Ze heeft u gezocht als de halfgoddelijke zoon van haar en haar jonge god en u eindelijk gevonden hier in Lutzschen, gij ribkind, gij akkervoervondeling. Laten we uw boekhouderij even vergeten en ter zake komen: dit is het portret van mevrouw uw moeder, in elk geval een deel van haar, met het andere deel loopt ze wellicht noch door de straten van Kaliningrad of houdt zich schuil in een Duits aanrecht in de arbeiderswijk van de Schichauwerf, ook al zal u dat allemaal niet veel zeggen, meneer Rippe. Mevrouw uw moeder heeft me het hele verhaal toevertrouwd, omdat ik op het punt sta mijzelf te vermenigvuldigen en wij elkaar op een door het lot onbewaakt ogenblik hebben ontmoet, dat geschikt was om de waarheid uit te spreken. Zo gaat dat soms, u zat er niet veel naast en was toch op het verkeerde spoor met de sovjetspion, maar ik wil wel erkennen dat de helft van de waarheid ongetwijfeld bij u ligt. Uw allerliefste-moeder geloof ik graag, ik heb immers haar kersenlikeurkleurige baboesjes met eigen ogen gezien. Dat u niet ouder wordt, is gemakkelijk verklaarbaar: uw halve goddelijke erfdeel, begrijpt u? U bent uit de hemel komen vallen toen uw vader een lachbui kreeg tijdens het vliegen, vanwege u overigens... En opdat u niet nog verbaasder wordt: uw moeder geeft aan de hereniging met haar onderstel de voorkeur boven het leven in een rolstoel. Dat alleen voor het geval u haar bij u laat wonen en zij bij u wil blijven als derde persoon in het huishouden. Wat ik me goed kan voorstellen na alles wat ze heeft meegemaakt. Ze heeft u tijdens een vermetele vlucht met een zakmes geschapen, en u bent worstboekhouder geworden, lieve god, uitgerekend nu we op stalen schoenen zijn aangekomen in het tijdperk waarin ook van feiten worst wordt gemaakt. Daarmee vergeleken zijn kersenlikeurkleurige baboesjes uitgesproken zacht, neemt u dat maar van mij aan, daarmee vergeleken heb ik de krankzinnigheden van uw allerliefste-moeder nog bijna liever. Zullen we dus ter gelegenheid van de hereniging open kaart spelen? Ik heb uw moeder hoogstpersoonlijk voor u meegebracht onder mijn met vruchtwater doordrenkte kleren, ga uw gevoel na en zeg dan of u haar wilt hebben, in zaliger nagedachtenis ook aan uw zoekgeraakte vader. Er is niet veel voor nodig om haar zover te krijgen dat ze terugkeert naar het driedimensionale bestaan, wanneer u haar eerst maar zou accepteren. Goedenacht.

Josepha heeft zich als spreekbuis opgeworpen. Zelfs in de keus van haar woorden schemerde Ljusja's door de vertaling van de vliegende hond misschien wel een beetje afgezwakte toon door de diepere betekenis van de toespraak heen. Alsof hij niets heeft gehoord, loopt Adam Rippe naar de deur, beantwoordt de goedenachtwens met een zacht gebrom en doet de deur achter zich dicht. Heeft niets gehoord. Is sprakeloos geworden aan het begin van de avond. Sluit zich weer op in zichzelf. Dat ontbrak er nog maar aan dat iemand zich voor zijn moeder uitgeeft na zo'n lange tijd en hem zelfs wel wil weghalen bij zijn allerliefste-moeder naar een ander leven. Een leven dat hij helemaal niet meer wil hebben? Hij wil toch al helemaal niets meer. Die worsten in Döbeln, die bloedplassen achter de poorten van de fabriek. Dat de herfst zó met zich laat sollen en dan ook nog bedroven ruikt. Gek maakt. Met onbetaalde rekeningen op de proppen komt. Afgeperst en afgeperst wordt. Dat de mannen van God zichzelf al in brand steken, de kinderen van zijn collega's last krijgen van antagonale krankzinnigheid en buitenshuis steeds het tegendeel zeggen van wat er binnen wordt verteld aan tafel met hun ouders. Was hij maar oud geworden zoals zijn allerliefste-moeder. Liep hij maar op zijn eind. Maar hij is niet oud geworden zoals zijn allerliefste-moeder. Kan hij daarom niet eindigen? Zijn hoofd ontwerpt manieren om er een eind aan te maken: een strop pakken, je hoofd in de gasoven steken, je tussen Grosskorbetha en Leipzig als vraat voor de trein gooien, het water inlopen met gewichten aan je handen en voeten, slaaptabletten slikken, rattengif innemen, spiritus drinken of onverdunde azijn. Maar hij is zo verschrikkelijk bang voor pijn dat een simpele kiespijn voor hem al net zo erg is als een klap van de morgenstond. Hoe moet hij zichzelf dan aan de andere kant terecht laten komen? Moedeloos duwt hij zijn overwegingen weer uit zijn hoofd en naar zijn nek en gaat bij zijn blikloze allerliefste-moeder in het warmgeslapen nest liggen. In het donker is hij net zo blind als zij, lijkt hij op haar.

Josepha probeert intussen zichzelf in slaap en Ljusja aan de praat te krijgen. Alsof die nog nooit een kik heeft gegeven, houdt ze haar mond, belooft geen oplossing. Geen enkele blik zendt ze vanuit haar ooghoeken de logeerkamer in. Eigenlijk, denkt Josepha nog bij het inslapen, heeft ze haar plicht gedaan en Ljusja naar Lutzschen gebracht naar haar halfgoddelijke ribkind, maar het resultaat vervult haar niet met blijdschap, laat staan met trots. Wat had ze eigenlijk voor voorstelling gehad van de man Adam? Een stoere slager had hij moeten zijn met een ferme steek en pittige kruidenmengsels voor allerlei worstsoorten. In zijn eigen, lichtblauw betegelde winkel had hij twee of drie statige vrouwen moeten hebben rondlopen als god-aanbidsters en hamsnijdsters, twee of drie leuke kwartgodkinderen

erbij en een sportief uiterlijk. Zijn gedachten hadden in bovenaardse hel-
derheid moeten stralen over het moeras van de seculiere feiten. In plaats
daarvan heeft ze een doodgewone, ongelukkige sukkel leren kennen, die
zijn hart in zijn knieholten heeft zitten en door wie het administreren van
worstmassa's kennelijk als een serieuze taak wordt beschouwd. Zijn God
schijnt slechts een leven in Saksen, zijn Heilige Maagd zijn allerliefste-
moeder van de adoptieve bijslaap te zijn. Zo fantasieloos kan het kennelijk
toegaan aan deze kant van de in het jaar 1949 kennelijk definitief vastgestelde grens, dat zelfs de goddelijke man zich liever banaal gedraagt dan
dat hij een deurtje openzet, zijn spierballen laat zien. Liever denkt hij aan
sterven dan zijn huis te verlaten en elders een nieuw thuis te bouwen. Ze
heeft zich vergist. Voordat de zon opgaat, stopt Josepha haar spulletjes weer
in haar tas, spoelt het kummelkoolglas om met koud water, drukt de jonge
Russische taartenbakster voor de laatste keer tegen haar hart en kust haar,
kleedt zich aan en verdwijnt.

ljusja andrejevna wandrovskaja
korte slotzang op het driedimensionale bestaan

wat heb ik me willen vergissen in mijn kind hoe heb ik het ontzien en tot
held opgeblazen in gedachten. dat heb ik ervan dat ik tot de menselijke
manier van vermenigvuldigen een minstens eenmaal gespleten verhouding heb wegens het mannelijke voortplantingsorgaan dat ik altijd uit een
ongunstig perspectief te zien kreeg in al zijn kracht hoe dan ook ik ben blij
met het mankind en dat ik het heb gevonden en dat iemand me naar hem
toe heeft gebracht ook al denkt hij nu dat ik een lokaas ben van de partij en
me niet serieus neemt als moeder als hartpartisane of bewijs. zijn afkomst
bijvoorbeeld. worstmaker boekhouder: in elk geval is een duits gezinshoofd
van hem geworden dat moet ik erkennen. en niets kan hem nader hebben
gestaan dan een allerliefste-moeder toen had hij alles in een en was niet
alleen terwijl ik in kaliningrad pasteitjes at als bezetterskind hoewel ik toch
zelf een meervoudig bezet kind was. hij is dat nooit geweest. was meteen
man al scheen hij eerder uit het gezicht van mijn vader spelende moskouse
vader gesneden dan uit de rib van mijn jonge god. wat moet ik al tegen
hem zeggen uit mijn oud geworden lijst: dat zijn op de een of andere manier lijfelijke moeder hem bijstaat in zijn logeerkamer woont en met hem
wil leren kennen? ik wijs dat af. josepha rudolphovna begreep dat ik wilde
dat ze vertrok van de plaats van mijn nederlaag. uit het saksische huishouden van mijn zoon. dat ze niet zelf nog voor haar bevalling twijfels zou
krijgen over kinderen baren omdat wat ze zag niet erg bemoedigend was
vanuit moederlijk standpunt. andersom kan het ook positief zijn dat mijn

vergissingen sloffend uit de kamer gingen en ik nu weer helemaal op mijzelf ben aangewezen net als vroeger. ik heb met mijn zakmes slechts een klein stukje leven voor adam gesneden met de aanmatigende houding van een goddelijke schepster – dat leven had hij niet kunnen dragen en zal nooit meer geloven dat er voor hem een moeder staat te wachten in een lijst. daarom wil ik hem ook niet meer storen en hem besparen dat hij leeftijdloos blijft voor de rest van zijn leven. ik denk dat ik hem daarmee een plezier doe. voor een lijfelijke baba ben ik niet geschikt dus wacht ik tot hij genoeg van me krijgt en me wegsmijt op zijn mannelijke manier. een laatste keer wil ik het driedimensionale nog proberen waartoe ik me aangetrokken voelde in herinnering aan hem aan mijn halfgoddelijke ribkind...

Op de vloer van de logeerkamer in Lutzschen vallen achtereenvolgens scherven glas, delen van een houten lijst en een kartonnen passepartout. Ljusja's vuist steekt een ogenblik lang lichtend uit het beeldvlak, voordat die weer terugvalt en de foto neerfladdert op de overblijfselen van de lijst en daar blijft liggen. Adam Rippes slaap is diep genoeg om hem daar niets van te laten vernemen. Pas als hij 's ochtends de gast een potje thee wil brengen, ziet hij de schade en ruimt het vermeende afval op. Daarbij snijdt hij zichzelf aan de scherven, en de vijf druppels bloed die in dikke draden over Ljusja's gezicht lopen en hem zo een ogenblik lang met zijn moeder verbinden, doen hem verouderen tot de Adam Rippe die de blinde allerliefste-moeder in haar hoofd draagt.

November. En slot

Wanneer de maand van de bevalling de eerste sneeuw in de bergen rond W. strooit, ontstaat er weer een band tussen Josepha en haar overgrootmoeder. Tot haar geluk was Josepha na een dag afwezigheid weer thuisgekomen, zonder een woord te zeggen weliswaar en niet bepaald in een opgewekte stemming, maar in elk geval was Thereses vrees dat ze het meisje helemaal uit huis had verdreven met het vaderlooslot en de Birute-angst, niet uitgekomen. Alleen dat er sinds de laatste etappe van de expeditie een blauwe blaar op haar lip zit, die niet meer weg te krijgen is, beschouwt ze als een teken dat dat waarmee ze de kleine Josepha heeft belast in haar leven, nog niet is doorstaan. Ljusja heeft leren dragen in de Lutzschense nacht: het lot, de consequenties van de eigen daden en teleurstelling. Josepha slaat het op bij haar gewicht, dat haar toch al ruimschoots met de aardkloot verbindt: het gewicht van het zwart-witte kind, en ze wordt het er met zichzelf over eens dat Thereses gedrag overeenkomsten vertoont met haar eigen gedrag tijdens haar geheime poging de verdwenen opzichtster te vinden. Ze voelt dat ze geen kracht heeft – nu niet? of nooit? – om nog een keer op zoek te gaan voordat ze het zwart-witte kind ter wereld heeft gebracht. Aan haar overgrootmoeder denkt ze, aan haar hoge leeftijd en ook aan het feit dat Therese de kracht noch de tijd zal hebben om de afgelegde weg weer op te rollen en de kluwen nog een keer in een andere richting te gooien om de draad te volgen. Mild gestemd ligt Josepha overdag op de vloer van de woonkamer, leest geleende boeken over verschillende manieren om de pijn te verzachten tijdens het baren, doet intussen een paar gymnastiekoefeningen, eet en valt in slaap, wordt weer wakker en neemt Therese in haar armen. Dan wiegen ze samen heen en weer en zijn ervan overtuigd dat de ander nog een keer de etappes van de expeditie doorloopt en dat dat de oorzaak is van de synchroniteit van hun bewegingen. En inderdaad zijn ze ook dan met de gebeurtenissen op het imaginaire doek bezig wanneer ze heel andere dingen – en elk voor zich – doen: Gunnar Lennefsen heeft voor een sterkere grondtoon gezorgd.

Dat Josepha het kartonnetje van de zwangerschapszorg heeft opgerookt in de trein naar Leipzig, levert haar nog een keer de berispende blikken van de vrouwelijke arts op: ze moest haar wel zonder zwangerschapsbewijsje onder ogen komen en uitleggen dat het verloren was gegaan in een van de werkjassen van de v e b Kalenders en Kantoorartikelen Max Papp of anders gewoon is meegewassen met de bonte was. Van diefstal kon nauwelijks sprake zijn, verklaart ze nog schuin uit haar ooghoeken grijnzend, wie zou er immers iets aan hebben, maar dan krijgt ze al de koude douche van de bestraffende woorden over zich heen: onverantwoordelijk, slordig, slonzig, verloederd, lichtzinnig en grillig. Dat is ze, beweert de arts. Wanneer haar opnieuw dreigend een officieel papiertje wordt toegestoken, kan Josepha het goed aanpakken. De bronzen arts maakt op grond van het dossier een duplicaat en geeft het aan Josepha, die het in haar zak kan steken zonder het te laten vallen, zonder te moeten verhinderen dat het tegen een muur klautert of uit het raam vliegt. De manier van de arts om de stand van de zwangerschap te onderzoeken en te beoordelen is nog steeds grensoverschrijdend, maar Josepha heeft iets anders aan haar hoofd en tekent geen protest aan. De vreemde vrouw steekt wijs- en ringvinger in haar onderste opening, tast de moedermond af, drukt met haar handen tegen het zwartwitte kind om te meten hoe groot het is, luistert met een houten buis naar de hartslag en schudt gemaakt bezorgd haar hoofd. Josepha is intussen beslagen genoeg ten ijs gekomen om op zichzelf te vertrouwen wat haar werk aan het moederschap betreft. Birutes onversaagde moeder stelt ze zich voor op de akker, of Ottilie Wilczinski, zoals die in het Beierse N. op de manier van de Comanche-indianen baart. Dat moest iemand haar maar eens nadoen aan deze zijde van de in het jaar 1949 kennelijk definitief vastgestelde grens, waar volgens de wettelijk voorgeschreven methode wordt gebaard, ga je gang maar. Maar omdat Josepha helemaal geen lichamelijke ervaring heeft op het gebied van baren, bereidt ze haar in het land gebruikelijke verblijf in de kraamkliniek voor, door een tas volgens de aanbevelingen van het zwangerschapsadviesbureau in te pakken, door voor de kookwas geschikte onderbroekjes en zoogbustehouders te kopen alsmede een katoenen washandje op grond waarvan, als je het formulier gelooft, wordt bepaald of de aanstaande moeder de zaak serieus genoeg neemt. Een halve meter lange rijen knopen op de gebloemde of in de lengte gestreepte nachtjaponnen moeten de duur van de borstvoeding bekorten, zoals identiteitsbewijzen de tijd verkorten tussen de geboorte en het opstellen van het geboortebewijs. Alleen voor het kind heeft Josepha zich een kleine afwijking veroorloofd en een door Ottilie Reveslueh uit Beieren geïmporteerde fopspeen ingepakt, evenals een stel kleertjes van de kleine Avraham Bodofranz, waarvan de functionele esthetiek de artikelen in de stedelijke kledingwinkels evenzeer in de schaduw laat staan als het resultaat van de breien haakactiviteiten van haar collega's uit de kalenderfabriek. Therese vertelt af en toe over de bijzonderheden van haar beide baringen, Carmen Salzwedel brengt om de twee dagen de laatste roddels uit de fabriek over. Van haar verneemt Josepha dat de collega's twee dagen nodig hadden gehad om de slapend lijkende honden uit de kasten in de kleedruimtes te verwijderen en in hun volkstuintjes te begraven, in de visvijvers rond Cumbach te dumpen of, wat gelukkig slechts een keer of twee, drie is gebeurd, de kadavers in vuilniszakken te doen en ze te verstoppen tussen de hoge bergen industrieel afval. Van haar verneemt Josepha bovendien wat Manfred Hinterzarts zuster in Burj 'Umar Idris in de Algerijnse woestijn zo heeft laten lijden: haar blonde haar boven haar lichte ogen. Dat had haar namelijk tot een constant aangegaapt object van mannelijke verlangens gemaakt. Wanneer ze zich ergens liet zien in de beperkte openbaarheid van de Algerijnse woestijn, grepen mannenhanden haar bij haar haar en werd ze om die reden door de inlandse vrouwen bespuugd. Ze had haar haar op aanraden van haar schoonmoeder ten slotte onder een sluier verstopt, waaronder natuurlijk ook haar muzikale achterhoofd niet te zien was geweest en ze verleerde het zingen. Haar man wilde nu niet meer weten wie ze was, omdat ze immers blootgesteld was geweest aan de handtastelijkheden van andere mannen en daardoor in zijn ogen was onteerd. Ook als moeder van haar dochters Magnolia en Kassandra nam ze nog maar zelden een plaatsje in in het bewustzijn van Benderdour, en wanneer dat gebeurde, dan wist hij zich uitsluitend haar openingen te herinneren waarop hij aanspraak kon maken op grond van zijn huwelijk met haar. Eén keer had ze nog geprobeerd haar ouders te verzoeken een naaimachine te sturen. Dat was toen het idee voor zichzelf en haar kinderen in een van de grote Algerijnse steden een eigen leven op te bouwen, nog niet helemaal was verpletterd onder de wetten van Benderdour en zijn familie. Sinds dat verzoek had geen enkel levensteken van haar ouders of haar broer haar meer bereikt, en ook niet de felbegeerde naaimachine, die de Hinterzarts, gebruikmakend van verschillende nuttige relaties, snel op de kop hadden weten te tikken en per post hadden verstuurd. Dat Annegret toch nog een bericht naar het noorden had kunnen sturen, was te danken aan een meelevende polygrafie-ingenieur, die in haar woonplaats op zoek was geweest naar de schoonheden van het land. Gedurende een paar dagen, waarin hij vrij had gehad om een beetje uit te rusten alvorens het toezicht bij de oprichting van een drukkerij in de buurt van Algiers op zich te nemen, had hij een tocht door de woestijn gemaakt met een inheemse gids en was zo in Burj 'Umar Idris terechtgekomen. Annegret, wie het allang was verboden samen met Kassandra en Magnolia een wandelingetje te maken, was tijdens het boodschappen doen het accent van de toerist opgevallen, dat niet thuishoorde bij het gebruikelijke Frans en dat haar sterk aan de klank van haar moedertaal deed denken. Met korte zinnen had ze geprobeerd hem op de hoogte te stellen van haar situatie en hem gevraagd een bericht door te geven aan haar ouders. De volgende dag had er een hartverscheurende brief in de bagage van de man gezeten. Na zijn eerstvolgende reis naar huis had hij die in een envelop gestopt, er een postzegel op geplakt en gehoopt dat hij zou aankomen op een plek waar iemand zich zou kunnen bekommeren om deze vrouw in de Algerijnse woestijn. De familie Hinterzart had alles in het werk gesteld om via de *bevoegde instantie* toestemming te krijgen om naar Algerije te gaan – maar zonder resultaat. Toen men de ouders ten slotte uitnodigde zich te laten voorlichten over de stand van de diplomatieke betrekkingen tussen de landen van de bi-nationale echtgenoten, en in te zien dat ingrijpen in de interne aangelegenheden van een soevereine staat niet in overeenstemming is met de principes van het maatschappelijke bestel alhier, hadden ze al gecapituleerd en alleen nog tijdens klamme nachten huilend troost kunnen vinden bij elkaar. Maar Manfred had het niet willen opgeven en was woedend en hardnekkig de vraag blijven stellen of wellicht de interne aangelegenheden van zijn zuster in alle gevallen ondergeschikt waren aan die van het land, en, ondanks de waarschuwing niets over het lot van zijn zuster aan de openbaarheid prijs te geven, had hij Carmen Salzwedel verteld wat hij wist. Zo verneemt ook Josepha wat haar jeugdvriendin in het verre Algerije door liefde is overkomen. Wat ze te horen krijgt, maakt haar misselijk in haar maagholte. Het wekt haar verlangen haar vriendin van vroeger over de grenzen heen te hulp te komen. Ze weet alleen nog niet hoe. November staat traag tussen de mensen in W., onaangedaan, maar geheel vervuld van een onzeker voorgevoel dat ook het idee Annegret Hinterzart te hulp te schieten Josepha niet ondenkbaar voorkomt, maar zich eerder bij het ongewisse voegt als mogelijkheid...

Op de negentiende ochtend van de maand glijdt een bloederige prop uit Josepha's schede – de geboorte van het zwart-witte kind kondigt zich aan. De weeën hebben de regie over de lijfelijke processen nog niet overgenomen, zodat de toekomstige moeder aan tafel zit, thee drinkt en afwacht. Uit de kamer van Therese komen, het is nu al bijna vertrouwd, geluiden als van ritselende zijde, tegelijk met het geratel van de naaimachine en zuchten die op een grote inspanning wijzen. Maar zodra Josepha wil gaan kijken wat zich achter de deur afspeelt, treft ze, dat is nu eveneens een vertrouwde aanblik, de glimlachende Therese aan die zich over het elastiek van een versleten onderbroek buigt. 's Middags komt Richard Rund, die zich verheugt op de Oost-Pruisische maaltijd: leverworst krijgt hij, een vingerdikke plak, bij een aan het eten voorafgaande ouwe klare die de spijsvertering bevordert. Dan komt er spekmoes op tafel, erwtenpuree met bloedworst en als nagerecht *Klunkern* met bosbessen. Josepha kan dat soort eten al niet meer zien zonder te kotsen. Daarom brengt Therese alleen de *Klunkern* met bosbessen naar de veranda en een groot glas melk erbij. Nog even slapen, dat wil Josepha, voordat de weeën beginnen, nog één keer een droomrondje maken. Alsof hij dat weet, komt Richard Rund haar een glas rode wijn brengen, Erlauer Stierblut, en gaat bij haar zitten. Therese, zegt hij, bevalt hem de laatste tijd meer dan ooit, alleen was ze zwakker geworden en er steeg af en toe een eenduidige geur van een spoedig afscheid uit haar poriën op. Dat maakte hem bezorgd en blij tegelijk. Enerzijds had Therese juist nu een vrede met zichzelf gesloten die haar het afscheid zou vergemakkelijken. Anderzijds was hij meer bevreesd voor haar afwezigheid dan voor zijn eigen verscheiden. Of Josepha wellicht raad wist? Of hij met Therese moest trouwen, zodat ze uit respect voor de wet nog een poosje bij hem zou blijven als zijn echtgenote? Hij kon er niet toe besluiten haar voor te stellen die stap te zetten, omdat hij niet wist of ze zelf al een vermoeden had van haar afscheid. Josepha beweert dat haar eigenlijk alleen de blauwe blaar was opgevallen sinds de laatste etappe van de expeditie. Dat bovendien ook de psychofysische constitutie van haar overgrootmoeder is veranderd, zoals hij meent, heeft ze tot dusver niet willen constateren. Nu Richard Rund haar met rode wijn verwent en haar in iets neemt wat waarschijnlijk zijn vertrouwen moet worden genoemd, maakt ze zich zorgen. Inderdaad kan ze dat onbestemde geritsel niet vergeten dat uit Thereses kamer naar buiten dringt, tegelijk met het geratel van de naaimachine, alsof daarmee lange, rechte naden worden gestikt. Zulke lange naden, dat een levensgroot doodshemd als object van de inspanningen eigenlijk uitgesloten is. Wat speelt zich daar af? Ze durft er Richard Rund niets over te vertellen, omdat ze denkt dat diens vermoeden ongetwijfeld toch op een lijkwade zou uitkomen. Dat is onverdraaglijk, dat moet ze vermijden. Nu haar lichaam helemaal door het zwart-witte kind bezet schijnt, is er geen plaats in haar voor de gedachte aan een spoedig afscheid. Ze slaat in de wind wat Richard Rund als een redelijk voorstel beschouwt: een bruiloft, en heeft algauw alleen spot over voor zijn vasthoudendheid. Ach, Marjalleke toch, griezelt de doof geworden rentenier vol onbegrip, een uitdrukking van Therese gebruikend waarmee die haar radeloze verbazing over haar achterkleindochter pleegt uit te drukken. Dan gaat hij naar de slaapkamer van zijn geliefde, trekt zich het verdriet van zijn liefste aan, en het valt hem inderdaad algauw op dat haar huid meer gerimpeld is dan een paar dagen geleden, veel meer meegeeft als hij die aait, alsof die al bijna is losgeraakt van het onderliggende vlees. Tranen uit Richard Runds ogen mengen zich met Thereses liefdeszweet, haar hevige geproest schijnt al bijna verleden tijd tijdens het bergbeklimmen. Zacht en teder opent zich voor hem wat hij ooit een vulkaan heeft genoemd, maar wat nu op een geiser lijkt en dampwolkjes paft gelijk dunne, bruine damessigaretten. Het geisertje smaakt naar lekkere vanille en kaneel, er is niet te bekennen van de geur van bloedworst en erwtenpuree, Therese is veranderd.

's Avonds beginnen de weeën. Josepha belt de ziekenauto en laat zich naar de kraamkliniek van een nabijgelegen kuurkliniek vervoeren, die de geboorten verzorgt voor W. en de omliggende gemeenten. (Eerst heeft ze de ratjes voor een paar dagen Therese op het hart gebonden.) Een nog net jonge arts met de naam Ernst onderzoekt haar en stelt een slechts geringe opening van de moedermond vast. Josepha heeft tijd om een bad te nemen na de gebruikelijke opnameprocedure en de nasleep daarvan, heeft tijd de haar ongepast voorkomende vragen naar de vader van het kind opnieuw niet te beantwoorden, heeft tijd om haar spullen in een afsluitbaar kastje te doen en dan op het middelste van drie kraambedden in de kraamzaal te gaan liggen. Het zal lang duren tot het zwart-witte kind uit haar zal komen. Vier geboorten maakt ze links en rechts naast zich mee, waarvan het verloop haar verwachting het er levend af te zullen brengen aanvankelijk niet bevestigen. Een zuigelingenzuster zorgt voor enige afleiding door al naar de naam van het verwachte kind te vragen om die in de formulieren te kunnen optekenen. Josepha's antwoord dat een meisje Rema Andante, een jongen Shugderdemydin moet worden genoemd, heeft de visite van de geneesheer-directeur van de kliniek aan haar kraambed tot gevolg. Hem moet ze vertellen dat een Mongoolse astronaut van die naam over enkele jaren om de aarde zal cirkelen en dat het Mongools toch al ondervertegenwoordigd is in het dagelijkse taalgebruik. Ze wil daar verandering in brengen, zegt ze. Tenslotte was Djingiz Chan tot ver buiten Mongolië een invloedrijke man geweest. Een pijngolf beneemt haar het woord. Nu hoeft ze in elk geval geen argumenten meer te leveren voor de dubieuze naam Rema Andante: de arts tast wat rond in haar gespannen lichaam en glimlacht zelfs, bereidt haar erop voor dat de geboorte tot zijn verrassing elk moment kan plaatsvinden, ze is verbazingwekkend snel gevorderd voor de onervaren vrouw die ze is, hij roept om de vroedvrouw en houdt na drie, vier persweeën het zwart-witte kind in zijn handen. Het lacht. Ook Josepha moet lachen als ze het nieuwe mensje ziet: onder het stroblonde kroeshaar een vriendelijk gezichtje. Donkere vlekken vormen een onregelmatig patroon op de lichte, rossige huid van de jongen en accentueren zijn toch al vrolijke uiterlijk. De vraag naar Rema Andante hoeft nu dus niet meer te worden beantwoord, maar voor de melodieuze voornaam Shugderdemydin is een advies nodig van de hoogleraar voor mongolistiek aan de hoofdstedelijke universiteit. Men zal uiteindelijk niet anders kunnen dan toegeven aan Josepha en de naam van het kind tandenknarsend en hoofdschuddend in het geboorteregister opnemen...

Vier dagen moet ze nog met Shugderdemydin in de kliniek blijven, zegt dokter Ernst na zijn eerste visite in de verloskamer. Josepha kan blij zijn dat ze een plaats heeft gevonden in een kamer: op de gangen, zelfs op de overlopen staan brancards als provisorische bedden. Baargekte? Bandeloze kinderfokkerij? Slechts heel zelden worden de nieuwe mensen naar de kamer gebracht om ze de borst te geven. De vrouwen wordt aanbevolen maar liever meteen over te gaan op flesvoeding, dat zou het personeel bij de verzorging van de zuigelingen erg ontlasten, *u ziet toch hoe druk het hier is!* Bovendien slapen de kinderen er 's nachts beter op. Voor de borsten hebben ze ijszakken, ook spuitjes hebben ze voorradig om het zog te stoppen, maar iedereen moet natuurlijk zelf weten of je jezelf en het personeel het leven moeilijk wilt maken. Jospepha krijgt nauwelijks de tijd het lijfje van Shugderdemydin te leren kennen, zo vlug worden de kinderen weer naar de zuigelingenzaal gebracht. Eén keer, als ze doet alsof het kind aan haar borst in slaap is gevallen en precies op het moment dat de zuster de deur liet knallen weer wakker is geworden en daarom nog maar pas aan het drinken is geslagen, onderzoekt ze navelwondje en scrotum, strijkt met haar vingers langs de ruggengraat, bijt in de oortjes, drukt de voetjes in haar oogholten, legt haar hoofd op het slaapwarme borstje, kijkt in de neusholten, aait met haar hand over de blonde kroeshaarbundeltjes, die kietelen in haar handpalm, en begint de ontelbare melkkoffiekleurige vlekjes op de huid met tedere voortvarendheid te kussen. Het is, denkt ze, aan Mokwambi Solulere te danken dat ook de melkkoffiekleurige vlekjes op de huid van de Letse jood Avraham Rautenkrantz terugkomen bij de voortzetting van de Schlupfburgse familiegeschiedenis. Dat intussen door de artsen van de kliniek wordt overwogen het kind wegens een vermeende storing van de pigmentatie een poosje op te nemen in de kliniek van de districtshoofdstad, zal ze niet te weten komen, men ziet er ten slotte van af omdat het kind goed gedijt en, voor zover dat kan worden vastgesteld, niet lijdt aan een verminderd gezichtsvermogen. Fidelia, de godin van de onberedeneerd vrolijke uurtjes, maakt van de knaap gebruik zo vaak als ze daar zin in heeft: hij maakt iedereen aan het lachen, een bevrijdende lach die alle anders geaarde stemmingen verdrijft zodra je naar hem kijkt. Hij wordt overladen met genegenheid. Sommige moeders hebben al spijt van hun eigen kind, dat misschien niet zo veel genegenheid oogst en ook hun moederlijke gevoelens nog niet heeft kunnen wekken. Josepha heeft geluk. Ze kan heel vanzelfsprekend van Shugderdemydin houden en neemt hem, nadat ze de in het land gebruikelijke termijn in de kliniek heeft doorgebracht, mee naar huis.

Therese heeft intussen vrienden, kennissen en haar teruggevonden Beierse dochter op de hoogte gesteld van de komst van het kind. Geboortegeschenken stromen het huis binnen: jasjes en hemdjes, flesjes en prenten-boeken, rateltjes en teddyberen, alcoholische vruchten en zelfs een halve in weckpotten ondergebrachte geit uit de slachtvoorraad van de familie Hinterzart. Al die dingen doet Therese in dunne Cubaanse suikerzakken van wit katoen en ze stapelt ze op in haar kamer. Josepha leert, als de melk goed stroomt, het oude Schlupfburgse zogen, ze is blij met het kind en heeft weinig plaats in haar hoofd voor andere dingen. Alleen blijft Carmen Salzwedels verlangen haar niet verborgen, wanneer die Shugderdemydin tegen haar eigen borst mag drukken en op haar arm door de kamer mag dragen of, wanneer Josepha een keer een beetje wil uitslapen, met hem door W.'s nieuwsgierige straten en stegen mag wandelen. Soms ontmoet ze dan op de markt Manfred Hinterzart, en samen duwen ze dan de buiki-ge kinderwagen voor zich uit als het verlangen naar een gezamenlijk kind.

Op de laatste dag van de maand roept Therese Josepha met de pasgebo-rene aan haar bed, ze voelt zich zwak, maar wil, zegt ze, later absoluut op-staan. Ze vraag of Josepha uit het onderste vak van haar oude klerenkast haar naaiwerk wil pakken. Grijnst uit haar ooghoeken, de schat. Het naai-werk blijkt een enorme augurkvormige zak te zijn, waarmee Josepha eerst niets te beginnen weet. Wel herinnert ze zich het geritsel van het over de vloer glijdende materiaal als het geluid waarvan ze de afgelopen weken de oorsprong niet had kunnen ontdekken. Imaginair doek, zegt Therese dan, daarmee kun je alle kanten op. Een luchtschip heeft ze genaaid om haar nakomelingen vrije aftocht te bieden uit de levenswijzen van het huidige staatsbestel. Dezelfde avond nog zie je Josepha en Therese met de kinder-wagen van de kleine Shugderdemydin op pad gaan naar de vijvers van Schröder. Een avondwandeling in de frisse lucht, zou je kunnen denken, wanneer ze niet zo veel bagage bij zich zouden hebben, die ze boven op de kinderwagen hebben opgetast en die ze nu door de nevel duwen. In de boomgaard gaat Therese in het gras zitten, snuift hoorbaar door haar wijd opengesperde neusgaten en verzoekt Josepha het stoffen omhulsel om zichzelf, het kind en de bagage heen te trekken. Vervolgens blaast ze door de slang van een stofzuiger, die ze met haar lippen stevig omsluit, de war-me lucht uit haar longen in de zak, alsmede al haar hoop, die veel gemeen heeft met het vertrouwen dat ze na het eind van de laatste oorlog onder haar huid heeft laten rijpen: dat men elkaar op een dag weer zal ontmoe-ten. Therese sterft, onopgemerkt door Josepha, die opstijgt naar de zevende hemel. Therese sterft op een gelukkig makende manier, zonder bitterheid en bevrijd van alle lasten. Wanneer helemaal boven in de lucht nog net een augurkje te zien is, leeft er alleen nog maar goeds in haar, en ze gaat van de ene toestand van volmaakte zaligheid over in de volgende. Ze weet dat de vliegende godinnen zich over het luchtschip ontfermen en het zeker ergens heen brengen waar Josepha met het kind graag naar toe gaat...

Op het terrein van Schröders vijvers, even buiten het Thüringse provinciestadje W., vinden *bevoegde instanties*, die door een burger met de spotnaam bruinige Eugen zijn geïnformeerd, in december van het jaar 1976 het lijk van een vrouw, die door de burger Richard Rund en de burgeres Carmen Salzwedel als de eenentachtigjarige Therese Schlupfburg wordt geïdentificeerd. De omstandigheden van de vondst wijzen er niet op dat er een geweldmisdrijf heeft plaatsgevonden, maar eerder een natuurlijke dood door uitputting. Sectie bevestigt dat. De patholoog vermeldt echter in zijn verslag een merkwaardige toestand van het lijk, die hij niet anders dan 'volstrekt hopeloos' kan noemen, omdat er geen vakuitdrukking voor bestaat. Het zalige lachje op het gezicht en de teer te noemen rosse kleur van de huid contrasteren zo sterk met de innerlijke leegte van het lijk, waarbij letterlijk elk vonkje substantie onttrokken lijkt te zijn aan de overgebleven celwanden, dat hij aan een soort eest had moeten denken, en wel van psychische oorsprong. De oude vrouw had zich zogezegd geestelijk laten uitdrogen, wellicht om haar substantie elders te kunnen inzetten.

Het echtpaar Reveslueh in het Beierse N. zal door de ouders van de precieze Angelika op de hoogte worden gesteld van het overlijden van Therese, en ook te horen krijgen dat de jonge moeder Josepha Schlupfburg met haar zoon Shugderdemydin sinds het verscheiden van Therese wordt vermist. In haar eentje reist Ottilie op de bewuste dag nog één keer naar W., over de in het jaar 1949 kennelijk definitief vastgestelde grens, en begraaft haar voor slechts zo korte tijd hervonden moeder. Haar kleindochter heeft ze niet goed genoeg leren kennen om haar verdwijning hevig te betreuren. Toch vertelt ze na haar terugkeer haar echtgenoot over een flauw gevoel in haar mondholte, terwijl de kleine Avraham Bodofranz luidkeels lacht over zijn een beetje beteuterd kijkende ouders.

De *bevoegde instanties* ontruimen de woning van de burgeressen Schlupfburg verrassend snel en beargumenteren dat met de noodzaak vrijgekomen woonruimte zo snel mogelijk weer te verhuren. Het is een hele klus om het grote aantal de maand februari aanwijzende en buitengewoon vast op de muur zittende wandkalenders uit de keuken te verwijderen. Pas na een halfjaar lukt het een kort tevoren van zijn vrouw Hilletrud gescheiden voormalige agent van de spoorwegpolitie daar zijn intrek te laten nemen, samen met de oorzaak van de scheiding, een slecht bekendstaande stationsschoonmaakster, Hutschi genaamd. De buren kunnen nu elke dag een van geluk stralend paar naar het werk zien gaan, hand in hand, naar het nabijgelegen station in F., beiden als schoonmakers.

Op de dag van het christelijke kerstfeest in het jaar 1976 laten de nieuwsuitzendingen op de tv aan gene zijde van de in het jaar 1949 kennelijk definitief vastgestelde grens bibberige opnamen zien uit de Algerijnse woestijn. De bevolking daar was in paniek geraakt door de landing van een zilver glanzend luchtschip in de buurt van de plaats Burj 'Umar Idris, die ze op enige afstand had kunnen gadeslaan. De verklaring van de overheidsinstanties dat het slechts een fata morgana was geweest, was onhoudbaar gebleken, omdat een getrouwde vrouw met twee kinderen onder de ogen van de angstig en boos schreeuwende familie naar het vliegende object toe was gelopen en was ingestapt. Ten slotte was het luchtschip in zuidoostelijke richting weggevlogen en algauw niet meer te zien geweest. De waarneming en het gedrag van de bevolking, zo luidde de bewering, konden alleen worden verklaard als die werden toegeschreven aan een massapsychose, omdat noch op de radarschermen van de militaire luchtafweer noch met het blote oog op enigerlei plek een luchtschip te zien was geweest, wat bewees dat het non-existent was.

Nawoord

Dertieneneenhalf jaar na het eind van de Gunnar Lennefsen-expeditie geeft op het postkantoor in het Thüringse G. een nogal gezette, oudere heer een pakje af, wat verder niet vermeldenswaardig zou zijn, wanneer de medewerkster van de posterijen niet het over zijn hele lichaam stromende angstzweet van de klant was opgevallen. Op haar navraag verklaart hij dat met een door levenslange hartverduistering veroorzaakte ademnood. Een paar dagen later houdt Rudolph Schlupfburg, medewerker bij de plantsoenendienst van de hoofdstad van het district, een pakje zonder afzender in zijn hand en haalt daar een klein boekje uit met een zwarte kaft, waarvan de in handschrift opgetekende inhoud niet eenvoudig te ontcijferen lijkt. De in het jaar 1949 vastgestelde grens heeft intussen kennelijke haar definitieve karakter verloren, wat nogal wat verwarring veroorzaakt, zodat hij het pakje eerst als een vergissing beschouwt en het wil terugbrengen naar het postkantoor. Voordat hij daartoe komt, maakt zijn geadopteerde zoon Seppel het open en leert wat niemand van hem verwacht: lezen.

Op het kantoor van de intussen tot een regionaal imperium in de handel met antiquiteiten uitgegroeide onderneming van Jerzy Oleszewicz in het Beierse N., wordt aan het eind van de jaren tachtig een kastje te koop aangeboden uit de nalatenschap van ene dokter Schlesinger uit Eschwege. Oleszewicz is vakman en man van eer genoeg om oog te hebben voor de waarde van het kunstig gemaakte kastje en de verkoper er een prijs voor te betalen waarmee die zijn vurig begeerde emigratie naar een warmer land kan financieren. Oleszewicz verkoopt het kastje echter niet, maar doet het op de dag van hun gouden bruiloft cadeau aan zijn geliefde echtgenote Agnieszka. Wanneer enige tijd na deze gebeurtenis een in Café Dornstübl in N. als volontair werkzame en uit Thüringen afkomstige jonge vrouw met de naam Feodora Schlupfburg bij Oleszewicz op bezoek komt en hem vraagt een paar spullen, die ze op zijn tafel legt, van haar te kopen of ten minste in commissie te nemen – ze wil de familie van haar werkloos geworden ouders aan gene zijde van de destijds definitief lijkende grens een beetje bijstaan in hun beperkte mogelijkheden – herinnert ook Oleszewicz zich dat hij uit het Oosten afkomstig is en neemt de spullen voor een niet gering bedrag van haar over. Hij vertrouwt er niet op dat de spullen bij verkoop iets zullen opbrengen en belt daarom een hem bekende kraamhouder op een rommelmarkt met het verzoek bij gelegenheid wat waardeloze troep bij hem af te komen halen. Maar een klein, zwart ingebonden boekje met in handschrift geschreven notities van twee vermoedelijk vrouwelijke personen, bergt hij op in Agnieszka's kastje boven de echtelijke sponde, om er misschien toch nog een keer in te lezen.

Personenregister

Josepha Schlupfburg, drukster bij de VEB Kalenders en Kantoorartikelen Max Papp in de Thüringse provinciestad W. en zwanger van het zwart-witte kind.

Therese Schlupfburg, Josepha's overgrootmoeder.

Ottilie Wilczinski geb. Schlupfburg, later Reveslueh, regelmatig glasbreuk veroorzakende dochter van Therese Schlupfburg, grootmoeder van de hoofdpersoon, moeder van Rudolph Schlupfburg en van de, sensationeel door haar op late leeftijd ter wereld gebrachte, Avraham Bodofranz.

August Globotta, genaamd tedere August, liefhebber van eenpansmaaltijden en telg uit een Oost-Elbisch adellijk geslacht, vader van Ottilie.

Rudolph Schlupfburg, buitengesloten vader van de hoofdpersoon.

Marguerite Eaulalia Hebenstreit, eerste echtgenote van Rudolph Schlupfburg en moeder van de hoofdpersoon.

Karl Rapler, rondtrekkende Oost-Pruisische scharensliep, later als Gennadij Solovjov lid van de Communistische Partij van de Unie der Socialistische Sovjet Republieken en van de kolchoz 'Rode Oktober' in een dorp in de buurt van Witebsk, schijnvader van Rudolph Schlupfburg.

Birute Szameitat, tweede echtgenote van Rudolph Schlupfburg, Oost-Pruisisch stuifduin, tussendoor Pools-Litouwse papieren Kirgizische, zogenaamd van Russische afkomst en Duitstalig, en meesteres in de beheersing van de verlossende handgreep.

Bodo Wilczinski, portier bij een gekkengesticht in het Beierse N., eerste echtgenoot van Ottilie Wilczinski.

Avraham Rautenkrantz, Letse jood, vader van Rudolph Schlupfburg.

Franz Reveslueh, Beierse elektrotechnicus, tweede echtgenoot van Ottilie Wilczinski, naast Rautenkrantz en Wilczinski een van de drie vaders van de kleine Avraham Bodofranz.

Adolf Erbs, ooit te vondeling gelegd op de stoep van de Juditterkerk, bontwerker en heimelijke stenensnijder in Königsberg, Pr., vader van Fritz Schlupfburg.

Fritz Schlupfburg, aanhanger van de Hemel boven L.A., zoon van Adolf Erbs en Therese Schlupfburg.

Senta Gloria Lüdeking geb. Amelang, echtgenote van Hans Lüdeking, adoptiemoeder van Lenchen Lüdeking, door haar ook Tegenaria (de huisspin) genoemd.

Hans Lüdeking, dorpsdiender in Fischhausen, verkrachter van Lydia Czechovska en daarom vader van Małgorzata Czechovska, die hij later als Magdalene Tschechau per abuis adopteert en opnieuw zwanger maakt onder de ogen van zijn echtgenote.

Souf Fleur, tijdgeest.

Małgorzata Czechovska; Magdalene Tschechau; Lenchen Lüdeking; Ann Versup, de 'vier moeders', eigenlijk dochter van Lydia Czechovska en Hans Lüdeking, over vier identiteiten beschikkend en bovendien bekend als Konijnenhaasje, zichzelf voor een springspin houdend en met het vermogen in het hart van spinnen te kijken.

Mirabelle Gunillasara Versup, *eng.* Mairebärli, dochter van haar eigen grootvader Hans Lüdeking en daardoor kind van de vier moeders en dochter-zuster van Ann Versup, waarmee ze echter geenszins uitputtend is beschreven, want ook Fritz Schlupfburg alias Amm Versup houdt haar lange tijd voor de dochter van hem en zijn echtgenote Astrid Radegund.

Romancarlo Hebenstreit. Thüringse handelaar in knopen- en accesoires, echtgenoot van Carola Hebenstreit geb. Wilczinski, vader van een tweeling.

Carola Hebenstreit, zuster van Bodo Wilczinski, onverwachts barende moeder van de tweeling Benedicta Carlotta en Astrid Radegund alsook van het waterkind Marguerite Eaulalia.

Willi Thalerthal, vader van het waterkind, door Carola Hebenstreits verzorging met liefde en vrouwenmelk rijpend van een dorre ambtenaar tot een atletische aanhanger van het communisme.

Carmen Salzwedel, vriendin en collega van de hoofdpersoon, in het bezit van vele halfzusters.

Annegret Hinterzart geh. Benderdour, met haar dochters Magnolia en Kassandra in Burj 'Umar Idris in de Algerijnse woestijn teloorgegaan en jeugdvriendin van de hoofdpersoon.

Manfred Hinterzart, broer van Annegret Hinterzart en volontair bij de VEB Kalenders en Kantoorartikelen Max Papp.

Richard Rund, op latere leeftijd doof geworden bergbeklimmer en fruitwijndrinker, minnaar van Therese Schlupfburg.

Mokwambi Solulere, Angolese hartenbladhaker, vader van het zwart-witte kind.

Ljusja Andrejevna Wandrovskaja, horizontaal gespleten, van een driedimensionaal bestaan uiteindelijk definitief afziend en in haar derde leven Russische taartenbakster.

Adam Rippe, Saksische worstboekhouder, halfgoddelijke zoon van L.A. Wandrovskaja.

Rosanne Johanne, de Heimelijke Hoer, hier in de gestalte van de waardin Annamirl Dornbichler.

Inhoud